SCRIPTORVM CLASSICORVM

BIBLIOTHECA OXONIENSIS

OXONII

E TYPOGRAPHEO CLARENDONIANO

Jane Phillips

T. MACCI PLAVTI

COMOEDIAE

RECOGNOVIT

BREVIQVE ADNOTATIONE CRITICA INSTRVXIT

W. M. LINDSAY

IN VNIVERSITATE ANDREANA LITTERARVM HVMANIORVM PROFESSOR

TOMVS II

MILES GLORIOSVS   MOSTELLARIA   PERSA   POENVLVS

PSEVDOLVS   RVDENS   STICHVS   TRINVMMVS

TRVCVLENTVS   VIDVLARIA   FRAGMENTA

OXONII

E TYPOGRAPHEO CLARENDONIANO

OXONII

Excudebat Vivianus Ridler

Architypographus academicus

FIRST PUBLISHED 1905
REPRINTED 1910, 1923, 1928, 1940, 1950
1953, 1956, 1959, 1963, 1966

ADDENDA ET CORRIGENDA

IN ADNOTATIONE CRITICA

[Occasionem nactus, dum novum examen ex alveari typographico emittitur, pauca in fabulis ipsis, aliquot in adnotatione aut correxi aut addidi ; plura hic indicavi quae in adnotatione aut corrigenda videntur aut addenda.

W. M. LINDSAY.

Anno MCMX, *ex Universitate Andreana.*]

MIL. 101 ADD. 101 Ut *codd. Donati Adelph.* I. i. 25   qui amor est *id. ut vid.* (*cf. Berl. Phil. Woch.* 26, 17)

149 LEG. ne *Priscianus* 1, 200, *sed cf. Thulin de coniunct. p.* 157

240 PRO *vel* lactest LEG. *fort.* quam lacte est (*vel* lactest) lactis

304 POST e *add. Camerarius* ADD. (*cf. Class. Rev.* 19, 110)

361 ADD. : quis illīc est *Skutsch* (*Glotta* 1, 315)

379 PRO fenestra *codd.* LEG. fenestra *codd.*: *vel* festra

480 POST (*pro* -ret ?) ADD. , *quod tuetur Blase de mod. permutat. p.* 18

488 POST (*cf.* 490) ADD. *fort. pro* in uia

631 ADD. *vix* albicapillust

731 POST *om. P* ADD. , *fort. recte.*

812 POST *A n. l.* ADD. Cf. Sjögren ('*Fut. im Altlat.*' *p.* 15)

843 POST *Ritschl* ADD. , *Sjögren* ('*Fut. im Altlat.*' *p.* 190)

863 POST quot tu *cod.* ADD. (*cf. Class. Rev.* 19, 110)

897 POST incedit *cod.* ADD. (*cf. Poen.* 577 incedit *pro* cedit *P*)

920 ADD. quin *Durham* ('*Subj. Subst. Clauses*', *p.* 87)

926 PRO *fort.* LEG. *vix*

1005 POST iliam *cod.* ADD. tuis] tueris *Cannegieter de form. fut. exacti, p.* 102

1033 PRO *fort.* LEG. *vix*

1042 POST *Camerarius* ADD. , *sed. cf. Class. Rev.* 19, 110

1061 POST *suspectum* ADD. : *fort.* tantum (δεικτικῶς)

1071 POST quod *cod.* ADD. , *quod tuetur Gaffiot* ('*Subj. Subordin.*', *p.* 202)

1072 POST me *B* ADD. : quoniam (*del.* me) *Gaffiot*

1231 POST *metri causa* ADD. , *sed cf. Radford* (*Trans. Amer. Phil. Ass.* 35, 47)

1253 POST *Leo* ADD. (*sed cf. Cist.* 132)

1278 POST sunt ADD. *Fort.* dotis

1359 ADD. obliscendi *pronuntiandum*

1389 ADD. 1389 stātu *improbat Marx* (*ad Lucil.* 28, 794)

MOST. (*Personae*) ADD. THEOPROPIDES] Theoropides (Theu-) *codd., ut vid., quod tuetur Sonnenschein* (*Class. Rev.* 20, 448)

MOST. 21 POST *Leo* ADD. adulescentem⟨que⟩ *Sonnenschein*

     72 ADD. 72 itan est ? *Seyffert*

     73 POST *scripsi* ADD. (*Class. Rev.* 19, 110)

     75 ADD. facies *ex* facias *cod., ut vid.*

    142 ADD. : plūit in corpus meum *Sonnenschein*

    171 LEG. 171 res o. *Camerarius*: o. res *cod.*: omnés morés
         Bergk

    199 ADD. *vel sic distingue* u. q. sim ; et q. f. ante ! sum *alii*

    200 ADD. 200 Nimio *Fay*

    211 ADD. *vel* capiti

    213 PRO *vix* . . . plena LEG. *vix* malesuada mali uiti plena (*cf.*
         Rud. 319)

    241 ADD. ⟨eu⟩ ed. *Sonnenschein*
         ADD. : Ioui eo *Sonnenschein*

  284, 285 PRO : tibi *cod.* LEG. (*sed cf. Sonnenschein ad loc.*)

    302 ADD. (*quod tuetur Sonnenschein ad loc.*)

    366 POST est ADD. (*vel* sit)

    368 POST agam *cod.* ADD. , *quod tuetur Sjögren* ('*Fut. im
         Altlat.*' *p.* 84)
         PRO *vel* LEG. *vix*

    372 ADD. s. i. D. *Tranioni dant quidam*

    407 LEG. 407–8 probrior (proprior *P*^CD, *quod tuetur Son-
         nenschein in Class. Rev.* 20, 439) *cod.* &c.

    419 ADD. iam iam ⟨scio : A Philolachete mi adfers clauem
         istam⟩ *Niemeyer* (*Berl. Phil. Woch.* 28, 429)

    445 POST *Schoell* ADD. : *fort.* istist (*cf. v.* 1064)

    494 ADD. 494 annos *Abraham stud. Plaut. p.* 232

    500 PRO KAREO LEG. KAREO

    501 ADD. necuit *Ahlberg de correptione, p.* 30

    580 POST *Guietus* ADD. , *Sicker* (*Philol. Suppl.* 11, 204)

    605 POST *P* ADD. (*cf. Sjögren* '*Fut. im Altlat.*' *p.* 201)

    691 ADD. *cf. Gaffiot* ('*Subjonct Subordin.*' *p.* 192)

    711 ADD. , *Sjögren* (*Fut. im Altlat.*' *p.* 157)

    741 PRO uellem *Muretus* : uelim *cod.* LEG. Vellem *Muretus*

    765 PRO col- LEG. col—

    878 ADD. , *sed cf. Sjögren* ('*Fut. im Altlat.*' *p.* 204)

    928 PRO (? *pro* uti ubes) LEG. , *cf. Sjögren* ('*Fut. im Altlat.*'
         p. 55)

    959 POST (*corr.* B²) ADD. haud int. est *Sonnenschein* (*Class.
         Rev.* 20, 157)

    974 PRO (*immo* -ae) LEG. (*fort.* -e *dat. casu*)

    992 LEG. erum ut (*pro* uti ?) *P, fort. recte* : ut e. et *Skutsch*

  1067 POST cuiius *A* ADD. ludificabo] *cf. Class. Rev.* 19, 110
         POST hic *P* ADD. : hodie hic *Skutsch*

  1077 ADD. op. mi *Niemeyer* : mi opportunus *Sjögren* ('*Fut. im
         Altlat.*' *p.* 22)

  1077 LEG. aduenies *cod.* (*pro* -neis?) : aduenerit *Bentley*

  1081 ADD. quidem ⟨edepol⟩ *Niemeyer* (*Berl. Phil. Woch.*
         28, 430)

  1107 PRO quaesiti LEG. quaesiti sit (-sti siet)

ADDENDA ET CORRIGENDA

MOST. 1110 POST munxti *cod.* ADD. : *vel* emunxisti
1114 ADD. , *sed cf. Sjögren* ('*Fut. im Altlat.*' *p.* 31)

PERS. 1 POST es *P* ADD. *vix* Am. in (*iamb. octonar.*)
39 POST *fiat* ADD. tuiame *P*CD (*T n. l.*), *unde* tu iam me
Roppenecker (*Plaut. Metr.* 2, 35)
42 PRO *sitiat Ital.* : sitiare *cod.* LEG. sitiare *cod.* : *corr.*
Roppenecker
97 ADD. (*cf. Class. Rev.* 19, 110)
106 ADD. (*sed cf. Class. Rev.* 19, 110)
120 PRO q. LEG. cui (*i. e.* qui ?)
153 ADD. 153 tanta *Havet* (*cf. ad Men.* 680)
182 LEG. aureis *A* e. a. ⟨eis⟩ q. m. o. (*del.* sunt) *Sicker*
(*Philol. Suppl.* 11, 223) sunt m. *Ritschl, ut versus
anapaesticus fiat*
218 ADD. 218 sciero] scio *Kampmann, Lindskog de con-
dicionalibus, p.* 15
225 PRO ĕcquid LEG. ĕcquĭd
269 ADD. *cf. Sjögren* ('*Fut. im Altlat.*' *p.* 157)
338 POST uendes ADD. *quod approbat Sjögren* '*Fut. im Altlat.*'
p. 94
788 ADD : quidem *del. Havet* (*cf.* 789) uir, ⟨salue⟩. To.
Salueto. Do. et tu b. l. LE. Dord. h. To. quin i. a.
LE. Adi s. l. To. ag. ad SAG. Dord. h. l. s. To.
Locus *Havet* (*Arch. Lat. Lex.* 10, 289)

POEN. 16 PRO haece LEG. f. haece
43 ADD. *fort.* ⟨Nunc⟩ nunc
211 ADD. illaec *Skutsch* (*Berl. Phil. Woch.* 17, 1167)
231ᵃ ADD. (*cf. ad Truc.* 213)
259 POST *Dousa,* ADD. *Sjögren* ('*Fut. im Altlat.*' *p.* 64)
524 ADD. 524 in *fort. delend.*
544 ADD. 544 *vel* At tr. (*cf. Radford* '*Amer. Journ. Phil.*'
25, 162)
547 ADD. , *sed cf. Gaffiot* ('*Subj. Subordin.*' *p* 193)
561 LEG. qu. s. *cod.* : *trai. Bothe* aduenies *Bothe* : aduen-
tares *Seyffert*
599 ADD. (? *pro* ag. Phil., ita n. a. est)
701 PRO ego *om. P* LEG. ego *om. P* : *post* rĕpl. *collocat Geppert*
730 ADD. , *sed cf. Sjögren* ('*Fut. im Altlat.*' *p.* 103)
740 ADD. *cf. Sjögren* ('*Fut. im Altlat.*' *p.* 96)
778 ADD. (*quod tuetur Marx ad Lucil. v.* 1289)
818 ADD. : ita *Seyffert*
875 ADD. *vix* tacĕre (*tertiae coniugationis* ; *cf. Sicker in Philol.
Suppl.* 11, 225
954 ADD. (*cf. Journ. Phil.* 20, 145)
972 PRO *vel* quo tu *T* LEG. *vel* quo tu (*T*) *P*
1051 ADD. Antidamas] *cf. Class. Rev.* 19, 110
1070 ADD. *vel* med *vel* obit
1075 PRO *fort.* . . . aperi LEG. aperi] Aphrodite *Niemeyer
Liter. Centralbl.* 11, 394)

vii

T. MACCI PLAVTI

Poen. 1137 PRO *omnino* LEG. *satis*
    1251 ADD. , *cf. Lindskog de condicionalibus, p.* 102
    1271 ADD. Apella *P*
    1278 ADD. *fort. recte*
    1390 ADD. facīte et *vix ferendum*

Pseud. 146 ADD. , *potius* peristroma
    147 ADD. (*cf. ad Stich.* 378)
    156 POST loquar *A*, ADD. *quod tuetur Sjögren* ('*Fut. im Altlat.*' *p.* 9) ;
    157 PRO igerẹ LEG. ị(*vel* e)gerẹ
    163 POST *Ritschl* ADD. , *Sjögren* ('*Fut. im Altlat.*' *p.* 8)
    184 POST madefecistis *A* ADD. , *quod tuetur Gaffiot* ('*Subj. Subordin.*' *p.* 122)
    208 PRO sermone LEG. sermonẹ
    263 ADD. 263 potin *in fine coli improbat Seyffert* (*Berl. Phil. Woch.* 18, 1577)
    340 ADD. , *sed cf. Sjögren* ('*Fut. im Altlat.*' *p.* 126)
    521 PRO *vel* LEG. *ironice vel*
    564 ADD. : *fort.* quasi
    573 PRO *homoeoarch.* LEG. *homoeoarch., e. g.* ⟨Domi. mox exibo⟩?
    615 ADD. (*sed cf. Class. Rev.* 19, 111)
    650 POST *Bothe* ADD. , *sed cf. Prescott* ('*Some Phases*', *p.* 245)
    734 ADD. 734 homoinem *B* (*vix pro* homonem)
    785 ADD. , *sed cf. Landgraf* (*Arch. Lat. Lex.* 10, 376)
    841 ADD. odos (*pronunt.* olos) dimissis manibus in c. u. *Postgate* (*Indogerm. Forsch.* 26, 115)
    949 PRO effcī (*P ut vid. . . . P*CD) LEG. effici *B* (*pro* effcī, *i. e.* -cies?)
    954 POST *suspectum* ADD. : ill'c est *Skutsch, fort. recte*
    1071 ADD. : erit *Brugmann, Lindskog de condicionalibus, p.* 47
    1159 ADD. , *cf. Sjögren* ('*Fut. im Altlat.*' *p.* 87)
    1274, 1274ᵃ ADD. nime ex discipul. (*anapaest.*) *Skutsch* (*Glotta* I, 313)
    1320 PRO doleastu LEG. doleas tu

Rud. 79 POST illic'st ADD. (ill'c est)
    96 ADD. (*Class. Rev.* 19, 111)
    103 ADD. p., ⟨salue⟩. DA. salueto. PL. am. ad. Sc. sal. sis *Havet* (*Arch. Lat. Lex.* 10, 288) :
    107 ADD. : sēcus *Havet* (*Rev. Phil.* 31, 233)
    161 DEL. NOT. ET LEG. *cf. Arch. Lat. Lex.* 15, 144
    191 DEL. *vel* laborest
    259 PRO *omnino* LEG. *satis*
    272 POST *Bentley* ADD. *metri causa*
    309 ADD. *cf. Sjögren* ('*Fut. im Altlat.*' *p.* 12)
    376 ADD. *cf. Sjögren* ('*Fut. im Altlat.*' *p.* 59)

ADDENDA ET CORRIGENDA

Rud. 384 ADD. (*cf. Class. Rev.* 19, 111)
  479 ADD. 479 hanc hinc *Seyffert* (*Burs. Jahresber.* 1890, *p.* 15)
  528 POST *suspicatur* ADD. (*cf. tamen Havet, Arch. Lat. Lex.*
      15, 358)
  537 ADD. , *sed cf. Havet* (*Arch. Lat. Lex.* 15, 357)
  636 ADD. *cf. Sjögren* ('*Fut. im Altlat.*' *p.* 61)
      ADD. , *Lindskog de condicionalibus, p.* 41
  687 POST *exhibuit cod.* ADD. ; *cf. Class. Rev.* 19, 111
  699 PRO poṭ LEG. paṭ
  705 ADD. 705 *vel* exit
  822 DEL. NOT. ET LEG. Herculi fit *Palmer*
  884 POST *ferendus* : ADD. semel eluo *Brix, Havet* (*Arch. Lat.
      Lex.* 15, 357)
  888 PRO *testatur Priscianus* LEG. *codices Prisciani*
      PRO *Fleckeisen . . . causa* LEG. *codices aliquot Prisciani*
  913 ADD. *iamb. dim. cum anap. trim.*
  920 ADD. nimisque *improbat Leo*
  926 ADD. 926ᵃ *an* consciust?
  993 ADD. audiuisti *cod.*
 1006 POST cerritus ADD. c. ego *Schoell*
 1127 POST *Pylades* ADD. *fort.* Gr. uidulûm
 1130 ADD. *fort.* uidulus estne hic
 1140 POST *Mueller* ADD. , *sed cf. Thulin de coniunctivo, p.* 102
 1144 ADD. (*cf. ad Cist.* 678)
 1247 POST *Pylades* ADD. , *sed cf. Exon* (*Class. Rev.* 20, 35)
 1292 ADD. , *Sjögren* ('*Fut. im Altlat.*' *p.* 64)
 1307 ADD. , *sed cf. Havet* (*Arch. Lat. Lex.* 15, 357)
 1318 ADD. , *Sjögren* ('*Fut. im Altlat.*' *p.* 112)
 1401 POST *Leo* ADD. , *Sjögren* ('*Fut. im Altlat.*' *p.* 190)

Stich. 149 ADD. , *sed cf. Sjögren* ('*Fut. im Altlat.*' *p.* 130)
  167 ADD. *vix* hocce
  197 ADD. *Cf. Sjögren* ('*Fut. im Altlat.*' *p.* 50)
  297 PRO id LEG. id *prius*
  470, 471 ADD. , *sed cf. Sjögren* ('*Fut. im Altlat.*' *p.* 103)
  558 ADD. , *sed. cf. Thulin l. c.*
  568 POST *Fleckeisen* ADD. : post (*immo* post') lauatum in
      p. ibo *Ritschl, Havet* (*Arch. Lat. Lex.* 15, 353)
  577 ADD. : *fort. delend.* atque
      PRO *omnino* LEG. *satis*
  663 LEG. *an* nós conuiuiumst
  671 PRO redeunti *Acidalius* LEG. *cf. Leo* (*Herm.* 40, 612)
  686 ADD. 686 quisque (quisqu') *Ahlberg* ' *Proceleusm.*' *p.* 80
  687 ADD. , *quod mavult Thulin de coniunct. p.* 151
  691 ADD. *vel* oleai
  715 PRO *omnino* LEG. *satis*

Trin. 31 ADD. *cf. Havet* (*Rev. Phil.* 31, 230)
  351 ADD. : malum *del. ut gloss. Brix, Morris* ('*Subjunctive*',
      p. 137)

ix

TRIN. 502 ADD. : res *Schoell, Sicker* (*Philol. Suppl.* 11, 242)

535 ADD. , *cf. Havet* (*Rev. Phil.* 31, 230)

540 POST 1896 ADD. , *p.* 155

581 ADD. 581 LE. e. h. c. *Niemeyer.*

590 ADD. ero. ⟨ST. i modo⟩ *Niemeyer*

606 POST *Ital.* ADD. , *Sjögren* ('*Fut. im Altlat.*' *p.* 117)

679 POST tamen et si *cod.* ADD. : *vix* tamen si (*cf. ad Pers.* 362)

724 POST *Bothe,* ADD. *Seyffert* ('*Stud. Plaut.*' *p.* 30),

768 ADD. *fort.* ignotae

923 ADD. 923 erat *Acidalius, Sjögren* ('*Fut. im Altlat.*' *p.* 116)

928 PRO cecropio . . . *cod.* LEG. cecropia F^{CD} *cf. Prescott* (*Amer. Journ. Phil.* 29, 59)

987 PRO ip SY. LEG. ip (? *pro* CH. ipse) SY.

1012 POST *Camerarius* ADD. , *Thulin de coniunct. p.* 179

1115 ADD. 1115 hominum o. *Reiz metri causa, fort. recte* (*cf. ad Most.* 593)

1126 POST suum *cod.* ADD. , *fort. recte*

1187 POST *B* ADD. (? *pro* -as *corr.* -es)

TRUC. 62ᵃ PRO siet . . . *cod.* 1EG. p. siet *scripsi*: p. est *cod.* : hic posthac minus *Camerarius* (*cf. v.* 64)

127 POST cena detur *A* ADD. , *quod tuetur Sjögren* ('*Fut. im Altlat.*' *p.* 121)

131 PRO tonstricem LEG. tonstricem (tost-)
POST *non placet* ADD. : *vix* obstricem, *cf. Buecheler* (*Glotta* 1, 3)

165 PRO n LEG. n.

201 PRO ut] LEG. ut *alt.*]

249 POST (*i. e.* transiit) ADD. , *quod approbat Abraham* ('*Stud. Plaut.*' *p.* 239)

301 POST *displicet* ADD. ; *cf. Havet, Rev. Phil.* 31, 230

363 PRO *non* LEG. non nimis

374 POST *Plautinum* ADD. (*cf. tamen Sjögren* '*Fut. im Altlat.*' *p.* 231)

381 DEL *fort. recte*
ADD. *cf. Gaffiot* ('*Subjonct. Subordin.*' *p.* 100)

393 ADD. annum *C. F. Müller* ('*Nom. Akk. im Lat.*' *p.* 101) :

419 ADD. , *quod tuetur Sjögren* ('*Fut. im Altlat.*' *p.* 36)

447 POST *displicet* ADD. ; *sed cf. Radford* (*Trans. Amer. Phil. Ass.* 35, 47)

485 PRO pote LEG. potis

501 POST *Leo* ADD. , *sed cf. Seyffert* (*Berl. Phil. Woch.* 17, 749) : uincerest *tuetur Kauer ad Ter. Adelph.* 828

519 PRO (magnos dolores) *Ital.* LEG. *Ital., Leo* (*scil.* morbum)

523 POST *Bothe* ADD. , *sed oppl. op. placet* (*Vahlen, Sitzber. Berl. Akad.* 37, 13)

570 POST *sanatus* ADD. ; *cf. Seyffert* (*Berl. Phil. Woch.* 17, 750)

Truc.   658 post amasios ADD. *an* m. a. (*om.* stos) *incert.*
    768 ADD. 768 caedas *Studemund, Sjögren* ('*Fut. im Altlat.*'
        p. 119)
    775 pro *scripsi* LEG. *scripsi dubitanter*
    830 post *Camerarius* ADD. ; *cf. Lindskog de condicionalibus,*
        p. 102
    862 LEG. uis] uelis *Camerarius*
    863 pro uis LEG. uis, te a me ire *Leo* : uis
    885 post *Schoell* ADD. mem. ⟨uolgo⟩ *C. F. Müller* ('*Syntax*'
        p. 7)
    890 ADD. ; *sed cf. Seyffert* (*Berl. Phil. Woch.* 17, 746)
    893 DEL. : damnis *cod.*
    942 pro i consultum i, LEG. i consultum i.,

Vid.   75 ADD. 75 *cf. Journ. Phil.* 20, 151

Fragm. lix post (facesso et facio) ADD. arg.] '*fort. titulus Plautinae*
    comoediae (Artemona ?) *latet.*' *Schoell*

SIGLA

A = Ambrosianus palimpsestus (G 82 sup.), **saec. iii-iv**
B = Palatinus Vaticanus (1612), saec. x–xi
C = Palatinus Heidelbergensis (1613), saec. x–xi
codd. = AP
 cod. = P (ubi A deest) vel A (ubi P deest)
D = Vaticanus (3870), saec. x–xi
E = Ambrosianus (I 257 inf.), saec. xii ex.
J = Londinensis (Mus. Britann., Reg. 15 C XI), saec. xii in.
O = fragmentum Ottobonianum Vaticanum (misc. Lat. 687), saec. xi
P = archetypus codicum 'Palatinae' recensionis vel fons codicum $BCDEVJO$ et correctionum B^3. In partibus iis ubi T praesto est (Bacch. 35–80, 570–650, 810–900, Pers., Poen., Pseud. 730–fin., Rud. init.–790) idem siglum pro P^A adhibetur.
P^A = proarchetypus 'Palatinae' recensionis vel fons codicum P et T
P^{BC} = fons codicum B (in parte altera) et P^{CD}
P^{BD} = fons codicum B (in parte priori) et DP^E
P^{CD} = fons codicum C et D
P^E = fons codicum EV et P^J
P^J = fons codicum JO et correctionum V^2
T = deperditus codex Turnebi vel fragmenta Senonensia
V = Vossianus Leidensis (Q 30), saec. xii in.

In textu apicibus ictus metricus indicatur ; lineis inter vocabula ductis hiatus.

Numerationem versuum quae est in Teubneriana editione maiori conservare volui.

In adnotatione :

numeri uncinis inclusi spectant ad capita et capitum particulas in libello meo supra memorato ('Introduction to Latin Textual Emendation,' Macmillan., Lond., 1896), quem Francogallice reddidit I. Waltzing (Paris., Klincksieck., 1898).

Vocabula a capitali littera incipientia stant in initiis versuum.

In lectionibus Palimpsesti (A) enarrandis haec animadvertenda ; punctis singulis singulae indicantur litterae quae omnino legi non possunt ; puncto sub littera posito indicatur eam litteram dubiam esse ; litterae quae intra uncinos stant legi quidem non possunt sed coniectura restitui ; linea recta indicat neque numerum litterarum neque formas ullo modo legi nec conici posse.

MILES GLORIOSVS

ARGVMENTVM I

Meretricem Athenis Ephesum miles avehit.
Id dum ero amanti servos nuntiare volt
Legato peregre, ipsus captust in mari
Et eidem illi militi dono datust.
Suom arcessit erum Athenis et forat   5
Geminis communem clam parietem in aedibus,
Licere ut quiret convenire amantibus.
Obhaerentis custos hos videt de tegulis,
Ridiculis autem, quasi sit alia, luditur.
Itemque impellit militem Palaestrio   10
Omissam faciat concubinam, quando ei
Senis vicini cupiat uxor nubere.
Vltro abeat orat, donat multa. ipse in domo
Senis prehensus poenas pro moecho luit.

3 capsust *corr.* -tust *cod. ut vid*   5 ⟨servos⟩ erum ⟨ab⟩ *Ribbeck*
6 ciam *cod.* (*corr.* B^2)   7 liceret *cod.*   8 Oberrans *Ritschl*,
cui obhaĕrentis *displicet*   9 ridicule is *Seyffert*   deluditur *P*CD
11 q. ei B^2: q. cel *cod.* (*pro* q. eei; *vix* quandŏc ei)   13 modo
cod. (*corr.* B^2)

ARGVMENTVM II

Meretricem ingenuam deperibat mutuo
Atheniensis iuvenis ; Naupactum is domo
legatus abiit. miles in eandem incidit,
deportat Ephesum invitam. servos Attici,
5   ut nuntiaret domino factum, navigat ;
capitur, donatur illi captus militi.
ad erum ut veniret Ephesum scribit. advolat
adulescens atque in proximo devortitur
apud hospitem paternum. medium parietem
10   perfodit servos commeatus clanculum
qua foret amantum. geminam fingit mulieris
sororem adesse. mox ei dominus aedium
suam clientam sollicitandum ad militem
subornat. capitur ille, sperat nuptias,
15   dimittit concubinam et moechus vapulat.

2 naupactis domum *cod.* : *corr. Pylades*   4 inuitam *Saracenus* :
inuitat (-ta *B*[1]) *cod.*   5 facto *cod.* (*corr. B*[2])   7 Aduerum *cod.*
(*corr. B*[2])   8 deu. *Saracenus, Bothe* : reuortitur *cod.*   11 geminam *Scutarius* : geminat *cod.*   mulieris *Camerarius* : mulier *cod.*
12 adesse *Pylades* : ait esse *cod.*   14 spernat *cod.* (*corr. B*[2])

PERSONAE

PYRGOPOLYNICES MILES
ARTOTROGVS PARASITVS
PALAESTRIO SERVVS
PERIPLECTOMENVS SENEX
SCELEDRVS SERVVS
PHILOCOMASIVM MVLIER
PLEVSICLES ADVLESCENS
LVRCIO (?) PVER
ACROTELEVTIVM MERETRIX
MILPHIDIPPA ANCILLA
PVER
CARIO COCVS

SCAENA EPHESI

vel PYRGOPOLINICES
PERIPLECOMENVS *Ritschl, K. Schmidt* (*Herm.* 37, 377)
LVRCIO *dubium* (III. ii LVCRIO *P, A n. l.* ; *v.* 843 uotio *vel* uocio *P,
A n. l., ubi* Lûcrio *metro non convenit*)

ACTVS I

PY. Curate ut splendor meo sit clupeo clarior
quam solis radii esse olim quom sudumst solent,
ut, ubi usus ueniat, contra conserta manu
praestringat oculorum aciem | in acie hostibus.

5 nam ego hanc machaeram mihi consolari uolo,   5
ne lamentetur neue animum despondeat,
quia se iam pridem feriatam gestitem,
quae misera gestit fartem facere ex hostibus.
sed ubi Artotrogus hic est? AR. stat propter uirum

10 fortem atque fortunatum et forma regia,   10
tum bellatorem—Mars haud ausit dicere
neque aequiperare suas uirtutes ad tuas.
PY. quemne ego seruaui in campis Curculionieis,
ubi Bumbomachides Clutomestoridysarchides

15 erat imperator summus, Neptuni nepos?   15
AR. memini. nempe illum dicis cum armis aureis,
quoius tu legiones difflauisti spiritu,
quasi uentus folia aut peniculum tectorium.
PY. istuc quidem edepol nihil est. AR. nihil hercle hoc
                                          quidemst

20 praeut alia dicam—quae tu numquam feceris.   20
peiiuriorem hoc hominem si quis uiderit

I. i *incipit A ; usque ad v.* 17 *pauca servata*   7 fieri attam *P*
8 quem *P*   misere *A*   gestitet *P, A n. l. (cf. v.* 7)   fartem (-im)
*Skutsch, etiam P*ᴬ *ut vid.* (fartum (-im?) *T* (?), fratrem (-im?) *P*ᴮᶜ),
A n. l.   11 tam *Bothe*   ars *P* (*corr. B*²)   12 nequi *P*
13 curcus lis donis *P*   14 Bumb. *Pylades* : bumbomarides *P,*
A n. l.   Clutom. *Ritschl* : clutum ista ridis archidis *P, A n. l. :*
Clutomistharidysarchides *Leo*   16 armis *Ital.* : auris *P, A n. l.*
(v. 4)   17 egionis *P*   18 aut *Merula* : ut *P, A n. l.*   pani-
culum *Turnebus, A n. l.* (*sed vide Class. Rev.* 6, 88)   19 hoc quidem
P (*cj.* 31)   20 tu que *P* (*i.e.* tu quae, *fort. recte; sed cf. ad v.* 45)

aut gloriarum pleniorem quam illic est,
me sibi habéto, ego me mancupio dabo ;
nisi unum, épityra estur insanum bene.

25 Py. ubi tu es? Ar. eccum. edepol uel elephanto in India, 25
quo pacto ei pugno praefregisti bracchium.
Py. quid, 'bracchium'? Ar. illud dicere uolui, 'femur.'
Py. at indíligenter iceram. Ar. pol si quidem
conixus esses, per corium, per uiscera
30 perque os elephanti transmineret bracchium.   30
Py. nolo istaec hic nunc. Ar. ne hercle operae pretium
quidemst
mihi te narrare tuas qui uirtutes sciam.
uenter creat omnis hasce aerumnas : auribus
peraudienda sunt, ne dentes dentiant,
35 et adsentandumst quidquid hic mentibitur.   35
Py. quid illúc quod dico? Ar. ehem, scio iam quid uis
dicere.
factum herclest, memini fieri. Py. quid id est? Ar. quidquid est.
Py. habes—Ar. tabellas uis rogare. habeo, et stilum.
Py. facete aduortis tuom animum ad animum meum.
40 Ar. nouisse mores tuos me meditate decet   40
curamque adhibere ut praeolat mihi quod tu uelis.
Py. ecquid meministi? Ar. memini centum in Cilicia
et quinquaginta, centum in Scytholatronia,
triginta Sardos, sexaginta Macedones—
45 sūnt hōminēs quōs tū—ōccidisti unō die.   45

23 habeto [et] P (pro hab., ei ?)   24 epityra Varro L. L. 7, 86 :
epityra ut (pro uel) aput illa P (prava emendatione inculcata), A n. l. :
epityrum edd., quibus constructio epityra (acc. pl.) estur displicet
insane Varro, etiam (iens-) P, contra morem Plautinum   25 indiam
A   26 ei om. P   praefigisti P   31 quidem P (cf. 19)   34
peraurienda C (i. e. -haur-), fort. recte   36 hem P   37 factumst
hercle P (cf. ad Merc. 330)   39 facite P   adu. animum tuum A
40 me tuos P   41 praeuolat m. quo tu P   42 ciliciam A   43
Scyth. Geppert : scythalatroniam A : sycho latroniae P   44 sardos
A : sardis P (abl. plur. ?)   45 tu quos Pylades contra morem
Plautinum   ⟨hoc⟩ oc. (scil. gladio) Schoell   ⟨una⟩ uno Ritschl

Py. quanta istaec hominum summast? Ar. septem milia.

Py. tantum esse oportet. recte rationem tenes.

Ar. at nullos habeo scriptos : sic memini tamen.

Py. edepol memoria's optumá. Ar. offae monent.

50 Py. dum tale facies quale adhuc, adsiduo edes,   50

communicabo semper te mensa mea.

Ar. quid in Cappadocia, ubi tu quingentos simul,

ni hebes machaera foret, uno ictu occideras ?

Py. at peditastelli quia erant, siui uiuerent.

55 Ar. quid tibi ego dicam, quod omnes mortales sciunt,   55

Pyrgopolynicem te unum in terra uiuere

uirtute et forma et factis inuictissumis ?

amant ted omnes mulieres neque iniúria,

qui sis tam pulcher ; uel illae quaé here pallio

60 me reprehenderunt. Py. quid eae dixerunt tibi ?   60

Ar. rogitabant : 'hicine Achilles est ?' inquit mihi.

'immo eius frater' inquam 'est.' ibi illarum altera

'ergo mecastor pulcher est' inquit mihi

'et liberalis. uide caesaries quam decet.

65 ne illae sunt fortunatae quae cum isto cubant !'   65

Py. itane aibant tandem ? Ar. quaen me ambae opsecra-

uerint

ut te hodie quasi pompam illa praeterducerem ?

Py. nimiast miseria nimi' pulchrum esse hominem. Ar.

immo itast.

---

46 istic *A*   49 memoriast *P*   monet *P*   50 qualem *P*
edis *P*   53 occideris *P* (*pro* -res ?)   54 peditas telu *P*   si
uiuerent *P*   57 uirtutem *P* (*corr. B²*)   inuictissumum *Ritschl*
58 te *codd.*   iniuriam *A*   59 quistam *B* (iii. 3) : qui es tan *A*
(? *pro* qui sies t.)   pulcher[um] *P* (*seq.* uel ; iv. 3)   hercle *P*
60 eae *Ritschl* : ere *P, A n. l.* (*pro* here ?)   61 *vel* Achillis (*nom.*)
tibi *P*   62 est *om. P*   ibi] inuit *P* (*pro* iui ; *cf.* 104 interiuit
pro interibi)   63 pulchere si *P* (I *pro* T)   64 uida et caesariis *P*
65 illo *A*   cubat *P* (*corr. B²*)   66 aibant] a leuat *P* (l *pro* j)
quaen] que *P*   obsecrauerit *P*   67 illam *codd.* (*corr. B²*)
praeterducerent *A*   68 nimiast] nimis *P* (*pro* nimist ?)   immo
itast *om. P*

molestaé sunt : orant, ambiunt, exopsecrant
70 uidere ut liceat, ad sese arcessi iubent,   70
   ut tuo non liceat dare operam negotio.
   Py. uidetur tempus esse ut eamus ad forum,
   ut in tabellis quos consignaui hic heri
   latrones, ibus denumerem stipendium.
75 nam rex Seleucus me opere orauit maxumo   75
   ut sibi latrones cogerem et conscriberem.
   regi hunc diem mihi operam decretumst dare.
   Ar. age demus ergo.   Py. sequimini, satellites.—

ACTVS II

Palaestrio   II. i

   Mihi ad enarrandum hoc argumentum est comitas,
80 si ad auscultandum uostra erit benignitas ;
   qui autem auscuitare nolet exsurgat foras,
   ut sit ubi sedeat ille qui auscultare uolt.
   nunc qua adsedistis caussa in festiuo loco,   5
   comoediai quam nos acturi sumus
85 et argumentum et nomen uobis eloquar.
   Ἀλαζών Graece huic nomen est comoediae,
   id nos Latine ' gloriosum' dicimus.
   hoc oppidum Ephesust ; illest miles meus erus,   10
   qui hinc ad forum abiit, gloriosus, inpudens,
90 stercoreus, plenus peiiuri atque adulteri.

---

69 obsecrant *P*   70 uiderit (-ri *B²*) ut *P*   71 negotii *P* (*corr.*
B²)   73 aeri *P*   74-146 *deest A*   74 latrones ibus *Nonius*
486 *testans* ibus (*cf. Placidus corp. gloss.* 5, 75, *Donatus ad Eun.*
3, 1, 42) : latronis bus *cod.*   *vel* din.   75 res *cod.* (*corr. B²*)
77 rei *BC*   die *cod.* (*corr. B²*)   78 demus *Hasper* : temus (tene-
mus *B¹*, teneamus *ut vid. B²*) *cod.* : eamus *Ital.*   79 comtas *cod.*
(*corr. B²*)   81 auscultabunt *cod.* (*pro* auscultā ; vii. p. 106) (*corr.*
B²)   nollet *cod.* : nolit *B²*   84 quam nos *Pylades* : quandos *cod.*
(*pro* quannos)   aucturi *cod.* (*corr. B²*)   86 est *Pylades* : eloquar
cod. (*ex v.* 85) (*pro* ē, *i. e.* est)   88 illest *Seyffert* : idē *B* (? *pro* illē,
i. e. illest), *om. P*^CD (iii. 4)

ait sése ultro omnis mulieres sectarier :
is deridiculost quaqua incedit omnibus.
15 itaque hic meretrices, labiis dum nictant ei,
maiorem partem uideas ualgis sauiis.
nam ego hau diu apud hunc seruitutem seruio ;   95
id uolo uos scire quo modo ád hunc deuenerim
in seruitutem ab eo quoi seruiui prius.
20 date operam, nam nunc argumentum exordiar.
erat erus Athenis mihi adulescens optumus ;
is amabat meretricem †matre† Athenis Atticis   100
et illa íllum contra ; qui est amor cultu optumus.
is publice legatus Naupactum fuit
25 magnai rei publicai gratia.
interibi hic miles forte Athenas aduenit,
insinuat sese ad illam amicam ⟨mei⟩ eri.   105
occepit eiius matri subpalparier
uino, ornamentis opiparisque opsoniis,
30 itaque intumum ibi se miles apud lenam facit.
ubi primum euenit militi huic occasio,
sublinit os illi lenae, matri mulieris,   110
quam eru' meus amabat ; nám is illius filiam
conicit in nauem miles clam matrem suam,
35 eamque húc inuitam mulierem in Ephesum aduehit.
ubi amicam erilem Athenis auectam scio,

91 [ut] omnis *cod.* (*corr. B²*) (*cf.* 151)   ectarier *cod.* (*corr. B²*)
92 deridiculost *Acidalius* : dericulust (*B*) *vel* deri dicust (*C*) *cod.*
93 nictant *Fulgent. serm. ant.* 46 : ductant *Charis.* 103 : ducant *cod.*
ei *scripsi* : eum *codd. Fulgentii cum rell.* (*cf. Class. Rev.* 12, 456)
96 deuenerit *cod.* (*corr. B²*)   97 ab eo cui *B²* : habe oculi *cod.*
(*i. e.* ab eo cuii)   98 exordiat *cod.* (*corr. B²*)   100 *post* meretricem *lacunam sign. Leo*   matre] acre *Tyrrell* : arte *Scioppius* :
fort. ex (*Class. Rev.* 10, 333)   103 *codd. Mar. Victorini* 147 rei
magnai publicai, *diductionem syllabarum testantis* : magna rei publicam
cod.   gratia *Ital.* : gratiast *cod.* : gratiai *codd. Mar. Vict.*   104 interibi
Acidalius : interiuit *cod.*   105 meí eri *dubitanter scripsi* : meri *cod.*
(eri *B²*) : eri, ilico *Schoell*   110 illis *cod.* (*vix pro* illiũs)   111
filia *cod.* (*corr. B²*)   112 conicit *Camerarius* : contegit (contigit *B*)
cod. (vi. 1, p. 84)   113 aduenit *cod.* (*corr. B²*) (*cf. Rud.* 63 auenit
pro auehit)   114 *post* 115 : trai. *Acidalius*

115 ego quantum uiuos possum mihi nauem paro,
inscendo, ut eam rem Naupactum ad erum nuntiem.
ubi sumu' prouecti in altum, fit quod ⟨di⟩ uolunt,
capiunt praedcnes nauem illam ubi uectus fui :   40
priu' perii quam ad erum ueni quo ire occeperam.
120 ill' ⟨qui⟩ me cepit dat me huic dono militi.
hic postquam in aedis me ad se deduxit domum,
uideo illam amicam erilem, Athenis quae fuit.
ubi contra aspexit me, oculis mihi signum dedit   45
ne se appellarem ; deinde, postquam occasio est,
125 conqueritur mecum mulier fortunas suas :
ait sése Athenas fugere cupere ex hac domu,
sese illum amare meum erum, Athenis qui fuit,
neque peius quemquam odisse quam istum militem.   50
ego quoniam inspexi mulieris sententiam,
130 cepi tabellas, consignaui, clanculum
dedi mércatori quoidam qui ad illum deferat
meum erum, qui Athenis fuerat, qui hanc amauerat,
ut is huc ueniret.   is non spreuit nuntium ;   55
nam et uenit et is in proxumo hic deuortitur
135 apud súom paternum | hospitem, lepidum senem ;
itaque illi amanti suo hospiti morem gerit
nosque opera consilioque adhortatur, iuuat.
itaque ego paraui hic intus magnas machinas   60
qui amantis una inter se facerem conuenas.
140 nam unum conclaue, concubinae quod dedit
miles, quo nemo nisi eapse inferret pedem,

116 nuntiet *cod.* (*corr. B²*)   117 di *add. Lipsius*   119 periit
... uenit ... iret *cod.* (*corr. B²*)   120 qui *add.
Beroaldus*   huc *cod.*   121 deduxit *Camerarius* : duxit *cod.*
125 fortuna sua *cod.* (*corr. B²*)   126 cuperet *cod.* (*corr. B²*)   127
amaret *cod.* (*corr. B²*)   128 odisset qua istum milite *cod.* (*corr.
B²*)   130 consignauit *cod.* (*corr. B²*)   132 hac *cod.*   134
et *pr. del. Seyffert*   is et *Ribbeck*   135 *uix* patérnum hosp.
paternum suom *Guietus*   139 conuenias *cod.*   140 conclauem
cod. (*corr. B²*)   141 eapse *Turnebus* : ea se *cod.*

in eo conclaui ego perfodi parietem
65 qua commeatus clam esset hinc huc mulieri;
et sene sciente hoc feci : is consilium dedit.
nam meu' conseruos est homo hau magni preti,   145
quem concubinae miles custodem addidit.
ei nos facetis fabricis et doctis dolis
70 glaucumam ob oculos obiciemus eumque ita
faciemus ut quod uiderit non uiderit.
et mox ne erretis, haec duarum hodie uicem   150
et hinc et illinc mulier feret imaginem,
atque eadem erit, uerum alia esse adsimulabitur.
75 ita sublinetur os custodi mulieris.
sed fori' concrepuit hinc a uicino sene;
ipse exit : hic illest lepidus quem dixi senem.   155

ii   PERIPLECTOMENVS   PALAESTRIO

PE. Ni hercle diffregeritis talos posthac quemque in
                                                        tegulis
uideritis alienum, ego uostra faciam latera lorea.
miquidem iam arbitri uicini sunt meae quid fiat domi,
ita per impluuium intro spectant. nunc adeo edico om-
                                                        nibus :
5 quemque a milite hoc uideritis hominem in nostris 160
                                                        tegulis,
extra unum Palaestrionem, huc deturbatote in uiam.
quod ille gallinam aut columbam se sectari aut simiam

143 hinc *Camerarius* : hic *cod.*   144 senem scientem *cod.* (*corr.*
B²)   fecit *cod.* (*corr. B²*)   147 *accedit A*   doctis] fa(cti)s *A*
(*i. e.* fictis?)   148 iç(ie)mus *A*   149 ne *Priscianus* 1, 200: non
codd.   151 hic *P*   [ut] feret *P* (ut *del. B²*) (*cf.* 91)   152 al. es.
om. A   esset *P* (*corr. B²*)   153 es *ut uid. P*   154 senem
P (*corr. B²*)   155 dixit (*corr. B²*)   senex [est] *P* (est *del. B²*),
unde duplicem lectionem senex *et* senem *eruit Seyffert*   156 defr.
codd.   157 uestra ego *A*   158 mihi equidem *A*   arbitriet
uicis (-cini *B²*) eunt *P* (*i. e.* arb. et uic. s.?)   161 uia *P*

dicat, disperiistis ni usque ad mortem male mulcassitis.

atque adeo, ut ne legi fraudem faciant aleariae,

165 adcuratote ut sine talis domi agitent conuiuium.   10

PA. nescioquid malefactum a nostra hic familiast, quantum
                                            audio :

ita hic senex talos elidi iussit conseruis meis.

sed me excepit : nihili facio quid illis faciat ceteris.

adgrediar hominem.   PE. estne aduorsum hic qui aduenit
                                            Palaestrio ?

170 PA. quid agis, Periplectomene ?   PE. hau multos homines, 15
                                            si optandum foret,

nunc uidere et conuenire quam te mauellem.   PA. quid
                                            est ?

quid tumultuas cum nostra familia ?   PE. occisi sumus.

PA. quid negotist ?   PE. res palamst.   PA. quae res
                                    palam est ?   PE. de tegulis

modo nescioquis inspectauit uostrum familiarium

175 per nostrum impluuium intus apud nos Philocomasium 20
                                            atque hospitem

osculantis.   PA. quis homo id uidit ?   PE. tuo' conseruos.
                                    PA. quis is homost ?

PE. nescio, ita abripuit repente sese subito.   PA. suspicor
me periisse.   PE. ubi abît, conclamo : 'heus quid agis tu'
                                    inquam 'in tegulis ?'

ille mihi abiens ita respondit, 'se sectari simiam.'

163 disperisti P   164 alariae P   165 taliis P   domi]
dolis A   agitet P   166 a om. P   huic P   167 conseruus meus
P (corr. B²)   168 expetit nihil facio quod A   169 auenit A
estne . . . Pal.] estne aduorsum est quasi P (quasi pro qui a-?) (om.
uenit Palaestrio ; iii. 2)   170 fuerit P   171 uideret P (corr.
B²)   quam ueniret P (-re B²) (? pro quomueniret, antiqua forma)
quantem auellet P (corr. B²)   172 om. P (propter homoeoarch.)
qum cod.   173 de] a (nota personae?) de A   174 quisis P
(corr. B²)   uestrarum P   176 id uidit] tuidit P   conseruus
[est] P   is [erit] P (corr. B²), unde lectionem duplicem, homost et
erit (immo erat), eruit Seyffert   177 arripuit A   178 abit (praes.)
Bothe   [a] quid P (iv. 3)   in tegulis om. P (cf. ii. 5)

25 Pa. uae mihi misero quoi pereundumst propter nihili 180
                           bestiam!
   sed Philocomasium hicine etiam nunc est? Pe. quom
                        exibam, hic erat.
   Pa. i sis, iube transire huc quantum possit, se ut uideant
                           domi
   familiares, nisi quidem illa nos uolt, qui serui sumus,
   propter amorem suom omnis crucibus contubernalis dari.
30 Pe. dixi ego istuc; nisi quid aliud uis. Pa. uolo. hoc ei 185
                           dicito:
   profecto ut ne quoquam de ingenio degrediatur muliebri   185[a]
   earumque artem et disciplinam optineat colere. Pe. quém
                          ad modum?
   Pa. ut eum, qui se hic uidit, uerbis uincat né is se uiderit.
   siquidem centiens hic uisa sit, tamen infitias eat.
35 os habet, linguam, perfidiam, malitiam atque audaciam,
   confidentiam, confirmitatem, fraudulentiam.   189[a]
   qui arguat se, eum contra uincat iureiurando suo: 190
   domi habet animum falsiloquom, falsificum, falsiiurium,
   domi dolos, domi délenifica facta, dómi fallacias.
40 nam mulier holitori numquam supplicat si quast mala:
   domi habet hortum et condimenta ad omnis mores mali-
                          ficos.
   Pe. ego istaec, si erit hic, nuntiabo. sed quid est, Palae- 195
                          strio,
   quod uolutas tute tecum in corde? Pa. paullisper tace,
   dum ego mihi consilia in animum conuoco et dum consulo

180 misero] amisero P (*corr. B²*)   nihil bestia P (*corr. B²*)   181
eram P (*corr. B²*)   182 i sis *Geppert*: istis A : sis P   huc
transire A, *fort. recte*   possint A   uideat P   185 hic P   d.,
om. ei P (*pro* idicito? i. 4, p. 108)   185[a] *om.* P   186 colerem
P   quem] [et] quem P (*corr. B²*)   187 hic se P   ueruis
uincta uinctane esse P (iv. 3)   189 perfidia militia P (*corr. B²*)
audatia P (-am B¹)   189[a] confidentia c. fraudulentia P (*corr. B²*)
191 *om. A propter homoeoarch.*   194 mores] molis P   196
tacet P (*corr. B²*)

quid agam, quem dolum doloso contra conseruo parem,   45
qui illam hic uidit osculantem, id uisum ut ne uisum siet.
200 PE. quaere : ego hinc apscessero aps te huc interim.   illuc
                               sis uide,
quém ad modum astitit, seuero fronte curans, cogitans.
pectus digitis pultat, cor credo euocaturust foras ;
ecce auortit : nixus laeuo in femine habet laeuam manum,   50
dextera digitis rationem computat, feriens femur
205 dexterum.   ita uehementer icit : quod agat aegre suppetit.
concrepuit digitis : laborat ; crebro commutat status.
eccere autem capite nutat : non placet quod repperit.
quidquid est, incoctum non expromet, bene coctum dabit. 55
ecce autem aedificat : columnam mento suffigit suo.
210 apage, non placet profecto mihi illaec aedificatio ;
nam os columnatum poetae esse indaudiui barbaro,
quoi bini custodes semper totis horis occubant.
eugae ! euscheme hercle astitit et dulice et comoedice ;   60
numquam hodie quiescet priu' quam id quod petit per-
                               fecerit.
215 habet opinor.   age si quid agis, uigila, ne somno stude,
nisi quidem hic agitare mauis uarius uirgis uigilias.
tibi ego dico.   †anheriatus uestis† heus te adloqui, Palae-
                               strio.

198 conserua *P*   199 ut *om. A*   me *P*   200 illus *P*
(*corr. B²*)   201 abstitit seuera f. curas cogitas *P*   203 ecce
[autem] au. *P* (iv. 3)   leua in femina (-ne *B²*) *P*   204 dexteram
P (*corr. D*)   ferit *A* : feries *P* (*i. e.* feriens) : feruit *Studemund*
205 eicit *A* : *om. P* (iii. 4, p. 49)   agat *Ritschl* : agit *A* : acta *P*
(ii. 7)   206 crebros *A*   207 quo *P*   208 expromit *P*
(*pro* -met ?)   coctu adabit *P ut uid.*   209 columna *P*   suffulsit *P*
210 mihi illam *P* (? *pro* [mihi] illa mi)   211 osculumnatum *A*
inaudiui *P* : audiui *A*   212–48 *deest A*   212 uini *cod.* (*i. e.*
bini)   occubat *cod.* (*corr. B²*)   213 astitis *cod.* : adstetisti *codd.*
Paul. Fest. 61   dulce *cod.*   214 perfecit *cod.* : *corr. Beroaldus*
215 *vel* opino   studet *cod.* (*corr. B²*)   216 uigilas *cod.*   217
cantheriatu's *latere videtur cum aut* scis (v. 3) *aut* nescis (*vel cf.* iii.
11) : t. e. d. an heri adbibisti ? heus te adloquor (*Beroaldus*), Pal.
Goetz, Schoell

65 uigila inquam, expergiscere inquam, lucet hoc inquam. PA.
                                            audio.

PE. uiden hostis tibi adesse tuoque tergo opsidium? consule,
arripe opem auxiliumque ad hanc rem : propere hoc, non 220
                                         placide decet.

anteueni aliqua, áliquo saltu circumduce exercitum,
coge in opsidium perduellis, nostris praesidium para ;
70 interclude inimicis commeatum, tibi muni uiam
qua cibatus commeatusque ad te et legiones tuas
tuto possit peruenire : hanc rém age, res subitaria est.   225
reperi, comminiscere, cedo calidum consilium cito,
quae hic sunt uisa ut uisa ne sint, facta infecta ne sient.
75 magnam illic homo rem incipissit, magna munit moenia.
tute unus si recipere hoc [ad] te dicis, confidentiast
nos inimicos profligare posse. PA. dico et recipio   230
ad me. PE. et ego impetrare dico id quod petis. PA. at
                                       te Iuppiter
bene amet ! PE. auden participare me quod commentu's ?
                                       PA. tace,
80 dum in regionem astutiarum mearum te induco. ut scias
iuxta mecum mea consilia. PE. salua sumes indidem.
PA. eru' meus elephanti corio circumtentust, non suo,   235
neque habet plus sapientiai quam lapis. PE. ego istuc scio.

218 expergis *cod.* (*corr. B²*)   hoc inqua *cod.* (*corr. B²*)   219
uident *cod.* (*corr. B²*)   tergo *Pylades* : ergo *cod.*   consuli *cod.*
220 arripet *cod.* (*corr. B²*)   properem *cod.* (*corr. B²*)   221 aliquo
saltu *Kiessling* : aliquos autu (aut tu *B*) *cod.* : aut tú aliquo(r)sum
Leo   222 coge *Camerarius* : cor *cod.*   223 interclude *Ital.* :
intercludite *cod.* (*pro* intercludet ? *saepissime per hanc fabulam* t *littera
perperam adscripta, ut in vv.* 119, 215, 220)   226 reperit *cod.*
(*corr. B¹*)   227 uisa ne *Ital.* : tui sane *cod.*   infecta] ut facta
Spengel   siet *cod.*   228 homo rem *Meursius* : honorem *cod.*
incipis sed magna munitis menia *cod.* : *corr. Salmasius*   229 tute
u. *Reiz* : tude u. *cod.* : tu oenus *Bergk*   te *scripsi* : atte (a te *B*) *cod.*
(*i. e.* ad te)   230 possit *cod.*   231 et . . . petis *Palaestrioni
continuat Appuhn*   egom inpetrarem (-re *B²*) dicom *cod.*   231-2
at . . . amet *Periplecomeni Appuhn*   232 aut inparte mici pare
cod. : *corr. Bugge*   234 saluam *cod.*   235 circumtentus sum
(est *B²*) *cod.* : circumtectus est *codd. Donati ad Hec.* 2, 1, 17   236
sapientiai *Mueller* : sapientiame *cod.*   aegomi stuescio *cod.* (egomet
istuc scio *B²*) : *corr. Tyrrell*

PA. nunc sic rationem incipisso, hánc instituam astutiam,
ut Philocomasio hanc sororem geminam germanam alteram 85
dicam Athenis aduenisse cúm amatore aliquo suo,

240 tam similem quam lacte lactist; apud ⟨te⟩ eos híc de-
                                                        uortier

dicam hospitio. PE. eugae eugae, lepide, laudo commen-
                                                tum tuom!

PA. ut si illic concriminatus sit aduorsum militem
meu' conseruos, eam uidisse hic cum alieno osculari, eam   90
arguam uidisse apud te contra conseruom meum

245 cum suo amatore amplexantem atque osculantem. PE.
                                        immo optume!

idem ego dicam si ⟨ex⟩ me exquiret miles. PA. sed simil-
                                                    limas

dicito esse, et Philocomasio id praecipiendum est ut sciat,
ne titubet si ⟨ex⟩quiret ex ea míles. PE. nimi' doctum 95
                                                dolum!

sed si ambas uidere in uno miles concilio uolet,

250 quid agimus? PA. facilest: trecentae possunt caussae con-
                                                        ligi:

'non domist, ábiit ambulatum, dormit, ornatur, lauat,
prandet, potat: occupatast, operae non est, non potest,'
quantum uis prolationis, dum modo hunc prima uia   100
inducamus uera ut esse credat quae mentibitur.

237 incipissom *cod.* (*corr.* B^2)   238 philochomasiom *cod.* (*saepissime per hanc fabulam* -om *pro* -o *scriptum*)   huc *Ritschl*   altera
cod. (*corr.* B^1)   239 aduenissaet c. *cod.* (*corr.* B) (et *pro* ec ; vi,
p. 85)   amatorem *cod.* (*corr.* B^2)   aliquo B^2 : aliquid quot *cod.*
(iv. 3)   240 tum *cod.* (*corr.* B^2)   quam lacte (*vel* lact') *Ital.* :
quam lac B^2 : tam (*om.* l.) *cod.*   *vel* lactest   te *add. Ital.*   243
eam u. *Merula* : eum u. *cod.*   244 uidisset *cod.* (*corr.* B^2)   245
amatorem *cod.* (*corr.* B^2)   immo *Bentley* : immo [ut] *cod.* (*cf.* 91)
246 ex *add. Ritschl*   247 esset (-se B^2) et *cod.*   recipiendum
cod. : *corr. Pius*   248 exquiret *Ritschl* : quiret *cod.* : queret (*i. e.*
quaeret) B^2 249 *accedit A*   miles in uno c. uelit A 250
trecentem P (*corr.* B^2)   conlici P 251 *vel* abit (*ita A*)   252
pr. potest P (*corr.* B^2)   253 is P prolationum P nunc P
254 mentibimur B^2 : mentibitis *Havet* (*sed cf. ad* 24) : *fort.* ⟨ea⟩ m.

Pe. placet ut dicis.   Pa. intro abi ergo et, si isti est mulier, **255**
                                                              eam iube

cito domum transire, atque haec ei dice, monstra, praecipe,

ut teneat consilia nostra quem ad modum exorsi sumus

105 de gemina sorore.   Pe. docte tibi illam perdoctam dabo.

numquid aliud?   Pa. intro ut abeas.   Pe. abeo.—Pa. et
                                        quidem ego ibo domum

atque hominem inuestigando operam huic dissimulabiliter 260
                                                        dabo

qui fuerit conseruos qui hodie siet sectatus simiam.

nam ill' non potuit quin sermone suo aliquem familiarium

110 participauerit de amica eri, sese uidisse eam

hic in proxumo osculantem cum alieno adulescentulo.

noui morem egomet : 'tacere nequeo solus quod scio.'   265

si inuenio qui uidit, ad eum uineam pluteosque agam :

res paratast, ui pugnandoque hominem caperest certa res.

115 si ita non reperio, ibo odorans quasi canis uenaticus

usque donec persecutus uolpem ero uestigiis.

sed fores crepuerunt nostrae, ego uoci moderabor meae ;   270

nam illic est Phílocomasio custos meu' conseruos qui it
                                                    foras.

iii   S c e l e d r v s   P a l a e s t r i o

Sc. Nisi quidem ego hodie ambulaui dormiens in tegulis,

certo edepol scio mé uidisse hic proxumae uiciniae

Philocomasium erilem amicam sibi malam rem quaerere.

   255 abiit *P*   muliere *cod.* (*corr. B*²)   **256** transiret *P* (*corr.*
*B*²)   dice *om. P*   monstram *P* (*corr. B*²)   **257** consimilia *P*
(*corr. B*²) (v. 8)   **258** perdocta *P* (*corr. B*²)   **259** et qu.] ecquidem
P (*corr. B*²)   **260** atquem *P*   inuestigandos *P*   dissimulando
(*om.* dabo) *P*   **261** simia *P* (*corr. B*²)   **262** illem *P* (*corr. B*²)
qui sermoni (? *antiqua ablatiui forma*) *P*   familiarum *P*   **263**
particauerit *P*   erius euidisset (*B*¹) *vel* eriqui uidisset (*P*ᶜᴰ) *P* (eri
se uidisse *B*²) : erili se uidisse *Ritschl, et fort. ita P*   **264** quom *P*
ut uid. (*antiqua forma*)   **265** ego et *P*   quod *om. P*   **266** quid
A   uineas *P*   **267** capere *P*   **269** ero] pro *A*   **270** uoce
(? *pro* uocei) (-cem *B*¹) moderabo me (*pro* mee, *i.e.* meae) *P*   **271**
atque it *P* (? *pro* quei it)   **274** malam rem] malum *ut uid.* (alium
*P*ᶜᴰ) *P* ∫v. 1)

275 PA. hic illam uidit osculantem, quantum hunc audiui
                                                    loqui.

   Sc. quis hic est? PA. tuo' conseruos. quid agis, Sceledre? 5
                                        Sc. te, Palaestrio,

   uolup est conuenisse. PA. quid iam? aut quid negotist?
                                                    fac sciam.

   Sc. metuo—PA. quid metuis? Sc. ne hercle hodie, quan-
                                        tum hic familiariumst,

   maxumum in malum cruciatumque insuliamus. PA. tu sali
280 solus, nam égo istam ínsulturam et desulturam nil moror.

   Sc. nescis tu fortasse apud nos facinus quod natumst 10
                                                    nouom.

   PA. quod id est facinus? Sc. inpudicum. PA. tute sci
                                                    soli tibi,

   mihi ne dixis, scire nolo. Sc. non enim faciam quin scias.
   simiam hodie sum sectatus nostram in horum tegulis.

285 PA. edepol, Sceledre, homo sectatu's nihili nequam bestiam.
   Sc. di te perdant! PA. té istuc aequom—quoniam occe- 15
                                        pisti, eloqui.

   Sc. forte fortuna per impluuium huc despexi in proxumum :
   atque ego illi áspicio osculantem Philocomasium cum altero
   nescioquo adulescente. PA. quod ego, Sceledre, scelus ex
                                                    te audio?

290 Sc. profecto uidi.   PA. tutin?   Sc. egomet duobus his
                                        oculis meis.

   PA. abi, non ueri simile dicis neque uidisti. Sc. num tibi 20
   lippus uideor? PA. medicum istuc tibi meliust percon-
                                                    tarier.

---

275 loquere (B^1) *vel* loquentem (P^{CD}) *vel potius* loq. (*i.e.* loqui
per compend. script.) P 276 te] ste (sta B^2) P (*pro* S., *nota
personae*, te)   277 quid negotii fac sciam P: quid iam negoti est
fasciam A 278 Metu P hic familiarumst (st *om.* B^1) P: est
fami— A *in fine folii*   279–343 *deest* A 280 *vel* istanc   nihil
[hil] (hic B) *cod.* (iv. 3)   281 natus [hic] B (*cf.* 280)   282 sci
Bentley (*satis dubia forma*): scis *cod.*: scias *Gulielmius*   soli[te] tibi
cod.: *corr. Camerarius* (iv. 3)   286 aequomst *Ritschl*   288 illa
B^2 290 *vel* hisce   292 melius *cod.*

uerum enim tu istam, si te dí ament, temere hau tollas
                        fabulam :
tuis nunc cruribus capitique fraudem capitalem hinc creas.
nam tibi iam ut pereas paratum est dupliciter nisi supprimis 295
25 tuom stultiloquium. Sc. qui uero dupliciter ? Pa. dicam tibi.
primumdum, si falso insimulas Philocomasium, hoc perieris;
iterum, si id uerumst, tu ei custos additus periueris.
Sc. quid fuat me nescio : haec me uidisse ego certo scio.
Pa. pergin, infelix ?   Sc. quid tibi uis dicam nisi quod 300
                        uiderim ?
30 quin etiam nunc intus hic in proxumost.   Pa. eho an non
                        domist ?
Sc. uisse, abi intro tute, nam ego mi iam nil credi postulo.
Pa. certum est facere.—Sc. híc te opperiam ; eadem illi
                        insidias dabo,
              huc
quam mox horsum ad stabulum iuuenix recipiat se ⟨e⟩
                        pabulo.

quid ego nunc faciam ? custodem me illi miles addidit :   305
35 nunc si indicium facio, interii; ⟨interii⟩ si taceo tamen,
si hoc palam fuerit.   quid peius muliere aut audacius ?
dúm ego in tegulis sum, illaec †sum† hospitio edit foras ;
edepol facinus fecit audax.   hoccine si miles sciat,
credo hercle has sustollat aedis totas atque hunc in crucem. 310
40 hercle quidquid est, mússitabo potius quam inteream male ;

---

     295 nam *Camerarius* : iam *cod.*   295 *et* 300 nesi *B*[1]   296 dicam
Guietus : [hic] dictam *cod.* (iv. 3)   297 falsom *cod.* (*cf. ad v.* 238)
298 ⟨eo⟩ perieris (*ita cod.*) *Acidalius*   it. perieris si id u.; tu ei c.
additu's *Niemeyer*   299 quia *cod.* (*corr. B*[2])   303 facere certum
est *Seyffert, secundum morem Plautinum*   operiat *B*[1] : -ar *B*[2]
304 mox horsum *Camerarius* : uxor *cod.*   *vel* iunix : iuuenis *cod.* (v.
9, p. 71; i. 8)   e *add. Camerarius*   305 addidit *Dousa* : tradidit
cod.   306 interii *add.* (*post* taceo) *Camerarius*   307 quod *B*
308 illaec *Ital.* : illac hec *cod.*   s̄ (*i. e.* sum) *ut vid. cod.* (se *B*[2]): se
(*immo* sese) ex *Lambinus*   illa ex suo sese *Lorenz* : illaec ec suo
se *Schoell*   309 si miles *Pius* : simile *cod.*   310 totas *Pius* : tota
si (totas *B*[2]) [tollat] *cod.* (iv. 3)   atquem *cod.*   hunc *Heraldus* .
hic *cod.* (hinc *B*[2])   311 qu. herclest *Bothe metro consulens*

non ego possum quae ipsa sese uenditat tutarier.

PA. Sceledre, Sceledre, quis homo in terra te alter est
audacior?

quis magi' dis inimicis natus quam tu atque iratis? Sc.
quid est?

315 PA. iuben tibi oculos ecfodiri, quibus id quod nusquam hic
uides?

Sc. quid, nusquam? PA. non ego tuam empsim uitam 45
uitiosa nuce.

Sc. quid negotist? PA. quid negoti sit rogas? Sc. qur
non rogem?

PA. non tu tibi istam praetruncari linguam largiloquam iubes?

Sc. quám ob rem iubeam? PA. Philocomasium eccam
domi, quam in proxumo

320 uidisse aibas te osculantem atque amplexantem cum altero.

Sc. mirumst lolio uictitare te tam uili tritico. 50

PA. quid iam? Sc. quia luscitiosu's. PA. uerbero, edepol
tu quidem

caecus, non luscitiosu's. nam illa quidem | illae domi.

Sc. quid, domi? PA. domi hercle uero. Sc. abi, ludis
me, Palaestrio.

325 PA. tum mihi sunt manus inquinatae. Sc. quidum? PA.
quia ludo luto.

312 issa *cod., fort. recte* 313 interemat est alter audatior *cod.*:
corr. *Ritschl, nam* test altēr (*cf. ad Asin.* 250, *Curc.* 438) suspectum
314 *vel* mage dehis *cod.* quantum *cod.* (vii. 4) iratis *Camerarius*: irat *cod.* 315 iubent *cod.* (*corr. B²*) hic] est (*immo* st)
Ital. uidis *cod.* 316 tuam empsim uitam *Lindemann*: mutuam
ea ipsi tui tam *cod.* 318 non tu tibi *Bentley*: non iu et ibi *cod. ut
vid.* (num tute tibi *B²*) praetunc ari *cod.* (*corr. B²*): praeruncari
Goetz, Schoell 319 iubeat *cod.* (*corr. B²*) qua *cod.* (*corr. B²*)
320 aleuas *cod.* (aiebas *B²*) amplexante (*B¹*) *vel* ampleocante
P^{CD}) (*utrum pro* -ox- *an* -ecs- *incert.*) *cod.* (*corr. B²*) 321 mirum
lolio *codd. Fulgentii serm. ant.* 13 ('*Plaut. Merc.*'): mirus olio *cod.*
322 ueherbero *cod.* (*corr. B²*) 323 *vel* caecu's illam q. *cod.*
(*corr.D²*) (m *littera perperam adscripta est saepissime per hanc fabulam,
ut in vv.* 231, 297, 262, *etc.*) *fort.* quidemst (*cf.* 19) illae *scripsi*:
ilia *cod.* (*cf.* 348) nam illam quidem eccam *Gruterus* 325 Tum
B² : Tam *cod.*

55 Sc. uae capiti tuo ! Pa. ⟨tuo⟩ istuc, Sceledre, promitto fore
  nisi oculos orationemque aliam commutas tibi.

  sed fores cóncrepuerunt nostrae.   Sc. at ego ilico opseruo
                                           fores ;

  nam nihil est qua hinc huc transire ea possit nisi recto ostio.

  Pa. quin domi eccam ! nescioquae te, Sceledre, scelera 330
                                           suscitant.

60 Sc. mihi ego uideo, mihi ego sapio, ⟨mihi⟩ ego credo pluru-
                                           mum :

  mé homo nemo deterrebit quin ea sit in his aedibus.

  hic opsistam, ne inprudenti huc ea se subrepsit mihi.

  Pa. meus illic homo est, deturbabo iam ego illum de
                                           pugnaculis.

  uin iam faciam uti stultiuidum te fateare ?   Sc. áge face.   335

65 Pa. neque te quicquam sapere corde neque oculis uti ?
                                           Sc. uolo.

  Pa. nemp' tu istic ais esse erilem concubinam ?   Sc. atque
                                           arguo

  eam me uidisse osculantem hic intus cum alieno uiro.

  Pa. scin tu nullum commeatum hínc esse a nobis ?   Sc.
                                           scio.

  Pa. neque solarium neque hortum nisi per impluuium ? 340
                                           Sc. scio.

70 Pa. quid nunc ? si ea domist, si facio ut eam exire hinc
                                           uideas domo,

  dignun es uerberibus multis ?   Sc. dignus.   Pa. serua istas
                                           fores,

326 tuo add. *Camerarius*   327 alia *Guietus*   328 ilico (*B*) *vel*
ila (*P*CD) *cod.* (illas *B*²)   obseruo *Ital.* : obserui (-uis *P*CD) *cod.*
329 hinc *Ital.* : hic *cod.*   330 Quin *Merula* : Quem *cod.* (*pro* Quein ?)
quae *Camerarius* : [ut] que *cod.* (*cf.* 245)   suscitat *cod.* (*corr. B*²)
331 mihi *add. Pylades*   332 *vel* med   deterrebit *Klotz* : detereuti
cod. (-ti *pro* -it)   sit ea *Mueller*, nam sit in hís (*dact.*) *displicet* : in
hís sit *Niemeyer fort. recte*   335 uim *cod.*   te *B*² : ut (*om. P*CD)
cod.   ut (*ita cod.*) st. esse tu (*om. alii*) te f. *Goetz*   337 ais
Camerarius : as *cod.* (*cf.* 358)   esset *cod.* (*corr. B*²)   338 me
Camerarius : ne *cod.*   uidisset *cod.*   339 esset *cod.* (*corr. B*²)
341 hinc exire *cod.* : *trai. Acidalius*   domi *cod.*

ne tibi clam se supterducat istinc atque huc transeat.

Sc. consilium est ita facere. PA. pede ego iam illam huc
tibi sistam in uiam.—

345 Sc. agedum ergo face. uólo scire utrum egon id quod uidi
uiderim

an illic faciat, quod facturum dicit, ut ea sit domi. 75

nam egoquidem meos óculos habeo nec rogo utendos foris.

sed hic illi subparasitatur semper, hic eae proxumust,

primus ad cibum uocatur, primo pulmentum datur ;

350 nam illic noster est fortasse circiter triennium

neque quoiquam quam illic in nostra meliust famulo familia. 80

sed ego hoc quod ago, id me agere oportet, hoc opseruare
ostium.

sic opsistam. hac quidem pol certo uerba mihi numquam
dabunt.

PALAESTRIO   PHILOCOMASIVM   **iv**
SCELEDRVS

PA. Praecepta facitó ut memíneris. PH. totiens monere
mirumst.

355 PA. at metuo ut sati' sis subdola. PH. cedo uel decem,
edocebo

minime malas ut sint malae, mihi solae quod superfit.

age nunciam insiste in dolos ; ego aps te procul re-
cedam.

PA. quid ais tu, Sceledre ? Sc. hanc rem geró. habeo 5
auris, loquere quiduis.

PA. credo ego istoc exemplo tibi esse pereundum extra
portam,

---

344 pede *Acidalius* : pedes *cod.*   *accedit A*   inuitam *P*   345
ego *P*   347 roga utendi (*P*CD) *vel* rogat utende (*B*) *P*   348 ea *P*
350 fortasset *P* (*corr.* *B*²)   351 *vel* quoiiquam quam illi (illi *codd.*)
in *om.* *P*   352 quid *P*   354 tolles *P* (LL *pro* TI ; vi. 1)   355
ut *om.* *A*   356 Memini *P*   sola equo *P*   357 *Palaestrioni*
tribuit *P* (*A n. l.*)   iam nunc *P*   358 ais] as *P* (*cf.* 337)   359
exemplo (*B*¹) *an* extemplo (*P*CD*B*²) *incert.* *P*   esse pereundum
(perfundum *A*, eundum *codd.* Gell.) extra portam *A*, *codd.* Gellii

dispessis manibus, patibulum quom habebis. Sc. quamnam 360
| ob rem?

Pa. respicedum ad laeuam : quis illaec est mulier? Sc.
pro di inmortales,

eri cóncubinast haec quidem! Pa. mihi quoque pol ita
uidetur.

10 age nunciam, quando lubet—Sc. quid agam? Pa. perire
propera.

Ph. ubi iste ést bonu' seruos qui probri me maxumi innocentem

falso insimulauit? Pa. em tibi! hic mihi dixit tibi quae 365
dixi.

Ph. tun me uidisse in proxumo hic, sceleste, ais osculantem?

Pa. ac cum alieno adulescentulo dixit. Sc. dixi hercle
uero.

15 Ph. tun me uidisti? Sc. atque his quidem hercle oculis—
Ph. carebis, credo,

qui plus uident quam quod uident. Sc. numquam hercle
deterrebor

quin uiderim id quod uiderím. Ph. ego stulta et mora 370
multum

quae cum hoc insano fabuler, quem pol ego capitis perdam.

Sc. noli minitari : scio crucem futuram mihi sepulcrum ;

20 ibi mei maióres sunt siti, pater, auos, proauos, abauos.

15, 15, 4 : esse eundum actutum si extra portam est *P* (*conflatum*
ex duplici lectione esse pereundum *et* eundum actutumst ; *vix ortum*
ex eundum actutum sc⟨ilicet⟩, *glossa in* pereundum)   360
dispessis *testatur Gellius* : dispensis *A* : dispersis *P*   habebis]
uidetis *A*   361 illaec quis est *Bothe, nam spondeus in fine hemi-*
stichii displicet   363 peripe (*pro* perire) propere *ut vid. P* (peripe
propero *B*[1], peri perpropere *P*[CD]*B*[2])   364 est (ē) *om. P*
probri] prodit *P* (*pro* probi ; *cf. ad* 223)   maxume *P*   365 in-
stimulauit *A*   m. id dixit Ph. tibi quem d. *P*   dixit (*B*[1]) *vel* dixti
(*P*[CD]) *P*   366 tun] tute *P*   *om.* ais *P*   368 tune (*om.* me) *A*
hercle *om. P*   crebro *A* (*pro* crebo)   371 fabulem (-let *B*[1]) *P*
fort. recte (*sed cf. Langen ' Beitraege*,' p. 61)   373 sunt maioris *A*

non possunt mihi minaciis tuis hísce oculi ecfodiri.

375 sed paucis uerbis te uolo, Palaestrio.   opsecro, unde

exît haec huc? PA. und' nisi domo? SC. domo? PA.

mé uiden? SC. te uideo.

nimi' mirumst facinus quo modo haec hinc huc transire

potuit;

nam certo neque solariumst apud nós neque hortus ullus   25

neque fenstra nisi clatrata; nam certe ego te hic intus uidi.

380 PA. pergin, sceleste, intendere hanc arguere? PH. ecastor

ergo

mi hau falsum euenit somnium quod noctu hac somniaui.

PA. quid somnia[ui]sti? PH. ego eloquar. sed amabo

aduortite animum.

hac nocte in somnis mea soror geminast germana uisa   30

uenisse Athenis in Ephesum cum suo amatore quodam;

385 i ambo hóspitio huc in proxumum mihi deuortisse uisi.

PA. Palaestrionis somnium narratur. perge porro.

PH. ego laeta uisa quia soror uenisset, propter eandem

suspicionem maxumam sum uisa sustinere.   35

nam arguere in somnis me meus mihi familiaris uisust

390 me cum alieno adulescentulo, quasi nunc tu, esse osculatam,

quom illa osculata mea soror gemina esset suompte amicum.

374 mihi possunt *APCD*   minis *A*   oculis *AB*[1]   fodiri *P*
375 o. [te] *A*   unde *in initio sequentis versus AP* : *huc transposui*
(*cf. Class. Rev.* 6, 404)   376 hac huc *P* : haec (*om.* huc) *A, fort.
altera lectio* opsecro te, Unde exit (*praes.*) haec   domo? Sc. domo?
PA. me] domo modo me *A*   377 nimis] nis (*D*) *vel* nisi (*BC*)
P (?*pro* nĭis, *i. e.* nimis)   miserum est *A*   hic (*om.* huc) *P*
potuerit *P*   379 fenestra *codd.*   nisi] neque *A*   clatrata *Scutarius* : clarata *codd.*   certo *P*   hic *om. A*   380 intenderet
(-re et *PCDB*[2]) *P*   ego *P*   381 eueniat *P* (*pro* -niet?)   382
aduortite (*B*[1]) *vel* aduortito (*PCDB*[2]) *P*   383 gemina et (*PCD*) *vel*
gemina (*B*) *P*   384 quom *A* (*antiqua forma*)   suo] eo *P*   385
ei *Ritschl* : et *A* (T *pro* I) : hi *P*   hospitium *A*   deuortiś (*i. e.*
-isse) *P ut vid.* (-tis *B*[1], -ti sunt *PCDB*[2]) *Plurima apud hanc fabulam
eiusmodi contractionum vestigia*   386 Palaestrionis *Dousa* : palaestrioni *codd.* (*seq.* s)   389 me familiaris meus mihi uisus est *P*
390 nunc est osculatam esse *P* (v. 3) : nunc tu es ausculatam *A*
391 ausculta *AB*[1] (*pro* ausculata)   suompte (-uum-) *etiam P ut vid.*
(sumptu *B*[1], suum *PCD*)

id me insimulatam perperam falsum esse somniaui.

40 PA. satin eadem uigilanti expetunt quae in somnis uisa
memoras?

eu hercle praesens somniúm! abi intro et comprecare.

narrandum ego istuc militi censebo. PH. facere certumst, 395

neque me quidem patiar probri falso inpune insimulatam.—

SC. timeo quid rerum gesserím, ita dorsus totus prurit.

45 PA. scin te periisse? SC. nunc quidem domi certost. certa
res est

nunc nostrum opseruare ostiúm, ubi ubist. PA. at, Sceledre,
quaeso,

ut ad id exemplum somnium quam simile somniauit 400

atque ut tu suspicatus es eam uídisse osculantem!

SC. nescio quid credam egomet mihi iam, ita quod uidisse
credo

50 me id iam non uidisse arbitror. PA. ne tu hercle sero,
opinor,

resipisces: si ad erum haec res prius praeuenit, peribis
pulchre.

SC. nunc demum experior mi ob oculos caliginem opstitisse. 405

PA. dudum edepol planumst id quidem, quae hic usque
fuerit intus.

SC. nihil habeo certi quid loquar: non uidi eam, etsi uidi.

55 PA. ne tu edepol stultitia tua nos paene perdidisti:

---

392 id (it) *etiam P ut vid.* (item B^1, ita $P^{CD}B^2$)   393 uigilantis *P*
394 heus *P*   praesentsomnium *ut vid. P* (perdent somnium B^1,
praesentia omnia $P^{CD}B^2$)   396 proui *P* (*i. e.* probi, *vulgaris
forma*) (prout B^1, prodi $P^{CD}B^2$)   397 gesserit *P*   398 num *A*
399 o. ubisset (ubi isset $P^{CD}B^2$) *P* (*pro* o. ubi siet?)   400 quam (quā)
etiam P ut vid. (quia *B*, quasi $P^{CD}B^2$)   401 es *om. A*   402
om. P   403 id iam] eam *P*   arbitri (B^1) *vel* arbitraris ($P^{CD}B^2$)
vel potius arbitr̄ (*i. e.* -ror) *P*   h. opinor obsecro (*pro* sero) *P*   *vel*
opino   404 respicis si ($P^{CD}B^2$) *vel* resipisci (B^1) *P*   deuenerit
A : [ob oculos] (*ex* 405) preuenit *P ut vid.* (creuerit B^1, peruenit
$P^{CD}B^2$)   peruis *P* (*corr. B²*)   405 mi] prius *P* (*ex* 404)
optigisse *P ut vid.*   406 planum hic q. *P*   hinc *P*   407–66
deest A   407 uidi eam *Camerarius*: uideam *cod.*   408 nostra
(nos B^2) p. perdidit *cod.* : *corr. Camerarius*

dum te fidelem facere ero uoluisti, apsumptu's paene.
410 sed fores uicini proxumi crepuerunt.   conticiscam.

PHILOCOMASIVM   SCELEDRVS   v
PALAESTRIO

PH. Inde ignem in aram, ut Ephesiae Dianae laeta laudes
gratisque agam eique ut Arabico fumificem odore amoene,
quom me in locis Neptuniis templisque turbulentis
seruauit, saeuis fluctibus ubi sum adflictata multum.
415 Sc. Palaestrio, o Palaestrió! PA. o Sceledre, Sceledre, quid 5
uis?

Sc. haec mulier, quae hinc exît modo, estne erilis concubina
Philocomasium an non est ea? PA. hercle opinor, ea uidetur.
sed facinus mirum est quo modo haec hinc huc transire
potuit,
si quidem east.   Sc. an dubium tibi est eam esse hanc?
PA. ea uidetur.
420 Sc. adeamus, appellemus. heus, quid istúc est, Philo- 10
comasium?
quid tibi istic in istisce aedibus debetur, quid negotist?
quid nunc taces? tecum loquor. PA. immo edepol tute
tecum;
nam haec nihil respondet. Sc. te adloquor, uiti probrique
plena,
quae circum uicinos uagas. PH. quicum tu fabulare?
425 Sc. quicum nisi tecum? PH. quis tu homo es aut mecum 15
quid est negoti?
Sc. me rogas? hem, qui sim? PH. quin ego hoc
rogem quod nesciam?

411 laeta *Pareus*: lata (latas $P^{CD}B^2$) *cod.*   413 quom *Leo*: qui
cod. (*pro* qum, *seq.* m.?): quae B^2 417 *vix* opino   418 haec hic
nunc tr. potuerit *cod.*: *corr. Ritschl*   419 tibi (P^{CD}) *an* id (B)
incert. cod.: *an* id tibi?   421 in istisce *Seyffert*: insce (B^1) *vel* in
hisce ($P^{CD} B^2$) *cod.*   423 nihil [est] respondit *cod.* (est *del.* B^2) (iv. 3)
adloquar B probrique *codd. Nonii* 467: propinque *cod.* (*pro* probi-
que)   425 negotist *Ritschl*   426 hem] homo *Acidalius*   quae
n. P^{CD}

Pa.ᵉ quis ego sum igitur, si hunc ignoras? Ph. mihi odio-
                                              sus, quisquis es,
et tu et hic. Sc. non nos nouisti? Ph. neutrum. Sc.
                                            metuo maxume,
Pa. quid metuis? Sc. enim ne ⟨nos⟩ nosmet perdiderimus
                                                  uspiam ;
20 nam nec te neque me nouisse ait haec. Pa. persectari hic 430
                                                  uolo,
Sceledre, nos nostri an alieni simus, ne dum quispiam
nos uicinorum inprudentis aliquis immutauerit.
Sc. certe equidem noster sum. Pa. et pol ego. quaeris
                                              tu, mulier, malum.
tibi ego dico, heus, Philocomasium! Ph. quae te in-
                                              temperiae tenent
25 qui me perperam perplexo nomine appelles? Pa. eho!   435
quis igitur uocare? Ph. Diceae nomen est. Sc. iniuria's,
falsum nomen possidere, Philocomasium, postulas ;
ἄδικος es tu, non δικαία, et meo ero facis iniuriam.
Ph. egone? Sc. tu⟨ne⟩. Ph. quaé heri Athenis Ephesum
                                              adueni uesperi
30 cum meo amatore, adulescente Atheniensi? Pa. dic 440
                                                  mihi,
quid hic tibi in Epheso est negoti? Ph. geminam germa-
                                              nam meam
hic sororem esse indaudiui, eam ueni quaesitum. Sc.
                                              mala es.
Ph. immo ecastor stulta multum quae uobiscum fabuler.

427 hunc *Pylades* : [tu] hunc *cod.* (? *pro* húnc tu)   428 Pa.
metuo *Ribbeck* (*et in* 429 Sc. quid . . . Pa. enim)   429 nos *add.*
Reiz   430 hic] *fort.* hac   431 ne clam *Bothe*   433 quaeres
cod.   436 Dicaeae (Δικαίᾳ) *Spengel* (*melius* -ce-, *ut* 'prehendo'
pro 'praĕhendo' ; *cf. v.* 808): dicere *cod.* : Glycerae *Pareus*   iniuria
est (ĕ) *cod.* (*cf. Isid. etym.* 5, 26, 10)   438 a dice testu non
dicat ei et *cod.* : *corr. Spengel* : Ἀγλυκὴς es tu, non γλυκεῖα et *Hasper*
[non] facis *cod.* : non *del. Ital.*   439 ne *add. Ritschl*   442
inaudiui *ut uid. cod.* (B¹ *n. l.*)   uenio B¹   443 etcastor B¹
fabulem *cod.* (*cf.* 371), *fort. recte* (*corr.* B²)

abeo. Sc. abire non sinam te. Ph. mitte. Sc. manufes-
　　　　　　　　　　　　　　　　　　　　　taria's.

445 non omitto. Ph. at iam crepabunt mihi manus, malae tibi, 35
　nisi me omittis. Sc. quid, malum, astas? quin retines
　　　　　　　　　　　　　　　　　　　　　altrinsecus?

Pa. nil moror negotiosum mihi esse tergum. qui scio
an ista non sit Philocomasium atque alia eius similis siet?
Ph. mittis me an non mittis? Sc. immo uí atque inuitam
　　　　　　　　　　　　　　　　　　　　　ingratiis,

450 nisi uoluntate ibis, rapiam te domum. Ph. hosticum hoc 40
　　　　　　　　　　　　　　　　　　　　　mihi

domicilium est, Athenis domus est atque erus; ego istam
　　　　　　　　　　　　　　　　　　　　　domum

neque moror neque uos qui hómines sitis noui neque scio.
Sc. lege agito: te nusquam mittam, nisi das firmatam
　　　　　　　　　　　　　　　　　　　　　fidem

te huc, si omisero, intro ituram. Ph. ui me cogis, quis-
　　　　　　　　　　　　　　　　　　　　　quis es.

455 do fidem, si omittis, isto me intro ituram quo iubes. 45
Sc. ecce omitto! Ph. at ego abeo missa.—Sc. muliebri
　　　　　　　　　　　　　　　　　　　　　fecit fide.

Pa. Sceledre, manibus amisisti praedam. tám east quam
　　　　　　　　　　　　　　　　　　　　　potis

nostra erilis concubina. uin tu facere hoc strenue?
Sc. quid faciam? Pa. ecfer mihi machaeram huc intus.
　　　　　　　　　　　　　　　　　Sc. quid facies ea?

460 Pa. intro rumpam recta in aedis: quemque hic intus uidero 50

---

444 m. es *Ritschl* : m. res est *cod.* (v. 3)　445 iam cr. mihi *Bothe* :
iam cr. *cum* mihi *in marg. addito, ut uid. cod.* (mihi *ante* iam B, *om.*
*P*CD)　446 quin retines *Pylades* : qui detenes (-tin- *P*CD) *cod.*
(quid te tenes *B*²)　448 *vel* istaec　*vel* sit (*ita cod.*)　449
inuitam *Ital.* : uita *cod.*　450 uoluntate ibis *Camerarius* : uoluptate
(-em B) ibi *cod.*　hosticum *Lipsius* : hostium (ost-) *cod.*　451 est
domicilium *P*CD, *fort. recte*　Sc. at erus ⟨hic⟩ *Ritschl* : Atticis *Leo*
452 q. s. h. *Guietus*　456 *vel* Pa. mul.　feci (*B*¹) *vel* fecisti
(*P*CD*B*²) *cod.* : egisti *Seyffert*　457 Sceledre ⟨e⟩ *Fleckeisen*　east
quam potis *Camerarius* : ea sique ampotis *cod.* (vii. 1, p. 20)

cum Philocomasio osculantem, eum ego optruncabo ex-
                                                        tempulo.
Sc. uisanest ea esse? Pa. immo edepol plane east. Sc.
                                                    sed quo modo
dissimulabat! Pa. abi, machaeram huc ecfer. Sc. iam
                                                    faxo hic erit.—

Pa. neque eques neque pedes profectost quisquam tanta
                                                        audacia
55 qui aeque faciat confidenter quicquam quam mulier facit.   465
ut utrubique orationem docte diuisit suam,
ut sublinitur os custodi cauto, conseruo meo!
nimi' beat quod commeatus transtinet trans parietem.

Sc. heus, Palaestrio, machaera nihil opust. Pa. quid iam?
                                                    aut quid est?
60 Sc. domi eccam erilem concubinam. Pa. quid, domi? 470
                                        Sc. in lecto cubat.
Pa. edepol ne tu tibi malam rem repperisti, ut praedicas.
Sc. quid iam? Pa. quia hanc attingere ausu's mulierem
                                                    hinc ex proxumo.
Sc. magis hercle metuo. Pa. sed numquam quisquam
                                                    faciet quin soror
istaec sit gemina huius: eam pol tu osculantem hic uideras.
65 Sc. id quidem palam est eam esse, ut dicis; quid propius fuit 475
quam ut perirem, si elocutus essem ero? Pa. ergo, si sapis,
mussitabis: plus oportet scire seruom quam loqui.
ego abeo a te, ne quid tecum consili commisceam,

461 obstruncabo [me] B^1 465 mulier facit *Luchs*: mulieris
faciunt *cod.*   466 ductae *cod.* (*corr.* B^2)   diuisit suam *Luc.
Mueller*: diuit uttuam (P^{CD}) *vel* du it intuam (B^1) *cod.*: *vix* ducit in
uiam   467 *accedit A*   subl. os] subliniturus (*corr.* B^2) P cu-
stodiit P (custodi ut B^2)   469 aut quid est] haud quid [opus] est
P 472 hinc ex] hic in P 473 qui P 474 ista sit
germana P 475 Et P (*pro* It, *i. e.* Id)   476 locutus P 478
a *om.* P

       atque apud hunc ero uicinum ; tuae mihi turbae non placent.
480 eru' si ueniet, si me quaeret, hic ero : hinc me arcessito.— 70

              SCELEDRVS   PERIPLECTOMENVS   vi
   Sc. Satin abiit ille neque erili negotio
   plus curat, quasi non seruitutem seruiat?
   certo illa quidem hic nunc intus est in aedibus,
   nam egomet cubantem eam modo offendi domi.
485 certum est nunc opseruationi operam dare.   5
   PE. non hercle hisce homines me marem, sed feminam
   uicini rentur esse serui militis :
   ita me ludificant. meamne hic inuitam hospitam,
   quae heri huc Athenis cum hospite aduenit meo,
490 tractatam et ludificatam, ingenuam et liberam?   10
   Sc. perii hercle ! hic ad me recta habet rectam uiam.
   metuo illaec mihi res ne malo magno fuat,
   quantum hunc audiui facere uerborum senem.
   PE. accedam ad hominem. tun, Sceledre, hic, scelerum
                                                     caput,
495 meam lúdificauisti hospitam ante aedis modo?   15
   Sc. uicine, ausculta quaeso. PE. ego auscultem tibi?
   Sc. [ex]purgare uolo me. PE. tun ted expurges mihi,
   qui facinus tantum tamque indignum feceris ?
   an quia latrocinamini, arbitramini
500 quiduis licere facere uobis, uerbero?   20
   Sc. licetne? PE. at ita me di deaeque omnes ament

       479 ero *om.* P   480 quaerit P (*pro* -ret ?)   hinc] hic P
   481 erile negotium *codd.* (i. 9), *fort. recte, quanquam neque* erilē
   neque erile negót- *placet* : eri rem, negotium *Redslob* (*Liter. Centralbl.*
   1895, p. 1762) : eri hilo negotium *Leo*   482 seruitute *codd.*
   483 quidem illa P   484 ego et cubantem ea domo P   offendam A   488 mea (me C) mane P   inuita P (*cf.* 490)   hospī
   ut uid. P (*i. e.* hospitam ?)   490 tractata et ludificata ingenua et
   libera P   491 r. h. recta uia P   497 ex (*fort. ex* E, *nota
   personae, ortum*) *seclusi, nam* expurgar' *uix ferendum, neque* expúr-
   garé uolo *placet*   Expurigare . . te (*ita codd.*) expuriges (*del.* mihi)
   Ritschl   501-38 *deest A*

nisi mihi supplicium uirgarum de te datur
longum diutinumque, a mani ad uesperum,
quod meas confregisti imbricis et tegulas,
25 ibi dum condignam te sectatu's simiam,   505
quodque inde inspectauisti meum apud me hospitem
amplexum amicam, quom osculabatur, suam,
quodq' concubinam erilem insimulare ausus es
probri pudicam meque summi flagiti,
30 tum quod tractauisti hospitam ante aedis meas :   510
nisi mihi supplicium stimuleum de ⟨te⟩ datur,
dedecoris pleniorem erum faciam tuom
quam magno uento plenumst undarum mare.
Sc. ita sum coactus, Periplectomene, ut nesciam
35 utrum me ⟨ex⟩postulare priu' tecum aequiust—   515
nisi ⟨si⟩ istaec non est haec neque ⟨haec⟩ istast, mihi
med expurgare haec tibi uidetur aequius ;
sicut etiam nunc nescio quid uiderim :
itast ista huius similis nostrai tua,
40 siquidem non eadem est. Pe. uise ad me intro, iam scies. 520
Sc. licetne ? Pe. quin te iubeo ; et placide noscita.
Sc. ita facere certum est.—Pe. heus, Philocomasium, cito
transcurre curriculo ad nos, ita negotiumst.
post, quando exierit Sceledrus a nobis, cito
45 transcurrito ad uos rusum curriculo domum.   525
nunc pol ego metuo ne quid infuscauerit.
si hic non uidebit mulierem—aperitur foris.

502 uirgeum *Guietus*   503 longumque *Luc. Mueller, cui* diū-
tinum *displicet*   diutinum usque *Redslob*   505 sectaris *codd.*
Servii ad Georg. 4, 296   507 amplexam *Bothe*   510 meam
Leo   511 mihi *Lambinus* : tibi *cod.*   te *add. Lambinus*   513
uentum *cod.* (*corr. B²*)   515 exp. *Ritschl*   aequiost *an* aequomst
incert. P (aequumst *P*CD, aequo sit *B¹*) (*cf. Journ. Phil.* 26, 291)
utrum me postulare prius ⟨ut satis duis, an ueniam ut des orare⟩
tecum aequom siet (?) *Leo*   516 si *add. Acidalius*   haec *add.*
Ritschl   517 *vel* me (*ita P*CD*B²* : mea *B¹*) expurgare   521 quin
Lipsius : [ne]quin *cod.*   et] i (ei) *Ritschl* (*cf. Sjögren ' Part. Copul.'*
p. 85)   523 transcurrere *cod.* (*corr. B²*)   negotiis *cod.* (-tiust *B²*)
527 fobis *cod.* (*corr. B²*) (B *pro* R)

Sc. pro di inmortales ! similiorem mulierem

529-30 magi'que eándem, ut pote quae non sit eadem, non reor

deos fácere posse. PE. quid nunc? Sc. commerui malum. 50

PE. quid igitur? eanest? Sc. etsi east, non est ea.

PE. uidistin istam? Sc. uidi et illam et hospitem

complexam atque osculantem. PE. éanest? Sc. nescio.

535 PE. uin scire plane? Sc. cupio. PE. abi intro ad uos domum.

continuo, uide sitne istaec uostra intus. Sc. licet, 55

pulchre admonuisti. iám ego ad te exibo foras.—

PE. numquam edepol hominem quemquam ludificarier

magis facete uidi et magi' miris modis.

540 sed eccum egreditur. Sc. Periplectomene, te opsecro

per deos atque homines perque stultitiam meam 60

perque tua genua—PE. quíd opsecras me? Sc. inscitiae

meae et stultitiae ignoscas. nunc demum scio

me fuisse excordem, caecum, incogitabilem.

545 nam Philocomasium eccam intus. PE. quid nunc, furcifer?

uidistin ambas? Sc. uidi. PE. erum exhibeas uolo. 65

Sc. meruisse equidem me maxumum fateor malum

et tuae fecisse me hospitae aio iniuriam ;

sed meam esse erilem concubinam censui,

550 quoi me custodem erus addidit miles meus.

nam ex uno puteo similior numquam potis 70

aqua aquai sumi quam haec est atque ista hospita.

529, 530 no sit *cod.* (*corr. B²*)   reo *cod.* (*corr. B²*)   531
conmeru *cod.* (*corr. B²*)   532 etsi aest *cod.* (*corr. B²*)   533
istam] *utrum* istam (*P^CD*) *an* eam (*B*) *an* iam (*pro* illam ?) *incert. cod.*
534 complexum *Acidalius*   535 uim *cod.* (*corr. B²*)   abit *cod.* (*corr.
B²*)   536 uostra *Bothe* : [domum] uostra *cod.* (*ex v.* 535 ; iv. 3)
537 iam *Ital.* : [si] iam *cod.* (iv. 3)   539 *accedit A*   *vel* mage m.
541 stultitia mea *P* (*corr. B²*)   542 gea *P* (*pro* gēa, *i. e.* genua ?)
543 demum] dem *P* (*corr. B²*)   544 excorde *P* (*corr. B²*)
545 quis nunc *P* (*corr. B²*) (*pro* quinnunc ; i. 4)   546 Vidisti *P*
547 equidem me] tequideme *P*   facior *P*   548 fecisset *P* (*corr.
B²*)   hospitiae *A*   alo iniuria *P* (*corr. B²*)   551 umo *P* (*corr.
B²*) (? *pro* ūo)   potest *A*   552 aqua] atquam *P* (*pro* acqua,
vulgari forma) (*corr. B²*)   aquai (-ae)] aeque *A¹B¹*   summis
P (*corr. B²*)   atquem histham (*i. e.* istam) *ut vid. P* (*corr. B²*)

et me despexe ad te per impluuium tuom
fateor. PE. quidni fateare ego quod uiderim?
et ibi osculantem meum hospitem cum ista hospita   555
75 uidisti? SC. uidi (qur negem quod uiderim?),
sed Philocomasium me uidisse censui.
PE. ratu'n ístic me hominem esse omnium minimi preti,
si ego me sciente paterer uicino meo
eam fíeri apud me tam insignite iniuriam?   560
80 SC. nunc demum a me insipienter factum esse arbitror
quom rem cognosco; at non malitiose tamen
feci. PE. immo indigne; nám hominem seruom suos
domitos habere oportet oculos et manus
orationemque. SC. ego⟨ne⟩ si post hunc diem   565
85 muttiuero, etiam quod egomet certo sciam,
dato excruciandum me: egomet me dedam tibi;
nunc hoc mi ignosce quaeso. PE. uincam animum meum,
ne malitiose factum id esse aps te arbitrer.
ignoscam tibi istuc. SC. at tibi di faciant bene!   570
90 PE. ne tu hercle, si te dí ament, linguam comprimes,
posthac etiam illud quod scies nesciueris
nec uideris quod uideris. SC. bene me mones,
ita facere certum est. sed satine oratu's? PE. abi.
SC. numquid nunc aliud me uis? PE. ne me noueris.   575

553 meo *A*   despexi *P*   554 ni] nunc *A*   fatear et ego
[et] *P* (et *utrumque del. B²*): fateare ergo *A* : *vix* fatearis égo   uiderit *P* (*corr. B²*)   555, 556 *om.* *P* (iii. 11)   557 uidisset *P* (*corr. B²*)
558 me istic *P*   minimum *P* (*corr. B²*)   praetei *ut vid. A*   559
scientem patere *P* (*corr. B²*)   560 eam] em *P* (*corr. B²*) (*vix antiqua
forma*)   itam *P* (*corr. B²*)   insignitam *A* (*cf.* 569)   iniuria *P*
(*corr. B²*)   561 a me *Ital.* : a me [tam] *A* (*cf. v.* 560): me *P*
(*om.* a)   arbitro *PCD fort. recte*   563 homine *P* (*corr. B²*)
seruo *P* (*corr. B²*): seruos *A*   suo *P* (*corr. B²*)   565 huc *P*
(*corr. B²*)   566 ego mes (*B¹*) *vel* ego me (*PCD*) *P* (*corr. B²*)
scio *A*   567 dato excruciatum me ego medidam (egomet dedam
B²) tibi *P*   568 ignoscam *P* (*pro* -sc̄?) (ignoscas *B²*)   569
malitiosum *A* (*cf.* 560)   570 di *om. P* (*add. B²*)   571 Ni *A*
amant *PCD*   conprimis *P*   571–2 *vel sic distingue* compr. posthac,
et.   572 post haec *P*   573 nec] ne *P*   574 ita pacere
(*corr. B²*) certum esset (est *B²*) satine oratus abit *P*

Sc. dedit híc mihi uerba.   quam benigne gratiam   95
fecit ne iratus esset ! scio quam rem gerat
ut, miles quom extemplo a foro adueniat domum,
domi cómprehendar.   una hic et Palaestrio
580 me habent uenalem : sensi et iam dudum scio.
numquam hercle ex ista nassa ego hodie escam petam ;   100
nam iam aliquo aufugiam et me occultabo aliquot dies,
dum haec consilescunt turbae atque irae leniunt.
nam uni satis populo inpio merui mali.
585 uerum tamendem quidquid est, ibo hinc domum.—
Pe. illic hinc apscessit.   sat edepol certo scio   105
occisam saepe sapere plus multo suem :
quoin id adimatur ne id quod uidit uiderit ? ⟵
nam illius oculi atque aures atque opinio
590 transfugere ad nos.   usque adhuc actum est probe ;
nimium festiuam mulier operam praehibuit.   110
redeo in senatum rusum ; nam Palaestrio
domi nunc apud me est, Sceledrus nunc autemst foris :
frequens senatus poterit nunc haberier.
595 †ibo intro, ne, dum apsum, multae sortitae fuant†.

576 gratia *P*   577 socios qua (so dos qua *P*CD) *P* (*corr. B*²)
579 comprehendat *P*   581 massa *P*   hod. capetam *P*   582
[aut] aliquot *P* (*corr. B*²) (iv. 3)   583 leuiunt *B*¹   584 uni]
nunc *P*   585 tamen deme (*i. e.* de me ?) *P*   hic *P* (*corr. B*²)
588 quoin id *Ribbeck* : quin id *A* : quod in *P* (quod ei *B*²)   590
adhunc *P* (*corr. B*²)   actum] tum *A*   591 festiuam *Gulielmius* :
festiua *codd.*   opera *P*   peribunt *P*   592 senatu *A*   593, 594
turbati in P, freq. sen. scel. ɒ. autem foras dom. n. ap. me pot. n. hab.
(iv. 3)   595 ibo] *fort.* i : *vix delend.* (intro 'introeo')   *vix troch.*
septenar.   multae sortitae fiat *A* : multi (multis *B*²) sortito fuam
P : alter sorti defuat *Leo*

ACTVS III

III. i   PALAESTRIO   PERIPLECTOMENVS
              PLEVSICLES

PA. Cohibete intra limen etiam uos parumper, Pleusicles,
sinite me priu' perspectare, ne uspiam insidiae sient
concilium quod habere uolumus. nam opus est nunc tuto
                           loco

unde inimicus ne quis nostri spolia capiat consili.
5 nam bene consultum inconsultumst, si id inimicis usuist,   600
neque potest quin, si id inimicis usuist, opsit tibi ;
nam bene ⟨consultum⟩ consilium surrupitur saepissume,
si minu' cum cura aut cautela locu' loquendi lectus est.
quippe qui, si resciuere inimici consilium tuom,
10 tuopte tibi consilio occludunt linguam et constringunt manus 605
atque eadem quae illis uoluisti facere, illi faciunt tibi.
sed speculabor nequis aut hinc aut ab laeua aut a dextera
nostro consilio uenator adsit cum auritis plagis.
sterilis hinc prospectus usque ad ultumamst plateam probe.
15 euocabo. heus Periplectomene et Pleusicles, progredimini ! 610
PE. ecce nos tibi oboedientes. PA. facilest imperium in
                             bonis.

sed uolo scire, eodem consilio quod intus meditati sumus

---

597 perspectari *P*CD : prospectare *B*   598 nunc *om. A*   599
nequi *A*   nostris (-ra *B*¹) *P ut uid.*   captat *A* (T *pro* I) *sequitur*
ir P : unde inimicus nequis nostra spolia capiat auribus (*haec aut*
retractatoris sunt aut ex una glossa 'auribus' *orta*)   600 est *om.*
P   inimicis usuist *Ritschl* : inimicusuist *A* : inimicis usus *P*
601 quin si id] qui nisi *P*   tibi *Acidalius* : mihi *P* (*A n. l.*)
602, 603 *retractatoris esse credit Weise*   602 consultum *add. Bothe*
(iii. 1)   603 aut catalogos *P* (v. 9, 1)   lectum *P* (?-us *B*¹)
604 quippe quî *Tyrrell* : quippe hi *A* : quippe *P*   scire siuere *P*
(i. 5)   suum *P*   606 illi *om. P* (? *pro* faciunt i)   607 nĕquis
suspectum (*A n. l.*)   aut hinc] hinc *Studemund* (*etiam A* ?)   aut
ab (a) l.] a l. *P*CD   aut a d.] aut d. *B*   609 ultumam plateamst *P*
(*cf. Merc.* 330)   612–80 *deest A*

gerimus rem? PE. magis non potest esse ad rem utibile.
PA. †immo†

quid tibi, Pleusicles? PL. quodn' uobis placeat, displiceat
mihi?

615 quis homo sit magis meu' quam tu's? PA. loquere lepide 20
et commode.

PE. pol ita decet hunc facere. PL. at hoc me facinus
miserum macerat

meumque cor corpusque cruciat. PE. quid id est quod
cruciat? cedo.

PL. me tibi istúc aetatis homini facinora puerilia

obicere neque te decora neque tuis uirtutibus;

620 ea te expetere ex opibus summis méi honóris gratia   25

mihique amanti ire opitulatum atque ea te facere facinora

quae istaec aetas fugere facta magi' quam sectari solet:

eam pudet me tibi in senecta obicere sollicitudinem.

PA. nouo modo tu homo amas, siquidem te quicquam quod
faxis pudet;

625 nihil amas, umbra es amantis magi' quam amator, Pleusicles. 30

PL. hancine aetatem exercere méi amóris gratia?

PE. quid ais tu? itane tibi ego uideor oppido Accherunticus?

tam capularis? tamne tibi diu uídeor uitam uiuere?

nam equidem hau sum annos natus praeter quinquaginta
et quattuor,

630 clare oculis uideo, pernix sum pedibus, manibus mobilis.   35

PA. si albicapillus hic, uidetur neutiquam ab ingenio senex.

613 ad rem non potest esse *PCD*   immo *in initio v.* 614 *PCD* :
fort. i modo (*per compend. scrift.* imō)   616 hunc *Ital.* : hanc *cod.*
miseram *B¹, unde* misere *Bothe*   617 cedo *Camerarius* : ced *P
ut vid.*   619 o. atque *B¹, unde* o. ac neque *Ribbeck*   620 A
Ritschl   ex *Bothe* : [te] ex *cod.* (ii. 2)   mei *Pylades* : mihi *cod.* (*pro*
mi?)   622, 625 *vel* mage   624 taxis *cod.* (*corr. B²*)   *vel sic
distingue* amas ; . . pudet,   625 amantis *Niemeyer* : amantum
cod. (*cf.* 253, 385)   626 mei *Ital.* : me *cod.* (? *pro* med) : ⟨mei⟩ me
Lindemann   627 tu itane] totam (*pro* tu? tam) *codd. Nonii* 4
628 tamine *cod.* (*antiqua forma?*)   uitam *Camerarius* : uita *cod.*   629
natus annos *cod.* : *trai. Camerarius*   630 manibus pedibus *cod.* : *trai.
Guietus* (ii. 1, p. 37)   631 ab *codd. Nonii* 9 : ibi *cod.*   *vix* senexst
3*

inest in hoc emussitata sua sibi ingenua indoles.

Pl. pol id quidem experior ita esse ut praedicas, Palaestrio ;

nam benignitas quidem huiius oppido adulescentulist.

40 Pe. immo, hospes, magi' quom periclum facies, magi' nosces 635

meam

comitatem erga te amantem. Pl. quid opus nota noscere ?

Pe. ut apud te exemplum experiundi habeas, ne †titast† foris ;

nam nisi qui ipse amauit aegre amantis ingenium inspicit :

et ego amoris aliquantum habeo umorisque etiam in corpore 639-40

45 nequedum exarui ex amoenis rebus et uoluptáriis.

uel cauillator facetus uel conuiua commodus

item ero neque ego oblocutor sum alteri in conuiuio :

incommoditate apstinere me apud conuiuas commodo

commemini et meam orationis iustam partem persequi   645

50 et meam pártem itidem tacere, quom aliena est oratio ;

minime sputator, screator sum, itidem minime mucidus :

post Ephesi sum natus, non enim in Apulis ; non sum

Animula.

Pa. o lepidum semisenem, si quas memorat uirtutes habet,

atque equidem plane educatum in nutricatu Venerio !   650

55 Pe. plus dabo quam praedicabo ex me uenustatis tibi.

neque ego úmquam alienum scortum subigito in conuiuio

634 adolescentules (-le $PCDB^2$) *cod.* : *corr. Camerarius* : -la est *Leo*
635 *vel* mage . . . mage   mea *cod.*   636 comitatem erga
Camerarius : comitante merce *cod.*   *vel* opust   *ante* 637 *talem
sententiam intercidisse coniecit Ritschl* : nam ipsum amasse oportet, si
amanti ire opitulatum uoles   637 te B^2 : *om. cod.*   ne itas]
negis PCD (*pro* neitas, *i. e.* neitas *corr.* negitas?)   *vix* ne bitas foras
(*cf. ad* 869)   638 nisi *Gruterus* : ipsi *cod. ut uid.*   639, 640
[me] etiam *cod.* : me *del. Ital.*   643 idem *Ussing*   ego *om. B*
oblecutor (obliuiscor B^1) *cod.* (*corr.* B^2)   644 conuiuias *cod.* (*corr.* B^2)
quomodo *cod.* : commodos *Mueller*   645 commeminit *cod.*   meam
(?) *Leo* : meae *cod.*, *sed* me(ae) *displicet*   646 taceret *cod.*   647
minimis (*corr.* B^2) putatur scrahator *cod.*   648 Animula *Schol. Virg.*
G. 2, 134 : in imula *cod.* : Animulâs *Scioppius* : Animulae *Bothe*   649
semisenem *Ital.* : semisemne (semine B) *cod.*   uirtutis *Scutarius* :
ur tuis *cod.*   650 *vel* quidem   eductum *cod.* : *corr. Bentley*
652 numquam *Merula* : umquam *cod.*   subigito[m] in (s. mi in B^2)
cod. (*cf. ad vv.* 323, 784)

neque praeripio pulpamentum neque praeuorto poculum
neque per uinum umquam ex me exoritur discidium in conuiuio :

655 si quis ibi est odiosus, abeo domum, sermonem segrego ;
Venerem, amorem amoenitatemque accubans exerceo.   60

PA. tu quidem edepol omnis moris ad uenustatem †uicet† ;
cedo tris mi homines aurichalco contra cum istis moribus.

PL. at quidem illúc aetatis qui sit non inuenies alterum
660 lepidiorem ad omnís res nec qui amicus amico sit magis.

PE. tute me ut fateare faciam esse adulescentem moribus,   65
ita apud omnis comparebo tibi res benefactis frequens.

opu'ne erit tibi aduocato tristi, iracundo ? ecce me !

opu'ne leni ? leniorem dices quam mutum est mare
665 liquidiusculusque ero quam uentus est fauonius.

uel hilarissumum conuiuam hinc indidem expromam tibi   70
uel primarium parasitum atque opsonatorem optumum ;

tum ad saltandum non cinaedus malacus aequest atque ego.

PA. quid ad illas artis optassis, si optio eueniat tibi ?
670 PL. huius pro meritis ut referri pariter possit gratia,

tibique, quibu' nunc me esse experior summae sollicitudini. 75

at tibi tanto sumptui esse mihi molestumst. PE. morus es.

nam in mala uxore atque inimico si quid sumas, sumptus est,

in bono hospite atque amico quaestus est quod sumitur :

---

653 copulum *cod.* (*corr. B²*) (ii. 7)   654 mea *cod.*   in *om. B*
655 odiosus est *B   fort.* ibist o.   656 amoram amonitatem quae
accubas *cod.* (*corr. B²*)   657 *vel* môris   uenustate *P* CD   uacet
B: uiges *D²   f rt.* tuus . . . moris (*nom. sing.*) . . . uiget (*vix* facit) :
tui (*Camerarius*) . . . uigent *Ribbeck*   658 contra cum *B²* : con-
tramtum *cod.* (t *pro* c)   660 nec [magis] quid (*corr. B²*) amicus
amicos sint (*corr. B²*) magis *cod.* (ii. 2) : *corr. Ital.*   661 fateare
Ital. : fatear et *cod.*   adulescente *cod.* (*corr. B²*)   662 bona
factis *cod.*   663 tris furacundo *cod.* (*corr. D²*)   664 dicis *cod.*
(*pro* -es ? i. 3)   666 conuiuium hinc indidam *cod.* : *corr. Ital.*,
Camerarius   668 saltandum *Nonius* 5 : salutandum *cod.*   antque
cod. (*corr. B²*)   669 qui *B*   at tillas *cod.* (*pro* at illas, *i. e.* ad i.)
(*corr. B²*)   optissi *cod.* (optassi *B²*) : *corr. Camerarius*   670 huic
Guietus   referet *cod.* (*corr. B²*)   671 esset experio *cod.* (*corr. B²*)
(-io *fort. recte*)   672 es] est *cod.*   673 sumas *Camerarius* : sumat
cod.   674 quaetus *cod.* (*corr. D²*)

   et quod in dínis rebus sumas sumpti sapienti lucrost.   675
80 deum uirtute est te unde hospitio accipiam apud me comiter :
   es, bibe, animo opsequere mecum atque onera te hilari-
                                                        tudine.
   liberae sunt aedes, liber sum autem ego ; me uolo uiuere.
   nam mihi, deum uirtute dicam, propter diuitias meas
   licuit uxorem dotatam genere summo ducere ;   680
85 sed nolo mi oblatratricem in aedis intro mittere.
   PA. qur non uis ? nam procreare liberos lepidumst opus.
   PE. hercle uero liberum esse tete, id multo lepidiust.
   PA. tú homo et alteri sapienter potis es consulere et tibi.
   PE. nam bona uxor suaue ductust, si sit usquam gentium   685
90 ubi ea possit inueniri ; uerum egone eam ducam domum
   quae mihi numquam hoc dicat 'eme, mi uir, lanam, und'
                                                        tibi pallium
   malacum et calidum conficiatur tunicaeque hibernae bonae,
   ne algeas hac hieme' (hoc numquam uerbum ex uxore
                                                        audias),
   uerum priu' quam galli cantent quae me e somno suscitet,   690
95 dicat 'da, mi uir, calendis meam qui matrem moenerem,
   da qui faciam condimenta, da quod dem quinquatrubus

---

675 dinis (*i. e.* diuinis ; *ita cod.*) *suspectum*   sumat *Goetz, Schoell*
sumpti *Goetz, Schoell* : sumptu *cod.* (-tus B^2) : *del. Camerarius* : sumptumst (*del.* sumas) *Ritschl*   lucrumst *Leo* (*cf. Merc.* 553)   676 te
unde *Haupt* : eundem *codd. Nonii* 415 : tasenunde *cod.* (? ii. 4 ; *cf.* comitas *infra*)   accipiem *cod.* (*vix antiqua forma*)   comitas *cod.* (*pro* comit,
i. e. -ter)   677 est *cod.*   hilaritudine *Nonius* 120 : hilaritus me
(hilarissime *B*) *cod.*   678 ego ; me u. *scripsi* : egomet uuolo *cod.*
(v. 10) : ego ; mei u. *Leo* : ego et u. *Seyffert*   uiuere *Haupt* : libere
cod. (bibere B^2)   liberum autem ego me uolo uiuere *Lorenz*   679
uirtutem *cod.* (*corr.* B^2)   681 *accedit A*   introducere *A* (*cf.* 680)
682 *vel* PL.   lepidus sonus *P* (lepidissimumst B^2) : lepidumst onus
Lipsius   683 tete *om. P*   est lepidius *P*   684 est *P* (*corr.*
B^2), *A n. l.*   685 sua deductust situs quam *P* (i. 5 ; iii. 3)   686
possi (possim *B*) *P*   687 lanam *Ital.* : ianam *A* : tanam *P*   688
malamcum *P*   mihi bernae *P* (*corr.* B^2)   690 e *om. P*   691
munerem *A* : uenerit *P*   692 faciam *Ritschl* : faciat *P, fort. recte*
(*A n. l.*)   condimenta, da *Ritschl* : condiat da (dan P^{CD}, *pro* dá ?) *P*
(*cf. Rud.* 574 uesti *pro* uestimenti ; v, p. 106)   det *P* (*corr.* B^2)

praecantrici, coniectrici, háriolae atque haruspicae ;
flagitiumst si nihil mittetur quae supercilio spicit ;
695 tum plicatricem clementer non potest quin moenerem ;
iam pridem, quia nihil apstulerit, suscenset ceriaria ;   100
tum opstetrix expostulauit mecum, parum missum sibi ;
quid ? nutrici non missuru's quicquam quae uernas alit ?'
haec atque huiius similia alia damna multa mulierum
700 mé uxoré prohibent, mihi quae huius similis sermones
                                                    sera[n]t.
PA. di tibi propitii sunt, nam hercle si istam semel amiseris 105
libertatem, hau facile in eundem rusum restitues locum.
PL. at illa laus est, magno in genere et in diuitiis maxumis
liberos hominem educare, generi monumentum et sibi.
705 PE. quando habeo multos cognatos, quid opu' sit mihi
                                                    liberis ?
nunc bene uiuo et fortunate atque ut uolo atque animo ut 110
                                                    lubet.
mea bona mea morti cognatis didam, inter eos partiam.
í apud me aderunt, me curabunt, uisent quid agam, ecquid
                                                    uelim.
priu' quam lucet adsunt, rogitant noctu ut somnum ceperim.
710 eos pro liberis habebo qui mihi mittunt munera.

---

693 precatrici *B*[2] *et fort. P*   conlectrici *P* (1 *pro* j) : coc̣t(ri)c̣i *A*
694 si *om. A* (iii. 1)   695 plicatricem *Studemund* : plicat— *A* : patri-
cam *P*   quin (*ita B*[2])] hinc quam *P* (*pro* hinc qui ?)   mun. *codd.*
696 ceraria *P*   697 obstrex *P* (*corr. B*[2])   698 quid] quii *P*
(*pro* quit ?)   699 huiius *vix tolerandum* : horum *Ritschl* (*cf. v.* 700)
700 *vel* med   prohibenti *P*   simile *B*   sermones serat *Lambinus* :
sermones serant *A* : sermoniserant *P* (*pro* sermonis s. ?)   701 sunt
om. A   hercle nam *P*   ista *P*   702 in [te] *P* (iv. 2)   restituis
A   uocum *P* (iocum *B*[2])   703 *vel* illaec   704 homines *A* (i. 9)
educaret *P* (*corr. B*[2])   705 sit *Ital.* : fit *P*: *om. A* : est *Ritschl,*
Goetz   liberis *om. A*   706 et] ei *P* (*corr. B*[2])   fortunato *P*
atquam animo ut lubet *P* : atque [ut] animo ut uọḷẹt *A*   707 Meam
P (*corr. D*[2])   cognatim *P*   dicam *P*   partim *P*   708 li *P*
(*pro* ii) : hi *A*   ederunt *P*   uisant (uisam *B*) *P*   ecquid *Ital.*:
hic quid *P* : quid *A*   uelint (-it *P*[CD]) *P ut vid.*   709 somnium *P*
caeperiam *P*   710 habeo quam mittunt *P*

115 sacruficant : dant inde partem mihi maiorem quam sibi,
     abducunt ad exta ; me ad se ad prandium, ad cenam
                                          uocant ;
   ille misérrumum se retur minimum qui misit mihi.
   illi inter se certant donis, egomet mecum mussito :
   bona mea inhiant, me certatim nutricant et munerant   715
120 PA. nimi' bona ratione nimiumque ad te et tuam uitam
                                        uides :
   et tibi sunt gemini et trigemini, si te bene habes, filii.
   PE. pol si habuissem, sati' cepissem miseriarum e liberis :
   continuo excruciarer animi : si ei fort' fuisset febris,   719-20
   censerem emori ; cecidissetue ebrius aut de equo uspiam,
125 metuerem ne ibi diffregisset crura aut ceruices sibi.
   PL. huic homini dignum est diuitias esse et diu uitam dari,
   qui et rem seruat et se bene habet suisque amicis usui est.
   PA. o lepidum capút ! ita me di deaeque ament, aequom 725
                                          fuit
   deos parauisse uno exemplo ne omnes uitam uiuerent ;
130 sicuti mérci pretium statuit qui est probus agoranomus :
   quae probast mers, pretium ei statuit, pro uirtute ut ueneat,
   quae inprobast, pro mercis uitio dominum pretio pauperet,
   itidem diuos dispertisse uitam humanam aequom fuit :   730

     711 dant *per compend. script. in* P (dent P^{CD}, dus B) (*corr.* B²)
malorem A   712 ad se ad] ad se P (*corr.* B²)   uocat P (*corr.*
B²)   714 ego et mucum (mecum B²) P   715 me *om.* P
nutricunt et munera P (·ra *pro* -rā, *i. e.* rant ; v, p. 106)   716 tua
multam P (L *pro* I ; v, p. 76)   habes A : sapis *Mueller* (*Rhein.
Mus.* 54, 399), *sed cf. Weber* (*Philol.* 57, 231)   717 triticemini
(tricemini B²) P   habeṭ filiạ A   718 habuisset s. cepisse P
(*corr.* B²)   e *om.* P   719, 720 *om.* P (? iii. 11)   *vel* forti, *vix* forte
721 cecidissetne AP : *corr. Ritschl*   dequo suspiam P   722 defr.
codd.   aut] ad P   723 *vel* PA.   esset d. P (*corr.* B²)   dare P
(*pro* -rei ?)   724 se] qui P   usui est] uule P (L *pro* I, e *pro* ē,
i. e. est)   725 *vel* PL.   media eaeque amet P (*corr.* B²)   726
parauisset P   unouno A   727-9 *vel* sicut   qui est . . . ei
statuit *om.* P : mers pretium . . . inprobast *om.* A : quae inproba est
mers pretium eis statuis pro uirtute ut neuiant *codd. Nonii* 415 (iii. 11,
p. 50)   728 ueniat P : neuiant *codd. Nonii*   729 pauper erit
P : pauperat *codd. Nonii* 157   730 disperdisset P

qui lepide ingeniatus esset, uitam ei longinquam darent,
qui inprobi essent et scelesti, is adimerent animam cito.   135
si hoc parauissent, et homines essent minu' multi mali
et minus audacter scelesta facerent facta, et postea,
735 quí homines probi essent, esset is annona uilior.
PE. qui deorúm consilia culpet stultus inscitusque sit,
quique eos uituperet.   nunc [iam] istis rebus desisti decet.   140
nunc uolo opsonare, ut, hospes, tua te ex uirtute et mea
meae domi accipiam benigne, lepide et lepidis uictibus.
740 PL. nihil me paenitet iam quanto sumptui fuerim tibi ;
nam hospes nullus tám in amici hospitium deuorti potest
quin, ubi triduom continuom fuerit, iam odiosus siet ;   145
uerum ubi dies decem continuos sit, east ódiorum Ilias :
tam etsi dominus non inuitus patitur, serui murmurant.
745 PE. seruiendae seruituti ego seruos instruxi mihi,
hospes, non qui mi imperarent quibu'ue ego essem ob-
                                                     noxius :
si illis aegrest mihi id quod uolup est, meo remigio rem 150
                                                     gerunt,
tamen id quod odiost faciundumst cum malo atque ingratiis.
nunc, quod occepi, opsonatum pergam.   PL. si certumst
                                                     tibi,
750 commodulum opsona, ne magno sumptu : mihi quiduis sat
                                                     est.

731 ingenuatus *P*   ei *om. P*   732 i. estet (est *P*CD, sunt et
*B*² *ut uid.*) scaeles hisus (scaelesti his *B*²) *P*   adhimerant (-ent
*B*²) *P*   animum *A*   733 parauisset *P* (*corr. B*²)   hominis esset
(ēēt) *P*   734 faceret *P*   736 concilia culpe *P*   insictusque *P*
737 quidque *P*   iam *om. A*   isti *P*   738 ut] [uel]ut *ut uid.*
P (iv. 3, p. 97)   739 demi *P* (*corr. B*²)   740 quantum sumptum
A : quanto sumptum *P* (-ptu *B*²) : *corr. Camerarius*   tibi] ihibi
A (? *ex* mihi *corr.* tibi)   741 hoc pis *P*   t. inimici *P*   743
c. ite astodorum illas *P*   744 inuitus partitur *A* : uitus sit patitur
P   murmurat *P*   745 seruienti seruitute *P* (? *pro* -di -tem)
introuxi *P*   746 inpararent quibus ego aessae o. *P*   747 si
illius egressi mihi incit (inicit *B*) quod uolupis me horem remigio *P*
gero *P*   748 odiose *P*   malum *P*   atquem *P ut uid.*   749
certus *P* (*pro* certust, *i. e.* -tumst)   750–88 *deest A*   750 ne
magno *Ital.* : nemo agnum *cod.*

Pe. quin tu istanc orationem hinc ueterem atque antiquam

amoues?

155 proletario sermone nunc quidem, hospes, utere;

nam i solent, quando accubuere, ubi cena adpositast, dicere:

'quid opus fuit hoc ⟨sumpto⟩ sumptu tanto nostra gratia?

insaniuisti hercle, nám idem hoc hominibus sat erat decem.' 755

quod eorum caussa opsonatumst culpant et comedunt tamen.

160 Pa. fit pol illud ad íllud exemplum.   ut docte et perspecte

sapit!

Pe. sed eidem homines numquam dicunt, quamquam ad-

positumst ampliter:

'iube illud demi; tolle hanc patinam; remoue pernam, nil

moror;

aufer illam offam porcinam, probus hic conger frigidus⟨t⟩,   760

remoue, abi aufer': neminem eorum haec adseuerare audias,

165 sed procellunt sese [et procumbunt] in mensam dimidiati,

dum appetunt.

Pa. bonu' bene ut malos descripsit mores!   Pe. hau cen-

tensumam

partem dixi atque, otium rei si sit, possum expromere.

Pa. igitur id quod agitur, ⟨ei⟩ hic primum praeuorti decet.   765

nunc hoc animum aduortite ambo.   mihi opus est opera

tua,

170 Periplectomene; nám ego inueni lepidam sycophantiam

qui admutiletur miles usque caesariatus, atque uti

huic amanti ac Philocomasio hanc ecficiamus copiam,

751 quan *cod.*   uerem *cod.*   752 [nam] pr. *cod.* (*ex v.* 753)
(iv. 3): nam *del. Bentley*   753 accubueret *cod.*   754 sumpto
addidi: ⟨hospes⟩ *Camerarius*   755 erant *cod.*   756
culpante et *cod.*   757 *vel* illúc ad illúc   perspecie *cod.*   758
umquam *B* (*vix interrogative*)   760 hinc concer *cod.*   761 hac
cod.   762 *post v.* 777 *repetitur talis* sed (se) procumbunt in mensam
dimidiati petunt   sese in mensam *Ritschl*: se et procumbunt *cod.*
(v. 1)   763 descipsit (decepsit *B*) *cod.*   centesima *cod.*   764
rei si sit *Pylades*: reis istit *cod.*   765 ⟨ei⟩ hic *Bothe*: huic *Scaliger*:
ei rei *Seyffert*   767 lepidem *cod.*   768 usque *Camerarius*: que
cod.   769 philocomasium *cod.* (v. 9, p. 71)

770 ut hic eam abducat habeatque.   PE. dari istanc rationem
                                                        uolo.

PA. at ego mi anulum dari istunc tuom uolo.   PE. quam
                                            ad rem usui est?

PA. quando habebo, igitur rationem mearum fabricarum dabo. 175
PE. utere, accipe.   PA. accipe a me rusum rationem doli
quam institui.   PE. perpurigatis damu' tibi ambo operam
                                                    auribus.

775 PA. eru' meus ita magnus moechus mulierum est ut neminem
fuisse aeque neque futurum credo.   PE. credo ego istúc idem.
PA. isque Alexandri praestare praedicat formam suam   180
itaque omnis se ultro sectari in Epheso memorat mulieres.
   PE. edepol qui te de isto multi cupiunt nunc mentirier,
780 sed ego ita esse ut dicis teneo pulchre.   proin, Palaestrio,
quam potis tam uerba confer maxume ad compendium.
PA. ecquam tu potis reperire forma lepida mulierem   185
quoi facetiarum cor pectusque sit plenum et doli?
PE. ingenuamne an libertinam?   PA. aequi istuc facio, dum
                                                        modo
785 eam des quae sit quaestuosa, quaé alat corpus corpore,
quoique sapiat pectus; nam cor non potest quod nulla
                                                    habet.

PE. lautam uis an quae nondum sit lauta?   PA. sic con- 190
                                    sucidam,
quam lepidissumam potis quamque adulescentem maxume.

---

770 abducit *cod.*   *vel* abeatque (*ita cod.*)   dare *cod.* (*pro* -rei?)
771 quam ad rem *Camerarius*: quamatre *cod.* (*pro* quamatrē)   772
ratione *cod.*   774 institi *Fleckeisen* (*Jahrb. Class. Phil.* 67, 405)
vel PL.   *vel* perpurgatis (*ita cod.*)   ambo damus tibi *cod.*: trai. *Fleckeisen*
776 fuisse aeque *Ital.*: fuisset atque *cod.*   *vel* PL.   istunc *cod.*
777 isque *Leo*: itaque *cod.* (*cf. v.* 778): atque *Ribbeck*   778 omni
se *cod.*   779 nunc *Acidalius*: non *cod.* (vii. 2)   mentirier *Ital.*:
mentier (metier P^{CD}) *cod.*   781 *vel* potes   783 facetiarum
Camerarius: fatiarum *cod.*   cor pectusque *Dziatzko*: corpusque
cod.: cor corpusque *Camerarius*   784 ingenuumne hanc libertinam.   PA. atque istuc facio[m]dum (faciundum *B, sed cf. v.* 652)
modo *cod.*: corr. *Ital., Lambinus*   786 nam *Ital.*: iam *cod.*
787 sit lautam *cod.*   788 quamquem (quamquam *B*) *cod.*

Pe. habeo eccillam meam clientam, meretricem adulescen-
                                                    tulam.
sed quid ea usus est ?   Pa. ut ad te eam iam deducas 790
                                                    domum
itaque eam huc ornatam adducas, ex matronarum modo,
195 capite compto, crinis uittasque habeat adsimuletque se
tuam esse uxorem : ita praecipiundum est.   Pl. erro quam
                                                    insistas uiam.
Pa. at scietis. sed ecqua ancillast illi?   Pe. ést prime
                                                    cata.
Pa. ea quoque opus est. ita praecipito mulieri atque an- 795
                                                    cillulae,
ut simulet se tuam esse uxorem et deperire hunc militem,
200 quasique hu⟨n⟩c anulum faueae suae dederit, ea porro mihi,
militi ut darem, quasique ego rei sim interpres.   Pe. audio.
ne me surdum uerberauit ! si audes, ego recte meis
auris ut   *   ⟨Pa.⟩   *   799ᵃ
ei dabo, ⟨a⟩ tua mi uxore dicam delatum et datum,   800
205 ut sese ad eum conciliarem ; ille eiusmodi est : cupiet miser,
qui nisi adulterio studiosus rei nulli aliaest inprobus.
Pe. non potuit reperire, si ipsi Soli quaerendas dares,
lepidiores duas ad hanc rem quám ego. hábe animum
                                                    bonum.

789–91 *praesto est A*   789 clientam meam meretricem *A* :
meam clientameletricem *P* (mel. *forma vulgaris*)   790 aut *A*
(*vel* A, *i. e. pers. nota*, ut)   791 ex *om. P*   792–804 *versuum
initia leguntur A*   793 tuam] tam *P*   794 haecque *P* (*i. e.*
ecquae)   *vel* illic   prime cata *Salmasius* : primicata *P, A n. l.*
795 praecipito *Saracenus* : praecipio *P, A n. l.*   797 hunc *Ital.* :
hoc *AB* : huc *Pᶜᴰ*   faueae suae *Scaliger* : famaesae [ancille] (famose
ancille *B*) *P* (iv. 1, p. 61), *A n. l.*   798 ⟨ei⟩ rei *Ritschl*   799
ueruerat uit (uerberauit *B*) si audis *cod.* : esse arbitreris (*immo tu*
                                                                      uit
arbitrere) sodes *Seyffert*   *fort.* uerbera (*unde cod.* uerberat)   799ᵃ
om. P (*si in* ei (*cf. v.* 800) *versus desiit, propter homoeotel.*)   (meas)
Auris utor *Seyffert* : Auribus utor *Leo*   800 (ei) dabo *A* (*suppl.
Ribbeck*) : dabo *P*   a *add. Camerarius* (*A n. l.*)   uxorem *P*
(*A n. l.*)   803 potui *P, A n. l.*   reperiri *B*   804 ⟨ergo⟩ habe
Pradel : ⟨dabo.⟩ habe *Luchs* (*A n. l.*)

805 Pa. ergo adcura, sed propere opust.   nunc tu ausculta mi,
                                                    Pleusicles.
Pl. tibi sum oboediens.   Pa. hoc facito, miles domum ubi 210
                                                    aduenerit,
memineris ne Philocomasium nomines.   Pl. quem nomi-
                                                    nem?
Pa. Diceam.   Pl. nempe eandém quae dudum constitutast.
                                            Pa. pax! abi.
Pl. meminero.   sed quid meminisse id refert, ⟨rogo⟩ ego te
                                                    tamen.
810 Pa. ego enim dicam tum quando usus poscet ; interea tace ;
ut nunc etiam hic agit, actutum partis defendas tuas.   215
Pl. eo ego intro igitur.—Pa. et praecepta sobrie ut cures
                                                    face.

          PALAESTRIO   LVRCIO   ii

Pa. Quantas res turbo, quantas moueo machinas!
eripiam ego hodie concubinam militi,
815 si centuriati bene sunt manuplares mei.
sed illum uocabo.   heus Sceledre, nisi negotiumst,
progredere ante aedis, te uocat Palaestrio.   5
Lv. non operaest Sceledro.   Pa. quid iam?   Lv. sorbet
                                                    dormiens.
Pa. quid, sorbet?   Lv. illud 'stertit' uolui dicere.
820-1 sed quia consimile est, quom stertas, quasi sorbeas—

805-18 *pauca in versuum finibus leguntur A*   805 propere
Brix : properam (*B*) *vel* properas (*P*CD) *vel etiam* properā (*i. e.* pro-
perato?) *P, A n. l.*   mi *om. B*   806 huc *B*   807 quam *P*CD
808 *de* Diceam (*ita cod.*) *cf. ad v.* 436   abi *Camerarius* : abis *P* : -bes
ut vid. A (*i. e.* habes?)   809 rogo *add. Brix* (*A n. l.*)   810 poscit *P*
(*pro* -et?), *A n. l.*   811 nunc (nc̄) (*B*) *vel* cum (c̄) (*P*CD) *P, A n. l.*
agat (*A n. l.*) ac tu tum *Leo*   ut cum etiam hic aget, ⟨tu⟩ actutum
Niemeyer (*sed cf. Thulin* ' *de coniunctivo,*' p. 185)   812 eo *Ital.* : ego
P, A n. l.   et] ei (i) *Gulielmius, fort. recte* (*cf. Sjögren* ' *Part. Copul.*'
p. 85)   ut cures] adcures (atc.) *Ritschl*   817 uocat *Ital.* : uoca (*B*)
vel uoco (*P*CD) *P, A n. l.*   819 stertit *Ital.* : steterit (*B*) *vel*
sterterit (*P*CD) *P, A n. l.*   820-39 *initia fere versuum leguntur*
A   820-1 quom *Acidalius* : quod *P, A n. l.*

Pa. eho an dórmit Sceledrus intus? Lv. non naso quidem,
10 nam eo mágnum clamat. Pa. tetigit calicem clanculum :
†domisit† nardini amphoram cellarius.

eho tu sceleste, qui illi subpromu's, eho—   825

Lv. quid uis? Pa. qui[d] lubitum est illi condormiscere?
Lv. oculis opinor. Pa. non te istuc rogito, scelus.

15 procede huc. periisti iam nisi uerum scio.

prompsisti tu illi uinum? Lv. non prompsi. Pa. negas?
Lv. nego hercle uero, nam ill' me uotuit dicere ;   830
neque equidem heminas octo exprompsi in urceum
neque illic calidum | exbibit in prandium.

20 Pa. neque tu bibisti? Lv. di me perdant si bibi,
si bibere potui! Pa. quid iam? Lv. quia enim opsorbui ;
nam nimi' calebat, amburebat gutturem.   835

Pa. alii ebrii sunt, alii poscam potitant.

bono subpromo et promo cellam creditam !

25 Lv. tu | hercle idem fáceres si tibi esset credita :
quoniam aemulari non licet, nunc inuides.   839-40

Pa. eho an umquam prompsit antehac? responde, scelus.

atque ut tu scire possies, dico tibi :

si falsa dices, Lurcio, excruciabere.

30 Lv. ita uero? ut tu ipse me dixisse delices,

824 domi sitam ardimi nam amphoram P^{CD} : dormis ita arcliminam
phoram B: *a litteris* pr- *versus incepisse potest in A*   dum misit (nar-
dum in am.) *Ussing* : prompsit *Pareus* (vii, p. 99) : *vix* promisit
nardini *Ital.*   826 qui *Beroaldus* : quid *P et ut vid. A* (*vix* quĭd,
sed fort. quĭd lub. *ita pronuntiatum ut* quī lub. (quillub.) *audiretur*)
827 *vel* opino   830 i. metuit *B* (*pro* ille uet. ?)   831 heminas
Saracenus: feminas *P. A n. l.* (i. 8)   832 calidas *Nicmeyer* (*A n. l.*)
834 potuisti *P, A n. l.*   835 calebat adurebat *codd. Nonii* 207 :
(c)aḷẹb— *A* : caleuit (*pro* -euat ?) ambureuat *P*   836 alia postcam
(postquam *B*) *P, A n. l.* : *corr. Palmerius, Acidalius, Lipsius*   potitant
Lipsius : potitam *corr.* potatam *P ut vid.* (M *pro* NT ; vi. 1), *A n. l.*
838 *vix* hercule   idem *Ital.* : id— *A* : diem *P* : itidem *Bergk*   si
Ital. : sit *P, A n. l.*   842 possis (*ita P, A n. l.*) ⟨ego⟩ *Pylades*
843 falsa *Ital.* : palsa *P, A n. l.*   dicis *Ritschl* : dicis *P* (*pro* -es ?),
A n. l.   Lurcio *Fleckeisen ex scaenae tit. et pers. notis* (LVCRIO *P*,
LVCHRIO D^2, *A n. l.*) : uotio (-cio) *P, A n. l.*   excruciaberet *P, A n. l.* :
corr. Ital. (*cf. ad* 223)   844-54 *extremi fere versus leguntur A*

845 post ⟨e⟩ sagina ego eiciar cellaria,
      ut tibi, si promptes, alium subpromum pares.
    Pᴀ. non edepol faciam.   age eloquere audacter mihi.
    Lv. numquam edepol uidi promeré.   uerum hoc erat :
      mihi imperabat, ego promebam postea.   35
850 Pᴀ. hoc illi crebro capite sistebant cadi.
    Lv. non hercle tam istoc ualide cassabant cadi ;
      sed in célla erat paullum nimi' loculi lubrici,
      ibi erat bilibris aula sic propter cados,
      ea saepe deciens complebatur : uidi eam   40
855 plenam atque inanem fieri ; ópera maxuma,
      ubi bacchabatur aula, cassabant cadi.
    Pᴀ. abi, abi íntro iam.   uos in cella uinaria
      bacchanal facitis.   iam hercle ego illum ádducam a foro.
    Lv. perii ! excruciabit me erus, domum si uenerit,   45
860 quom haec facta scibit, quia sibi non dixerim.
      fugiam hercle aliquo atque hoc in diem extollam malum.
      ne dixeritis, opsecro, huic, uostram fidem !
    Pᴀ. quo tú agis ?   Lv. missus sum alio : iam huc reuenero.
    Pᴀ. quis misit ?   Lv. Philocomasium.   Pᴀ. abi, actutum 50
                                                      redi.
865 Lv. quaeso tamen tú meam partem, infortunium

    845 e *add. Ritschl* (*A n. l.*) (i. 7)   eicia *P*, *A n. l.*   846
promtis (proptis *P*ᴄᴰ) *P*, *A n. l.* : prompsis *Ribbeck*   subpromis
paris *P*   847 aget *P*, *A n. l.*   849 inperauat (*i. e.* -bat) (imperauit *B*) *P*, *A n. l.*   850 hoc *Brix* : hic *P*. *A n. l.*   illi cebro (*i. e.*
crebro) *ut uid. P* (illecebro *B*, illi celebro *P*ᴄᴰ), *A n. l.*   sistebat (*B*)
vel sistebas (*P*ᴄᴰ) *P*   851 *om. A* iii 11)   cassabant *Pylades* :
cassauat (cessauit *B*) *cod.*   852 erit p. *P*, *A n. l.* : paulum erat
Brix. nam erát paulúm *displicet*   853 aula (-lla) sic *Ritschl* : auilis
hic *P*, *A n. l.*   854, 855 compleuatur (-etur *B*) die Ea plenam *P*,
A n. l. : *corr. Leo* : c. in die *Ritschl deleto uersu sequenti*   854
complebatur, deciens (?) *Leo, fort. recte*   855 plena maxuma *P* :
plenam maxume *Leo*   856 auia cassabat *P*   858 illum] erum
P   adducata (-cta *B*) fore *P*   860 dixerit *P*   861–994 *deest A*
861 diem *Camerarius* : die *cod.*   extollat *cod.*   862 ne huic d.
Kellerhoff   uostra *cod.*   863 quot tu *cod.*   aliquo *Haupt*
865 infortinum *cod.*

si diuidetur, mé apsente accipito tamen.—

PA. modo intellexi quam rem mulier gesserit :

quia Scéledrus dormit, hunc subcustodem suom

55 foras áblegauit, dum ab se huc transiret.   placet

sed Periplectomenus quam ei mandaui mulierem   870

nimi' lepida forma ducit.   dí hercle hanc rem adiuuant.

quam digne ornata incedit, hau meretricie !

lepide hoc succedit sub manus negotium.

iii   PERIPLECTOMENVS   ACROTELEVTIVM
        MILPHIDIPPA   PALAESTRIO

PE. Rem omnem tibi, Acroteleutium, tibique una, Milphi ·
                                                    dippa,

domi démonstraui in ordine.   hanc fabricam fallaciasque   875

minu' si tenetis, denuo uolo percipiatis plane ;

sati' si intellegitis, aliud est quod potius fabulemur.

5 AC. stultitia atque insipientia mea istaéc sit, ⟨mi patrone,⟩

me ire in opus alienum aut [t]ibi meam operam pollicitari,

si ea in ópificina nesciam aut mala esse aut fraudulenta.   880

PE. at meliust ⟨com⟩monerier.   AC. meretricem com-
                                                    moneri

quam sane magni referat, nihil clám est.   quin egomet ultro,

10 postquam adbibere aures meae tuam oram orationis,

tibi dixi, miles quém ad modum potisset deasciarei.

868 huc *cod.*   869 foras *Lambinus* : foris *cod.* (*contra usum
Plautinum*) (*cf.* 1124, 1215 foris *pro* foras)   transire *cod.*   871
atiuuat (at uiuat *P*CD) *cod.*   874 r. o. acretele tibi ut ium (ut
unum *B*) *cod.* : *corr. Studemund*   875 in *del.* Pylades   878 st.
atque *Ital.* : stultitiaque *cod.*   insipientiam falsta (falsa *B*) haesit *cod.*
(F *pro* E, L *pro* I ; vi. 1) : *corr. Leo, qui* mi patrone *vel* Periplectomene
addidit : insipientia insulsitasque haec esset *Goetz* : *propius a scripto
absit* i. insulsitas siet haec   879 tibi *cod.* : ibi *Leo*   mea *cod.*
880 ea in o. *Camerarius* : eam opificinam *cod.*   nesciat *cod.*   881
vix melius est   commonerier (c̄mon-) *Schoell* : monerier *cod.* : ⟨te⟩
mon. *Ritschl*   882 egomet ultro *Acidalius* : ego mfustro (ego
insustro *B*) *cod.*   883 meae] mea et *P*CD   tuae oram *Gulielmius*
(*sed* tu(ae) *displicet*) : tuam moram *cod.*   884 potissit *Leo*   deasciari
Palmerius : deasdarei (*P*CD) (d *pro* cl ; vi. 1) *vel* assecla rei (*B*) *cod.*

885 Pe. at nemo solus sati' sapit. nam ego multos saepe uidi

regionem fugere consili priu' quam repertam haberent.

Ac. si quid faciundum est mulieri male atque malitiose,

ea síbi inmortalis memoriast meminisse et sempiterna ;   15

sin bene quid aut fideliter faciundumst, eo deueniunt

890 obliuiosae extemplo uti fiant, meminisse nequeunt.

Pe. ergo istuc metuo, quom uenit uobis faciundum utrum-

que :

nam id proderit mihi, militi male quod facietis ambae.

Ac. dum nescientes quod bonum faciamus, ne formida.   20

894-5 Pe. mala mille meres. Ac. st ! ne paue, peioribus con-

ueniunt.

Pe. ita uos decet. consequimini. Pa. cesso ego illis ob-

uiam ire.

uenire saluom gaudeo, lepide hercle ornatus [in]cedis.

Pe. bene opportuneque obuiam es, Palaestrio. em tibi

adsunt

quas me iussisti adducere et quo ornatu. Pa. eu! noster esto. 25

900 Palaestrio Acroteleutium salutat. Ac. quis hic amabo est

qui tam pro nota nominat me ? Pe. hic noster architectust.

Ac. salue, architecte. Pa. salua sis. sed dic mihi, ecquid

hic te

---

886 repertam haberent (-buere *Palmerius*) *Pylades, Lambinus*:
reperta habere *cod.*   888 meminisset et *cod.* (*cf. ad v.* 223)
889 quid aut *Camerarius*: [aut] quid aut *cod.* (iv. 3)   faciundum si
(*pro* faciundumst) eadem ueniunt *cod.*: *corr. Camerarius*: faciundumst
eaedem eueniet *Ritschl*: faciundum eisdem ueniat *Leo*: faciundumst
eaedem ueniunt *Niemeyer*   890 *vel* extempulo ut (ut *cod.*) neque
eunt *P*CD   891 quom *Mueller*: quo *cod.*   892 militi *Acidalius*:
militia *cod.*   893 quod (*B*) *vel* quid (*P*CD) *cod.*   faciemus *P*CD
vel dum ne scientes quid   894, 895 mala milla mer est (mala mulier
est *B*) Ac. ne pauet *cod.*: *correxi* (i, p. 30)   *vel* mill'   mala mulier
mers est *Bentley*   897 uenere *cod.*   cedis *Bothe*: incedit *cod.*
898 Pal. em] palestridem *cod.*   899 me *Ital.*: ne *cod.* adducere et
quo *Ital.*: adduceret et equo *cod.*   esto *Ital.*: esio *cod.*   900 qui
sic ambo est *cod.*: *corr. Camerarius*   901 quid *B*   notam minat
(mittat *B*) notam Pe. ehic (hic *B*) *cod.*: *corr. Ital., Guietus*   902
saluasissiet (salua si sis et *B*) *cod.*: *corr. Ital.*

onerauit praeceptis? PE. probe meditatam utramque duco.
30 PA. audire cupio quém ad modum ; ne quid peccetis paueo.
PE. ad tua praecepta de meo nihil his nouom adposiui.   905
Ac. nemp' ludificari militem tuom erum uis? PA. exlo-
                                                    cuta's[t].
Ac. lepide et sapienter, commode et facete res parata est.
PA. atque huius uxorem te uolo ⟨ted⟩ adsimulare.   Ac. fiat.
35 PA. quasi militi animum adieceris simulare.   Ac. sic
                                                    futurum est.
PA. quasique ea res per me interpretem et tuam ancillam ei 910
                                                    curetur.
Ac. bonu' uatis poteras esse, nam quae sunt futura dicis.
PA. quasique anulum hunc ancillula tua aps té detulerit
                                                    ad me
quem ego militi ⟨porro⟩ darem tuis uérbis.   Ac. uera dicis.
40 PE. quid istís nunc memoratis opust quae commeminere?
                                                    Ac. meliust.
nam, mi patrone, hoc cogitato, ubi próbus est architectus, 915
bene lineatam si semel carinam conlocauit,
facile esse nauem facere, ubi fundata, constitutast.
nunc haec carina sati' probe fundata, [et] bene statutast,
45 adsunt fabri architectique ⟨adsunt⟩ ad eam haud inperiti.
si non nos materiarius remoratur, quod opus⟨t⟩ qui det   920

903 ducam *B*   904 paueuo (paueno *B*) *cod.* (-ebo *pro* -eo ; v. 12)
906 -ast *cod.*   907 facite *cod.*   par. est *Camerarius* : paratae (-te) *cod.*
(*pro* -ta ē, *i. e.* est?)   908 huis *P*CD   te *Ital.* : tu *cod.*   ted *add.*
Ribbeck   ux. uolo ⟨te esse⟩ *Leo*   adsimulari *cod.*   fiet *Beroaldus* :
fiat *cod.*   909 adieris *P*CD (iii. 10)   910 quasique aeres aest per
(*P*CD) *vel* quasi que res est per (*B*) *cod.* : *corr. Ital., Ritschl*
ancilla *P*CD   ei coeretur *Ribbeck* : eieceretur (*B*) *vel* ceretur (*P*CD) *cod.*
911 nam *Camerarius* : num *cod.* (u *pro* a ; vi. 1)   qui *cod.*   912
ancillulam tuam *cod.*   aome *cod.* (O *pro* D ; vi. 1)   913 quarem
ego *B*   porro *add. Reiz, Brix*   914 comminere *B*   918
haec *Camerarius* : hic *cod.*   satis profunda bene et statutast *cod.* :
corr. Acidalius (et bene) (vii, p. 105)   919 atsunt eabri (mulie-
bria *B*) architectique ate ama ut (amant *B*) inp. *cod.* : fabri *Ital.*, ad eam
⟨rem⟩ haud *Pylades*   adsunt *addidi* (*Journ. Phil.* 26, 293) : ⟨famuli⟩
fabri *Hasper* : *fort.* architectí ⟨quo⟩que   920 materarius *cod.*

(noui indolem nostri ingeni), cito erit parata nauis.

PA. nemp' tu nouisti militem meum erum?   Ac. rogare
                                        mirumst.

populi odium quidni nouerim, magnidicum, cincinnatum,
moechum unguentatum?   PA. num ille te nam nouit? 50
                         Ac. numquam uidit:

925 qui nouerit me quis ego sim?   PA. nimi' lepide fabulare;
eo pote fúerit lepidius pol fieri.   Ac. potin ut hominem
mihi des, quiescas ceterá? ni ludificata lepide
ero, cúlpam omnem in me imponitó.   PA. age igitur intro
                                        abite,

insistite hoc negotium sapienter.   Ac. alia cura.   55

930 PA. age, Periplectomene, has nunciam duc intro; ego ad
                                        forum illum
conueniam atque illi hunc anulum dabo atque praedicabo
a túa uxóre mihi datum esse eamque íllum deperire;
hanc ad nos, quom extemplo a foro ueniemus, mittitote.
quasi clanculum ad⟨eum⟩missa sit. PE. faciemus: alia cura. 60

935 PA. uos modo curate, ego illúm probe iam oneratum huc
                                        acciebo.—

PE. bene ambula, bene rem geras.   egone hoc si ecficiam
                                        plane,
ut concubinam militis meus hospes habeat hodie
atque hinc Athenas auehat, ⟨si⟩ hodie hunc dolum dolamus,
939-40 quid tibi ego mittam muneris!   Ac. datne ab se mulier 65
                                        operam?

---

923 nouerint (nouerit *PCD*) *cod.* (v, p. 78)   924 ille te nam
Bothe: illa et aenam (illa eam *B*) *cod.* (*pro* illae tae nam?)   925
sum *cod.* (*corr. C*)   926 pote fuerit *scripsi*: potiuerim (-riin *vel* -run
PCD) *cod.*: *fort.* ⟨opus⟩ potuerit   931 atquem *cod.*   932 at *cod.*
esset *cod.*   eamquam *cod.*   933 hanc ad *Ital.*: hac at *ut vid.*
cod. (hec ad *B*, hoc at *D*, haoit *C*)   quom *Camerarius*: quam *cod.*
mittitote *Bothe*: mittito *cod.*   934 eum *add. Pylades*   935 oneratum
huc *Ital.*: oneratur hunc *cod.*   936 geras *Seyffert*: gerat *cod.*
937 concubina *cod.*   938 auehat *Dousa*: habeat *cod.* (v. 12, p. 73)
si *add. Camerarius, Gruterus*   939, 940 ab se *Ital.*: absi *cod.*: eapse
Acidalius

4*

Pe. lepidissume et comissume—Ac. confido confuturum.
ubi facta erit conlatio nostrarum malitiarum,
hau uereor ne nos subdola perfidia peruincamur.
Pe. abeamus ergo intro, haec uti meditemur cogitate,
70 ut accurate et commode hoc quod agendumst exsequamur, 945
ne quid, ubi miles uenerit, titubetur. Ac. tu morare.

ACTVS IV

IV. i   Pyrgopolynices   Palaestrio

Py. Volup est, quod agas, si id procedit lepide at⟨que ex⟩
                                             sententia;
nam ego hodie ad Seleucum regem misi parasitum meum,
ut latrones quos conduxi hinc ad Seleucum duceret,
qui eius regnum tutarentur, mihi dum fieret otium.   950
5 Pa. quin tu tuam rem cura potius quam Seleuci, quae tibi
condicio noua et lúculenta fertur per me interpretem.
Py. immo omnis res posteriores pono atque operam do
                                             tibi.
loquere: auris meas profecto dedo in dicionem tuam.
Pa. circumspicedum ne quis nostro hic auceps sermoni 955
                                             siet.
10 nam hoc negoti clandestino ut agerem mandatumst mihi.
Py. nemo adest. Pa. hunc arrabonem amoris primum
                                             a me accipe.
Py. quid hic? unde est? Pa. a luculenta ác festiua femina,

---

941 lepidi sum et comisumet *cod.* : *corr. Gruterus*   comsissime (*i. e.*
compsissume) *Glossarium Plauti* (*ex hac fabula*)   cumfut. *cod.* (*pro*
c̄fut. *i. e.* confut.?)   942 malitiarum *Ital.*: militiarum *cod.*   944
abeamus *Camerarius* : habemus *cod.*   945 *post* 946 *cod.* : *trai.*
Gulielmius : *vix secludend.*   947 atque ex *Ital.*, *Ritschl*   948 reg.
Sel. (?) *Asmus de appositione*, p. 48   949 ducere *cod.*   950
que *cod.* (*pro* quei?)   951 tu tuam] tuta uam *PCD* : tuam *B*
954 dido *cod.*   955 circumspicito cum *cod.* : *corr. Ital.*, *Guietus*
956 agere mandatus *cod.*   957 amoris *Ital.* : moris *cod.*   accepi *cod.*

quae te amat tuamque éxpetessit pulchram pulchritudinem ;
960 eius nunc mi anulum ad te ancilla porro ut deferrem dedit.

Py. quid ea ? ingenuan an festuca facta e serua liberast ?   15

Pa. uah ! egone ut ad te ab libertina esse auderem internun-
tius,

qui ingenuis sati' responsare nequeas quae cupiunt tui ?

964-5 Py. nuptanst an uiduá ?   Pa. et nupta et uidua.   Py. quo
pacto potis

nupta et uidua esse eadem ?   Pa. quia adulescens nuptast
cum sene.

Py. eugae !   Pa. lepida et liberali formast.   Py. caue men- 20
dacium.

Pa. ad tuam fórmam illa una dignast.   Py. hercle pulchram
praedicas.

sed quis east ?   Pa. senis huius uxor Periplectomeni e
proxumo.

970 ea demoritur te atque ab illo cupit abire : odit senem.

nunc te orare atque opsecrare iussit ut eam copiam

sibi potestatemque facias.   Py. cupio hercle equidem si illa 25
uolt.

Pa. quae cupit ?   Py. quid illá faciemus concubina quae
domist ?

Pa. quin tu illam iube aps te abire quo lubet : sicut soror

959 tuamque *Pius* : tumque (cumque *B*) *cod.*   expetisset *cod.*
960 eis *P*CD   hunc *Acidalius*   deferret *cod.*   961 ingenua *cod.*
an *Ital.* : ac *cod.*   e serua *Dousa* : seruare *cod.* (? *pro* serua e)
962 ad te *Ital.* : abste *cod.* (*pro* ate, *i. e.* atte)   audere *cod.*   963
responsaret (responderet *B*) *cod.*   cupiunt tui *Scioppius* : cupit uti
(capiti uti *B*) *cod.*   964, 965 nuptanst uidua (*B*) *vel* nuptanist
anuida (*P*CD) *cod.* : nuptan est an uidua *Ritschl fort. recte* : *vix* nupta ?
anst u. ?   quo *Ital.* : quid *cod.* (qui *B²*)   966 uidua et nupta *P*CD
adem (idem *B*) *cod.*   quia *Ital.* : qui *cod.*   967 lepide et *B, unde* euge
lepide. Pa. liberali (?) *Leo*   968 pulchrum *cod.* : *corr. Pius*   969
east] haecst *B*   Py. proxumo *cod.* : e proxumo (*om.* Py.) *Bach* (*cf.
ad Men.* 151) : Py. ex pr. ? *alii*   970 cupit *Acidalius* : cipit *cod.*   971
copiam *Ital.* : cupiam (*B*) *vel* capiam (*P*CD) *cod.*   973 illam *B*
concubinam *cod.* (*cf. ad v.* 323)   quando mist *cod.* (*corr. D²*)
974 quo lubet *Ital.* : quod iubet *cod.* (*vix pro* quŏd l.)

eius huc gemina uenit Ephesum et mater, accersuntque 975
eam.

Py. eho tu, aduenit Ephesum mater eiius? Pa. aiunt qui
sciunt.

30 Py. hercle occasionem lepidam, ut mulierem excludam
foras!

Pa. immo uin tu lepide facere? Py. loquere et consilium
cedo.

Pa. uin tu illam actutum amouere, a te ut abeat per gratiam?

Py. cupio. Pa. tum te hoc facere oportet. tibi diuitiarum 980
adfatimst:

iube sibi aurum atque ornamenta, quae illi instruxti mulieri,

35 dono habere, ⟨abire⟩, auferre áps te quo lubeat sibi.

Py. placet ut dicis; sed ne istanc amittam et haec mutet
fidem

uide modo. Pa. uah! delicatu's, quae te tamquam oculos
amet.

Py. Venu' me amat. Pa. st tace! aperiúntur fores, concede 985
huc clanculum.

haec celox illiust, quae hinc egreditur, internuntia.

40 Py. quaé haec celox? Pa. ancillula illiust, quae hinc
egreditur foras.

quae anulum istunc attulit quem tibi dedi. Py. edepol
haec quidem

bellulast. Pa. pithecium haec est prae illa et spinturni-
cium.

uiden tu illam oculis uenaturam facere atque aucupium 990
auribus?

975 ug geminam uenite *cod.*   976 eon *cod.*   an uenit *Goetz*
eius *Ital.*: aeuius *cod.*   978 faceret *B et fort. cod.*   loquerit et *B*
981 instruxit *cod.*   982 abire *add. Goetz*   auferet *cod.*   quod
*P*CD (*cf. ad* 974)   iubeat *cod.* (*corr. D*)   983 ne ⟨et⟩ istam (*ita
cod.*) *Brix*   et *om. B* (iii. 1)   985 st] ast *cod.*   aperitur foris
Bentley rhythmi causa   986 hic egr. *cod.*   987 *retractatoris
esse credit Seyffert*   haec *del. Bothe*   quae *om. B*   hic *cod.*
988 dedit *cod.* (*corr. B²*)

Mᴉʟᴘʜɪᴅɪᴘᴘᴀ   Pʏʀɢᴏᴘᴏʟʏɴɪᴄᴇꜱ   ii
Pᴀʟᴀᴇꜱᴛʀɪᴏ

Mɪ. Iam est ante aedis circus ubi sunt ludi faciundi mihi.
dissimulabo, hos quasi non uideam neque esse hic etiam-
                                          dum sciam.

Pʏ. tace, subauscultemus ecquid de me fiat mentio.

Mɪ. numquis[nam] hic própe adest qui rem alienam potius
                                   curet quam suam,

995 qui aucupet me quid agam, qui de uesperi uiuat suo?   5
eos nunc homines metuo, mihi ne opsint neue opstent uspiam,
domo si bita⟨n⟩t, dum huc transbitat, quae huius cupiens
                                          corporist,

997ᵃ ⟨er⟩a mea, quoius propter amorem cor nunc miser⟨ae con-
                                          tremit⟩,

quae amat hunc hominem nimium lepidum et nimia pul-
                                          chritudine,

militem Pyrgopolynicem. Pʏ. satin haec quoque me 10
                                          deperit?

1000 meam laudat speciem. edepol huiius sermo hau cinerem
                                          quaeritat.

Pᴀ. quo argumento? Pʏ. quia enim loquitur laute et
                                   minime sordide.

Pᴀ. quidquid istaec de te loquitur, nihil attrectat sordidi.

Pʏ. tum autem illa ipsa est nimium lepida nimi'que
                                   nitida femina.

991 Tam *cod.*   ludificandi *cod.* : *corr. Camerarius*   993 ec
qui *Pᴄᴰ*   994 nam *del. Reiz*   properat est *B* (*vix pro* propter
adest)   *fort.* potius *delend.*   995–1000 *in initiis quaedam leguntur A*   995 aquam *P*   dem *P* (*pro* dé), *A n. l.*   996
fort. ópsint, ne op. *rhythmi causa* (*A n. l.*)   obstent *Ital.* : obtet (opt-)
P, A n. l.   997 domosibit ac dum huc transiuit adque (atque) huius
P, A n. l. : *corr. Leo* (bitat)   *vel* corporest   997ᵃ *om. A¹P*
(?iii. 11) : *in A mg. sup. manus coaeva ascripsit : retractatori ascribit Leo
suppl. Goetz vix* misere   998 nimiam pulchritudinem *B*   1000 *vel*
Pᴀ. edepol   sermo *Gruterus* : sermonis *P, A n. l.* (i. 9)   1001 Pᴀ.]
vel Pʏ.   Pʏ.] *vel* Pᴀ.   1002 quidquid i. *Bothe* : quid ad (quid ait *B*)
i. *P* (a *pro* q, *i. e.* qui) : quid i. quae *A*   de te *vel* teteque *A*
sordidi *Ritschl* : sordide *P* (*pro* -ei?), *A n. l.*   1003 tu *P* (*corr. D*)

15   hercle uero iam adlubescit primulum, Palaestrio.

PA. priu'ne quam illam oculis tuis—PY. uideon id quod 1005
                        credo tibi?

tum haec celocla autem illa apsente subigit me ut
              amem.   PA. hercle hanc quidem

nihil tu amassis; mihi haec desponsast: tibi si illa hodie
                      nupserit,

ego hanc continuo uxorem ducam. PY. quid ergo hanc
                  dubitas conloqui?

20   PA. sequere hac me ergo. PY. pedisequos tibi sum.
             MI. utinam, quoius caussa foras

sum egressa, ⟨eiius⟩ conueniundi mihi potestas euenat.   1010

PA. erit et tibi exoptatum optinget, bonum habe animum,
                  ne formida;

homo quidamst qui scit quod quaeris ubi sit. MI. quem
                ego hic audiui?

PA. socium tuorum conciliorum et participem consiliorum.

25 MI. tum pol ego id quod celo hau celo. PA. immo et celas
                  et non celas.

MI. quo argumento? PA. infidos celas: ego sum tibi firme 1015
                  fidus.

MI. cedo signum, si harunc Baccharum es. PA. amat
                mulier quaedam quendam.

MI. pol istuc quidem multae. PA. at non multae de digito
                donum mittunt.

MI. enim cognoui nunc, fecisti modo mi ex procliuo planum.

1004–13 *non legitur A*   1005 iliam *cod.*   uideo (ideo *B*)
cod. (i, p. 27)   1006 tum *Ital.*: cum *cod.*   celocula *Bugge* (*cf.*
Class. Rev. 6, 89): elocuta *cod.*   illam autem *cod.*: *traieci*   1007
desponsatat *P*CD   tibi *om. B*   1009 foras (fori *B*) *in initio*
versus sequentis, cod., unde cuius gratia Foras sum *Mueller*   1010
eius *add. Spengel*: *fort.* ⟨utinam⟩   1013 consiliorum *Bothe*: con-
siliarium *P, A n. l.*   1014 immo etiam (et etiam *B*) sed non
celas *P*   1015 firme fides (firme fidelis *P*CD, firma fides *B*) *P*
1016 est *P*   1017–26 *pauca in initiis leguntur A*   1017
didigito domum *B*   1018 planum *Gulielmius*: patrem *P, A n. l.*
(vii, p. 104)

sed hic numquis adest? PA. uel adest uel non. MI. cedo 30
te mihi solae solum.

1020 PA. breuin an longinquo sermoni? MI. tribu' uerbis. PA.
iam ad te redeo.

PY. quid ego? hic astabo tantisper cum hac forma et factis
[sic] frustra?

PA. patere atque asta, tibi ego hanc operam do. PY. pro-
perandó—excrucior.

PA. pedetemptim (tu haec scis) tractare soles hasce huius
modí mercis.

PY. age age ut tibi maxume concinnumst. PA. nullumst 35
hoc stolidiu' saxum.

1025 redeo ad te. quid me uoluisti? MI. quo pacto hoc Ilium
appelli

uelis, id fero ád te consilium. PA. quasi hunc depereat—
MI. teneo istuc.

PA. conlaudato formam et faciem et uirtutes commemorato.

MI. ad eam rem habeo omnem aciem, tibi uti dudum iam
demonstraui.

PA. tu cetera cura et contempla et de meis uenator uerbis. 40

1030 PY. aliquam mihi partem hodie operae des denique, iam
tandem ades †ilico†

PA. adsum, impera si quid uis. PY. quid illaec narrat tibi?
PA. lamentari

1019 uel est *B*   solae solum [esse] *P*CD : sisoluē *B* : *corr. Pius*
1020 breuem— *A*   sermone *P, A n.l.*   1021 quom *P (antiqua forma)*,
A n. l.   [sit] frustram *B* : [si sic] frustram *P*CD : *vix octonarius (A n. l.)*
1022 do operam *P, A n. l.* : *traieci, assonationis causa; de hiatu
cf. Journ. Phil.* 27, 218   propera ⟨expecta⟩ndo *Ritschl* : prope-
radum ⟨stando⟩ *Colvius* : *fort.* properandon (-ne *i. e.* nonne)   excruciet *B*   1023 haec (hec) scis] scis *Ritschl (del.* hec) : nescis
Guietus (interrogative) : hoc scis *Leo*   tractari *Pylades*   solē *ut vid.*
P (A n. l.) : solitas *Ritschl*   1024 concinnus *P, A n. l. (pro
-ust, i. e.* -umst)   1025 Ilium *Gertz* : cilium *cod.*   apeli *(P*CD)
vel a . . . pi *(B*1*) P, A n. l.* (accepi *B*2) : accedi *Gertz*   hoc occipiam
aperi *Koch*   1026 id] ut *B (pro* it)   fero] refero *Guietus*   ut
ferrem abs te *Leo*   huc *cod.*   1027-31 *pauca servata A*
1028 aciem *Camerarius* : faciem *P*CD : matiem *B, unde* materiem
Seyffert (A n. l.)   1030 iam *om. A*   adest *B, A n. l.*   ilico]
remeligo (*del.* iam) *Leo (A n. l.)*   1031 [te] lam. *P*CD, *A n. l.*

ait illam, miseram cruciari et lacrumantem se adflictare,
quia tis egeat, quia te careat. ob eam rem huc ad te missast.
45 Py. iube adire. Pa. at scin quid tu facias? facito fastidi
plenum,
quasi non lubeat; me inclamato, quia sic te uolgo uolgem. 1035
Py. memini et praeceptis parebo. Pa. uocon ergo hanc
quae te quaerit?
Py. adeat, si quid uolt. Pa. si quid uis, adi, mulier. Mi.
pulcher, salue.
Py. meum cognomentum commemorauit. di tibi dent
quaequomque optes.
50 Mi. tecum aetatem exigere ut liceat—Py. nimium optas.
Mi. non me dico,
sed eram meam quae te demoritur. Py. aliae multae idem 1040
istuc cupiunt
quibu' copia non est. Mi. ecastor hau mirum si te habes
carum,
hominem tam pulchrum et praeclarum uirtute et forma,
factis.
deu' dignior fuit quisquam homo qui esset? Pa. non
hercle humanust ergo—
55 nam uolturio plus humani credo est. Py. magnum me
faciam
nunc quom illaec me illi[c] conlaudat. Pa. uiden tu 1045
ignauom ut sese infert?

1032-9 *pauca in primis et extremis versibus leguntur A*   1033
fort. tis ⟨ea⟩ (*A n. l.*)   1034 facite *B* (? *pro* face te), *A n. l.*
1035 sic te *Pylades* : sic tam *P*, *A n. l.* : tam te *Baier*   1036 uocon
Ritschl : uoco *P*, *A n. l.*   1037 adi *om. B*   1038 [quis] com-
merauit *B* : commemorat *Hermann, cui octonarius dispiicet (cf. ad Pers.*
834) (*An.l.*)   quaecumque] ut *B* (*ex supra scripto* -cum-?): *fort.* quaeque
1040-1121 *deficit A, nisi quod usque ad v.* 1058 *paucissima in primis et
extremis versibus leguntur*   1040 multae aliae *cod.* : *trai. Brix*
itidem *Pradel de praep.* p. 506   1042 praeclarum *Ritschl* : prae-
claram (-ra *P*CD) *cod.* (a *pro* u; vi. i)   uirtutem et forman *B*
⟨et⟩ factis *Camerarius*   1043 deus *Brix* : heus (heuis *B*) *cod.*
quam h. *B*   humanum stergeo *cod.* : *corr. Haupt*   1044 me *om. B*
1045 quom *Ritschl, et ut vid. cod.* (quo *B*: q̄m (*i. e.* quoniam) *D*:

quin tu huic responde, haec illaec est ab illa quam dudum
⟨dixi⟩.

Py. qua ab illarum? nam ita me occursant multae: meminisse hau possum.

Mi. ab illa quae digitos despoliat suos et tuos digitos
decorat.

nam hunc anulum áb tui cupientí huic detuli, híc porro ⟨ad te⟩. 60

1050 Py. quid nunc tibi uis, mulier? memora. Mi. ut quae te
cupit, eam ne spernas,

quae per tuam nunc uitam uiuit: sit necne sit spes in te
uno est.

Py. quid nunc uolt? Mi. te compellare et complecti et
contrectare.

nam nísi tu illi fers suppetias, iam illa animum despondebit.
age, 65

1054ª mi Achilles, fiat quod te oro, serua illam pulchram pulchre,
1055 exprome benignum ex te ingeniúm, urbicape, occisor regum.

Py. eu hercle ódiosas res! quotiens hoc tibi, uerbero, ego
interdixi,

meam ne sic uolgo pollicitere operám? Pa. audin tu,
mulier?

dixi hoc tibi dudum et nunc dico: nisi huic uerri adfertur 70
merces,

1059-
1060 non hic suo seminio quemquam proculenam impertiturust.

om. C) illic me illic *cod.*: illaec me sic *Ritschl* infert
Acidalius : inferat *cod.* (i. 9) 1046 illaec *Pylades*: illic *cod.*:
illinc *Seyffert* dixi *add. Reiz* 1047 quam *B* (vii. 4), *unde* quanam
Camerarius, cui qua | ab *displicet* 1049 *fort.* anellum ab tui *om. B*
cupientis *cod.* huc *P*CD: *vel* hūïc : *an* huc huic? hic ad te p.
Ritschl : huic (*om. B*) p. *cod.* (*etiam v.* 1046 *in fine mancus est*) hic ⟨ad
te detulit⟩ p. *Schoell* 1050 ut qui *cod.* 1051 uiuit *Pius* : uult
cod. nec *B* : *vel* necn' 1054 age *extra versum posui, nam*
Ăchĭlles *vix ferendum, neque* fĭat *placet*: mi Ach. *et sq. v.* age exprome
Fleckeisen fuat (?) *Leo fort.* quod *delend.* pulchre] pulcher
Pius 1055 urbicape *Camerarius, etiam cod. ut vid.* (ubi cape *B* :
[ini]uirbicape *P*CD) (ini *pro* ui ; iv. 3) 1058 uerri affertur *Priscianus* 1, 149 : uerriant fertur *cod.* (*pro* u. atf.) 1060 porculae
nam *codd. Prisciani* : proculem *cod.* (*cf. Class. Rev.* 10, 333)

Mɪ. dabitur quantum ipsus preti poscet. Pᴀ. talentum
                                 Philippi huic opus auri est;

minus ab nemine accipiet. Mɪ. eu ecastor nimi' uilest
                                         tandem!

Pʏ. non mihi auaritia umquam innatast: satis habeo diui-
                                      tiarum,

75 plus mi auri mille est modiorum Philippi. Pᴀ. praeter
                                      thensauros.

tum argenti montes, non massas, habet Aetina non aeque 1065
                                      altos.

Mɪ. eu ecastor
hominem peiiurum! Pᴀ. út ludo? Mɪ. quid ego? ut 1066ᵃ
                                  sublecto? Pᴀ. scite.

Mɪ. sed amabo, mitte me áctutum. Pᴀ. quin tu huic
                                    respondes aliquid,

80 aut facturum aut non facturum? Mɪ. quid illam miseram
                                    animi excrucias,

quae numquam male de te meritast? Pʏ. iube eampse
                                  exire huc ad nos.

dic me ei omnia quae uolt facturum. Mɪ. faci' nunc ut 1070
                                  facere aequom,

quom, quae te uolt, eandem tu uis. Pʏ. non insulsum huic
                                  ingenium.

1061 talĕntum *suspectum*   philippium *cod.*   1062 ab nem.
min. (?) *Leo, rhythmo consulens*   1064 thensaurus *cod. ut vid.*
1065 aethna (*om. B*) mons (*om. B*) non aeque a. *cod.*: Aetina non
aeque altast *Loewe*: Aetna mŏns non aeque altust *Lachmann*: Aetnā
mons aeque altas *Tittler*   1066ᵃ ut *Camerarius*: ui *cod.*   sublectos *cod.*   Pᴀ. scite *del. Acidalius, cui* eu ecastor *extra versum
epiphonema displicet*: *versui sequenti* (*cum* responde) *tribuit Schoell*
1067 *vel* mitt' med : mittite me *C, cf. Skutsch* (*Philol.* 59, 483)   1069
de te meritast] dixerit at *B* (*pro* d&ēerit ast? vi, p. 85)   iube
eampse *Rittershusius*: iubeam ipse *cod.*   1070 me ei *scripsi*:
mihi *cod.*: me *Ital.* (*immo* med)   ⟨te⟩ facere *Hermann*: facerest
Goetz   *vel* aequomst   1071 quom *Lambinus*: quod *cod.*   quae
te] que te *cod. ut vid.* (*ita D*: ipte *C*: que *B*)   non [hoc] insulsum
hinc *cod.*: *corr. Ritschl*   non . . . ing. *Palaestrioni dat Ital., fort.
recte*

Mɪ. quomq' me oratricem hau spreuisti sîstique exorare
ex te.

quid est? ut ludo? Pᴀ. nequeo hercle equidem risu[m] 85
admoderarier: ⟨hahahae!⟩

Mɪ. ob eam caussam huc aps te auorti. Pʏ. non edepol tu
scis, mulier,

1075 quantum ego honorem nunc illi habeo. Mɪ. scio et istuc
illi dicam.

Pᴀ. contra auro alii hanc uendere potuit operam. Mɪ. pol
istuc tibi credo.

Pᴀ. meri bellatores gignuntur, quas hic praegnatis fecit,

et pueri annos octingentos uiuont. Mɪ. uae tibi, nugator! 90

Pʏ. quin mille annorum perpetuo uiuont ab saeclo ad sae-
clum.

1080 Pᴀ. eo minu' dixi ne haec censeret me aduorsum se mentiri.

Mɪ. perii! quot hic ipse annos uiuet, quoius filii tam diu
uiuont?

Pʏ. postriduo natus sum ego, mulier, quam Iuppiter ex Ope
natust.

Pᴀ. si hic pridie natus foret quam ille est, hic haberet 95
regnum in caelo.

Mɪ. iam iam sat, amabo, est. sinite abeam, si possum, uiua
a uobis.

1085 Pᴀ. quin ergo abeis, quando responsumst? Mɪ. ibo atque
illam huc adducam,

propter ⟨quam⟩ opera est mihi. numquid uis? Pʏ. ne
magi' sim pulcher quam sum,

ita me mea forma habet sollicitum. Pᴀ. quid hic nunc
stas? quin abis? Mɪ. abeo.

1072 quoniam (qm̄) me B   haud *Camerarius*: hii (hic *P*ᶜᴰ) *cod.*
ex te] ixste *cod.* (exste *D*²)   1073 equidem *Bothe*: quidem *cod.*
risu meo mod. *P*ᶜᴰ: risum ac mod. *B* (ac *pro* at, *i. e.* ad? *sed* admoderarier *perdubium*)   hahahae *add. Studemund* (iii. 4)   1079
quin *Ital.*: qui *cod. cum codd. Nonii* 499   saeculo *codd. Nonii*:
sacio (-tio) *cod.* (i *pro* l)   1086 quam *add. Bentley   vel* mage
1087 habent *cod.*

100 Pa. atque adeo (audin?) dicito docte et cordate, ut cor ei
                                                        saliat—

Philocomasio dic, sist istic, domum ut transeat : hunc hic esse.

Mi. †hic cum era est, clam nostrum hunc† sermonem sub- 1090
                                                        legerunt.

Pa. lepide factumst : iam ex sermone hoc gubernabunt
                                                    doctiu' porro.

Mi. remorare, abeo.—Pa. neque te remoror neque tango
                                                neque te—taceo.

105 Py. iube maturare illam exire huc. iam istic rei praeuor-
                                                        temur.

iii   Pyrgopolynices   Palaestrio

Py. Quid nunc mihi es auctor ut faciam, Palaestrio,
de concubina? nam nullo pacto potest   1095
prius haec in aedis recipi quam illam amiserim.

Pa. quid me consultas quid agas? dixi equidem tibi
⁻5 quo id pacto fieri possit clementissume.

aurum atque uestem muliebrem omnem habeat sibi
quae illi instruxisti : sumat, habeat, auferat ;   1100
dicasque tempus maxume esse ut eat domum :
sororem geminam adesse et matrem dicito,
10 quibu' concomitata recte deueniat domum.

Py. qui tu scis eas adesse? Pa. quia oculis meis
uidi hic sororem esse eiius. Py. conuenitne eam?   1105
Pa. conuenit. Py. ecquid fortis uisast? Pa. omnia

    1088 audin tu *cod.* : tu *del. Reiz*   dicito ut docte et cordate curas
aluit *B* (i. 6)   ut . . saliat *Milphidippae dant alii*   1089 istic
Brix : hic *cod.*   1090 ⟨mea⟩ era *Camerarius*   quae etiam n.
Servius Dan. in Virg. Buc. 9, 21 (? *pro* quae etiam clam n.)   hunc
⟨hinc⟩ *Mueller*   1092 Pa. rememorare Mi. abeo neque te remoro
cod. : *corr. Gruterus, Bothe*   neque tango *Hermann, neque aliter ut*
vid. (neq.&ango) *cod.* (neque et ago *B* : neque te tango *P*ᶜᴰ)   1094
quis *P*ᶜᴰ   mihi nunc est *cod.*   1096 amiserim *Scaliger* : ob-
miserit *cod.*   1098 pacto id *B*   1101 maxume *Scaliger* :
                                                am
maxumum *cod.*   1102 geminatesse *ut vid. cod.* (geminat esse *B*,
geminam esse *P*ᶜᴰ)   1103 concomitata *Acidalius* : cum comita
cod.   1104 Quid *cod.*   1106 fortis *Nonius* 306 : fortius *cod.* (i. 9)

uis optinere.   Py. ubi matrem esse aiebat soror ?

Pa. cubare in naui lippam atque oculis turgidis   15
nauclerus dixit, qui illas aduexit, mihi.

1110 is ad hos nauclerus hospitio deuortitur.

Py. quid is? ecquid fortis? Pa. abi sis hinc, nam tu
                                                                        quidem

ad equas fuisti scitus admissarius,

qui consectare qua maris qua feminas.   20

hoc age nunc. Py. istuc quod das consilium mihi,

1115 te cum illa uerba facere de ista re uolo ;

nam cum illa sane congruos sermo tibi.

Pa. qui potius quam tute adeas, tuam rem tute agas ?

dicas uxorem tibi necessum ducere ;   25

cognatos persuadere, amicos cogere.

1120 Py. itan tu censes ? Pa. quid ego ní ita censeam ?

Py. ibo igitur intro.   tu hic ante aedis interim

speculare, ut, ubi illaec prodeat, me prouoces.

Pa. tu modo istuc cura quod agis. Py. curatum id qui- 30
                                                                        demst.

quin si uoluntáte nólet, uí extrudam foras.

1125 Pa. istuc caue faxis ; quin potius per gratiam

bonam abeat aps te.   atque illaec quae dixi dato,

aurum, ornamenta quae illi instruxisti ferat.

Py. cupio hercle. Pa. credo te facile impetrassere.   35

sed abi intro.   noli stare. Py. tibi sum oboediens.—

1130 Pa. numquid uidetur demutare †aut utique†

dixi esse uobis dudum hunc moechum militem ?

nunc ad me ut ueniat usust Acroteleutium aut

1107 optinere *Camerarius* : optinare (opinare *P*CD) *cod.*   *vel* aibat
1110 hos *Pylades* : uos *cod.*   1111 ecqui *cod.*   abisis (abhis
B) hic *cod.*: *corr. Saracenus*   1113 qua f. *Lipsius* : que f. *cod.*
1116 illa] alio *B*   *vel* congruost : congruit *Ital.*   1117 adeas
Bothe : ades *cod.*   1118 necessum (-us *P*CD) [esse] ducere *cod.* :
esse *del. Scaliger, nam* necĕssum esse *suspectum*   1122 *accedit A*
1124 Qui *A*   foris *P, A n. l.*   1130 numquid quidetur *P*
alio atque uti *Lachmann, A n. l.*   1131 dixisse u. *ut vid. A*
'uc mecum *P*   1132 aut *om. P* (*cf. Sjögren* 'Part. Copul.' p. 33)

40 ancillula eius aut Pleusicles.   pro Iuppiter,
satine ut Commoditas usquequaque me adiuuat!
nam quos uidere exoptabam me maxume,   1135
una exeuntis uideo | hinc e proxumo.

iv   ACROTELEVTIVM   MILPHIDIPPA
              PALAESTRIO   PLEVSICLES

Ac. Sequimini, simul círcumspicite ne quis adsit arbiter.
Mi. neminem pol uideo, nisi hunc quem uolumus conuen-
                                                tum. Pa. et ego uos.
Mi. quid agis, noster architecte? Pa. egone architectus?
                                        uah! Mi. quid est?
Pa. qui⟨a⟩ enim non sum dignus prae te palum ut figam in 1140
                                                parietem.
5 Mi. heia uero! Pa. nimi' facete nimi'que facunde mala's.
ut lepide deruncinauit militem! Mi. at etiam parum.
Pa. bono animo es: negotium omne iam succedit sub
                                                manus;
uos modo porro, ut occepistis, date operam adiutabilem.
nam ipse miles concubinam intro abiit oratum suam   1145
10 ab se ut abeat cum sorore et matre Athenas. Pl. eu,
                                                probe!
Pa. quin etiam aurum atque ornamenta quae ipse instruxit
                                                mulieri
omnia dat dono, a se ut abeat: ita ego consilium dedi.

1135 me *om. A*   1136 uideo exeuntis *Acidalius*   uideo ⟨ego⟩
Bothe: *fort.* uideon   hinc ⟨huc⟩ *Mueller*   e *om.* P (*i.e.* hinc *pro*
hince; i. 7)   1138 pol *om. A*   [est] et (? *notae personae loco*)
*Palaestrioni haec verba dant edd. contra ordinem nominum in scaenae
titulo in codd. ubi* PLEVSICLES *praeponitur; cf. Spengel (Sitzber. Akad.
Muench,* 1883, p. 271)   1139 quidst *A*   1140 qui enim P, *A n. l.*
(e *pro* ę, *i. e.* ae?)   ut figam p. P   1141 Mi.] *vel* Ac.   facite P
facunde *P ut vid.* (faciunda *B*, fecunden *P*CD): fęcunde *A*   malast P
1142 parum] rogas *A* (*interrogative?*)   1143 est P, *A n. l.*   1144
porro ut *Ital.*: porro ue P: (uṭ p)o(rro) *A*   1146 habeas P,
A n. l.   1147 instruxi mulieri *A*: instruxit mulier P   1148
donase *A*: dono se P   consilium [tum] P

Pl. facile istuc quidemst, si et illa uolt et ille autem cupit.

1150 Pa. non tu scis, quom ex alto puteo susum ad summum
escenderis,

maxumum periclum inde esse ab summo ne rusum cadas? 15

nunc haec res apud summum puteum geritur : si prosen-
serit

miles, nihil ecferri poterit huiius : nunc quom maxume

opust dolis.   Pl. domi esse ad eam rem uideo siluai satis :

1155 mulieres tres, quartus tute's, quintus ego, sextus senex.

quod apud nos fallaciarum sex situmst, certo scio,   20

oppidum quoduis uidetur posse expugnari dolis.

date modo operam. Ac. íd nos ad te, si quid uelles,
uenimus.

Pa. lepide facitis.   nunc hanc tíbi ego ímpero prouinciam.

1160 Ac. impetrabis, imperator, quod ego potero, quod uoles.

Pa. militem lepide et facete, laute ludificarier   25

uolo.   Ac. uoluptatem mecastor mi imperas.   Pa. scin
quém ad modum ?

Ac. nempe ut adsimulem me amore istius differri.   Pa.
tenes.

Ac. quasique istius caussa amoris ex hoc matrimonio

1165 abierim, cupiens istius nuptiarum.   Pa. omne ordine.

nisi modo unum hoc : hasce esse aedis dicas dotalis tuas,   30

hinc senem aps te abiisse, postquam feceris diuortium :

1150 descenderis *P*   1151 indie esset (*F*CD) *vel* in dono esset
(*B*) *P*   1152 nunc hanc *P*   praesenserit *Ital. fort. recte*
1153 nihil hac ferre potuit *P*   maximi (maximo *B*) *P*   1154
domi *sqq. Palaestrioni continuat Leo* (*cum P*)   esset *P*   1155
mulieres st res *P*   sego *P*   1156–62 *tantum priores partes
leguntur A*   1156 sex situmst *Klotz* · sexitumst *ut uid. P* (x *pro*
xs ; i. 7), *A n. l.*   1157 posset (poset) *P*   expugnare *P, A n. l.*
(*pro* -rei ?)   1159 tacitis *P*   hanc t. e. *Gruterus* : hoc tibi ego
P : tibi ego ha(nc) *A*   1161 ⟨et⟩ laute *Camerarius*   1162
uoluntatem *P*   scin *Bothe* : [et] scin [tu] (et scintur *P*CD) *P, A n. l.*
1163 amorem *P, A n. l.*   differre titenis *P, A n. l.* (*pro* -rei *corr. ex*
-ret ?)   1164 causam *P*   1165 istius omne ordinis nuptiarum *P* :
istius nup(tia)ru(m Pa. omne)m (ordin)em *A* : *corr. Bentley*   1166
esset *P*   dicat *P*   1167 abisset *P*

ne ille mox uereatur introire in alienam domum.
Ac. bene mones. Pa. sed ubi ille exierit intus, istinc te
                                   procui
ita uolo adsimulare, prae illius fórma quasi spernas tuam   1170
35 quasique eius opulentitatem reuerearis, et simul
formam, amoenitatem illius, faciem, pulchritudinem
conlaudato. satin praeceptumst? Ac. teneo. satinest, si tibi
meum opus ita dabo expolitum ut inprobare non queas?
Pa. sat habeo. nunc tibi uicissim quae imperabo ea discito. 1175
40 quom extemplo hoc erit factum, ubi intro haec abierit, ibi
                                   tu ilico
facito uti uenias ornatu húc ad nos nauclerico;
causeam habeas ferrugineam, [et] scutulam ob oculos laneam,
palliolum habeas ferrugineum (nam is colos thalassicust),
id conexum in umero laeuo, exfafillato bracchio,   1180
45 praecinctus aliqui: adsimulato quasi gubernator sies;
atque apud hunc senem omnia haec sunt, nam is piscatores
                                   habet.
Pl. quid? ubi ero exornatus quin tu dicis quid facturu'
                                   sim?
Pa. huc uenito et matris uerbis Philocomasium arcessito, 1184-5
ut, si itura siet Athenas, eat tecum ad portum cito
50 atque ut iubeat ferri in nauim si quid imponi uelit.

1168 damnum *P* (vii, p. 104)   1169 istic *P*   1170 tuas *P*
1171 reuearis *P*   ret *P*   1172 forma moenitatis *P*   1173-9
extrema fere leguntur A   1175 uisscisim *P, A n. l.* (ea) discito
A: non discitos *P* (*pro* disc- *corr. ex* nosc-?)   1176 quom *Linde-*
mann: quam *P, A n. l.*   ibi] tibi *P*   1177 ueniat *P, A n. l.*
ornatus (-os *P*CD) *P*   ad nos *om. P*   1178 causiam *Pius*: cause
hanc *P, A n. l.*   ferrugineam *Scutarius*: ferrugenas (-es *P*CD) *P*,
A n. l.   et scutulam *A*: cultura *P* (i. 8)   ab *P*   lanea *P*   1179
is[is] *P*   1180 conexum *codd. Nonii* 103: conixum *P, A n. l.*
exfafillato *P cum testimonio Pauli* 83 (effafilatum) *et Placidi c. gl.* 5, 21,
7; 63, 25 (*item*) *cf.* 67, 3 (exfabillauero): expapillato *Paulus* 79,
Nonius: ex(palliol)ato *A*   1182 hunc *om. A ut uid.*   1183
sum *A*   1186 it. est etthena se tecum *B*, it. esiam ethena se
atecum *P*CD   1187 ut i.] adiubeat *P* (*pro* ati-, a *pro* u)   imp.
uelit] inponunt (-no *P*CD) *P* (-nunt *pro* -ni tit, *i. e.* -ni uel it?)

nisi eat, te soluturum esse nauim : uentum operam dare.

Pl. sati' placet pictura. perge. Pa. ille extemplo illam
hortabitur

1190 ut eat, ut properet, ne sit matri morae. Pl. múltimodis
sapis.

Pa. ego illi dicam, ut me adiutorem, qui onu' feram ad portum, roget.

ille iubebit me ire cum illa ad portum. ego adeo, ut tu 55
scias,

prorsum Athenas protinam abibo tecum. Pl. atque ubi
illo ueneris,

triduom seruire numquam te quin liber sis sinam.

1195 Pa. abi cito atque orna te. Pl. numquid aliud ? Pa. haec
ut memineris.

Pl. abeo.—Pa. et uos abite hinc intro actutum ; nam illum
huc sat scio

iam exiturum esse intus. Ac. celebre apud nos imperium 60
tuomst.—

Pa. agite apscedite ergo. ecce autem commodum aperitur
foris.

hilarus exit : impetrauit. inhiat quod nusquam est miser.

PYRGOPOLYNICES   PALAESTRIO   V

1200 Py. Quod uolui ut uolui impetraui, per amicitiam et gratiam,
a Philocomasio. Pa. quid tam intus fuisse te dicam diu ?

1188 ea te P   1190–1284 deest A, nisi quod 1257–84 paucissima
in primis et extremis versibus supersunt   1190 matri mora sit Brix,
rhythmi causa   modice sapis Nonius 342 ('Plautus in Milite')
(cf. ad 1422)   1191 adiutore cod.   1192 iussit B   1193 protinam Bentley : protinus cod. (i. 7)   1195 orna te Ital. : orare
cod.   1196 huc Luchs : hinc cod.   1197 iam Merula : nam
(non PCD) cod.   celebre Camerarius : celedre ut vid. cod. (sceledre
                                                                                      i
PCD)   1198 peritur cod.   1199 hilarius cod. (pro -us?)
1200 ut uolui Guietus : ut uolo cod. (iii. 3)   1201 quid [nam] tam
intus fuisset et (fuisse PCD) dicam diu, cod. (pro fuiss&edicam) : corr.
Ussing

Py. numquam ego me tam sensi amari quam nunc ab illa
                                                    muliere.
Pa. quid iam? Py. ut multa uerba feci, ut lenta materies
                                                    fuit !
5 uerum postremo impetraui ut uolui : donaui, dedi
quae uoluit, quae postulauit ; ⟨te⟩ quoque ⟨ei⟩ dono dedi.   1205
Pa. etiam me ? quo modo ego uiuam sine te ? Py. áge,
                                          animo bono es,
idem ego te liberabo. nam si possem ullo modo
impetrare ut abiret, ne te abduceret, operam dedi ;
10 uerum oppressit. Pa. deos sperabo teque. postremo tamen
etsi istuc mi acerbumst, quia ero te carendum est optumo,   1210
saltem id uolup est quom ex uirtute formai euenit tibi
mea opera super hac uicina, quam ego nunc concilio tibi.
Py. quid opust uerbis ? libertatem tibi ego et diuitias
                                                    dabo,
15 si impetras. Pa. reddam impetratum. Py. at gestio. Pa.
                                          at modice decet :
moderare animo, ne sis cupidus. sed eccam ipsam,   1215
                                          egreditur foras.

vi   Milphidippa   Acrotelevtivm
        Pyrgopolynices   Palaestrio

Mi. Era, eccum praesto militém. Ac. ubi est ? Mi. ad
                                          laeuam. Ac. uideo.

1202 me tam *Camerarius* : mittam *cod.* (quid tam *P*CD) (*cf.* 1201)
1203 feci *Mueller* : fecit *cod.*   1204 inpetrauit *cod.* (*corr. B*²)   do.
dedi (-ei) *Brix* : dona uidere *cod.* (i. 6) : dona uidero *Palmer* (*Hermath.*
9, 66)   1205 te *et* ei *add. Pylades*   1206 a. b. es *Ital.* : animo
bono (b. a. *B*) et (*in initio v.* 1207) *cod.*   1207 agotelli illibera bonam
(*B*) *vel* ago telliberabo nam (*P*CD) *cod.* : *corr. Ital.* : e. te illim lib.
Ribbeck, Leo   posset *cod.*   *uix* alio modo   1208 haberet
cod. ut uid. (*pro* abeiret ?)   nec *Salmasius*   1210 optime *B*
1211 quoniam (q̄m) *B*   forme uenit *cod.* : *corr. Camerarius*   1212
hac uicina *testatur Festus* 305 : hanc uicinam *cod.*   tibi *Festus* :
mihi *cod.*   1213 opus *cod.*   1214 imperatum *cod.*   at modice
Camerarius : ac modico (modo *B*) *cod.*   dice *P*CD   1215 foris *P*CD

askance

Mi. aspicito limis, ne ille nos se sentiat uidere.

Ac. uideo. edepol nunc nos tempus est malas peiores fieri.

Mi. tuomst principium. Ac. ópsecro, tute ipsum conuenisti ?

1220 ne parce uocem, ut audiat. Mi. cum ipso pol sum locuta, 5
placide, ipsae dum lubitum est mihi, otiose, meo arbitratu.

Py. audin quae loquitur ? Pa. audio. quam laeta est
quia ted adiit !

Ac. o, fortunata mulier es ! Py. ut amari uideor ! Pa.
dignu's.

Ac. permirum ecastor praedicas te adiisse atque exorasse ;

1225 per epistulam aut per nuntium, quasi regem, adiri eum aiunt. 10

Mi. namque edepol uix fuit copiá adeundi atque impe-
trandi.

Pa. ut tu inclutu's apud mulieres ! Py. patiar, quando ita
Venus uolt.

Ac. Veneri pol habeo gratiam, eandémque et oro et quaeso
ut eiius mihi sit copiá quem amo quemque expetesso

1230 benignusque erga me siet, quod cupiam ne grauetur. 15

Mi. spero ita futurum, quamquam multae illum sibi expetessunt :

ille illas spernit, segregat hasce omnis, extra te unam.

Ac. ergo iste metus me macerat, quod ille fastidiosust,

ne óculi eiius sententiam mutent, ubi uiderit me,

1235 atque eiius elegantia meam extémplo speciem spernat. 20

1217 aspicite *cod.* limis [oculis] *cod.* (iv. 1) : oc. *del. Guietus*
uidere sentiant *cod.* : *corr. Ital.*, *Reiz* 1218 fiere *B* 1219 tuom
espa incipium (t. est initium *P^{CD}*) *cod.* : *corr. Camerarius* 1220
uocem *testatur schol. Aen.* 10, 532 : uoci (parce uictu audiat *B*) *cod.*
locuta *Saracenus* : secuta *cod.* 1221 meo (me *B*) arbitratu (arbitrii
B) [ut uolui] *cod.* (iv. 1) : ut uol. *del. Reiz* 1222 q. ad te *B* (*om.*
adiit) (? *pro* adiit te) 1223 muliēr es] mulieris *B* (i. 4 ; v. 9, p. 70)
dubito an recte (*nominatiuus antiquus*) *neque est cur corrigas* o fortunatae mulieris dignus est *cod.* 1224 audisse *cod.* 1228 tan-
demque exoro *P^{CD}* 1229 expetes sunt *B* (*cf.* 1231) 1230
⟨ut⟩ s. *Merula* 1231 illum multae *cod.* : *trai. Mueller metri causa* :
eum multae *Bentley* 1232 hasce *uix placet* : ab se *Ital.* 1233
uel ill' *uel* illic

Mɪ. non faciet, ⟨modo⟩ bonum animum habé. Pʏ. ut ipsa
                              se contemnit !

Ac. metuo ne praedicatio tua nunc meam fórmam ex-
                              superet.

Mɪ. istuc curaui, ut opinione illius pulchrior sis.

Ac. si pol me nolet duceré uxorem, genua amplectar

25 atque opsecrabo ; alio modo, si non quibo impetrare,   1240
consciscam letum : uiuere sine illó scio mé non posse.

Pʏ. prohibendam mortem mulieri uideó. adibon ? Pᴀ.
                              minime ;

nam tu te uilem feceris, si te ultro largiere :

sine ultro ueniat ; quaeritet, desideret, exspectet

30 sine : perdere istam gloriam uis quám habes? caue sis faxis. 1245

nam nulli mortali scio optigisse hoc nisi duobus,

tibi et Phaoni Lesbio, tam mulier sé ut amaret.

Ac. eo intro, an tu illunc euocas foras, mea Milphi-
                              dippa ?

Mɪ. immo opperiamur dum exeat aliquis. Ac. durare ne-
                              queo

35 quin eam intro. Mɪ. occlusae sunt fores. Ac. ecfringam. 1250
                        Mɪ. sana non es[t].

Ac. si amauit umquam aut si parem sapientiam [hic] habet
                              ac formam.

per amorem si quid fecero, clementi ⟨hic⟩ animo ignoscet.

Pᴀ. ut, quaeso, amore perditast te misera ! Pʏ. mutuom fit.

Pᴀ. tace, ne aúdiat. Mɪ. quid astitisti opstupida ? qur non
                              pultas ?

1236 modo(i̊n) *add.* (?) *Leo*   h. a. b. *Bothe*   1242 mulieri
uideo ⌊mulieri (-rem *P*CD⌋] *cod.* : *corr. Taubmann*   1243 uelim
cod.   1245 sine, p. *Leo* : sino p. (sinon p. *P*CD, summopere *B*) *cod.* :
nisi p. *Ritschl* : *vix* sīn' (*i. q.* nisi) p.   1247 mulier se *Seyffert* :
muuete (*P*CD) *vel* uiuere (*B*) *cod.*   1248 illuc *cod.* : *corr. Bentley*
euocatus (-tum *P*CD) *cod.* : *corr. Seyffert*   aut tu illum huc euoca
Fleckeisen   1250 eam *Saracenus* : etiam *cod.*   es *Pylades*
1251 si amauit *Camerarius* : simulauit *cod.*   hic *del. Bentley* (*cf.* 1252)
1252 hic *addidi* (*ex v.* 1251)   ignoscet animo *Reiz*   1253 te]
tuo *Leo* : *om. P*CD

1255 Ac. quia non est intus quem ego uolo. Mɪ. qui scis? Ac. 40
                                scio de olefactu ;
     nam odore nasum sentiat, si intus sit. Pʏ. hariolatur.
     quia mé amat, propterea Venus fecit eam ut díuinaret.
     Ac. nescio ubi hic prope adest quem expeto uidere : olet
                                            profecto.
     Pʏ. naso pol iam haecquidem plus uidet quam óculis. Pᴀ.
                                    caeca amore est.
1260 Ac. tene me ópsecro. Mɪ. qur? Ac. ne cadam. Mɪ. 45
                quid ita? Ac. quia stare nequeo,.
     ita animus per oculos meos ⟨meu'⟩ defit. Mɪ. militem pol
     tu aspexisti. Ac. ita. Mɪ. non uideo. ubi est? Ac.
                                uideres pol, si amares.
     Mɪ. non edepol tu illum magis amas quam ego, mea, si
                                    per te liceat.
     Pᴀ. omnes profecto mulieres te amant, ut quaeque aspexit.
1265 Pʏ. nescio tu ex me hoc audiueris an non : nepos sum 50
                                        Veneris.
     Ac. mea Milphidippa, adi opsecro et congredere. Pʏ. ut
                                    me ueretur !
     Pᴀ. illa ad nos pergit. Mɪ. uos uoló. Pʏ. et nos te. Mɪ.
                                        út iussisti,
     eram meam eduxi foras. Pʏ. uideo. Mɪ. iube ergo adire.
     Pʏ. induxi in animum ne oderím item ut alias, quando
                                        orasti.
1270 Mɪ. uerbum edepol facere non potis, si accesserit prope 55
                                        ad te.
     dum te optuetur, interim linguam oculi praeciderunt.

  1255 de olefactu *Skutsch* (*Philol.* 59, 504): edepol facio (scio *B*)
cod. : pol de olfactu *Mueller* (*Rhein. Mus.* 54, 400) : scio edepol facile
Bothe: scio pol ego, olfacio *Leo*   1259 c. amore *Gruterus* : c. ore
cod. (*pro* caecāore)   1260 quor *cod.*   1261 meus *add. Haupt*   d.
⟨mi⟩ *Schoell*   1263 mea (*B*) *vel* me (*P*ᶜᴰ) *cod.* : amem *Camerarius*
1265 me ex *cod.* : *trai. Hermann*   audieris *cod.*   1267 *vel* ted
vel uti   1268 foris *B*   1269 in *om. B*   odorim *cod.*   1270
edepol (*B*) *vel* hercle (*P*ᶜᴰ) *cod.*   1271 interim *om. P*ᶜᴰ

Py. leuandum morbum mulieri uideo. Mi. ut tremit ! atque
                                                    extimuit,
postquam te aspexit.   Py. uiri quoque armáti idem istuc
                                                    faciunt,
ne tu mirere mulierem. sed quid ⟨est quod⟩ uolt me facere ?
60 Mi. ad se ut eas : tecum uiueré uolt atque aetatem 1275
                                                    exigere.
Py. egon ád illam eam quae nupta sit ? uir eius me depre-
                                                    hendat.
Mi. quin tua caussa exegit uirúm ab se.   Py. qui id facere
                                                    potuit ?
Mi. [quia] aedes dotalis huiiu' sunt.   Py. itane ? Mi. ita pol.
                                          Py. iube domum ire.
iam ego illi ero.   Mi. uide né sies in exspectatione,
65 ne illam animi excrucies.   Py. non ero profecto. abite. 1280
                                          Mi. abimus.—
Py. sed quid ego uideo ? Pa. quid uides ? Py. nescio-
                                          quis eccum incedit
ornatu quidem thalassico.   Pa. it ad nos, uolt te profecto.
nauclerus hicquidem est.   Py. uidelicet accersit hanc iam.
                                          Pa. credo.

1272 ut tremit *Hermann* : [uiden] ut tremit (iubent adirem *B* ; *cf.*
ad 1273) *cod.* (ii. 6)   1273 *post* faciunt *sequitur* iube domum ire *in*
P (*non in A ut vid.*), *quae verba retractatoris fuisse credo qui vv.*
1272–8 omittere voluit : *del., ut ex v.* 1278 *illata, Acidalius*   1274
[melius] mulierem *cod.* (iv. 3) : melius *del. Guietus* : eius mul. *Leo*
est quod *addidi* (iii. 11) : q. ⟨illa⟩ *Ritschl*   metacere (me tacerit *B*,
met agere *P*CD) : -cere *A*   1275 ad sed eas *B* (*vix recte*)   1276
ad *om.* *P*CD   me deprehendat *Loewe* : mę . . . . . . dat *A* : metuere
hendast (metuendus est *B*) *P* : med ut prendat (prehendat) *Goetz*
1277 exigit *cod.*   a se *Merula* : asse[qui] (*P*CD) *vel* obse[quit] (*B*)
cod. (iv. 3)   quid ? qui id *Camerarius*   1278 quia (*etiam A ut vid.*)
del. Reiz (*cf. ad* 752). *Neque* quia aĕdes *placet neque in quarto pede*
huius sunt   iube *Weise* : iubam *cod.*: *fort.* iuben   1279 iam
Bothe : itam *cod.*   in ex. *Ital.* : inspectatione (exspectatione *B*) *cod.*
ne sis (*ita cod.*) ⟨illi⟩ in ex. *Mueller* (*Rhein. Mus.* 54, 400)   1282 it
ad nos *Brix* : iam (*pro* itan ?) non *cod.*   1283 hanc iam. Pa. credo
Leo post alios : hanc — *A* : hac itam [hic] credo *P*

vii

PLEVSICLES   PALAESTRIO
PYRGOPOLYNICES

PL. Alium alio pacto propter amorem ni sciam
1285   fecisse multa nequiter, uerear magis
me amoris caussa ⟨huc⟩ hoc ornatu incedere.
uerum quom multos multa admisse acceperim
inhonesta propter amorem atque aliena a bonis :   5
mitto iam, ut occídi Achilles ciuis passus est—
1290   sed eccúm Palaestrionem, stat cum militi :
oratio alio mihi demutandast mea.

mulier profecto natast ex ipsa Mora ;
nam quaeuis alia, quae morast aeque, mora   10
minor ea uidetur quam quae propter mulieremst.
1295   hoc adeo fieri credo consuetudine.
nam ego hanc accerso Philocomasium.   sed fores
pultabo.   heus, ecquis hic est?   PA. adulescens, quid est?
quid ueis ? quid pultas ?   PL. Philocomasium quaerito. 15
a matre illius uenio.   sí iturast, eat.
1300   omnis moratur : nauim cupimus soluere.
PY. iam dudum res paratast.   i, Palaestrio,
aurum, ornamenta, uestem, pretiosa omnia
duc adiutores tecum ad nauim qui ferant.   20
omnia composita sunt quae donaui : auferat.
1305   PA. eo.—PL. quaeso hercle propera.   PY. non mora-
bitur.

quid istuc, quaeso ? quid oculo factumst tuo ?

1284 nesciam *cod.*   1285–1303 *pauca in initiis extant A*   1286
huc *add. Mueller* (*Rhein. Mus.* 54, 400)   1287-9 *om. A*   1287
accepimus (?) *Leo*   1288 aliena *Gulielmius* : alienum *cod.*
1290 militi *B*   1291 allo *P, A n. l.*   1298 uis (ueis) *Ritschl* :
tu eis *ut uid.* P (tu ais *B*, tu es *P*CD), *A n. l.*   1300 absoluere
*P*CD   1301 paratast i *Seyffert* : paratas si *B* : paratast *P*CD, *A n. l.*
1302 pretiosa omnia *Bothe* : preciose (-um *P*CD) omne [ut ferat] *P*
(ii. 5), *A n. l.*   1303 duc] dum *P*   1306 quid oculus factus
tuo *B, A n. l.*

PL. habeo equidem hercle oculum. PY. at laeuom dico.

PL. eloquar.

25   amoris caussa hercle hoc ego oculo utor minus,

nam si apstinuissem amorem, tamquam hoc uterer.

sed nimi' morantur me diu. PY. eccos exeunt.   1310

viii   P A L A E S T R I O   P H I L O C O M A S I V M

P Y R G O P O L Y N I C E S   P L E V S I C L E S

PA. Quid modi flendo quaeso hodie facies? PH. quid ego

ni fleam?

ubi pulcherrume egi aetatem, inde abeo. PA. ém hominem

tibi

qui a matre et sorore uenit. PH. uideo. PY. audin, Pa-

laestrio?

PA. quid uis? PY. quin tu iubes ecferri ómniá quae istí

dedi?

5 PL. Philocomasium, salue. PH. ét tu salue. PL. materque 1315

et soror

tibi salutem me iusserunt diceré. PH. saluae sient.

PL. orant te ut eas, uentus operam dum dat, ut uelum

explicent;

nam matri oculi si ualerent, mecum uenissent simul.

1307-22 *paucissima in extremis versibus extant in A*   1308
amoris *Ritschl*: moris *P, A n. l.*: maris *Merula* (*sed vix* hercule)   ego
Ital.: ago (*om. B*) *P, A n. l.*   minus *Camerarius*: minem *P* (*cf. ad*
1309), *A n. l.*   1309 abstinuisset (-a et *B*) *P* (*cf. ad* 1308), *A n. l.*
amare *Muretus* (*A n. l.*)   tamquam *Ital.*: [quem] tam quam *P, A n. l.*
utere *P, A n. l.*   1311 fendo *P* (*corr. D²*), *A n. l.*   1312 pulcherrume egaetatem (pulcherrimam etatem *B*) *P, A n. l.*: *corr. Ital.*   inde
Ritschl: uideo (*om. P*CD) *P, A n. l.* (ui *pro* in; vi. 1)   mum (*om. B*)
hominem (-ne *B*) *P, A n. l.*: *corr. Leo post alios*   1313 audin *Guietus*:
audistis in (*B*) *vel* audistin (*P*CD) *P, A n. l.* (*pro* audin *corr. ex* audisti(s)?
Fuitne in archetypo audī?)   1314 quin tu] qui intus *B*   1316
sibi *P, A n. l.*   1317 eas *Ital.*: eat *P ut vid.* (ad(uentus) *B*: eant
*P*CD), *A n. l.*   ut uelum *Ital.*: ut uallam (ut [ut] uallem *B*) *P, A n. l.*
(uall- *pro* uellum, *antiqua forma*)   explicet *P*   1318 mechum
(moechum *P*CD: haec nunc *B*) uenissent (cenissent *P*CD) simul [est]
P, A n. l. (*pro* simul, *marg.* e, *i. e.* semul?)

Ph. ibo ; quamquam inuita facio : hómini pietas—Pl. scio ;
　　　　　　　　　　　　　　　　　　　　sapis.

1320 Py. si non mecum aetatem egisset, hodie stulta uiueret.　　10
Ph. istuc crucior, a uiro me tali abalienarier,
nam tu quemuis potis es facere ut afluat facetiis ;
et quia tecum eram, propterea ánimo eram ferocior :
eam nobilitatem amittendam uideo.　Py. a! ne fle.　Ph.
　　　　　　　　　　　　　　　　　　non queo,

1325 quom te uideo.　Py. habe bonum animum.　Ph. scio ego 15
　　　　　　　　　　　　　　　　quid doleat mihi.

Pa. nam nil miror, si lubenter, Philocomasium, híc eras,
⟨si⟩ forma huiius, mores, uirtus, attinere animum hic tuom,
quóm ego seruos quando aspicio hunc, lacrumo quia diiun-
　　　　　　　　　　　　　　　　　　gimur.

Ph. opsecro licet complecti priu' quam proficisco ?　Py. licet.
1330 Ph. o mi ócule, ó mi ánime.　Pa. ópsecro, tene mulie- 20
　　　　　　　　　　　　　　　　　　rem,

ne adfligatur.　Py. quid istuc quaesost?　Pa. quia aps te
　　　　　　　　　　　　　　　　abit, animo male

factum est huic repente miserae.　Py. curre intro atque
　　　　　　　　　　　　　　　　ecferto aquam.

Pa. nil aquam moror, quiescat malo.　ne interueneris,

1319 omni pietas scio (sit eo P^{CD}) Pl. [chant] sapis P, A n. l.
(i, p. 28) : corr. Niemeyer   1322 quemuis codd. Nonii 305 :
quamuis P, A n. l.   potis sis (potissis) codd. Nonii (A n.l.)   fluat
P, codd. Nonii   1323–93 deest A   1323 animo codd.
Nonii : animum cod.   1324 uide omnia hec fle (flet B) cod. (pro uideo
MĪ., i. e. Miles, a) : corr. Lindemann, Seyffert   1325 quid] [in]quit
cod.   1326 ⟨tu⟩ hic Ritschl : ⟨cum⟩ hoc Brix   1327 si add.
Bugge   formam h. morem cod : corr. Pylades   [hic] an. attinere
hic t. cod. : correxi (Harv. Stud. 9, 127)   fort. u. sic at.   1328
Quem P^{CD}   lacrumo Ribbeck : lacrumum cod.   diiungimur Camerarius : diungitur cod.   1330 ocule Lorenz : oculi cod.   ⟨o meum
cor⟩ Mueller   tene Gruterus : te cod.   fort. opsecro te, ⟨ópsecro,
tene⟩   1331 quaepost qui abste cod. : corr. Seyffert   1332
miserat currit et introm (intrem B) atque certo aq. cod. (pro curre
corr. ex -rit) : corr. Ital., Seyffert   1333 quiescat Luchs : quot
(quod) cod.

quaeso, dum resipiscit. Py. capita inter se nimi' nexa hisce
habent.

25 non placet.   labra ab labellis aufer, nauta, caue malum.   1335

Pl. temptabam spirarent an non.   Py. aurem admotam
oportuit.

Pl. si magi' uis, eam omittam.   Py. nolo : retineas.   Pa.
fio miser.

Py. exite atque ecferte huc intus omniá quae istí dedi.

Pa. etiam nunc saluto te, ⟨Lar⟩ familiaris, priu' quam eo.

30 conserui conseruaeque omnes, bene ualete et uiuite,   1340

bene quaeso inter uos dicatis †et me† apsenti tamen.

Py. age, Palaestrio, bono animo es.   Pa. eheu ! nequeo
quin fleam,

quom aps te abeam.   Py. fer aequo | animo.   Pa. scio
ego quid doleat mihi.

Ph. sed quid hoc ? quae res ? quid uideo ? lux, salue * * *

35 Pl. * ⟨salue.⟩ iam resipisti ?   Ph. ópsecro, quem amplexa sum 1345

hominem ? perii ! sumne ego apud me ?   Pl. ne time,
uoluptas mea.

Py. quid istuc est negoti ?   Pa. ánimus hanc modo hic re-
liquerat.

metuoque et timeo ne hoc tandem propalam fiat nimis.

1334 resipiscit *Ital.*: respicit *cod.*   uexam hinc habet *cod.* :
corr. Camerarius (hisce *Fleckeisen*)   1335 labram *cod.*   aufer
Mueller: fer *cod.*   nauta caue m. *Bugge* (malo *Lorenz*; *cf. ad Bacch.*
463) : inaut acemalum (ad macellum *B*) *cod.* (vii, p. 103)   1336
spiraret *Camerarius*   aurem admotam *Pareus* : non aurem (aut eum
B) at nostam *cod.* : au. adpostam (?) *Leo*   [hoc] oportuit *B* (? *pro*
hop-)   1337 *vel* mage   eam omittam *Ritschl* : amo mittam *cod.*
retineat *cod.*   fio *Kayser* : flo *cod.*   ret. Pl. omisero (?) *Leo*   1339
Lar *add. Bothe*   eo *Ital.* : ero *cod.*   1341 *fort.* de med *vel* etiam
me (mi *Palmer*)   1342 est *cod.*   heu *cod.*   neque quin (quiin
*P*ᶜᴰ) fleat *cod.* : *corr. Ital.*   1343 ⟨quaeso⟩ aequo *Mueller* (*Rhein.*
Mus. 54, 401)   *fort.* ted. . . an. aequo   1344 quae res *Seyffert* :
queris *cod.*   quid *Ital.* : quod *cod.*   ⟨Pl. et tu, lux mea⟩ *Leo*
1345 ⟨Et tu salue⟩ iam *Niemeyer* (iii. 11)   *vel* resipistin   ⟨Philo-
comasium ?⟩ Ph. *Ritschl* (iii. 2)   1348 et *Ital.* : ut *cod.*   propalam
Camerarius : proalla (proilla *B*) *cod.*

Py. quid id est ? Pa. nos secundum ferri nunc per urbem
                                           haec omnia,
1350 ne quis tíbi hoc uítio uortat. Py. mea, non illorum dedi :   40
parui ego illos facio. agite, ite cum dis beneuolentibus.
Pa. tua ego hoc caussa dico. Py. credo. Pa. iam uale.
                                    Py. et tu bene uale.
Pa. ite cito, iam ego adsequar uos : cúm ero pauca uolo
                                               loqui.—
quamquam alios fideliores semper habuisti tibi
1355 quàm me, tamen tibi habeo magnam gratiam rerum omnium ;   45
et, si | ita sententia esset, tibi seruire malui
multo quám alii libertus esse. Py. hábe animum bonum.
Pa. eheu, quom uenit mi in mentem ut mores mutandi sient,
muliebres mores discendi, obliuiscendi stratiotici !
1360 Py. fac sis frugi. Pa. iam non possum, amisi omnem   50
                                              lubidinem.
Py. i, sequere illos, ne morere. Pa. bene uale. Py. et tu
                                                bene uale.
Pa. quaeso memineris, si forte liber fieri occeperim
(mittam nuntium ad te), ne me deseras. Py. non est meum.
Pa. cogitato identidem tibi quam fidelis fuerim.
1365 si id facies, tum demum scibis tibi qui bonu' sit, qui malus.   55
Py. scio et perspexi saepe. Pa. uerum quom antehac,
                                              hodie maxume
scies : immo hodie †meorum† factum faxo post dices magis.
Py. uix reprimor quin te manere iubeam. Pa. caue istuc
                                                feceris :
dicant te mendacem nec uerum esse, fide nulla esse te,

1350 istuc *Luchs*   1351 alios *Bothe*   1353 ero *Ital.* : ego
cod.   uolo loqui *Ritschl* : eloqui *cod.*   1356 ita si *Lachmann* :
si istaec *Skutsch* (*Herm.* 32, 92)   1357 esset *cod.*   habeo
bonum animum *cod.* : *trai. Bothe*   1358 eheu *Leo* : haeum *cod.*
(*vix interiectio*)   1359 stratiotici *Scutarius* : stratiosi (stratiost *P*CD)
cod.   1362 q. ot (ut) m. *P*CD   fieri occeperit *cod.*   1364
dent idem *cod.*   1366 ⟨tum⟩ hod. *Ital.*   1367 eorum *B* :
uerum *Camerarius* : me tuom *Leo* : *fort.* morum   1369 dicent *cod.*
(*cf.* 1370)   esset *cod.*   fide *Ital.* : fidele *cod.*

60 dicant seruorum praeter me ésse fidelem neminem.   1370
nam si honeste censeam te facere posse, suadeam ;
uerum non potest. caue fáxis. Py. abi iam. Pa. patiar
                                                  quidquid est.
Py. bene uale igitur. Pa. ire meliust strenue.—Py. etiam
                                                   nunc uale.
ante hoc factum hunc sum arbitratus semper seruom pessu-
                                                      mum :
65 eum fidelem mihi esse inuenio.   quom egomet mecum 1375
                                                      cogito,
stulte feci qui hunc amisi. íbo hinc intro nunciam
ad amores meos.   sed, sensi, hinc sonitum fecerunt fores.

ix   P v e r   P y r g o p o l y n i c e s

Pv. Ne me moneatis, memini ego officium meum,
ego †nam† conueniam illum, ubi ubi est gentium ;
inuestigabo, óperae non parco meae.   1380
Py. me quaerit illic. ibo huïc puero obuiam.
5   Pv. ehem, te quaero.   salue, uir lepidissume,
cumulate commoditate, praeter ceteros
duo dí quem curant. Py. qui duo ? Pv. Mars et Venus.
Py. facetum puerum ! Pv. intro te ut eas opsecrat,   1385
te uolt, te quaerit, teque exspectans expetit.
10   amanti fer opem. quid stas ? quin intro is ? Py. eo.—
Pv. ipsus illic sese iam impediuit in plagas ;
paratae insidiae sunt : in statu stat senex,
ut adoriatur moechum, qui formast ferox,   1390
qui omnis se amare credit, quaeque aspexerit

1370 dicent *Leo* (*cf.* 1369)   esset *cod.*   1371 censeat *cod.*
1372 pa. q. e. *Pyrgopolynici continuant alii*   1373 Py.] *vel* Pa. Pa.]
vel Py.   melius est trenue *cod.*   Py.] *vel* Pa.   1374 huc sum *cod.*
1375 inuento *cod.*   egomet *Lambinus* : ego et *cod.*   1376 fecit . . .
amisit *cod.*   1377 amores *Ital.* : mores *cod.*   et sensit *cod.*
1379 nam] iam *Camerarius*   1380 parcam *Camerarius*   1381
ilico hinc p. *B* (*pro* illic eo h. p. ?)   *an* ibon ?   ⟨ego⟩ huic *Brix*
1386 expetit *Pareus* : petit *cod.* (*om. B*)   1387 quin *Merula* : quid
cod.   1388 sese *Pylades* : ese *cod.* (se *P*CD)   1391 quemque *P*CD

mulier : eum oderunt qua uiri qua mulieres.   15
nunc in tumultum ibo : intus clamorem audio.—

ACTVS V

PERIPLECTOMENVS   PYRGOPOLYNICES   V.
CARIO   LORARII   SCELEDRVS

PE. Ducite istum ; si non sequitur, rapite sublimem foras,
1395 facite inter terram atque caelum út siet, discindite.
   PY. opsecro hercle, Periplectomene, te.   PE. nequiquam
                                           hercle opsecras.
uide ut istic tibi sit acutus, Cario, culter probe.
   CA. quin iamdudum gestit moecho hóc abdomen adimere,   5
ut faciam quasi puero in collo pendeant crepundia.
1400 PY. perii !   PE. haud etiam, numero hoc dicis.   CA. iamne
                                 ⟨ego⟩ in hominem inuolo ?
   PE. immo etiam priu' uerberetur fustibus.   CA. multum
                                       quidem.
1401ᵃ   *   *   *   *   *   *   *
   PE. qur es ausus subigitare álienam uxorem, inpudens ?
   PY. ita me dí ament, ultro uentumst ad me.   PE. mentitur, feri. 10
   PY. mane dum narro.   PE. quid cessatis ?   PY. non licet
                                      mi dicere ?
1405 PE. dice.   PY. oratus sum ad eam ut irem.   PE. qur ire
                                    ausu's ? em tibi !
   PY. oiei ! sati' sum uerberatus. opsecro.   CA. quam mox seco ?
   PE. ubi lubet : dispennite hominem diuorsum et distendite.

   1392 mulier eum *Camerarius* : mulieres eum (*P*ᶜᴰ) *vel* mulierem
(*B*) *cod.*   1394 *accedit A*   sublimen *B, A n. l.*   1397 actus *P*
1400 iamne ⟨ego⟩ *Fleckeisen* (*A n. l.*) : iam tandem *Mueller* (*Rhein.
Mus.* 54, 402)   inuoco *P, A n. l.*   1401 ueretur *P*   1401ᵃ
om. P : *haec comparent in A* : agi .... c ..... ams ..... s — f ...
m —   1405 *om. A*   dic *cod.*   ad eam ut irem *Ribbeck, Seyffert* :
ad te amuttire (*P*ᶜᴰ) *vel* ad te uenirem (*B*) *cod.*   quor ire *Seyffert* :
quirere (*P*ᶜᴰ) *vel* quare (*B*) *cod.*   1406 olei *P*   seco] ego *P*
(x *pro* xs)   1407 dispennite *testatur Nonius* 9 : dispendite *A* ⟨*cum
B*⟩ : distendite *P*   et dispendite *P* : et distennite *Meursius*

15 Py. opsecro hercle te ut mea uerba aúdias priu' quam secat.
   Pe. loquere.   Py. non de nihilo factumst : uiduam hercle
                                              esse censui,
   itaque ancilla, conciliatrix quaé erat, dicebat mihi.   1410
   Pe. iura te non nociturum esse hómini de hac re nemini,
   quod tu hódie hic uerberatu's aut quod uerberabere,
20 si te saluom hinc amittemus Venerium nepotulum.
   Py. iuro per Iouem et Mauortem me nociturum nemini,
   quod ego hic hodie uapularim, iureque id factum arbitror ;   1415
   et si intestatus non abeo hinc, bene agitur pro noxia.
   Pe. quid si id non faxis ?   Py. ut uiuam semper intestabilis.
25 Ca. uerberetur etiam, postibi amittendum censeo.
   Py. di tibi bene faciant semper, quom aduocatus mihi bene's.
   Ca. ergo des minam auri nobis.   Py. quám ob rem ?   Ca. 1420
                                              saluis testibus
   ut ted hodie hinc amittamus Venerium nepotulum ;
   aliter hinc non eibis, ne sis frustra.   Py. dabitur.   Ca. magi'
                                              sapis.
30 de tunica et chlamyde et machaera ne quid speres, non feres.
   Lo. uerberon etiam, an iam mittis ?   Py. mitis sum equidem
                                              fustibus.
   opsecro uos.   Pe. soluite istunc.   Py. gratiám habeo tibi.   1425
   Pe. si posthac prehendero ego te híc, carebis testibus.
   Py. caussam hau dico.   Pe. eamus intro, Cario.—Py. seruos
                                              meos

1409 non de nihilo factumst *Hasper* : non dum niliblo factus (*B*)
vel nondum donec factum est (*P*CD) *P, A n. l.* : nondum nihili factu's
Camerarius   hercle *om. P*   1411 non *om. A*   hominem *P*
1412 tu hic ho. *Bothe* : *fort.* tu's ho. hic   uerberabere] uerberare *Γ*
1413 amittimus *codd. Prisciani* 1, 102 (*pro* -em- ?) : mittemus *A* : mitti-
mus *P*   1414 idum (-am *P*CD) et martem *P* (D *pro* O ; vi, 1)
1415 uapularim . . . . f. *A* : uapularim iurequi f. (*B*) *vel* uapulo
sed mihi id eque f. (*P*CD) *P*   1417 semper uiuam *A*   1418
post tibi amitte dum *P*   1419 bine *A*   mihi benest *A* : bene
mihi es (adest *B*) *P* : m. uenis *Leo*   1421 te *codd.*   1422 a nobis *P*
vel mage   m. sapis] (*cf. ad v.* 1190)   1423 macra *P*   1424 an
iam mittis *Brix* : anim (animam *P*CD) amittis *P, A n. l.*   1426
vel ted   arebo cestibus *P*   1427 carios *P*

eccos uideo.   Philocomasium iam profecta est? dic mihi.   35
Sc. iam dudum.   Py. ei mihi!   Sc. magi' dicas, si scias
                                        quod ego scio.
1430 nam illic qui | ob oculum habebat lanam nauta non erat.
Py. quis erat igitur?   Sc. Philocomasio amator.   Py. qui
                                        tu scis?   Sc. scio.
nam postquam porta exierunt, nihil cessarunt ilico
osculari atque amplexari inter se.   Py. uae misero mihi !   40
uerba mihi data esse uideo.   scelu' uiri Palaestrio,
1435 is me in hanc inlexit fraudem.   iure factum iudico ;
si sic aliis moechis fiat, minus hic moechorum siet,
magi' metuant, minus has res studeant. eamus ad me.
                                        plaudite.

1429 sqq. Sc.] *vel* Servvs   1429 *vel* mage   1430 ob oculum
habebat l — *A* : lanam ob oculum habebat *P*   laeuom *add.*
Hasper (*post* ob), *Leo* (*post* habebat)   *fort.* ⟨illam⟩ lanam   1432
portam *A, fort. recte*   1434 uir *P*   1435 in hanc iniexit fraudem
A : hanc ⟨*corr.* in hanc⟩ inlexit fraude *ut uid. P* (hinc illexit fraude
*P*CD, inlexit fraude in *B*)   iure — 1437 studeant *Scledıo dedit Bothe*
1436 si] sic *P*   moechus fuit *P*   1437 *vel* mage

MOSTELLARIA

ARGVMENTVM

Manu misit emptos suos amores Philolaches
Omnemque absente rem suo absumit patre.
Senem ut revenit ludificatur Tranio :
Terrifica monstra dicit fieri in aedibus
5 Et inde pridem emigratum. intervenit
Lucripeta faenus faenerator postulans
Ludosque rursum fit senex ; nam mutuom
Acceptum dicit pignus emptis aedibus.
Requirit quae sint : ait vicini proxumi.
10 Inspectat illas. post se derisum dolet,
Ab sui sodale gnati exoratur tamen.

2 absimit *cod.* (*corr. B²*) 4 fieri *Gruterus* : sileri *cod.* (*pro* fiieri ?
vi. 1) 5 pridem *Bothe* : primum *cod.* 8 acceptum [tum] *cod.* :
corr. Camerarius 11 exorator *cod.* (*corr. B²*)

PERSONAE

Tranio Servvs
Grvmio Servvs
Philolaches Advlescens
Philemativm Meretrix
Scapha Ancilla
Callidamates Advlescens
Delphivm Meretrix
Theopropides Senex
Misargyrides Danista
Simo Senex
Phaniscvs Servvs
Pinacivm (?) Servvs
Sphaerio (?) Servvs
Lorarii

Scaena ATHENIS

(P)ina(ci)vm *in titulo* IV. i *in A*
de nomine Sphaerio *vid. ad v.* 419

ACTVS I

GR. Exi e culina sis foras, mastigia,
qui mi inter patinas exhibes argutias.
egredere, erilis permities, ex aedibus.
ego pol te ruri, si uiuam, ulciscar probe.
5 ⟨exi,⟩ exi, inquam, nidoricupi, nam quid lates?   5
Tʀ. quid tibi, malum, hic ante aedis clamitatiost?
an ruri censes te esse? apscede ab aedibus.
abi rús, abi díerecte, apscede ab ianua.
em, hoccine uolebas? GR. perii! qur me uerberas?   9–10
10 Tʀ. quia uiuis. GR. patiar. sine modo adueniat senex.
sine modo uenire saluom quem apsentem comes.
Tʀ. nec ueri simile loquere nec uerum, frutex,
comesse quemquam ut quisquam apsentem possiet.
GR. tu urbanus uero scurra, deliciae popli,   15
15 rus mihi tu obiectas? sane hoc, credo, Tranio,
quod te in pistrinum scis actutum tradier.
cis hercle paucas tempestates, Tranio,
augebis ruri numerum, genu' ferratile.
nunc, dum tibi lúbet licetque, pota, perde rem,   20
20 corrumpe ✱ erilem adulescentem optumum;
dies noctesque bibite, pergraecaminei,
amicas emite, liberate : pascite
parasitos : opsonate pollucibiliter.
haecine mandauit tibi, quom peregre hinc it, senex?   25
25 hocine modo hic rem curatam offendet suam?
hoccine boni esse officium serui existumas
ut eri sui corrumpat et rem et filium?

---

5 exi *addidi dubitanter, nam* inquám *displicet*   -cupi nam] culine
(*i.e.* -nae) *B²*, *unde* nidor e culina *Pylades*   6 clamatiosi *cod.* : *corr.*
Acidalius   9, 10 en *cod.*   12 saluos *cod.* (*corr. B²*)   16 hoc
om. Pᶜᴰ *et fort. cod.*   17 sis *cod.*   21 corrumpe ⟨porro⟩ (?) *Leo*
Vide ne lacera pagina in Pᴮᶜ *fuerit*; *cf. ad v.* 57   25 it *Bothe* (iit
Ital.) . ut *cod.* (*pro* iit)

nam ego illúm corruptum duco quom his factis studet ;
30 quo nemo adaeque iuuentute ex omni Attica
antehac est habitus parcus nec magi' continens, 30
is nunc in aliam partem palmam possidet.
uirtute id factum tua et magisterio tuo.
TR. quid tibi, malum, méd aut quid ego agam curatiost ?
35 an ruri, quaeso, non sunt quos cures boues ?
lubet potare, amare, scorta ducere. 35
mei tergi facio haec, non tui fiducia.
GR. quam confidenter loquitur [fue] ! TR. at te Iuppiter
dique omnes perdant ! ⟨fu !⟩ oboluisti alium
40 (germana inluvies, rusticus, hircus, hara suis),
canem, capram commixtam. GR. quid uis fieri ? 40
non omnes possunt olere unguenta exotica,
si tú oles, neque superiores accumbere
44-5 neque tam facetis quam tu uiuis uictibus.
tu tibi istos habeas turtures, piscis, auis,
sine me aliato fungi fortunas meas. 45
tu fortunatu's, ego miser : patiunda sunt.
49-50 meum bonum me, te tuom maneat malum.
TR. quasi inuidere mihi hoc uidere, Grumio,
quia mihi bene est et tibi male est ; dignissumumst :
decét méd amare et te bubulcitarier, 50
me uictitare pulchre, te miseris modis.
55 GR. o carnuficium cribrum, quod credo fore,
ita te forabunt patibulatum per uias
stimulis, * si huc reueniat senex.
TR. qui scis an tibi ístuc eueniat priu' quam mihi ? 55

---

29 dico B^2 31 *vel* mage   34 *vel* me (*ita cod.*)   38 fue
del. Ritschl (*cf. v.* 39)   39 fu *add. Ritschl* (*cf. v.* 38)   40 *fort.*
rustica, *nam* rústicus hírcus *suspectum*   sui *cod.*   41 canes
capro commixta *Scaliger*: caeno κοπρών commixte *Leo*   43 superiores *Leo*: superior ^{PCD}, superior quam erus B 46 tibi obustos
(*pro* t. habe istos ?) *codd. Servii in buc.* 1, 58   aueis B^1 47 aleato
cod. (*vulgaris forma*) : aliatum *alii*   53 *vel* me (*ita cod.*)   55
carnificum *cod.* : *corr. Pylades*   57 st. ⟨carnufices⟩ *Leo*; *cf. ad v.* 21

GR. quia numquam merui, tu meruisti et nunc meres.

TR. orationis operam compendi face,   60

nisi te mala re magna mactari cupis.

GR. eruom daturin estis bubus quod feram?

60 date aes inhonestis : agite, porro pergite

quoniam occepistis : bibite, pergraecamini,

este, ecfercite uos, saginam caedite.   65

TR. tace atque abi rús.   ego ire in Piraeum uolo,

in uesperum parare piscatum mihi.

65 eruom tibi aliquis cras faxo ad uillam adferat.

quid est quod tu me nunc optuere, furcifer ?

GR. pol tibi istuc credo nomen actutum fore.   70

TR. dum interea sic sit, istuc 'actutum' sino.

GR. ita est.   sed unum hoc scito, nimio celerius

70 uenire quod obest quam illuc quod cupide petas.

TR. molestus ne sis nunciam, i rus, te amoue.

ne tu hercle praeterhac mihi non facies moram.—   75

GR. satin abiit neque quod dixi flocci existumat?

pro di inmortales, opsecro uostram fidem !

75 facite huc ut redeat noster quam primum senex,

triennium qui iam hinc abest, priu' quam omnia

periere, et aedes et ager ; qui nisi huc redit,   80

paucorum mensum sunt relictae reliquiae.

nunc rus abibo.   nam eccum erilem filium

80 uideo, corruptum | ex adulescente optumo.—

ii   PHILOLACHES

Recordatu' multum et diu cogitaui

argumentaque in pectus multa institúi   85

ego, atque in meo corde, si est quod mihi cor,

62 seruom *cod.* (*corr. B²*)   daturi *cod.*   63 data es in(h)onestis
cod. (*corr. B²*)   64 occepisti *B²PᶜD*   bibi *cod.* (*corr. B²*)   65
ecfercite *Camerarius* : ecferute (ec ferite *B*) *cod.*   69 quod tu (*B*)
vel quid tu (*PᶜD*) *i.e.* quid est? quid tu) *cod.*   71 intereas *cod.*
73 obest *scripsi* : moleste *cod.* (*cf. v.* 74)   ueniet quod noles *Leo*   74
vel sic distingue sis, nunciam i   75 [erres] hercle *cod.* (iv. 3) : erres
del. Spengel   80 huc] nunc *Ritschl*   81 mensuum *cod.*   83
corruptum ⟨tam⟩ *Pradel de praepos.* p. 543

eam rem uolutaui et diu disputaui,
    hominem quoiiu' rei, quando natus est   5
similem esse arbitrarer simulacrumque habere
90   id repperi iam exemplum.
nouarum aedium esse arbitro similem ego hominem
quando hic natus est.   ei rei argumenta dicam.
atque hoc hau uidetur ueri simile uobis,   10
        at ego id faciam esse ita ut credatis.
95   profecto esse ita ut praedico uera uincam.
atque hoc uosmet ipsi, scio, proinde uti nunc
ego esse autumo, quando dicta audietis
        [mea], haud aliter id dicetis.   1**5**
auscultate, argumenta dum dico ad hanc rem :
100 simul gnaruris uos uolo esse hanc rem mecum.

aedes quom extemplo sunt paratae, expolitae,
    factae probe examussim,
laudant fabrum atque aedes probant, sibi quisque inde 20
                     exemplum expetunt,
sibi quisque similis uolt suas, sumptum, operam ⟨parum⟩
                    parcunt suam.
105 atque ubi illo immigrat nequam homo, indiligens
cum pigra familia, inmundus, instrenuos,
hic iam aedibus uitium additur, bonae quom curantur male ;
atque illud saepe fit : tempestas uenit,   2**5**
confringit tegulas imbricesque : ibi
110 dominus indiligens reddere alias neuolt ;
uenit imber, lauit parietes, perpluont,
tigna putefacit, perdit operam fabri :

87 uol. eam rem *Weise, nam* diū (*bisyll.*) *placet*   88 n. esset
Leo : natust *Schoell* (*anap.*)   89 *an* arbitrarem ? (*cf. ad* 91)   91
arbitror *B²Pᶜᴰ*   92 hic *del. Lorenz*   93–5 *retractatoris esse credit
Ritschl, fort. recte*   95 ita esse *cod.* : *trai. Bentley*   98 mea
del. Hermann   100 uos *Camerarius* : uo *cod.*   104 simile
suo is sua *cod.* : *corr. Ritschl, Spengel*   sumptu *B*   parum *addidi*
105 indiligens[que] *cod.* : que *del. Pylades*   106 instr. *Ital.* : strenuus
cod. (v. 9, 8)   108 *vel* illuc   112 putrefacit *cod.* (pŭtr-)   perdit
Bergk : per *cod.* (*pro* perd̄, *i. e.* perdit, vii. 4)

30   nequior factus iam est usus aedium.
            atque ⟨ea⟩ haud est fabri culpa, sed magna pars
        morem hunc induxerunt : si quid nummo sarciri potest,   115
            usque mantant neque id faciunt donicum
        parietes ruont : aédificantúr aedes totae denuo.

35   haec argumenta ego aedificiis dixi ; nunc etiam uolo
        dicere uti hómines aedium esse similis arbitremini.
            primumdum parentes fabri liberum sunt :   120
            i fundamentum supstruont liberorum ;
            extollunt, parant sedulo in firmitatem,
40   et ut ⟨et⟩ in usum boni et in speciem
            poplo sint sibique, hau materiae reparcunt
            nec sumptus ibi sumptui ducunt esse ;   125
            expoliunt : docent litteras, iura, leges,
                sumptu suo et labore
45 nituntur ut alii sibi esse illorum similis expetant.
    ad legionem quom ita *   *   * adminiclum is danunt
                tum iam, aliquem cognatum suom.   130
    eatenus abeunt a fabris. unum ubi emeritum est stipendium,
    igitur tum specimen cernitur quo eueniat aedificatio.

50   nam ego ad illud frugi usque et probus fui
            in fabrorum potestate dum fui.
                postea quom immigraui ingenium in meum,   135
            perdidi operam fabrorum ilico oppido.
                uenit ignauia, ea mi tempestas fuit,
55   mihi aduéntú suo grandinem imbrem[que] attulit ;

    114 ea add. Hermann   115 morem Lambinus : moram cod.
hanc B²Pᶜᴰ   119 adicere (scil. argumenta) (?) Leo   121 i (ei)]
et Pᶜᴰ et fort. cod.   123 et add. Schoell   vel uti   usu B   124
neparcunt B²   125 esse ducunt cod. : trai. Schoell, ut integer tetram.
fiat   129 comita (comitum B²) cod.   lacunam in Pᴬ (cf. 151) sic
explevit Leo ⟨paratos mittunt⟩   131 eatenus. abeunt distinxit Leo
unum del. Ritschl, cui ubi ĕmer. displicet   133 fui frugi Schoell, favente
allitteratione   135 quom Guietus : quam cod.   emigraui B²   in
ingenium cod. : trai. Bothe   138 vel mi : ⟨et⟩ mi Leo   que del.
Bothe (cf. 105, 144)

        haec uerecundiam mi et uirtutis modum
140   deturbauit detexitque a med ilico;
        postilla optigere eam neglegens fui.
continuo pro imbre amor aduenit †in cor meum†,
is usque in pectus permanauit, permadefecit cor meum.   60
        nunc simul res, fides, fama, uirtus, decus
145   deseruerunt: ego sum in usu factus nimio nequior.
atque edepol ita haec tigna umiditate putent: non uideor
                                      mihi

sarcire posse aedis meas quin totae perpetuae ruant,
cum fundamento perierint nec quisquam esse auxilio queat. 65
        cor dolet quom scio ut nunc sum atque ut fui,
150   quo neque industrior de iuuentute erat
        *   *   *   *   arte gymnastica:
        disco, hastis, pila, cursu, armis, equo
        uictitabam uolup,
parsimonia et duritia discipulinae alieis eram,
155   optumi quique expetebant a me doctrinam sibi.
        nunc, postquam nihili sum, id uero meopte ingenio rep-
                                       peri.

P H I L E M A T I V M   S C A P H A   P H I L O L A C H E S **iii**

PHILEM. Iam pridem ecastor frigida non laui magi lubenter
nec quom me melius, mea Scapha, rear esse deficatam.
Sc. euentus rebus omnibus, uelut horno messis magna
160 fuit.   PHILEM. quid ea messis attinet ad meam lauationem?

---

139 domum *Fay, fort. recte*   140 detexitque *Camerarius*:
[texit] detexitque *cod.* (iv. 3)   *vel* me (*ita cod.*)   141 opticere *cod.*
(optinere *B²*)   ea *Seyffert*   142 in cor meum (*cf.* 143)] tetigit
guttis grandibus *Leo* (*ex Front.* p. 27)   144 decus[que] *cod.*: que
del. Bothe   146 umiditate *Ussing*: umide *cod.*: umide ⟨iam⟩ *Hermann*   putant *cod.* (*corr. B²*)   uideo *cod.*   148 cum *Ritschl*:
[quin] cum *cod.* (*pro* qum? iv. 3; *cf. Mil.* 172)   151 *lacunam in* P^A
(*cf.* 129) *sic explevit Ussing* ⟨quisquam nec clarior⟩   152 filia *cod.*
(*corr. B²*)   154 parsimoniae duritia *cod.*: *corr. Ital.*   155 tam e
cod. (*corr. B²*)   157 *vel* mage   159 *vel* euentust   *vel* omnibust

5 Sc. nihilo plus quam lauatio tua ad messim.   PHILOL. o
                                              Venu' uenusta,
  haec illa est tempestas mea, mihi quae modestiam omnem
  detexit, tectus qua fui, quom mihi Amor et Cupido
  in pectus perpluit meum, neque iam umquam optigere
                                              possum :
  madent iam in corde parietes, periere haec oppido aedes.   165
10 PHILEM. contempla, amabo, mea Scapha, satin haec me
                                              uestis deceat.
  uolo mé placere Philolachi, meo ocello, meo patrono.
  Sc. quin tu te exornas moribus lepidis, quom lepida tute es?
  non uestem amatores amant mulieri', sed uestis fartim.
  PHILOL. ita me di ament, lepidast Scaphá, sapit scelesta 170
                                              multum.
15 ut lepide res omnis tenet sententiasque amantum !
  PHILEM. quid nunc ? Sc. quid est ?   PHILEM. quin me
                                  aspice et contempla ut haec me deceat.
  Sc. uirtute formai [id] euenit te ut deceat quidquid habeas.
  PHILOL. ergo ob istoc uerbum te, Scaphá, donabo ego
                                              hodie—áliqui
  neque patiar te istanc gratiis laudasse, quae placet mi.   175
20 PHILEM. nolo ego te adsentari mihi.   Sc. nimi' tuquidem
                                              stulta es mulier.
  eho, mauis uituperarier falso quam uero extolli ?
  equidem pol uel falso tamen laudari multo malo
  quam uero culpari aut meam speciem alios inridere.   179-80
  PHILEM. ego uerum amo, uerum uolo dici mi : mendacem
                                              odi.

163 tectusque *cod.* (*corr. B²*)   quom *Ritschl* : quam *cod., fort. recte*
164 optingere *cod.*   167 me *Bothe* : meo *cod.*   philolacheti *cod.*
168 quid tu te ex., mo. lep. quom *Bothe, Ritschl, fort. recte*   170
lepidast *Gruterus*: lepida *cod.* (iii. 3)   171 o. mores *Bergk*: o. res *cod.*:
res omnis *Camerarius*   172 deceat *Camerarius* : decet *cod.*   173
formae id *cod.* : id *del.* (?) *Leo, nam elisio syllabae* -ae *in genetivo displicet*
174 istuc *Brix* : hoc *cod.* (*pro* iste hoc? *cf. v.* 175 hanc *pro* istanc)
vix hōdie   175 istanc] hanc *P*CD   176 quidem tu *P*CD

Sc. ita tu me ames, ita Philolaches tuo' té amet, ut uenu- 25
                              sta es.

Philol. quid ais, scelesta? quo modo adiurasti? ita ego
                              istam amarem?

quid istaéc me, id qur non additum est? infecta dona facio.

185 periisti : quod promiseram tibi dono perdidisti.

Sc. equidem pol miror tam catam, tam doctam te et bene
                              edúctam

nunc stultam stulte facere.   Philem. quin mone quaéso, 30
                              si quid erro.

Sc. tu ecastor erras quae quidem illum exspectes unum atque
                              illi

morem praecipue sic geras atque alios asperneris.

190 matronae, non meretricium est unum inseruire amantem.

Philol. pro Iuppiter! nam quod malum uorsatur meae
                              domi illud?

di deaeque omnes me pessumis exemplis interficiant,   35

nisi ego illam anum interfecero siti fameque atque algu.

Philem. nolo ego mihi male te, Scaphá, praecipere. Sc.
                              stulta es plane

195 quae illum tibi aeternum putes fore amicum et beneuolentem.

moneo ego te : te ille deseret aetate et satietate.

Philem. non spero. Sc. insperata accidunt magi' saepe 40
                              quam quae speres.

postremo, si dictis nequis perduci ut uera haec credas

mea dicta, ex factis nosce rem. uides quaé sim   et quae
                              fui ante.

200 nihilo ego quam nunc tu * * * * * * * *

184 cura *cod.* (*corr.* B^2)   185 dona *cod.* (*corr.* B^2) : doni (?) *Leo*
186 catam *Pius* : captam *cod.*   doctam] docilem *Leo*   eductam
Camerarius : doctam *cod.*   187 nunc *Bothe* : non *cod.* (vii. 2)
stultam B^2 : sta i tam *cod.* (a *pro* u ; vi. 1)   189 asperneres *cod.*
(·ris B^2) (? *pro* -re)   191 domi illud *Camerarius* : domillum *cod.*
192 me omnes *Ritschl, cui* omnés me *displicet*   194 mei *cod.* (*pro*
mehi *vel* mehei, *antiqua forma*)   195 putas P^{CD} 197 *vel*
mage   199 et quae] *fort.* atqui

*   *   *   *   *   *   amata sum; atque uni modo gessi 200ᵃ

morem:

45 qui pol me, ubi aetate hoc caput colorem commutauit,

reliquit deseruitque me.   tibi idem futurum credo.

PHILOL. uix comprimor quin inuolem illi in oculos stimula-

trici.

PHILEM. solam ille me soli sibi suo ⟨súmptu⟩ liberauit:

illi me soli censeo esse oportere opsequentem.   205

50 PHILOL. pro di inmortales, mulierem lepidam et pudico

ingenio!

bene hercle factum et gaudeo mihi nihil esse huius caussa.

Sc. inscita ecastor tu quidem es.   PHILEM. quapropter?

Sc. quae istuc ⟨cures⟩,

ut te ille amet.   PHILEM. qur opsecro non curem?   Sc.

libera es iam.

tu iam quod quaerebas habes: ill' te nisi amabit ultro,   210

55 id pro capité tuo quod dedit perdiderit tantum argenti.

PHILOL. perii hercle, ni ego illam pessumis exemplis eni-

casso!

illa hanc|corrumpit mulierem|malesuada †uitilena†.

PHILEM. numquam ego illi possum gratiam referre ut meri-

tust de me.

Scapha, id tu mihi ne suadeas ut illúm minoris pendam.   215

60 Sc. at hoc únum facito cogites: si illum inseruibis solum

dum tibist|nunc haec |aetatula, in|seneçta male|querere.

PHILOL. in anginam ego nunc me uelim uorti, ut ueneficae

illi

fauces prehendam atque enicem scelestam stimulatricem.

200, 200ᵃ ⟨minus fui pulchra et uenusta et nihilo Minus ego quam
nunc tu⟩ *Seyffert*   204 *post* 205 *cod.* (*prius om. propter homoeoarch.*):
corr. Ritschl   sumptu *add. Bentley*   205 illi *Fleckeisen*: [solam] illi
cod. (*cf. v.* 204)   me *Camerarius*: meo *cod.*   208 inciste ecastor
(*B*) *vel* castor (*P*ᶜᴰ) *cod.*   cures *add. Pylades*   211 tuo capite
Bentley   213 cantilena *Ussing*   *vix* malesüadá uiti plena   217
tibist...aetatula *Klotz*:   tibi...aetatulast *cod.* (*cf. ad Merc.* 330)
aetatlast *vix ferendum, nullo modo* senécta   in *del.* (?) *Fleckeisen*

220 PHILEM. euṇdem ánimum oportet nunc mihi esse gratum,
                                        ut impetraui,
   atque olīm, priu' quam id extudi, quom illi subblandiebar. 65
   PHILOL. di⟨ui⟩ me faciant quod uolunt, ni ob istam orationem
   te liberasso denuó et ni Scapham enicasso.
   Sc. si tibi sat acceptum est fore tibi uictum sempiternum
225 atque illum amatorem tibi proprium futurum in uita,
   soli gerundum censeo morem et capiundas crinis.   70
   PHILEM. ut fama est homini, exin solet pecuniam inuenire.
   ego si bonām famam mihi seruasso, sat ero diues.   l. s.
   PHILOL. siquidem hercle uendundust pater, uenibit multo
                                            potius
230 quam te me uiuo umquam sinām egere aut mendicare.   bul at
   Sc. quid illís futurum est ceteris qui tě amant? PHILEM. 75 diaeresi
                                            magis amabunt,   l. s. phi.
   quom ⟨me⟩ uidebunt gratiam referre ⟨bene mere⟩nti.
   PHILOL. utinam meus nunc mortuos pater ad me nuntietur,
   ut ego exhērēdem me meīs bonis fáciam atque haec sit hēres. l. s.
235 Sc. iam ista quidem apsumpta res erit: diēs nóctesque   l.s.
                                            estur, bibitur,
   neque quisquam parsimoniám adhibet: sagina plane est.   80
   PHILOL. in té hercle certumst principi ut sim parcus ex-   p.h.
                                            periri,
   nam neque edes quicquam neque bibes apúd mé his decem   h.
                                            diebus.
   PHILEM. si quid tu in illum bene uoles loqui, id loqui
                                            licebit:
240 nec recte si illi dixeris, iam ecastor uapulabis.

220 *vel sic distingue* esse, gr. ut im. inpetrauit *cod.* 222 diui
Bothe : di *cod.*   mi (mei) *Pius*   223 caspam *cod.*   227
sole *cod.* (*corr. B²*)   232 me *add. Gruterus*   r. bene merenti
Camerarius, Bentley : referenti *cod.* (iii. 11) : r. rem ferenti *Gruterus*
233 nunc meus *B²PᶜᴰD, unde* n. m. emortuos *Schoell*   234 meis
me *cod.* : *trai. Schoell*   235 quidem absumpta [quidem] *cod.*   237
principe (·pi) *Bentley* : principium *cod.*   238 *vel* med   his decem
Bentley : isdec *cod.* (vii, p. 104)

85 PHILOL. edepol si summo Ioui bo⟨nó⟩ argento sacruficassem,
    pro illius capite quod dedi, numquam aeque id bene locassem.
    uideas eam medullitus me amare.   oh! probus homo sum :
    quae pro me caussam diceret, patronum liberaui.

Sc. uideo enim te nihili pendere prae Philolache omnis 245
                                    homines.

90 nunc, ne eius caussa uapulem, tibi potius adsentabor,
  si acceptum sat habes, tibi fore illum amicum sempiter-
                                 num.

PHILEM. cedo mi speculum et cum ornamentis arculam
                            actutum, Scapha,
  ornata ut siːm, quom huc adueniat Philolaches uoluptas mea.

Sc. mulier quae se suamque aetatem spernit, speculo ei 250
                             usus est :

95 quid opust speculo tibi quae tute speculo speculum es
                             maxumum ?

PHILOL. ob istuc uerbum, ne nequiquam, Scapha, tam
                            lepide dixeris,
  dabo aliquid hodie peculi—tibi, Philematium mea.

PHILEM. suo quique loco uiden capillum sati'compositumst
                             commode ?

Sc. ubi tu commoda es, capillum commodum esse credito. 255

100 PHILOL. uah! quid illá pote peius quicquam mulieri me-
                             mŏrarier ?
  nunc adsentatrix scelesta est, dudum aduorsatrix erat.

PHILEM. cedo cerussam.   Sc. quid cerussa opust nám ?
                 PHILEM. qui malas oblinam.

---

241 iouiuo (-bo?) *cod.* (ioui uiuo *B²*) (vii. p. 105) : Ioui probo
Schoell : Ioui boui eo *Leo*   242 locassem *Guietus* : collocassem
cod.   243 uideas *Schoell* : [ut] uideas *cod.* (iv. 3)   245 enim
cod. Varronis de L. L. 9. 54 : *om. cod., fort. recte* (iv. 3)   247 Is
cod.   249 adueniat *Ritschl* : ueniat *cod.*   250 ei usus est *Came-*
rarius : elusa est *cod.* (i. 6)   252 dixerit *B²*   253 perculi *coa.*
(*corr. B²*)   254 capillum (*gen. neut.*) *testatur Nonius* 198 : capillus
cod.   compositust *cod.*   255 commodes *cod.* (e *pro* -a e-)   256
vel illac   memorarier *Ital.* : morarier *cod.*   258 opost *ut vid. cod.*

Sc. una operā | ebur atramento candefacere postules.   h,
260 PHILOL. lepide dictum de atramento atque ebore. eugae!
                              plaudo Scaphae.
PHILEM. tum tu igitur cedo purpurissum. Sc. non do. 105
                              scita es tu quidem.
noua pictura interpolare uis opus lepidissumum?
non istanc aetatem oportet pigmentum ullum attingere,
neque cerussam neque Melinum neque aliam ullam offu-
                              ciam.
265 PHILEM. cape igitur speculum. PHILOL. ei mihi misero!
                              sauium speculo dedit.
nimi' uelim lapidem qui ego illi speculo dimminuam caput. 110
Sc. linteum cape atque exterge tibi manus. PHILEM. quid
                              ita, opsecro?
Sc. ut speculum tenuisti, metuo né olant argentum manus:
ne usquam argentum te accepisse suspicetur Philolaches.
270 PHILOL. non uideor uidisse lenam callidiorem ullam alteras.
ut lepide atque astute in mentem uenit de speculo malae! 115
PHILEM. etiamne unguentis unguendam censes? Sc. minime
                              feceris.
PHILEM. quapropter? Sc. quia ecástor mulier recte olet
                              ubi nihil olet.
nam istae ueteres, quae se unguentis unctitant, interpoles,
275 uetulae, edentulae, quae uitia corporis fuco occulunt,   I S.
ubi sese sudor cum unguentis consociauit, ilico   120
itidem olent quasi quom una multa iura confudit coquos.
quid olant nescias, nisi id unum út male olere intellegas.
PHILOL. ut perdocte cuncta callet! nihil hac docta doctius.
280 uerum illuc est: maxuma adeo pars uostrorum intellegit,

        259 opera ⟨era⟩ *Schoell* : *vix* operan   264 offugiam *cod.*   266
dimminuat *cod.* (*corr. B²*)   270 alteram *B²*   271 sp. mane
P^CD   274 *vel* istaec   275 occulunt *schol. Verg*. Georg. 4, 39 :
occultant *cod.*   277 unam *cod.* (vii. 4) (*corr. B²*)   278 olant
(-leant) *Lambinus* : oleas *cod.*   ut *Camerarius* : ni *cod.* : nimis *Sonnenschein*   280 illuc esse *codd. Gellii* 20, 6, 12 (*i. e.* ess' ?) : illud (*pro
illuc* ; i. 7) est *cod.*   maxima *codd. Gellii* : maximam (-um *P*^CD) *cod.*

125 quibus anus domi súnt uxores, quae uos dote meruerunt.

PHILEM. agedum contempla aurum et pallam, satin haec
⟨me⟩ deceat, Scapha.

Sc. non me istuc curare oportet.   PHILEM. quém opsecro
igitur ?   Sc. eloquar :

Philolachem, is ne quid emat, nisi quod tibi placere censeat. 284-5
nám amator meretricis mores sibi emit auro et purpura.

130 quid opust, quod suom esse nolit, ei ultro ostentarier ?
purpura aetati occultandaest, aurum turpi mulieri.
pulchra mulier nuda erit quam purpurata pulchrior :
poste nequiquam exornata est bene, si morata est male.   290
pulchrum ornatum turpes mores peius caeno conlinunt.

135 nam si pulchra est nimis ornata est.   PHILOL. nimi' diu
apstineo manum.

quid hic uos diu agitis ?   PHILEM. tibi me exorno ut
placeam.   PHILOL. ornata es satis.

abi tu hinc intro atque ornamenta haec aufer.   sed, uolup-
tás mea,

mea Philematium, potare tecum conlibitum ést mihi.   295

PHILEM. et edepol mihi tecum, nam quod tibi lubet idem
míhi lubet,

140 mea uolúptas.   PHILOL. ém istuc uerbum uile est uiginti
minis.

PHILEM. cedo, amabŏ, decem : bene emptum tibi dare hoc
uerbum uolo.

PHILOL. etiam nunc decem minae apud te sunt ; uel
rationem puta.

triginta minas pro capite tuo dedi.   PHILEM. qur exprobras ? 300

282 me *add. Camerarius*   283 curare istuc *cod.* : *trai. Guietus*
284, 285 is B^2D^1 : us *cod.*   sibi *Schoell* : tibi *cod.*   287 ei *Pylades* :
e *cod.* (te B^2P^{CD})   288 aetate *cod.* (aetas B^2) (*vix pro* -tis) turpe B^2
290 postea *cod.*   291 *cf. Poen.* 306   continunt *cod.*   292 si *Camerarius* : nesi *cod.*   manu *cod.*   293 diu *del. Weise* : duae *Camerarius*   295 mihi *Bentley* : mihi [libet] *cod.* (*cf.* 296)   296 idem]
id B^2 297 eam ist. *cod.* (*corr.* B^2)   298 decem *Acidalius* : decum
cod. (*pro* dēc̄, *i. e.* decem ; *cf. ad v.* 238)   299 *fort.* decemne ap.

PHILOL. egone id exprobrem, qui mihimet cupio id oppro-
                                                     brarier ?
    nec quicquam argenti locaui iam diu usquam aeque bene.   145
    PHILEM. certe ego, quod te amo, operam nusquam melius
                                                   potui ponere.
    PHILOL. bene igitur ratio accepti atque expensi inter nos
                                                   conuenit :
305 tu me amas, ego té amo ; merito id fieri uterque existumat.
    haec qui gaudent, gaudeant perpetuo suo semper bono ;
    qui inuident, ne umquam eorum quisquam inuideat prosus 150
                                                   commodis.
    PHILEM. age accumbe igitur.   cedo aquam manibus, puere,
                                                   appone hic mensulam.
    uide tali ubi sint.   uin unguenta ?   PHILOL. quid opust ?
                                                   cum stacta accubo.
310 sed estne hic meu' sodalis qui huc incedit cúm amica sua ?
    is est, Callidamates cum amica incedit.   eugae ! oculus meus,
    conueniunt manuplares eccos : praedam participes petunt.   155

        CALLIDAMATES   DELPHIVM   iv
        PHILOLACHES   PHILEMATIVM

        CA. Aduorsum ueniri mihi ad Philolachem
        uolo temperi.   audi, em tibi imperatum est.
315   nam illi ubi fui, inde ecfugi foras,
        ita me ibi male conuiui sermonisque taesumst.
        nunc comissatum ibó ad Philolachetem,   5
        ubi nos hilari ingenio et lepide accipie⟨n⟩t.
        ecquid tibi uideor mamma-madere ?

    302 iam *Camerarius* : tam *cod.*   303 opera manus quam *cod.*
(*corr. B²*)   307 *post* 308 *cod.* : *trai. Acidalius*   307 commodi
cod. (*corr. B²*)   308 mensulam *testatur Priscianus* I, 114 : mensam
cod. (v. 8)   309 stacte *B²*   311 cum amica [cum] *cod.* (ii. 2) (eccum
B²) : cum *del. Bothe*   313 uenire *cod.*   Philolachetem *Hermann*
315 fuit *cod.*   316 ibi *om. B¹*   taesumst *Pareus* : tesunt *cod.*
318 et lepide *B²* : elepida *cod.*   accipient *Lorenz* : accipiet *cod.*
319 mammam adire *cod.* (*cf.* 331) : *vel* ma-ma-madere (*metri causa*)

DE. semper istoc modo   320
moratus †uitet† debebas.

10   CA. uisne ego te ac tu me amplectare?
DE. si tibi cordi est face[re], licet.   CA. lepida es.
duce me amabo.   DE. caue [ne] cadas, asta.

CA. o—o— ocellu's meus;   325
tuos sum alumnus, mel meum.   325ᵃ

15   DE. caue modo ne prius in uia accumbas
quam illi, ubi lectust stratu', coimus.

CA. sine, siné cadere me.

DE. sino.   CA. sed et hoc quod mihi ín manus est : 328ᵃ
DE. si cades, non cades quin cadam tecum.

20 CA. iacentis tollet postea nos ambos aliquis.   330

DE. madet homo.   CA. tun me ais mamma-
madere?

DE. cedo manum, nolo equidem te adfligi.

CA. em tene.   DE. age, i simul.   CA. quo ego
eam?   ⟨DE.⟩ an ⟨ne⟩scis?

CA. scio, in mentem uenit modo: nemp' domum eo co- 334-
missatum.

25   DE. immo, istuc quidem.   CA. iam memini.   335ᵃ

PHILOL.   num non uis me obuiam his ire, anime mi?
illi ego ex omnibús optume uolo.
iam reuortar.   PHILEM. diu ést 'iam' íd mihi.
CA. ecquis hic est?   PHILOL. adest.   CA. eu, Philolaches,

30   salue, amicissume mi omnium hominum.   340

321 *fort.* (*iamb. dim. acat.*) moratu's uti eb-ebibas *vel* ut eb-eb-ebibas
(*cf. Trin.* 250 quo debebit *pro* quod ebibit)   322 amplectare
Pylades : amplectere *cod.*   323 corde *cod.*   face *Spengel, metri
causa*   324 *vel* DE. amabo, caue   ne *delevi, metri causa*   325ᵃ
sum *B²* : suum *cod.*   326 accubas *cod.* (*corr. B²*)   328ᵃ et *om.* Pᶜᴰ
manu *B²*   329 clades quin (dades quiin Pᶜᴰ) *cod.* (*corr. B²*)   331
me ais *Scaliger, necnon cod.* (mea is) *ut vid.* (mea his Pᶜᴰ, meam uis *B*)
333 quod *cod.* (*corr. B²*)   DE. an nescis *Gertz*   337 illi ego
Camerarius : ilico *cod.*   338 id 'iam' *Bugge*

PHILOL. di te ament.   accuba, Callidamates.
unde agis te ?   CA. unde homó ebriu' probe.
PHILEM. quin amabo accubas, Delphium mea ?
   da illi quod bibat.   CA. dormiam ego iam.

345   PHILOL. num mirum aut nouom quippiam facit ?   35
DE. quid ego ⟨ist⟩oc faciam postea ?   PHILEM. mea, sic
                              sine eumpse.

age tu interim da ab Delphio cito cantharum circum.

ACTVS II

TR. Iuppiter supremus summis opibus atque industriis
me periisse et Philolachetem cupit erilem filium.
350 occidit spes nostra, nusquam stabulum est confidentiae,
nec Salus nobis saluti iam esse, si cupiat, potest :
ita mali, maeroris montem maxumum ad portum modo   5
conspicatus sum : erus aduenit peregre, periit Tranio.
ecquis homo est qui facere argenti cupiat aliquantum lucri,
355 quí hodié sese excruciári meám uicem possit patí ?
úbi sunt isti plágipatidae, férritríbacés uiri,
uel ísti qui hosticás triúm númmum caussa subeunt sub falas, 10
úbi †aliqui quiquet† dénis hástis corpus transfigi solet ?
ego dabo ei talentum primus qui in crucem excucurrerit ;
360 sed ea lege ut offigantur bis pedes, bis bracchia.
ubi id erit factum, a me argentum petito praesentarium.

---

346 istoc (*vel* illoc) *Skutsch* : hoc *cod.* (*pro* iste hoc ?)   *vel* mea ?
PHILEM. sic   eum ipse *cod.*   352 itam aliam eroris (erroris *P*CD)
cod. (*corr. B*²) (i. 6)   355 meamui (mea uice *B*²) *cod.* (*pro* meam
uíc ? *cf.* 238 dec *pro* decem)   357 uel] uibi *B*¹ (*cf.* 356, 358)
hosticas *Ritschl* : hastis *cod.*   nummorum *cod.*   falas *Camerarius* :
falsa *cod.* (ii. 7)   358 ubi] uel *B*¹ (*cf.* 357)   ubi alii qui d. (*cum*
solent) *Bugge* : ubi quinis aut d. *Leo*   solent *B*²

15 sed ego—sumne infelix qui non curro curriculo domum?

PHILOL. ⟨adest⟩, adest opsonium. eccum Tranio a portu redit.

TR. Philolaches. PHILOL. quid est? TR. ⟨et⟩ ego et tu—
                 PHILOL. quid et ego et tu? TR. periimus.

PHILOL. quid ita? TR. pater adest. PHILOL. quid ego ex 365
                    te aúdio? TR. apsumpti sumus.

pater inquam tuo' uenit. PHILOL. ubi is est, opsecró?
                         TR. ⟨ubi is est?⟩ adest.

20 PHILOL. quis id ait? quis uidit? TR. egomet inquam uidi.
                         PHILOL. uae mihi!

quid ego ago? TR. nam quid tu, malum, me rogitas quid
                         agas? accubas.

PHILOL. tutin uidisti? TR. egomet inquam. PHILOL. certe?
                   TR. ⟨certe⟩ inquam. PHILOL. occidi,

si tu uera memoras. TR. quid mihi sit boni, si mentiar? 370

PHILOL. quid ego nunc faciam? TR. iube haec hinc
                         omnia amolirier.

25 quis istic dormit? PHILOL. Callidamates.   suscita
                         istum, Delphium.

DE. Callidamates, Callidamates, uigila! CA. uigilo, cedo
                         [ut] bibam.

DE. uigila. pater aduenit peregre Philolache⟨i⟩. CA. ualeat
                         pater.

PHILOL. ualet illequidem atque ⟨ego⟩ disperii. CA. bis 375
                         periisti? qui potest?

PHILOL. quaeso edepol, exsurge; pater aduenit. CA. tuo'
                         uenit pater?

---

362 infelix *Pylades* : [ille] infelix *cod.* (iv. 3)   363 adest *add.*
Gruter   aedit *cod.* (*corr. B²*)   364 et *add. Dousa*   365 ad[at]
       ad
est *cod.* (*pro* atest?) (*corr. B²*)   *vel* ted   366 ubi is est *addidi*
368 ago *Lambinus* : agam *cod.*   nam *Dousa* : num *cod.*   *vel* ago
nam? TR. quid   rogitet *P*CD   accubans *cod.*   369 tutin
Fleckeisen : tuiin *cod.*   certe *add. Camerarius*   370 si mentiar
Pylades : si mentirer *cod.* : mentirier *Schoell*   372 quid *cod.* (*corr.*
B²)   373 ut *del. Bentley*   374 philolache (*i. e.* -ae?) *cod.* : Philo-
lachei *Bergk, Wackernagel* (*Arch. Lat. Lex.* 14, 5)   375 ego *add.*
Pylades   376 edepol ⟨te⟩ *Reiz, nam* edeᴅōl *suspectum*

iube abíre rusum.   quid illi reditio | etiam huc fuit?   30
PHILOL. quid ego agam? pater iam híc me offendet mise-
                           rum adueniens ebrium,
aedis plenas conuiuarum et mulierum.   miserum est opus
380 igitur demum fodere puteum, úbi sitis faucis tenet;
sicut ego aduentu patris nunc quaero quid faciam miser.
TR. ecce⟨re⟩ autem hic deposiuit caput et dormit.   suscita. 35
PHILOL. etiam uigilas? pater, inquam, aderit iam hic meus.
                              CA. ain tu, pater?
cedo soleas mi, ut arma capiam.   iam pol ego occidam
                                   patrem.
385 PHILOL. perdis rem.   DE. tace, amabo.   PHILOL. abripite
                 hunc intro actutum inter manus.
CA. iam hercle ego uos pro matula habebo, nisi mihi matu-
                         lam datis.
PHILOL. perii! TR. habe bonum animum: ego istum lepide 40
                        medicabo metum.
PHILOL. nullus sum! TR. taceas: ego quí istaec sedem
                       meditabor tibi.
satin habes si ego aduenientem íta patrem faciam tuom,
390 non modo ne intro eat, uerum etiam ut fugiat longe ab
                       aedibus?
uos modo hinc abite intro atque haec hinc propere amolimini.
PHILOL. ubi ego eró?   TR. ubi maxume esse uis: cum hác, 45
                       cum istac eris.
DE. quid si igitur abeamus hinc nos? TR. non hoc longe,   *acc. q oydrnt*
                       Delphium.
nam intus potate hau tantillo hác quidem caussa minus.

---

377 ⟨i⟩ iube *Schoell* (*cf. Sjögren 'Part. Copul.'* p. 85)   huc etiam
Camerarius   378 offendit *cod.* (*pro* -et?)   382 eccere *Ritschl*
autem ⟨iterum⟩ *Mueller*   suscitat *cod.* (*corr. B*°)   385 *vel* DE.
p. r. t. a.   *vel* TR. abr.   387 meditabo *cod.* (*corr. D*¹)   388
nullum *cod.* (*corr. B*²)   389-90 tuum [non modo hinc abite intro
atque hec inquid] Non modo *etc. cod.* (*corr. B*²) (iv. 3 ; iii. 11)   390
eat *B*² : at *cod.*   393 si *Bothe* : est *cod.* (*cf. ad* 402)   394 entus
cod. (*corr. B*²) (*vix forma antiqua*)

PHILOL. ei mihi! quóm ístaec blánda dícta quó eueniánt 395
              madeo metu.

TR. pótin animo út siés quiéto et fácias quod iubeó?
              PHILOL. potest.

50 TR. omnium primum, Philematium, intro abi, et tu, Delphium.

DE. mórigeraé tibi érimus ambae.—TR. íta ille faxit
              Iuppiter!

animum aduorte nunciam tu quae uolo accurarier.

omnium primumdum | aedes iam fac occlusae sient;   400

intus caue muttire quemquam siueris.   PHILOL. curabitur.

55 TR. tamquam si intus natus nemo in aedibús habitét.
              PHILOL. licet.

TR. neu quisquam responset quando hasce aedis pultabit
              senex.

PHILOL. numquid aliud? TR. clauem mi harunc aedium
              Laconicam

iam iube ecferri intus: hasce ego aedis occludam hinc foris. 405

PHILOL. in tuám cústodelam meque et meás spes trado,
              Tranio.—

60 TR. pluma haud interest patronus an cliéns probior siet.   407–8

Homini, quoi nulla in pectore est audacia,

nam quoíuis homini uél óptumo uel pessumo,   410

quamuís desubito facile est facere néquiter:

uerum id uidendum est, id uiri doctist opus,

65   quae dissignata sint et facta nequiter,

---

395 quam *Camerarius* euenant *Bothe*   396 ut an. sis (sis *etiam cod.*) *Bentley*   399 nunciam tu *Bentley*: nunc tu iam (nunc tulam P^{CD}) *cod.*   400 ⟨haec⟩ aedes *Ritschl*   402 si B^2: st *cod.*   403 putabit *cod.* (*corr.* B^2)   404 iaconicam *cod.*   406 custodiam *cod.* (*cf. ad Merc.* 233)   407 probrior (proprior P^{CD}) *cod.* (propior B^2)   sciet *cod.* (*corr.* B^2)   409 cui *cod.* (? *pro* quî)   est in pectore *cod.*: trai. *Pylades*   410 *del. Ritschl*; *e simili disticho ex alia fabula in marg. ascripto*, nam . . . nequiter, *hic versus in textum irrepsisse creditur* homine *cod.* (*corr.* B^2)   *post v.* 411 *iteratur v.* 425, *utrum casu* (ii. 6) *an indicii causa omitti posse vv.* 412–24 *incert.*   413 dissignita B^2P^{CD} nequiter *Dousa*: nequitia *cod.* (*pro* nequit̄, *i. e.* nequiter?)

tranquille cuncta et ut proueniant sine malo,
415 ni quid potiatur quam ob rem pigeat uiuere.
  sicut ego ecficiam, quae facta hic turbauimus,
  profecto ut liqueant omnia et tranquilla sint
  neque quicquam nobis pariant ex se incommodi.   70
  sed quid tu egredere, Sphaerio? iam iam.   optume
420 praeceptis pāruisti.   Pv. iussit maxumo
  opere orare ut patrem aliquo apsterreres modo
  ne intro iret ad se.   Tr. quin etiam illi hoc dicito,
  facturum ⟨me⟩ ut ne etiam aspicere aedis audeat,   75
  capite obuoluto ut fugiat cum summo metu.
425 clauim cedo atque abi [hinc] intro atque occlude ostium,
  et ego hinc occludam.   iube uenire nunciam.
  ludos ego hodie uiuo praesenti hic seni
  faciam, quod credo mortuo numquam fore.   80
  concedam a foribus huc, hinc speculabor procul,
430 unde aduenienti sarcinam imponam seni.

           THEOPROPIDES   TRANIO   ii

  Th. Habeo, Neptune, gratiam magnam tibi,
  quom med amisisti a te uix uiuom domum.
  uerum si posthac me pedem latum modo
  sciés ímposisse in undam, hau caussast ilico   I. S.
435 quod nunc uoluisti facere quin facias mihi.   5
  apage, apage te a me nunciam post hunc diem!
  quod crediturus tibi fui omne credidi.

414 *post* 415 *cod.* : *trai. Acidalius* : 414 *post* 416 *collocat Fay* (*Berl. Phil. Woch.* 20, 828)   414 sine[mo] malo *cod.* (iv. 3)   416 turbabimus *cod.*   417 linqueant *cod.* (*corr. B²*)   418 ex se *Camerarius* : exei (exeis *B*) *cod.* (x *pro* xs)   419 (i, p. 29)   Sphaerio *Seyffert* : sperio *cod.*   421 opere *Ital.* : opete *cod.*   422 ad se *Pylades* : adest *cod.*   423 me *add. Pylades   vel* uti   425 (*vide ad* 411) abi hinc intro *vel* abii intro *cod.*   427 sene *cod.* (*corr. B²*)   428 quo do edo *cod.* (*corr. B²*)   432 ad te (*pro* atte, ate) *cod.* (*corr. B²*) domum *P. Thomas* : modo *cod.* (*cf.* 433)   433 uirum *cod.*   434 causa illico est *cod.* : *trai. Scriverius*   436 apage acage *cod.* (*corr. B²*)   437 omni *cod.* (*corr. B²*)

Tr. edepol, Neptune, peccauisti largiter
qui occasionem hanc amisisti tam bonam.

10 Th. triennio post Aegypto aduenio domum;   440
credo exspectatus ueniam familiaribus.

Tr. nimio edepol ille potuit exspectatior
uenire qui te nuntiaret mortuom.

Th. sed quid hoc? occlusa ianua est interdius.

15 pultabo.   heus, ecquis †ist†? aperitin fores?   445

Tr. quis homo est qui nostras aedis accessit prope?

Th. meu' seruos hicquidem est Tranio.   Tr. o Theopropides,

ere, salue, saluom te aduenisse gaudeo.

usquin ualuisti?   Th. usque, ut uides.   Tr. factum optume.

20 Th. quid uos? insanin estis?   Tr. quidum?   Th. sic, quia 450
foris ámbulatis, natus nemo in aedibus
seruat neque qui recludat neque [qui] respondeat.
pultando [pedibus] paene confregi hasce ambas ⟨fores⟩.

Tr. eho an tú tetigisti has aedis?   Th. qur non tangerem? 454·5

25 quin pultando, inquam, paene confregi fores.

Tr. tetigistin?   Th. tetigi, inquam, et pultaui.   Tr. uah!
Th. quid est?

Tr. male hercle factum.   Th. quid est negoti?   Tr. non
potest

dici quam indignum facinus fecisti et malum.

Th. quid iam?   Tr. fuge, opsecro, atque apscede ab aedibus. 460

30 fuge huc, fuge ad me propius.   tetigistin fores?

Th. quo modo pultare potui, si non tangerem?

Tr. occidisti hercle—Th. quem mortalem?   Tr. omnis tuos.

Th. di te deaeque ómnes faxint cum istoc omine—

Tr. metuo te atque istos expiare ut possies.   465

445 ist] intust *Leo* : hic est *Schoell*   istas aperit fores *B²*   448
galue *cod.* (*corr. B²*)   449 usque inualuisti *cod.*   452 quis *cod.* (*corr.
B²*) : *del. Bothe*   453 pedibus *del. Bothe*   ambas] *vix* ianuas
foris *add. Ritschl*   454, 455 tu *Ital.* : tute *cod.* (? *i.e.* tut')   464
axint *cod.* (*corr. B²*)

Th. quam ob rem? aut quam subito rem mihi adportas 35
                                                   nouam?

Tr. et heus, iube illos illinc ambo apscedere.

Th. apscedite. Tr. aedis ne attigatis. tangite

uos quoque terram. Th. opsecro hercle, quin eloquere ⟨rem⟩.

470 Tr. quia septem menses sunt quom in hasce aedis pedem

nemo intro tetulit, semel ut emigrauimus.   40

Th. eloquere, quid ita? Tr. circumspicedum, numquis est

sermonem nostrum qui aucupet? Th. tutum probest.

Tr. circumspice etiam. Th. nemo est. loquere nunciam.

475 Tr. capitale scelu' factumst. Th. quid est? nón intellego.

Tr. scelus, inquam, factum est iam diu, antiquom et uetus. 45

Th. antiquom? Tr. id adeo nos nunc factum inuenimus.

Th. quid istuc †est sceleste†? aut quis id fecit? cedo.

Tr. hospes necauit hospitem captum manu;

480 iste, ut ego opinor, qui has tibi aedis uendidit.

Th. necauit? Tr. aurumque ei ademit hospiti   50

eumque híc defodit hospitem ibidem in aedibus.

Th. quapropter id uos factum suspicamini?

Tr. ego dicam, ausculta. út foris cenauerat

485 tuo' gnátus, postquam rediit a cena domum,

abimus omnes cubitum; condormiuimus: 55

lucernam forte oblitus fueram exstinguere;

atque ille exclamat derepente maxumum.

Th. quis homo? an gnatus meus? Tr. st! tace, ausculta
                                                    modo.

490 ait uénisse illum in somnis ad se mortuom.

Th. nempe ergo in somnis? Tr. ita. sed ausculta modo. 6c

467 ambo *Scaliger*: amabo *cod.*   468 atigate *cod.*: attigat *codd.*
Diomedis 382   469 rem *add. Bothe*   473 sermonum *cod.* (*corr.*
B²)   475 *rhythmus displicet*   capitali scedis (capitalis cedes *B²*)
facta est *cod.*: *corr. Goetz, Schoell*   478 est scelesti *Dissaldeus*
(*sed* istuc'st *dubium*): est sceleris *Spengel*: scelesti est (-tist) *Bothe*
479 negauit *cod.* (*corr. B²*)   480 *vel* opino   has tibi *Ital.*: hastibus
cod.   481 ei *Scioppius*: et *cod.*   482 en *cod.* (*corr. B²*) (*cf. ad* 394)
484 aut *cod.* (*corr. B²*)   486 gubitum *cod.* (*corr. B²*)   489 st
Camerarius: si *cod.* (sed *B²*) (i. 8. p. 27)   490 ad se *B²*: adesse *cod.*

ait illum hoc pacto sibi dixisse mortuom—
Th. in somnis? Tr. mirum quin uigilanti diceret,
qui abhinc sexaginta annis occisus foret.
interdum inepte stultus es * * * *   495
65 Th. taceo. Tr. sed ecce quae illi in * *
' ego transmarinus hospes sum Diapontius.
hic habito, haec mihi dedita est habitatio.
nam me Accheruntem recipere Orcus noluit,
quia praemature uita careo.   per fidem   500
70 deceptus sum : hospes me hic necauit isque me
defodit insepultum clám [ibidem] in hisce aedibus.
scelestus, auri caussa.   nunc tu hinc emigra.
†scelestae hae† sunt aedes, inpia est habitatio.'
quae hic monstra fiunt anno uix possum eloqui.   505
Th. st, st !
75 Tr. quid, opsecro hercle, factum est? Th. concrepuit foris.
Tr. hicin percussit ! Th. guttam haud habeo sanguinis,
uiuom me accersunt Accheruntem mortui.
Tr. perii ! illisce hodie hanc conturbabunt fabulam.   510
nimi' quám formido ne manufesto hic me opprimat.
80 Th. quid tute tecum loquere? Tr. apscede ab ianua.
fuge, opsecro hercle.   Th. quo fugiam? etiam tu fuge.
Tr. nihil ego formido, pax mihi est cum mortuis.
Intvs heus, Tranio ! Tr. non me appellabis si sapis.   515
nihil ego commerui neque istas percussi fores.

493 quin *Pylades* : qui *cod.*   496 ille inquit *B²*   495–6 *lacunam in P*^A (*cf. vv.* 517–8) *sic explevit Schoell*, (495) Theopropides, (496) somnis mortuos   498 habeto *P*^CD (*pro* habeo?)   dedita haec mihi est *Bothe, cui hiatus in pausa displicet*   499 nam ine *P*^CD orchus *cod.*   500 hareo *cod.* (*pro* KAREO) (*corr. B²*)   501 hic me *cod.* : *transp. Guietus*   502 ibidem *del. Bentley*   504 *fort.* scelestaé sunt (*om.* hae)   impia *cod.*   505 monitra *cod.* (*corr. B²*)   506 st st *Gruterus* : setet (sedet *P*^CD) *cod.* (i. 8, p. 27)   *Tranioni continuat cod.*   507 Tr.] *vel* Th.   Th.] *vel* Tr.   fores *cod.* (*corr. B²*)   508 Tr.] *vel* Intvs   hicine *cod.*   509 ad cheruntem (ad acheruntem *B*) *cod.*   510 perii (perï) *Ital.* : per *cod.*   511 opprimant *P*^CD   512 tute tecum *Merula* : te tu cum *cod.* (tu tecum *B²*) (*cf.* 551)   513 quor *Bothe*   fuges *cod.*   516 quommerui *cod.*

***** quaeso, quid segreges 85
*********** es te agitat, Tranio?
quicum istaec loquere? Tr. an quaeso tu appellaueras?
520 ita me di amabunt, mortuom illum credidi
expostulare quia percussisses fores.
sed tu, etiamne astas nec quae dico optemperas?   90
Th. quid faciam? Tr. caue respexis, fuge, [atque] operi
caput.
Th. qur non fugis tu? Tr. pax mihi est cum mortuis.
525 Th. scio. quíd modo igitur? qúr tanto opere extimueras?
Tr. nil me curassis, inquam, ego mihi prouidero:
tu, ut occepisti, tantum quantum quis fuge   95
atque Herculem inuoca. Th. Hercules, ted inuoco.—
Tr. et ego—tibi hodie ut det, senex, magnum malum.
530 pro di inmortales, opsecro uostram fidem!
quid ego hodie negoti confeci mali.

ACTVS III

D A N I S T A   T R A N I O   T H E O P R O P I D E S   III. i

Da. Scelestiorem ego annum argento faenori
numquam ullum uidi quam hic mihi annus optigit.
a mani ad noctem usque in foro dego diem,
535 locare argenti nemini nummum queo.
Tr. nunc pol ego perii plane in perpetuom modum.   5

517-8 *lacunam in* P^A (*cf. vv.* 495-6) *sic explevit Leo,* (517) Intvs.
quaeso—Tr. caue uerbum faxis. Th. dic quid, (518) sermonem.
Tr. apage hinc te. Th. quae res te   520 amabant *cod.* (*corr.*
B²)   523 atque *del. Guietus*   527 fuge *Ital.*: fui *cod.* (fugis
B²)   528 inuoca *Bentley*: inuocabi *cod.*   *vel* te (*ita cod.*)   529
utibi hodie ut *cod.* (ut tibi hodie *B²*): *corr. Ital.*   531 mali
Guietus: malum *cod.*   533 uidi] iud *P*^{CD} (*pro* uid?)   534 a
noctem *cod.* (*pro* annoc., *i.e.* ad noc.) (*corr. B²*)

danista adest qui dedit * * * *
qui amica est empta quoque * * * * *
manufesta res est, nisi quid occurro prius,
ne | hoc senex resciscat.   ibo huic obuiam.   540
10 sed quidnam hic sese tam cito recipit domum?
metuo ne de hac re quippiam indaudiuerit.
accedam atque appellabo.   ei, quam timeo miser!
nihil est miserius quam animus hominis conscius,
sicut me †habet†.   uerum utut res sese habet,   545
15 pergam turbare porro: ita haec res postulat.
unde is? TH. conueni illum unde hasce aedis emeram.
TR. numquid dixisti de illo quod dixi tibi?
TH. dixi hercle uero | omnia.   TR. ei misero mihi!
metuo ne techinae meae perpetuo perierint.   550
20 TH. quid tute tecum? TR. nihil enim.   sed dic mihi,
dixtine quaeso? TH. dixi, inquam, ordine omnia.
TR. etiam fatetur de hospite? TH. immo pernegat.
TR. negat * * * * * * quom.   TR. cogita:
 * * * * * dicam si confessu' sit.   555
25 quid nunc faciundum censes? TR. egon quid cen-
                                          seam?
cape, opsecro hercle, cúm eo ⟨tu⟩ una iudicem,
(sed eum uideto ut capias, qui credat mihi)
tam facile uinces quam pirum uolpes comest.
DA. sed Philolachetis seruom éccum Tranium,   560

537–8 *lacunam in* P^A (*cf. vv.* 554–5) *sic expleuit Camerarius,* (537)
argentum faenore, (538) opus in sumptus fuit   539 quid *Angelius*:
quod *cod.*   540 rescissat *cod.*   542 inaudiuerit *cod.*   543 ei
Taubmann: et *cod.*   545 me ⟨male⟩ habet *Niemeyer*   res [es]se
se *cod.* (*corr.* B²)   548 *uel* illoc   dixi B²: dixit *cod.*   549
⟨illi⟩ omnia *Pylades* (*immo* ei)   ei *Ital.*: et *cod.* (ue B²) *secuntur*
vv. 553, 557–9 *suis locis redeuntes* (*cf. ad* 411)   551 tute *Ital.*: tu
cod. (*cf.* 512)   552 Dixtin (*ita cod.*) ⟨ei⟩ *Fay*   554 necat P^CD
554–5 *lacunam in* P^A (*cf. vv.* 537–8) *sic expleuit Leo post Camerarium,*
(537) negat scelestus? TH. negitat inquam, (538) non confitetur?
TH. dicam   557 (*vid. ad* 549) hercle obsecro cum [m]eo *post v.*
549   tu *addidi*   559 uincis P^CD

quî mihi neque faenus néque sortem argentí danunt.   30
Th. quo té agis? Tr. nec quoquam abeo. né ego sum
                                                     miser,
scelestus, natus dis inimicis omnibus.
iam illo praesente adibit.   ne ego homo sum miser,
565 ita et hinc et illinc mi exhibent negotium.
sed occupabo adire. Da. hic ad me it, saluo' sum,   35
spes est de argento. Tr. hílarus est : frustra est homo.
saluére iubeo té, Misárgyrides, bene.
Da. salue et tu. quid de argentost? Tr. abi sis, bēlua.
570 continuo adueniens pilum iniecisti mihi.
Da. hic homo inánis est. Tr. hic homo est certe hariolus. 40
Da. quin tu istas mittis tricas? Tr. quin quid uis cedo.
Da. ubi Philolaches est? Tr. numquam potuisti mihi
magis opportunus aduen⟨ire quam⟩ aduenis.
575 Da. quid est? Tr. concede huc. ⟨Da. quin mihi faenus
                                              red⟩ditur?
Tr. scio té bona esse uoce, ne clama nimis.   45
Da. ego hercle uero clamo. Tr. ah, gere morem mihi.
Da. quid tibi ego morem uis geram? Tr. abi quaeso hinc
                                                    domum.
Da. abeam? Tr. redito huc circiter meridie.
580 Da. reddeturne igitur faenus? Tr. reddet : nunc abi.
Da. quid ego huc recursem aut operam sumam aut con- 50
                                                   teram?
quid si hic manebo potius ad meridie?
Tr. immo abi domum, uerum hercle dico, abi modo.

562 nec quo quom *cod.* (*corr. B²*) : *vel* neq.   563 dehis *cod.*
566 me it *Ital.*: meis *cod.*   salus *cod.* (*corr. B²*)   569 quide
argentos *cod.* (*corr. B²*)   571 ⟨Certe⟩ hic *Seyffert*   574 magius
(maius Pᶜᴰ) *cod.* (*corr. B² ut vid.*)   574-6 *lacunam in* Pᴬ (*cf. vv.*
596–8) *suppl. Ital., Ritschl*   576 *accedit A* cl. nim. *Camerarius* :
clamat mimis *A* : *om.* P   577 clama(bo) APᶜᴰ   gere] cherem P
(*corr. B²*)   578 ceram P (*corr. B²*)   579 hunc P (*corr. B²*)
580 reddet nunc *Guietus* : reddetur nunc *codd.*: reddeturne (*affirma-
tive*) *Leo*   582 *post* si *discrepabat A* (si man. hic p.?)   583
abi ⟨abi⟩ m. *Ritschl cui* dico | ábi *displicet*   modo P: domum A

     *   *   *   faenus   *   nqu   *   ⟨mod⟩o,

Da. quin uos mihi faenus date.   quid hic nugamini?   585

55 Tr. eu hércle, ne tu—abi modo, ausculta mihi.

    Da. iam hercle ego illunc nominabo.   Tr. eúgae strēnue !

    beatus uero es nunc quom clamas.   Da. meūm peto.

    multos me hoc pacto iam dies frustramini.

    molestus si sum reddite argentum : abiero.   590

60 responsiones omnis hoc uerbo eripis. //

    Tr. sortem accipe.   Da. immo faenus, id primum uolo.

    Tr. quid ais tu, omniúm hominum taeterrume ?

    uenisti huc te extentatum ? agas quod in manumst.

    non dat, non debet.   Da. non debet ?   Tr. ne[c] frit qui- 595

                                         dem

65 ferre hinc potēs.   an métuis ne quo abeat foras

    urbe exsolatum faenoris caussa tui,

    quoi sortem accipere iam lice[bi]t ?   Da. quin non peto

                                              599-

    sortem : illuc primum, faenus, reddundum est mihi.   600

    Tr. molestus ne sis.   nemo dat, age quidlubet.

70 tu solus, credo, faenore argentum datas.

    Da. cedo faenus, redde faenus, faenus reddite.

    daturin estis faenus actutum mihi ?

    datur faenus mi ?   Tr. faenus illic, faenus hic !   605

    nescit quidem nisi faenus fabularier.

75 ultro te ! neque ego taetriorem beluam

584 *om. P (propter homoeotel.)* : Da. at uolo (*vel* non eo) ; prius da
faenus. Tr. i inquam, i modo *supplevit Studemund*   588 puto *P*
591 u. eripit *P* (? *pro* uerbum eripit)   593 quid ais? tun *Brix*
hominem (*corr. B²*) omnium *P*   594 manum est *A* : manust
(-u est) *P*   595 nec erit *P, A n. l.* : *corr. Ellis*   596-8 *propter lacunam in P*^A (*cf. vv.* 574-6) *desunt in P haec*, (596) metuis
ne, (597) atum faenor, (598) accipere iam li   596 hoc *P*
598 ortẹm *A*   licet *Studemund* : *vix* licerit (*ut* 'monero' *apud
Pacuvium*)   599, 600 *om. P (propter homoeoarch.*?)   601-46
inter 885 *et* 886^a *delati in P, turbatis in hac fabula plurimis foliis (exci-
piunt se vv.* 686-801, 842-83, 802-41, 884, 885, 601-43, 886-1065,
644-85, 1066 *sqq.*); *cf. Seyffert* (*Berl. Phil. Woch.* 12, 194)   601
sit *A*   603 reddidetẹ *A*   604 estiis *P*   605 date mihi
fenus *P* : datur m. f. (?) *Schoell*   607 ultro te *Seyffert* : uetro (uetero
B²) te *P* : unọ . . *A* : unose *Studemund*   belum *P* (*corr. B²*)

uidisse me umquam quemquam quam te censeo.
Da. non edepol tu nunc me istis uerbis territas.
609ᵃ Th. calidum hoc est: etsi procul abest, urit male.
610 quod illúc est faenus, opsecro, quod illíc petit?
Tr. pater eccum aduénit peregre non multo prius   80
illius, is tibi et faénus et sortem dabit,
ne inconciliare quid nos porro postules.
uide núm moratur. Da. quin feram, si quid datur.
615 Th. quid ais tu? Tr. quid uis? Th. quis illic est? quid
illíc petit?
quid Philólachetem gnatum compellat ⟨meum⟩   85
sic et praesenti tibi facit conuicium?
quid illí debetur? Tr. opsecro hercle, ⟨tu⟩ iube
obi⟨cere⟩ argentum ob os inpurae beluae.
620 Th. iubeam —? Tr. iubén hómini argento os uerberarier?
Da. perfacile ego ictus perpetior argénteós.   90
Th. quod illúc argentum est? Tr. est—huic debet Philolaches
paullum. Th. quantillum? Tr. quasi — quadraginta
minas;
ne sane id multum censeas. Da. paullum id quidem est.
625 Tr. audin? uidetur⟨ne⟩, opsecro hercle, idoneus
danista qui sit, genu' quod inprobissumum est?   95
Th. non ego istuc curo qui sit, ⟨quid sit⟩, unde sit:
⟨id⟩, id uolo mihi dici, id me scire expeto.
adeo etiam argenti faenus creditum audio?
630 Tr. quattuor quadraginta illi debentur minae;

608 quam *om. A*   609 tu nunc me *Schoell*: nunc me tu *P*: ţunc me *A*   609ᵃ habes turita m. *P*   612 est s. *A*   614-52 deest *A*   616 meum *add. Camerarius*   618 tu *add. Leo, Schoell* iubi *cod.*   619 obicere *Mueller*: obici *Ital.*   620 iuben *B²*: iube in *cod.*   622 illud *cod.*   625-8 *post* 621 *collocavit Ritschl, fort. recte*   625 uidetur *cod.*: *corr. Camerarius*   626 qui *Ital.*: quid *cod.*   627 istunc (?) *Leo*   quid sit *add. Leo*   628 id *addidi*   629 creditum *Ital.*: credit *cod.*   630 (*cf.* 652ᵃ)

100 dic te daturum, ut abeat.   TH. egon dicam dare?   633
     TR. dice.   TH. egone?   TR. tu ipsus.   dic modo, ausculta
                                                              mihi.

     promitte, age inquam : ego iubeo.   TH. responde mihi :   635
     quid eo est argento factum?   TR. saluom est.   TH. soluite
     uosmet igitur, si saluomst.   TR. aedis filius
105 tuos emit.   TH. aedis?   TR. aedis.   TH. eugae! Philo-
                                                              laches
     patrissat : iám homo in mercatura uortitur.
     ain tu, aedis?   TR. aedis inquam.   sed scin quoiusmodi? 640
     TH. qui scire possum?   TR. uah!   TH. quid est?   TR.
                                                      ne me roga.
     TH. nam quid ita?   TR. speculoclaras, candorem merum.
110 TH. bene hercle factum.   quid, eas quanti destinat?
     TR. talentis magnis totidem quot ego et tu sumus.
     sed arraboni has dedit quadraginta minas ;   645
     hinc sumpsit quas ei dedimus.   satin intellegis?
     nam postquam haec aedes ita erant, ut dixi tibi,
115 continuo est alias aedis mercatus sibi.
     TH. bene hercle factum.   DA. heus, iam adpetit meridie. 649-51
     TR. apsolue hunc quaeso, uomitu[m] ne hic nos enicet.
     quattuor quadraginta illi debentur minae,   652ª
     et sors et faenus.   DA. tantumst, nihilo plus peto.   631
120 TR. uelim quidem hercle ut uno nummo plus petas.   632
     TH. adulescens, mecum rém habe.   DA. nempe aps te
                                                          petam?

     TH. petito cras.   DA. abeo : sat habeo si cras fero.—
     TR. malum quod isti di deaeque omnes duint!   655

634 Dic cod.   642 speculo claras Leo   candorem Spengel :
canorem cod.   644 magnis Pius : [a]magnis cod. (iv. 3 ; ii. 7)
646 hinc Pylades : hic cod.   quas ei B² : quasi cod.   647 aedis
B² : cedis cod.   ita erant Camerarius : iterant cod. (e pro ae)
651 meridies Saracenus   652 uomitu Bothe   652ª (cf. 630)
accedit A   631, 632 post 630 posuit Ritschl ; cf. Seyffert (Berl. Phil.
Woch. 16. 253)   654 fero] peto A   655 quad A   de deaque
P (corr. B²)

ita mea consilia perturbat paenissume.
nullum edepol hodie genus est hominum taetrius   125
nec minu' bono cum iure quam danisticum.
TH. qua in regione istas aedis emit filius?
660 TR. ecce autem perii! TH. dicisne hoc quod te rogo?
TR. dicam.   sed nomen domini quaero quid siet.
TH. age comminiscere ergo.   TR. quid ego nunc agam   130
nisi ut in uicinum hunc proxumum * * ,
eas emisse aedis huius dicam filium?
665 calidum hercle esse audiui optumum mendacium.
667 quidquid di dicunt, id decretumst dicere.
TH. quid igitur? iam commentu's? TR. di istum per- 135
                                    duint—
(immo istunc potius) de uicino hoc proxumo
670 tuos emit aedis filius.   TH. bonan fide?
TR. siquidem tu argentum reddituru's, tum bona,
si redditurus non es, non emit bona.
TH. non in loco emit perbono.   TR. immo in optumo.   140
TH. cupio hercle inspicere hasce aedis.   pultadum fores
675 atque euocá aliquem intus ad te, 'Tranio.
TR. ecce autem perii! nunc quid dicam nescio.
iterum iam ad unum saxum me fluctus ferunt.
TH. quid nunc? TR. non hercle quid nunc faciam re- 145
                                    perio:
manufesto teneor.   TH. euocadum aliquem ocius,
680 roga círcumducat.   TR. heus tu, at hic sunt mulieres:
uidendumst primum utrum eae uelintne an non uelint.

656 peruortit *Priscianus* 1, 99; 2, 67 (*A n. l.*)   paenissime
testantur Charisius 189, *Priscianus* : plenissime *P, A n.l.*   657
hodie *om. A*   659 qua[re] *A* (iv. 3)   660 *vel* dicin   663
ḍ—rdiem (*vel* -percitem) *A* : mendatium *P* (v, p. 80)   665
audiui esse *P*   668 commentust *A*   669 istuc *P*   671 tu]
es *P*   673 TH. *del. Seyffert*   *vel* perbono? (*interrogative*)   TR.]
TH. *Seyffert*   in *om. P*   675 euoca⟨dum⟩ *Guietus*   Tranio] terno *P*
676 perii] iterum *P*   678 Quid nunc *Tranioni continuat P*   re-
cerio *P*   679 ocius] foras *P*   681 uelint aut non u. *A*
PLAVT. II   8

Tʜ. bonum aequomque oras.   i, percontare et roga.

150 ego hic tantisper, dum exis, te opperiar foris.

Tʀ. di te deaeque ómnes funditus perdant, senex,

ita mea consilia undique oppugnas male.   685

eugae! optume eccum aédium dominus foras

Simo progreditur ipsus.   huc concessero,

155 dum mi senatum consili in cor conuoco.

igitúr tum accedam hunc, quando quid agam inuenero.

ii   Sɪᴍᴏ   Tʀᴀɴɪᴏ   Tʜᴇᴏᴘʀᴏᴘɪᴅᴇs

Sɪ. Melius anno hoc mihi non fuit domi   690

nec quod una esca me iuuerit magis.

prandium uxor mihi perbonum dedit,

nunc dormitum iubet me ire: minime.

5   non mihi forte uisum ilico fuit,

melius quom prandium quam solet dedit: 695

uoluit in cubiculum abducere me anus.

non bonust somnu' de prandio.   apage.

clanculum ex aedibus me edidi foras.

10   tota turget mihi uxor, scio, domi.

Tʀ. res parata est mala in uesperum huic seni.   700

nam et cenandum et cubandumst ei male.

Sɪ. quom magis cogito cum meo animo:

si qui' dotatam uxorem atque anum habet,

15   neminem sollicitat sopor: [in] omnibus

682 oras] rogas A (v. ɪ)   i *om. P*   685 mala P 686 Fuge P
(F *pro* E : vi. ɪ)   687 pr. intus A 689 huc AB^2 enuenero
P (*cf. ad* 394)   691 nequodest caunameruerit magis P 692
peranium (-ann-) P (*corr. B²*)   693 mieire P (*corr. B²*)   695 qum
A : quam P solum P 697 bonum est somnum A : bonus somnus
est P : *fort.* bonumst somnus   699 scio [nunc] P 700 male A
701 nam et cenandum ei et cubandum est male A : nam et cenandum
et cubandum st ni [trahis] male P (*fort. ex* Tʀᴀ. h(ic) s(upple) *in
marg. adscripto*]; ii. 6; iv. 5) : *corr. Ritschl*   703-5 *lacuna in* Pᴬ
(*cf. vv.* 723-6)   703 atque anum *om. P spatio relicto*   habét
anúm (?) *Leo, nam hiatus* anum | habet *displicet*   704 sopor in
omnibus A : sopo *omissis extremis* P (sopor B^2) : s. ibi o. *Ritschl*

705   ire dormitum odio est, uelut nunc mihi
         exsequi certa res est ut abeam
         potius hinc ad forum quam domi cubem.
         atque pol nescio ut moribus sient
         uostrae : haéc sát scio quam me habe[a]t male ⟨et⟩   20
710   peiius posthac foré quam fuit mihi.
         Tr. abitus tuo' tibi, senex, fecerit male :
         nil erit quod deorum nullum accusites ;
         te ipse iure optumo merito incuses licet.
         tempus nunc est senem hunc adloqui mihi.   25
715   hoc habet ! repperi qui senem ducerem,
         quo dolo a me dolorem procul pellerem.
         accedam.   di te ament plurumum, Simo.
         Si. saluos sis, Tranió.   Tr. ut uales ?   Si. non male.
         quid agis ?   Tr. hominem optumum teneo.   Si. amice 30
                                                         facis
720   quom me laudas.   Tr. decet.   Si. certe.   quin hercle te
                            hau bonum teneo seruom.
721ᵃ   Th. heia ! mastigia, ad me redi.   Tr. iam isti ero.
         Si. quid nunc ? quam mox ?   Tr. quid est ?   Si. quod
                                                    solet fieri hic
         intu'.   Tr. quid id est ?   Si. scis iam quid loquar.   sic 35
                                                         decet.

705 dom(itu)m A   uelut nunc mihi] ue P, omissis quae secuntur
709 uos(tra) A   ⟨at⟩ haec Hermann   me om. B¹ (A n. l)   habet
Bothe (A n. l.)   et addidi (A n. l.)   711 ⟨si⟩ ab. Camerarius   712
vix deûm   ullum AB²   713 eiure A   incusses A : incusis P
(corr. B²)   714 adloquimini P ; versum repetit A post 715 sic :
(tempu)s nunc est mihi hunc adloqui senem (var. lect ? ii. 6)   715
ducerem] cir(cumd)ucerem A   716 om. A (v. ad 714)   quod
cod. (corr. B²)   718 ut uales Simoni continuat A (i. e. Tr. non m.
Si. Quid a.)   719 uamice P (ua amice B², i. e. uah ! amice) (u pro
nota personae ; cf. ad v. 750)   720, 721 certe quin m— (? i. e. me-
hercle) | Haud bonum A : certe si hercle te [habeo] hau | Bonum
(habeo hau del. B²) P   721ᵃ iam] eam P, A n. l.   722 num A
quid is est A   dic B²   723-4 lacuna in Pᴬ (cf. vv. 703-5)
723 quid id est et loquar sic decet hab. P (cett. desunt)   Intus. scis
iam—Tr. quid est ? Si. quid l. Leo

8*

     *   *   *   morem geras.

     uita quam sit breuis simul cogita.   725

TR. quid? ehem,

uix tandem percepi super his rebus nostris te loqui.

40   SI. musice hercle agitis aetatem, ita ut uos decet,

     uino et uictu, piscatu probo, electili   729-3

       uitam colitís.   TR. immo uita antehac erat:

     nunc nobis com[mun]ia haec exciderunt, ⟨Simo.⟩

       SI. quidum?   TR. ita oppido occidimus omnés, Simo.

45   SI. non taces? prospere uobis cuncta usque adhuc

     processerunt.   TR. ita ut dicis facta hau nego.   735

     nos profecto probe ut uoluimus uiximus.

sed, Simo, ita nunc uentus nauem ⟨nostram⟩ deseruit—SI. quid est?

     quo modo?   TR. pessumo.   SI. quaen subducta erat

50   tuto in terra?   TR. ei!   SI. quid est?   TR. me miserum, occidi!

SI. qui?   TR. quia uenit nauis nostrae naui quae frangat   740 ratem.

     SI. uelim út tu uélles, Tránio.   sed quid ést negóti? TR. éloquar.

eru' peregre uénit.   SI. tunc   *   *   portenditur,

ind' ferriterium, postea ⟨crux.   TR. per tua te g⟩enua opsecro,

---

724-58 *deest A*   725 *vix* quamst (*ut trimeter fiat*)   breui *P*ᶜᴰ
727 percipio *cod. Festi* 305   730 probo, piscatu *Gulielmius*
731 ⟨uos⟩ colitis *Spengel*, ⟨quom⟩ c. *Redslob, ut integer tetrameter fiat*
uit (ut *B²*) ant. *cod.* : ita ant. *Seyffert*   732 comia *scripsi* (v. 8) :
omnia *Camerarius*   Simo *addidi* (iii. 2)   733 *vix* quidum itá?
TR., *ut integer tetram. fiat*   737 nostram *add. Camerarius*   738
quaene *Pylades* : quae nec *cod.*   740 ratem] trabes *Lorenz*   741
uellem *Muretus* : uelim *cod.*   trannios est (*om.* ed quid) *cod.* (*corr.*
B²)   negotist *Brix*   741-3 *lacuna in P*ᴬ (*cf. vv.* 763-5)   742
portendıtur *Ussing* : cor tenditur *cod.*   743 *supplevit Ussing*

744-5 ne indícium eró faciás meo.   Sɪ. é me, né quid métuas, 55
nihil sciet.

Tʀ. patrone, salue.   Sɪ. nil moror mi istiusmodi clientes.

Tʀ. nunc hóc quod ád te nóster mé misit senex—
Sɪ. hoc mihi respónde primum quod ego té rogo :
iam de istis rebus uoster quid sensit senex?

750 Tʀ. nil quicquam.   Sɪ. numquid increpitauit filium?   60
Tʀ. tam liquidust quam liquida esse tempestas solet.
nunc te hoc orare iussit opere maxumo,
ut sibi licéret inspicere hásce aedis tuas.

Sɪ. non sunt uenales.   Tʀ. scio equidem istuc.   sed
senex

755 gynaeceum aedificare uolt hic in suis   65
et balineas et ambulacrum et porticum.
Sɪ. quid ergo somniauit?   Tʀ. ego dicam tibi.
dare uolt uxorem filio quantum potest,
ad eam rem facere uolt nouom gynaeceum.

760 nam sibi laudauisse hasce ait architectonem   70
nescióquem exaedificatas insanum bene ;
nunc hinc exemplum capere uolt, nisi tu neuis.
nam iḷḷe eo maiore hinc opere ex te exemplum petit,
quia isti úmbram aestate tíbi ésse audíuit pérbonam

765 sub diuo columine usque perpetuom diem.   75
Sɪ. immo edepol uero, quom usquequaque umbra est,
tamen

sol semper hic est usque a mani ad uesperum :

744, 745 sciat *cod.* (*corr.* B^2)   747 me[me] mis. *cod.* (*corr.* B^2)
750 num] unum *cod.* (u- *pro nota personae ; cf. ad* 719)   increpauit *B*

757 quid ergo somniauit *Leo* : quid consomniauit *cod.* (con- *pro* g, *i.e.*
ergo)   759 *accedit A*   760 laudasse *P*   (ai`t has *A*   761 ex.
[esse] *A* : esse (*om.* P^{CD}) aedificatas *P* : *corr. Studemund*   has sane
bene *P*   763-5 *lacuna in* P^A (*cf. vv.* 742-3)   763 malo (*om.*
re hinc) opere *P*   764 quia hic (*om.* u. aud.) esse aestate per-
bonam *P*   765 subdiu (*pro* dio ?) *P*, *A n. l.* : sub sudo *Studemund*
(*ex A*), *Funck* (*Arch. Lat. Lex.* 10, 344), *fort. recte*   col- (*om.* umine
usque) *P*   766 es *A*   767 huc (*om.* est) *A*

quasi flagitator astat usque ad ostium,
nec mi umbra hic usquamst nisi si in puteo quaepiamst.

80   TR. quid? Sarsinatis ecqua est, si Vmbram non habes?   770
SI. molestus ne sis. haec sunt sicut praedico.
TR. at tamen inspicere uolt. SI. inspiciat, si lubet;
si quid erit quod illi placeat, de exemplo meo
ipse aedificato. TR. eon, uoco huc hominem? SI.
                                      i, uoca

85   TR. Aléxándrum magnum atque Agathoclem aiunt maxu- 775
                                     mas
duo rés gessisse: quid mihi fiet tertio,
qui solus facio facinora inmortalia?
uehit hic clĭtellas, uehit hic autem alter senex.
nouicium mihi quaestum institui non malum:
90   nam muliones mulos clitellarios   780
habent, at ego habeo homines clitellarios.
magni sunt oneris: quidquid imponas uehunt.

nunc hunc hau scio an conloquar. congrediar.
heus Theopropides! TH. hem quís hic nominat me?
95   TR. ero seruo' multis modis fidus. TH. unde is?   785
TR. quod me miseras, adfero omne impetratum.
TH. quid illi, opsecro, tam diu destitisti?
TR. seni non erat otium, id sum opperitus.
TH. antiquom optines hoc tuom, tardus ut sis.
100   TR. heus tu, si uoles uerbum hoc cogitare,   790
simul flare sorbereque hau factu facilest.

---

769 hic *om. P*   770 arsinatiṣ *A*   ecquam *P*   774 i *om. P*
778 hic *pr. om. P* (*add. B²*)   781 at *om. P*   783 hunc *om. P*
(iii. 1) (*add. B²*)   [con] conl. *intercedente spatio P* (*corr. B²*)   con-
gredibor *Weise, ut integer tetrameter fiat*   784–5 *lacuna in P*ᴬ (? *cf.*
vv. 802–3)   784 hem ⟨nam⟩ *Bugge*   quis hic *om. P* (quis
add. B²)   785 multum suo (*ceteris omissis*) *P* (*add.* fidelis *B²*), *unde*
multimodis (*ita A*) suo f. *Ritschl*   fidus *Ritschl*: filius *A*   786
quŏd] quo *A*Pᶜᴰ   787 *vel* illic (*ita codd.*)   788 otium erat *P*
789 sies *A*   790 *vix* illoc (*ut integer tetrameter fiat*)

ego hic esse et illi simitu hau potui.

TH. quid nunc? TR. uise, specta tuo usque arbitratu.

TH. age ⟨i⟩, duce me. TR. num moror? TH. sup-
                                                            sequor te.

795   TR. senex ipsus te ante ostium eccum opperitur.   105
sed ut maestust sese hasce uendidisse !

TH. quid tandem? TR. orat ut suadeam Philolacheti
ut istas remittat sibí. TH. haud opinor.

sibi quisque ruri metit. si male emptae

800   forent, nobis istas redhibere hau liceret.   110

lucri quidquid est, id domum trahere oportet.

misericordia s * hominem oportet.

TR. morare hercle, * facis. supsequere. TH. fiat.

do tibi ego operam. TR. senex illic est. em, tibi adduxi
                                                            hominem.

805   SI. saluom te aduenisse peregre gaudeo, Theopropides.   115

TH. di te ament. SI. inspicere te aedis has uelle aiebat
                                                            mihi.

TH. nisi tibi est incommodum. SI. immo commodum.
                                                            i intro atque inspice.

TH. at enim múlieres—SI. cauĕ tú ullam flócci fáxis
                                                            múlierem.

qualubet perambula aedis oppido tamquam tuas.

810   TH. 'tamquam'? TR. áh, cauĕ tu illi obiectes nunc in 120
                                                            aegritudine

792 *vel* illic (*ita codd.*)   simul (simulet *P*CD) *P*   pote fui *Sonnenschein, ut integer tetrameter fiat*   793 quid nun [uis] *A*   uiṣa *A*   usque
om. P   794 i *add. Weise*   duc *codd.*   nom *A* : nunc *P*   795
eccum] illud *A* (*pro* illi ?)   796 ut *om. P*   se *P*   *fort. integer
tetrameter* sed ut maestus est (*ita codd*) sese hasc' uenum dedisse
797–825 *deest A*   798 *vel* opino   haud ⟨faciam⟩ o. *Ussing*
800 placeret *P*CD   802–3 *lacunam in P*A ⟨*cf. vv.* 784–5⟩ *sic explere
licet* : (802) supersedere *vel* se abstinere (*Leo*⟩, (803) odiose (*Leo*) *vel
sic cum*   804 hominem, ⟨Simo⟩ *Schoell* (iii. 2) (*septenar.*)   806
inspiceren te (inspicerent *P*CD, inspicere te *B*²) aedes [te] *cod.* :
corr. Pareus : inspicere iste aedis te *Lorenz*   belle *cod.*   807
incommodum est *cod.* : *trai. Bentley*   808 illam *B*

te has emisse.   non tu uidḗs hunc uoltu uti tristi est senex?

Th. uideo.   Tr. ergo inridere ne uideare et gestire ad-

modum;

noli facere mentionem ted emisse.   Th. intellego

et bene monitum duco, atque esse existumo humani ingeni.

125 quid nunc?   Si. quin tu is intro atque otiose perspecta ut 815
lubet.

Th. bene benigneque arbitror te facere.   Si. factum edepol
uolo.

[uin qui perductet?   Th. apage istum perductorem, non 816ᵃ
placet.

quidquid est, errabo potius quam perductet quispiam.]   816ᵇ

Tr. uidḗn uéstibulum ánte aediś hoc et ámbulacrúm,
quoiúsmodi?

130 Th. luculentum edepol profecto.   Tr. age specta postis,
quoiusmodi,

quanta firmitate facti et quanta crassitudine.

Th. non uideor uidisse postis pulchriores.   Si. pol mihi   820

eo pretio empti fuerant olim.   Tr. aúdin 'fuerant' dicere?

uix uidetur continere lacrumas.   Th. quanti hosce emeras?

135 Si. tris minas pro istis duobus praeter uecturam dedi.

Th. hercle–qui multum inprobiores sunt quam a primo
credidi.

Tr. quapropter?   Th. quia edepol ambo ab infumo tarmes 825
secat.

Tr. intempestiuos excissos credo, id is uitium nocet.

atque etiam nunc sati' boni sunt, si sunt inducti pice;

/τραγ́ς

ἰ

ἰ píca

812 et om. B   813 te (ita cod.) ⟨has⟩ Guietus   814 esse
Merula: se cod. (te B²)   ingenio cod.   816 benigneque Camerarius: benique cod.   816ᵃᵇ (cf. 843 sqq.) adiectos a retractatore
ut vv. 817–47 in actione omitterentur secl. Seyffert   816ᵇ Quid cod.
(cf. 846)   817 amplacrum cod. (pro ambⁱacrum, i. e. ambul-) (corr.
B²)   821 audin fuerant Ital.: aut infuerat cod. (auden fuerant B²)
823 duobus Merula: diebus cod.   824 multo Ital., fort. recte (i. 3)
825 tarmes secat Scaliger: tramisecat cod. (tramis secat B², fort. recte)
826 accedit A   intempestius A   docet A

non enim haec pultiphagus opifex opera fecit barbarus.   140
uiden coagménta in foribus? TH. uideo.   TR. specta quam
                                           arte dormiunt.

830 TH. dormiunt?   TR. illud quidem 'ut coniuent' uolui
                                                    dicere.

satin habes?   TH. ut quidquid magi' contemplo, tanto magi'
                                                    placet.

TR. uiden pictum, ubi ludificat una cornix uolturios duos?
TH. non edepol uideo.   TR. at ego uideo.   nam inter 145
                                           uolturios duos
cornix astat, ea uolturios duo uicissim uellicat.   *nip/tacat*

835 quaeso huc ad me specta, cornicem ut conspicere possies.
iam uides?   TH. profecto nullam equidem illic cornicem
                                                    intuor.

TR. at tu isto ad uos optuere, quoniam cornicem nequis
conspicari, si uolturios forte possis contui.   150

TH. omnino, ut te apsoluam, nullam pictam conspicio hic
                                                    auem.

840 TR. age, iam mitto, ignosco : aetate non quis optuerier.
TH. haec, quae possum, ea mihi profecto cuncta uehe-
                                           menter placent.

SI. latiu' demumst operae pretium iuisse.   TH. recte edepol
                                                    mones.

SI. eho istum, puere, circumduce hasce aedis et conclauia. 155
nam egomet ductarem, nisi mi esset apud forum negotium.

845 TH. apage istum a me perductorem, nil moror ductarier.
846-7 quidquid est, errabo potius quam perductet quispiam.
SI. aedis dico.   TH. ergo intro eo igitur sine perductore.
                                                    SI. ilicet.

828 pultufagis *A*   829 dormunt *P (corr. B²)*   831 *vel* mage . . .
mage   contemplor *codd.*   832, 833 *vel* duo   832 ludificatur *codd.*
c. una *P*   833 *om. P* (iii. 11)   uideor nam *cod.*   834 uellitat
P (corr. B²)   836 *vel* illi   cornicum *A*   842 erecte *P (corr.
B²)* (e- *pro nota personae? cf. v.* 849)   843 hos *A*   844 ad *P*
845-7 *lacuna in P*ᴬ *(cf. vv.* 864-7)   845 a *om. P*   perductorem
om. P   846, 847 er. p. quam *om. P (cf.* 816ᵇ)   848 adis *P*

160 Th. ibo intro igitur. Tr. mane sis uideam, ne canes—
                                    Th. agedum uide.

    Tr. st! abi, cánes. st! abin diérecta? abin hinc in malam 850
                                    crucem?

    at etiam restas? st! abi istinc. Si. nil pericli est, age *
    tam placidast quam feta quaeuis. eire intro audacter licet.
    eo ego hinc ad forum.—Th. fecisti commode, bene am-
                                    bula.

165 Tranio, | age, canem | istanc a foribus abducant face,
    etsi non metuenda est. Tr. quin tu illam aspice ut placide 855
                                    accubat;

    nisi molestum uis uideri te atque ignauom. Th. iam ut
                                    lubet.

    sequere hac me igitur.—Tr. equidem haud usquam a
                                    pedibus apscedam tuis. —

ACTVS IV

Phaniscvs

    Serui qui quom culpa carent tamen malum métuont,
        i solent esse eris utibiles.

        nam illi qui nil metuont postquam sunt malum meriti, 860
        stulta sibi expetunt consilia:

    5 exercent sese ad cursuram, fugiunt, sed i si reprehensi sunt,
      faciunt a malo, peculio quod nequeunt, augent,

849 igitur [est] *P (corr. B²)* (est *pro* E, *nota personae? cf. v. 842*)
uide] unde *P*   850 est—est *codd.*   cani est *A (pro* canest?)
abi d. *P*   dierecte *P*CD, *A n. l.*   [est] abin *P* (in *om. P*CD)
(corr. B²)   851 st] est *P (om. B²), A n. l.   vix* periculi   age
⟨modo⟩ *Weise (A n. l.)*   852 quauis *P*: quamuis *Leo*   853 eo
(ec *P*CD) ego *P*: ego abeo *A*   854 tranioagec—us........face *A*
abducat *P*: ⟨aliquis⟩ abd. *Weise*   855 ill(a) *A*   858-9 *cf. Men.*
983ᵃ ᵇ   858 carint *P*   859-90 *deest A*   860 *fort.* malum postquam sunt meriti, *ut fiat versus Reizianus*   862 fugiunt *del. ut*
glossam Bothe   863 a *del. Bothe fort. recte*: de *Gulielmius*

864-5   ex pauxillo   *   de parant.

mihi in pectore consili   *   *   *   *   malam rem

prius quam ut meum.

ut adhuc fuit mi, corium esse oportet,   10

sincerum atque uti uotem uerberari.

870   si huïc imperabo, probe tectum habebo,

malum quom impluit ceteris, ne impluat mi.

nam, ut serui uolunt esse erum, ita solet.

boni sunt, ⟨bonust⟩; inprobi sunt, malus fit.   15

nam nunc domi nóstrae tot pessumi uíuont,

875   peculi sui prodigi, plagigeruli.

ubi aduorsum ut eant uoc⟨it⟩antur ero :

'non eo, molestu' ne sis.

scio quod properas : gestis aliquo ; iam hercle ire uis, mula,

foras pastum.'

bene merens hoc preti inde apstuli.   abii foras.   20

880   solus nunc eo aduorsum ero ex plurumis seruis.

hoc die crastini quóm erus resciuerit,

mane castigabit eos bubulis exuuiis.

postremo minoris pendo tergum illorum quam meum :

illi erunt bucaedae multo potius quam ego sim restio.   25

864–6 *lacunam in* P^A (*cf. vv.* 845–7) *sic expleas licet* (864, 865)
mox grande *vel* thensaurum inde, (866) consiliumst in tergum alienum
inferre *vel* consilium sedet cauere   864, 865 pauxill *cod.* (-illo *B²*)
867 ut] *fort.* in   868 *vel sic distingue* fuit, mi co.   869 *fort.*
⟨ita⟩ uti (*duo cola Reiziana*) : ut *cod.* (*vix trimeter bacch.*, *nam* uotĕm
obstat)   uerberare *cod.* (*pro* -rei ?)   870 ⟨id⟩ si *Leo*   *vel*
huic (*duo cola Reiziana*)   871 ceteros *cod.* (*corr.* B²)   873 boni
sunt bonust *Bergk* : bonis sum *cod.*   improbis sunt (sum *B¹*) *cod.*
fit *Gruterus* : fuit *cod.*   876 uocitantur *Hermann* : uocantur *cod.*
(-atur *B¹*)   877 *vel* molestus (*troch. dim.*)   *vel* sies (*iamb. dim.
acat.*)   878 quŏd] quo *Merula*   erde P^CD (d *pro* cl ; vi. 1)   iueris
Skutsch, nam ire uïs (ir' uīs ?) *suspectum*   879 preti inde abstuli
abii *Camerarius, Hermann, Bothe* : precium unde abstultabi *cod.*
880 *fort.* ⟨égo⟩ eo . . . eró (*vers. Reizianus*)   881 di *cod.* (*corr.* B²)
882 *fort.* concastigabit mane eos b. e. (*vers. Reizianus*)   883
pen ergum *spatio intercedente cod.* (*suppl.* B²)

ii   Pɪɴᴀᴄɪᴠᴍ   Pʜᴀɴɪsᴄᴠꜱ

Pɪ. Mane tu atque adsiste ilico,   885
Phanisce. etiam respicis?

Pʜᴀ. mihi molestus ne sies.   886ᵃ

Pɪ. uide ut fastidit simia!

5   manesne ilico, inpure parasite?   887ᵃ

Pʜᴀ. qui parasitus sum?   Pɪ. ego enim dicam: cibo perduci poteris quouis.

Pʜᴀ. mihi sum, lubet esse.   quid id curas?

Pɪ. ferocem facis, quia te erus amat.   Pʜᴀ. uah!   890
oculi dolent.   Pɪ. qur?   Pʜᴀ. quia fumu' molestust.

10 Pɪ. tace sis, faber, qui cudere soles plúmbeos númmos.

Pʜᴀ. non ⟨pol⟩ potes tu cogere me ut tibi male dicam.
nouit erus me.   Pɪ. suam quidem [pol] culcitulam 894·5
oportet.

Pʜᴀ. si sobriu' sis, male non dicas.   Pɪ. tibi optemperem,
quom tu mihi nequeas?

at tu mecum, pessume, ito aduorsus.   Pʜᴀ. quaeso hercle
apstine

15 iam sermonem de istis rebus.   Pɪ. faciam et pultabo fores.
heus, ecquis hic est, maxumam qui his iniuriam
foribus defendat? ecquis has aperit fores?   900
homo nemo hinc quidem foras exit.

ut esse addecet nequam homines, ita sunt.   sed eo magi'
cauto est opu' ne huc

20   exeat qui male me mulcet.

---

886 respices (respice *B*) *ut vid. cod.* (*i. e.* -is?)   888 poteres *cod.*
(*vix pro* -re *passive*)   889 *post* 887 *cod.* : *trai. Acidalius*   mihi
Ital. : milis *cod.*   890 erus *Leo* : eratus *cod.* : erus tuus *Stude-*
mund, unde fit bacch. tetrameter acatal.   uha *cod.*   891 *accedit A* ;
usque ad 922 *pauca leguntur*   893 pol *add. Ritschl* (*cf. v.* 894) (*A*
n. l.)   894 pol *del. Schoell, ut vers. Reizianus fiat* (*A n. l.*)   896
neque eas *P, A n. l.*   897 pessimi tu *P*   899 his qui in. *Guietus*
(*iamb. senar.*) : *fort.* in. qui his (*vers. Reiz.*)   900 ecquis—fores]
                                         at aperit
[hec quis] ec quis huc exit atque aperit *P* (*pro* ecquis huc exit foras?)
901 homo *om. P*   902 *vel* mage   903 me *om. A ut vid.*

THEOPROPIDES   TRANIO   III.iii

TR. Quid tibi uisum est mercimoni?   TH. ⟨totus,⟩ totus
                                            gaudeo.

905 TR. num nimio emptae tibi uidentur?   TH. nusquam
                                            edepol ego me scio
    uidisse umquam abiectas aedis nisi modo hasce.   TR. ec-
                                            quid placent?

    TH. ecquid placeant me rogas? immo hercle uero per-
                                            placent.

    TR. quoiusmodi gynaeceum? quid porticum?   TH. insanum 5
                                            bonam.

    non equidem ullam in publico esse maiorem hac existumo.

910 TR. quin ego ipse et Philolaches in publico omnis porticus
    sumu' commensi.   TH. quid igitur?   TR. longe omnium
                                            longissuma est.

    TH. di inmortales, mercimoni lepidi! ⟨si⟩ hercle nunc ferat
    sex talenta magna argenti pro istis praesentaria,   10
    numquam accipiam.   TR. si hercle accipere cupies, ego
                                            numquam sinam.

915 TH. bene res nostra conlocata est istoc mercimonio.

    TR. me suasore atque impulsore id factum audacter dicito,
    qui subegi faenore argentum ab danista ut sumeret,
    quod isti dedimus arraboni.   TH. seruauisti omnem ratem. 15
    nempe octoginta debentur huic minae?   TR. hau nummo
                                            amplius.

920 TH. hodie accipiat.   TR. ita enim uero, ne qua caussa
                                            supsiet.

---

904 totus *add. Gruterus : fort.* ⟨omnis⟩ (*Harv. Stud.* 9, 130) *vel* ⟨quid
mihi?⟩   905 nusquam *Schoell* : numquam *P, A n. l.*   ego *om. A*
scito *P*   906 ablectas *P, A n. l.*   907 ec. placent *P, A n. l.*
912 si *add. Camerarius* (*A n. l.*)   914 accipiem *P, A n. l.* (*vix
antiqua forma*)   hercle *Ital.* : ere te *P, A n. l.*   cupias *Camerarius*
(*A n. l.*)   918 quid *A*

uel mihi denumerato, ego illi porro denumerauero.

Tᴴ. at enim ne quid captioni mihi sit, si dederim tibi.

20 Tʀ. egone te ioculo modo ausim dicto aut facto fallere ?

Tᴴ. egone aps te ausim non cauere, ni quid committam tibi ?

Tʀ. quia tibi umquam quicquam, postquam tuo' sum, uer- 925
                           borum dedi ?

Tᴴ. ego enim caui recte : eam dis gratiam atque animo
                              meo !

sat sapio si aps te modo uno caueo.   Tʀ. tecum sentio.

25 Tᴴ. nunc abi rús, dic me aduenisse filio.   Tʀ. faciam ut
                             iubes.

Tᴴ. curriculo iube in urbem ueniat iam simul tecum. 929-30
                             Tʀ. licet.

nunc ego me illac per posticum ad congerrones conferam.

dicam ut hic res sint quietae atque hunc ut hinc amouerim.— //

IV. ii   Pʜᴀɴɪꜱᴄᴠꜱ   Tʜᴇᴏᴘʀᴏᴘɪᴅᴇꜱ   Pɪɴᴀᴄɪᴠᴍ

21 Pʜᴀ. Hic quidem néque conuiuarum sonitus itidém ut
                             antehac fuit,

neque tibicinam cantantem neque alium quemquam audio.

Tᴴ. quaé illaec res est ?   quid illisce homines quaerunt 935
                             apud aedis meas ?

quid uolunt ? quid intro spectant ?   Pʜᴀ. pergam pultare
                             ostium.

25 heus, reclude, heus, Tranio, etiamne aperis ?   Tᴴ. quaé
                             haec est fabula ?

Pʜᴀ. etiamne aperis ?   Callidamati nostro aduorsum ueni-
                             mus.

---

922 captionis *Geppert*   sit B^2: sed P, A *n. l.*   923 ịọcọ A
925 quid *Bothe*   tibin *Schrader*   926 dehis P (*cf.* 563 dehis
pro dis) : bis (*vel* dis) A (*Class. Rev.* 10, 333)   eam ambis gr. ? *Schoell* :
eam mihi des gr. *Leo*   928 abi ,[i] P ut uoles P (? *pro* uti ubes)
929, 930 [ubi] iube P (iv. 3)   932 hic] hinc A, *fort. recte*   quaesitae
A ut hunc hinc P (*pro* uti h. h. ?)   933 *rhythmus suspectus*
item *Bothe*   *vel* uti   935 meas] mē (mem P^{CD}) P (*corr.* B^2)
(*i. e.* meas)   936 pultari P (*corr.* B^2)   937 etiam P (*om.* -ne)

Th. heus uos, pueri, quid istic agitis? quid istas aedis
                                                frangitis?
940 Pi. heus senex, quid tu percontare ad te quod nihil attinet?
Th. nihil ad me attinet? Pi. nisi forte factu's praefectus
                                                nouos,
qui res alienas procures, quaeras, uideas, audias.   30
Th. non sunt istae aedes ubi statis. Pi. quid ais? an
                                                iam uendidit
aedis Philolaches? aut quidem iste nos defrustratur senex.
945 Th. uera dico. sed quid uobis est negoti hic? Pha.
                                                eloquar.
erus hic noster potat. Th. erus hic uoster potat? Pha.
                                                ita loquor.
Th. puere, nimium delicatu's. Pi. ei aduorsum uenimus.   35
Th. quoí homíní? Pi. ero nostro. quaeso, quotiens
                                                dicendumst tibi?
Th. puere, nemo hic habitat. nam te esse arbitror puerum
                                                probum.
950 Pha. non hic Philolaches adulescens habitat hisce in
                                                aedibus?
Th. habitauit, uerum emigrauit iam diu ex hisce aedibus.
Pha. senex hic elleborosust certe. érras peruorse, pater.   40
nam nisi hinc hodie emigrauit aut heri, certo scio
hic habitare. Th. quin sex menses iam hic nemo habitat.
                                                Pi. somniàs.
955 Th. egone? Pi. tu. Th. tu ne molestu's. sine me cum
                                                puero loqui.
nemo habitat. Pha. habitat profecto, nám heri et nudius
                                                tertius,

940-5 *om. P*   940 quae n. attinent (*etiam* 941 attinent) *Schoell*
(*ex A*)   943 *vix* non (*i.e.* nonne) s. ⟨méae⟩ i. : meae sunt i. *Schoell*
(*A vix legitur*)   944 quid *Schoell*   947 [a]delicatus *P* : delicatum
A   vel Pha.   948 *vel* quoii   949 hic nemo *P*   950 *vel*
Pi.   in *om. P*   951 *om. P* (iii. 11)   952 Pha.] *vel* Pi. (*et infra*
Pha. erras) cerebrosus est *P*   953 hic *P*   955 molestus (*sc.* sis)
alii   956 haeitat pr. *ut vid. P* (E *pro* B ; *vix pro* habet *corr.* habitat)

45 quartus, quintus, sextus, usque postquam hinc peregri eiius
                                         pater

abiit, numquam hic triduom unum desitum est potarier.

Th. quid ais? Pha. triduom unum est haud intermissum
                                  hic esse et bibi,

scorta duci, pergraecari, fidicinas, tibicinas   960

ducere. Th. quis istaec faciebat? Pha. Philolaches.
                            Th. qui Philolaches?

50 Pha. quoiiu' patrem Theopropidem esse opinor. Th. ei
                                  ⟨ei⟩, occidi,

si haec hic uera memorat! pergam porro percontarier.

ain tu istic potare solitum Philolachem istum, quisquis est,

cúm ero uostro? Pha. aio, inquam. Th. puere, praeter 965
                                  speciem stultus es.

uide sis ne forte ad merendam quopiam deuorteris

55 atque ibi ampliuscule quam sati' fuerít biberis. Pha. quid
                                        est?

Th. ita dico, ne ad alias aedis perperam deueneris.

Pha. scio qua me eire oportet et quo uenerim noui locum.

Philolaches hic habitat, quoiius est pater Theopropides.   970

qui, postquam pater ad mercatum hinc abiit, hic tibicinam

60 liberauit. Th. Philolachesne ergo? Pha. ita, Philema-
                                  tium quidem.

Th. quanti? Pha. triginta—Th. talentis? Pha. μὰ τὸν
                                 Ἀπόλλω, sed minis.

Th. liberauit? Pha. liberauit ualide, triginta minis.   973[a]

---

957 hinc *om. A*   peregrei *A* : -gre *P*   958 triduom munum
(unum *B²*) desitum (*add.* est *B'*) esse et bibi est (bibisse *ut vid. B¹*,
bibi *B²*) *P* (*cf.* 959)   959 agis *P* (*corr. B²*)   essi *Lambinus*   961
conduci *Ritschl* : ducier *Lambinus*   962 quoi *P*   *vel* opino
et *P* : ei ⟨ei⟩ *Gruterus* : ei ⟨mihi⟩ *Camerarius*   964 istuc portare
P   silitum *A*   965 uostra *P* (*corr. B²*)   aio *A* : haec
(hec) *P* : hic *Ital.*   967 ampliuscule *Leo* : amplius *A* : melius cui *P*
968 ab *P* (*corr. B²*)   neueneris *P*   969 eire] et re *P* (ire *B²*)
locum] loqui *P* (*pro* loci?)   971 m. ab. hinc (*om.* hic) *P* (iii. 1)
972 -ne *om. P*   973 sed] sex *P*   973[a] *om. P* (iii. 11)

Th. ain minis triginta amicam destinatam Philolachem— ?
975 Pha. aiio. Th. atque eam manu emisisse? Pha. aiio.
Th. et, postquam eius hinc pater
sit profectus peregre, perpotasse adsiduo, ác simul   65
tuo cum domino? Pha. aiio. Th. quid ? is aedis emit
has hinc proxumas ?
Pha. non aiio. Th. quadraginta etiam dedit huic quae
essent pignori ?
Pha. neque istuc aiio. Th. ei ! perdis. Pha. immo suom
patrem illic perdidit.
980 Th. uera cantas. Pha. uana uellem. patris amicu's uidelicet.
Th. eu edepol patrem eiius miserum praedicas ! Pha. nihil 70
hoc quidem est,
triginta minae, prae quam alios dapsilis sumptus facit.
Th. perdidit patrem. Pha. unus istic seruos est sacerrumus,
Tranio : is uel Herculi †conterere quaestum potest†.
985 edepol ne me eius patris misere miseret, qui quom istaec
sciet
facta ita, amburet ei misero corculum carbunculus.   75
Th. si quidem istaec uera sunt. Pha. quid merear quam
ob rem mentiar ?
Pi. heus uos, ecquis hasce áperit ? Pha. quid istas pultas
ubi nemo intus est ?
alio credo comissatum abiisse. abeamus nunciam—

974 destinatum P   Philolachi *Gulielmius* (*immo* -ae)   975
eiius A   976 *vel* perpotauisse   ac simul *om.* P   977 *vel sic distingue* quid is ? aed.   has hinc] hic P   978 huc P (*corr. B²*)
qui A   est P   979 n. illud B, A *n. l.*   981 *vel* heu   eiius]
meum (eum C) P   982 preter quam P   dapsillies P   983 *vel* isti
se. est sa.] seruos si (*pro* seruolust ?) acerrimus P   984 *vix* quaesitum   pote siet *Ellis* : possiet *Camerarius*   985 ne *om.* P (iii.
1)   misere *om.* P (iii. 1)   986 ita] ista [esse] A   (e)i miseri
A : misero ei P   988 e. aperit has A (?*pro* ecqui a. has)   ista P
est] st P (*pro* sit ?)   989 abemus P (*corr. B²*)

TH. puere—⟨PHA.⟩ átque porro quaeritemus.   sequere hac 990
                                        me. ⟨PI. sequor⟩.

80 TH. puere, iamne abis?   PHA. libertas paenulast tergo tuo :
mihi, nisi ut erum metuam et curem, nihil est qui tergum
                                              tegam.—

iii   THEOPROPIDES   SIMO

TH. Perii hercle! quid opust uerbis? ut uerba audio,
non equidem in Aegyptum hinc modo uectus fui,
sed etiam in terras solas orasque ultumas   995
sum circumuectus, ita ubi nunc sim nescio.

5 uerum iam scibo, nam eccum unde aedis filius
meus emit.   quid agis tu?   SI. a foro incedo domum.
TH. numquid processit ad forum | hodie noui?
SI. etiam.   TH. quid tandem?   SI. uidi ecferri mor- 1000
                                        tuom.   TH. hem!

SI. nouom unum   uidi mortuom ecferri foras.

10 modo eum uixisse aiebant.   TH. uae capiti tuo!
SI. quid tu otiosus res nouas requiritas?
TH. quia hodie adueni peregre.   SI. promisi foras,
ad cenam ne me te uocare censeas.   1005
TH. hau postulo edepol.   SI. uerum cras, nisi ⟨qui⟩
                                              prius

15 uocauerit—me, uel apud te cenauero.
TH. ne istuc quidem edepol postulo.   nisi quid magis
es occupatus, operam mihi da.   SI. maxume.

990 om. P (propter homoeoarch. ?)   puere del. Leo, ut ex v. sq. antici-
patum (iv. 3)   porro Goetz : puero cod.   PI. sequor add.
Ussing   992 erum ut P   tergum tergam A   993-1013
deficit A, nisi quod hic illic paucissima servata   993 uerba
Camerarius : uerbera cod. (v. 8)   996 circum uentus cod. : corr.
Merula   998 agis Aldus : ais cod.   999 ⟨hic⟩ ho. Ritschl
1002 uae B² : tuae cod.   1003 tu Merula : tu [ut] cod. (iv. 3)
1005 te Ital. : tue cod. (iv. 3)   1006 quis add. Camerarius   1008
iste P (corr. B²)   1009 es om. A

1010   TH. minas quadraginta accepisti, quod sciam,
        a Philolachete? SI. numquam nummum, quod sciam.
        TH. quid, a Tránione seruo? SI. ⟨nimi'⟩ multo id minus. 20
        TH. quas arraboni tibi dedit? SI. quid somnias?
        TH. egone? at quidem tu, qui istoc speras te modo
1015   potesse dissimulando infectum hoc reddere.
        SI. quid autem? TH. quod me apsente hic tecum filius
        negoti gessit. SI. mecum ut ille hic gesserit,   25
18-20   dum tu hinc abes, negoti? quidnam aut quo die?
        TH. minas tibi octoginta argenti debeo.
        SI. non mihi quidem hercle. uerum, si debes, cedo.
        fides seruanda est, ne ire infitias postules.
        TH. profecto non negabo debere, et dabo;   30
1025   tu caue quadraginta accepisse hinc te neges.
        SI. quaeso edepol huc me aspecta et responde mihi.
1026ᵃ   q * * * * * * * argenti minas
        fu * * * * * * * TH. ego dicam tibi.
        tantu * * * * * * * * * ebeat   35
        de te aedis. SI. i⟨tane? de me⟩ ille aedis emerit?
1026ᵉ   *   *   *   *   *
1027   SI. te uelle uxorem aiebat tuo nato dare,
        ideo aedificare hic uelle aiebat in tuis.
        TH. hic aedificare uolui? SI. sic dixit mihi.   40
1030   TH. ei mihi, disperii! uocis non habeo satis.
        uicine, perii, interii! SI. numquid Tranio
        turbauit? TH. immo éxturbauit omnia.

1010 quadraginta *Pylades*: triginta *cod.* (xxx *pro* xxxx; vii. 6)
quod *Guietus*: quas (qua *Pᶜᴰ*) *cod.*   1012 nimis *add. Fay* (iii. 1)
id *om. A ut uid.*: ⟨hercle⟩ id *Ritschl*   1014 te speras *P*   1016
tecum *om. P*   1025 hinc te *Lambinus*: hinc ne *P*: minas *A* (*om.*
neges; v. 1)   1026ᵃ *sqq. om. P* (*propter lacunam in* Pᴮᶜ *ut uid.*; *cf.*
vv. 1056-60)   1026ᵈ *suppl. Schoell, Studemund*   1026ᵉ *vix . . .*
⟨responde mihi⟩ (iii. 11)   1027-41 *deest A qui multo plus quam*
P *habuisse uidetur. Vide igitur ne pagina XXI uersuum in* Pᴬ *prae-*
termissa sit   1027 agebat *cod.* (*corr. B²*)   1028 hic *Camerarius*:
hoc *cod.* (*cf. ad* 1027-41)   1031 uicine *Acidalius*: uicini *cod.*
1032 Turbabit *cod.* (*corr. B²*)

deludificatust mé hodie indignis modis.

45   SI. quid tú ais? TH. haec res sic est ut narro tibi:

deludificatust me hodie in perpetuom modum.   1035

nunc te opsecro ut me bene iuues operamque des.

SI. quid uis? TH. i mecum, | opsecro, | una simul.

SI. fiat. TH. seruorumque operam et lora mihi cedo.

50   SI. sume. TH. eademque opera ⟨ego⟩ haec tibi narra-

uero,

quis med exemplis hodie eludificatus est.   1040

ACTVS V

TR. Quí homo timidus erit in rebus dubiis, nauci non erit;

atque equidem quid id esse dicam uerbum nauci nescio.

nám erus me postquam rus misit filium ut suom arcésserem,

abii illac per angiportum ad hortum nostrum clanculum,   1044-

5 ostium quod in angiporto est horti, patefeci fores,

eaque eduxi omnem legionem, ét maris et feminas.

postquam ex opsidione in tutum eduxi manuplaris meos,

capio consilium ut senatum congerronem conuocem.

quoniam conuocaui, atque illi me ex senatu segregant.   1050

10 ubi ego me uideo uenire in meo foro, quantum potest

facio idem quod plurumi alii, quibu' res timida aut turbidast:

pergunt turbare usque ut ne quid póssit conquiescere.

1033 te ludificatust me (et me *B*: mi *P*CD) h. *cod.*: *corr. Bothe*
vel med   *vix* hōdie   indigni dis *cod.* (*corr. B*²)   1034 agis *cod.* (*corr.*
*B*²)   1036 Nun *cod.* (*corr. B*²)   1037 ⟨hinc⟩ obs. ⟨ad te⟩ *Leo*
1039 operam *ut vid. cod.* (opera *D*)   ego *add.* (*post* eadem) *Camerarius*
1040 eemplis *ut vid. cod.* (*corr. B*²)   lud. *Ital.*   1041 dubiis n.
Priscianus 1, 204: dubii sis n. *cod.* (? *pro* dubiis n. is)   1042
accedit *A*   *versum male secludunt ut glossema quidam*: *tuentur*
Schoell, Leo   quod *cod. Festi* 166   1043 ut filium *codd.*: trai.
Bothe   1044, 1045 abilla per *P*   1048 ex] exii̯ *A*   opsidionem
P   1049 congeronum *B*² (*i. e.* -err-)   1050 senatus *P*   1051
uentrem *P*   1053 possit] sit *P* (*pro* pote sit?)

1054-5 nam scio equidem nullo pacto iam esse posse haec clam
senem.

non amicus alius quis   *   *   *   riuabo se   *
aut   *   *   *   *   *   *   *   *   *   15
pro   *   *   *   *   *   *   *   *   *
1059-60 ille qui   *   *   *   *   *   *   ero simul   *
praéoccupabo atque anteueniam et foedus feriam. me moror.
sed quid hoc ést quod fori' concrepuit proxuma uicinia?
eru' meus hicquidem est.   gustare ego eius sermonem uolo. 20
TH. ilico intra limen isti astate, ut, quom extemplo uocem,
1065 continuo exsiliatis.   manicas celeriter conectite.
ego illum ante aedis praestolabor ludificatorem meum,
quoius ego hodie ludificabo corium, si uiuo, probe.
TR. res palam est.   nunc te uidere meliust quid agas, Tranio. 25
TH. docte atque astu mihi captandumst cum illoc, ubi huc
aduenerit.
1070 non ego illi éxtemplo hamum ostendam, sensim mittam
lineam.
dissimulabo me horum quicquam scire. TR. o mortalem
malum!
alter hoc Athenis nemo doctior dici potest.
uerba illi non magi' dare hodie quisquam quam lapidi potest. 30
adgrediar hominem, appellabo. TH. nunc ego ille húc
ueniat uelim.
1075 TR. siquidem pol me quaeris, adsum praesens praesenti tibi.
TH. eugae! Tranio, quid agitur? TR. ueniunt ruri rustici.
Philolaches iam hic aderit. TH. edepol mihi oppórtune aduenis.

1054, 1055 haec *om. P*   1056–61 *om. P* (*propter lacunam in* PBC
ut uid.; *cf. vv.* 1026ᵃ-1026ᵉ)   1061 praeoccupato *cod.* : *corr. Stude-*
mund   1062-3 *vel iamb. octonarii*   1062 quid] qui *P* (*corr. B²*)
1063 sermone *P* (*corr. B²*)   1064 isti astate *Ussing* : istastate *A* :
astate illic *P* (? *pro* a. isti ; v. 4)   1065 manilas *P*   coniectite *A*
1066 praestabor *P* (*corr. B²*)   1067 cuiius *A*   hodie] hic *P*
1069 astu *Bothe* : astute *codd.*   1070 hamum] itamum *P*   1071
mortale *P*   1073 *vel* mage   dare *om. P*   *deficit A*   1077
aduenerit *Bentley* : aduenies *cod.* (*pro* -neis?)

35 nostrum ego hunc uicinum opinor esse hominem audacem
                                                    et malum.

Tr. quidum? Th. quia negat nouisse uos—Tr. negat?
                                        Th. nec uos sibi

nummum umquam argenti dedisse. Tr. abi, lúdis me, 1080
                                        credo hau negat.

Th. quid iam? Tr. scio, iocaris tu nunc ⟨istuc⟩. nam ille
                                        quidem hau negat.

Th. immo edepol negat profecto, neque se hasce aedis
                                                    Philolachi

40 uendidisse.   Tr.ého an negauit sibi datum argentum,
                                                    opsecro?

Th. quin ius iurandum pollicitust dare se, si uellem, mihi,

neque se hasce aedis uendidisse neque sibi argentum datum. 1085

        *   *   *   ⟨datum⟩ est.

Th. dixi ego istuc idem illi. Tr. quid ait? Th. seruos
                                        pollicitust dare

45 suos mihi omnis quaestioni. Tr. nugas! numquam edepol
                                                    dabit.

Th. dat profecto. Tr. quin †et illum in ius si ueniam†.
                                                    Th. mane.

experiar, ut opino. Tr. ⟨'opino'?⟩ certum est. mihi homi- 1090
                                                    nem cedo.

Th. quid si igitur ego accersam ⟨iam⟩ homines? Tr. fac- 1093
                                        tum iam esse oportuit.

uel hominem aedis iube mancupio poscere. Th. immo hóc 1091
                                                    primum uolo,

---

1078 huc *cod.* (*corr. B²*)   *vel* opino   1079 quia *Bothe*: qui *cod.*
uor *cod.* (*corr. B²*)   1080 umquam *B²*: quam *cod.* (iii. 3)   argentei
cod. (*antiqua forma*)   1081 tu nunc istuc *Schoell*: tu nunc tu *cod.*
(nunc tu *B²*)   1083 Tr.ého *B²*: reeho *cod.*   1084 qui *cod.*   se
si *Ital.*: sisi *cod.*   1085 *versum intercidisse vidit Acidalius* ; *qui exierit
in* datum est   1087 idem ego istuc *Niemoeller, usitato ordine*
1089 *fort.* quin ego, illum íntus si inueniam—   1090 opinor *cod.*
opino *add. Schoell* 1093 iam *add. Schoell*   esse iam *cod.*: trai. *Camerarius*   1091 iube aedis m. *cod.*: trai. *Mueller*: iube m. aedis
Bothe   mancipare *Ussing*   hoc *om.* P^CD

1092 quaestioni accipere seruos. TR. faciundum edepol censeo. 50
1094 ego interim hanc aram occupabo. TH. quid ita ? TR.

nullam rem sapis.

1095 né enim illi huc confugere possint quaestioni quos dabit.

hic ego tibi praesidebo, ne interbitat quaestio.

TH. surge. TR. minime. TH. ne occupassis, opsecro, aram.

TR. qur ? TH. scies.

quia enim id maxume uolo, ut illi ístoc confugiant. sine : 55

tanto apud iudicem hunc argenti condemnabo facilius.

1100 TR. quod agas, id agas. quid tu porro serere uis negotium ?

nescis quam metuculosa res sit ire ad iudicem ?

TH. surgedum huc igitur. consulere quiddam est quod

tecum uolo.

TR. sic tamen hinc consilium dedero. nimio plus sapio 60

sedens.

tum consilia firmiora sunt de diuinis locis.

1105 TH. surge, ne nugare. aspicedum contra me. TR. aspexi.

TH. uides ?

TR. uideo. huc si quis intercedat tertius, pereat fame.

TH. quidum ? TR. quia nil ⟨illi⟩ quaesti sit. mali hercle

ambo sumus.

TH. perii ! TR. quid tibi est ? TH. dedisti uerba   TR. 65

qui tandem ? TH. probe

med emunxti. TR. uide sis, satine recte : num mucci

fluont ?

1110 TH. immo etiam cerebrum quoque omne é capite emunxti

meo.

nam omnia male facta uostra repperi radicitus,

1095 huc *Saracenus* : hic *cod.*   1097 neoc tu passis *cod.* (*corr. B²*)
aram *Pylades* : arma *cod.* (ii. 7)   1099 hinc *cod.* (*corr. B²*)   1100
uis serere *cod.* : *trai. Bothe* (*cf. ad Asin.* 250, *Curc.* 438)   1101 re
cod. (*corr. B²*)   1102 huc est cons. ig. qu. *cod.* : *corr. Langen ex
schol. Aen.* 11, 343   *vel* quiddamst   1103 sic *Pius* : si *cod.*   1104
tunc *PCD*   1106 intercedas *cod.* (*corr. B²*)   1107 illi *add. Leo* :
vix nihil quaesiti   sit ⟨ei, ita⟩ *Ritschl*   1108 probi *cod.*   1109
emunxit *cod.* (-xisti *B²*)   1110 omnem *cod.* (*corr. B²*)   munxti *cod.*

non radicitus quidem hercle uerum etiam exradicitus.
70 TR. numquam edepol hodie †inuitus destinant† tibi.
TH. iam iubebo ignem et sarmenta, carnufex, circumdari.
TR. ne faxis, nam elixus esse quam assus soleo suauior.   1115
TH. exempla edepol faciam ego in te.   TR. quia placeo,
                                        exemplum expetis ?
TH. loquere : quoiusmodi reliqui, quom hinc abibam, filium ?
75 TR. cum pedibus, manibus, cum digitis, auribus, oculis,
                                        labris.
TH. aliud te rogo.   TR. aliud ergo nunc tibi respondeo.
sed eccum tui gnati sodalem uideo | huc incedere   1120
Callidamatem : illo praesente mecum agito, si quid uoles.

ii   CALLIDAMATES   THEOPROPIDES
                    TRANIO

CA. Vbi somno sepeliui omnem atque óbdormiui crapulam,
Philolaches uenisse ⟨dixit⟩ mihi suom peregre huc patrem
quoque modo hominem ad⟨uenientem⟩ seruos ludificatu' sit,
ait se metuere in conspe⟨ctum sui patris pr⟩ocedere.   1125
5 nunc ego de sodalitate solus sum orator datus
qui a patre eiius conciliarem pacem. átque eccum optume !
iubeo te saluere et saluos quom aduenis, Theopropides,
peregre gaudeo. hic apud nos hodie cenes, sic face.
TH. Callidamate⟨s⟩, di te ament. de cena facio gratiam.   1130
10 CA. quin uenis ? TR. promitte : ego ibo pro te, si tibi non
                                        lubet.

1113 inditus B² desistam Leo   1114 i. i. et sarmenta Pylades :
lubeo (?) (lubo vel lube PCD) i. et sarmen cod. (sarnem PCD) : iubeo i.
et sarmen ⟨arae⟩ Seyffert   1115 faxis [sis] cod. (corr. B²)   solio
cod. (corr. B²)   1118 Quom P ut vid.   1119 ego B   1120
gnatis cod. (corr. B²)   vix uideon   huic cod. : huc ⟨nunc⟩ Redslob
1121 agite cod. (corr. B²)   1122 somno Ritschl : omnium cod. :
somnum Ital.   fort. abdormiui   1123-5 lacuna in Pᴬ (cf. vv.
1144-6)   1123 ⟨dixit⟩ Pylades, Bothe   1124 hom.] dominum
Bugge   adu. supplevit Aldus   ludificatum cod.   1125 consp.—
proc. suppl. Ritschl   1127 optimi cod. (corr. B²)   1128 et del.
(?) Leo   aduenisset heuropides cod. : corr. Ital.   1129 face Scioppius : tale cod.

TH. uerbero, etiam inrides ?   TR. quian me pro te ire ad
                                 cenam autumo ?

TH. non enim ibis.   ego ferare faxo, ut meruisti, in crucem.

CA. age mitte istaec.   tu ad me ad cenam—TR. dic uentu-
                                 rum.   quid taces?

1135 CA. sed tu istuc quid confugisti in aram ?   TR. ínscitissumus
    adueniens perterruit me.   loquere nunc quid fecerim :   15
    nunc utrisque disceptator eccum adest, age disputa.

TH. filium corrupisse aio te meum.   TR. ausculta modo.
    fateor peccauisse, amicam liberasse apsente te,

1140 faenori argentum sumpsisse ; id esse apsumptum praedico.
    numquid aliud fecit nisi quod [faciunt] summis gnati gene- 20
                                   ribus ?

TH. hercle mihi tecum cauendum est, nimi' qui's orator
                                   catus.

CA. sine me dum istuc iudicare.   surge, ego isti adsedero.

TH. maxume, accipe hanc ⟨tute⟩ ad te litem.   TR. enim
                                istic captio est.

1145 fac ego ne metuam ⟨mihi atque⟩ ut tu meam timeas uicem.

TH. iam minoris   *   *   ⟨fa⟩cio praequam quibu' modis 25
    me ludificatust.   TR. bene hercle factum, et factum gaudeo :
    sapere istac aetate oportet qui sunt capite candido.

TH. quid ego nunc faciam ?   TR. si amicus Diphilo aut
                                 Philemoni es,

1150 dicito is quo pacto tuo' te seruos ludificauerit :
    optumas frustrationes dederis in comoediis.   30

1132 inridens *cod.* (*corr. B*[2])   ire *om.* B   1134 ista acto *cod.* :
correxi, nam ista *vix Plautinum*   *vel* TR. quid   1135 *vel* insci-
tissumu's   1136 *vel* TR. adu.   eloquere *Langen*   1139
potauisse *Acidalius*   te *om. cod.* (*add. B*[2])   1141 feci *cod.* (*corr. B*[2])
faciunt *del. Guietus*   sum̄ *ut vid. cod.* (*i. e.* summis)   1142 hercle
Pius : erile *cod.*   1144-6 *lacuna in P*[A] (*cf. vv.* 1123–5)   1144
accipte (-pite *P*[CD]) *cod.* (-to *B*[2])   tute *suppl. Ritschl* : modo *Ussing*
1145 mihi atque *suppl. Ritschl*   1146 omnia alia facio *suppl. Came-*
rarius, Ritschl   1148 qui sunt *Camerarius* : quis *cod.* (*pro* qui s̄,
i. e. qui sunt) : qui sis *Schoell*   1149 dephilo (? *pro* dei-) aut philo-
montes *cod.* : *corr. Leo*   1150 pacto *Ital.* : capto *cod.*   1151
commodiis *cod.*

Ca. tace parumper, sine uicissim me loqui, ausculta. Th.
                                                      licet.

Ca. omnium primum sodalem me esse scis gnato tuo.
is adi[i]t me, nam illum prodire pudet in conspectum tuom   1154-5
propterea quia fecit quae te scire scit.   nunc te opsecro,
35 stultitiae adulescentiaeque éiius ignoscas : tuost ;
scis solere illanc aetatem tali ludo ludere.
quidquid fecit, nobiscum una fecit : nos deliquimus.
faénus, sórtem sumptumque omnem, quí amíca ⟨empta⟩ est, 1160
                                                        omnia
nos dabimus, nos conferemus, nostro sumptu, non tuo.
40 Th. non potuit uenire orator magis ad me impetrabilis
quam tu ; neque sum illic iratus neque quicquam suscenseo.
immo me praesente amato, bibito, facito quod lubet :
si hoc pudet, fecisse sumptum, supplicí habeo satis.   1165
Ca. dispudet.   Tr. ⟨post⟩ istam ueniam quid me fiet nun-
                                                     ciam ?
45 Th. uerberibus, lutúm, caedere pendens.   Tr. tamen etsi
                                                     pudet ?
Th. interimam hercle ego ⟨te⟩ si uiuo.   Ca. fac istam
                                               cunctam gratiam :
Tranio remitte quaeso hanc noxiam caussa mea.
Th. aliud quiduis impetrari a me facilius perferam   1170
quam ut non ego ístum pro suís fáctis pessumis pessum pre-
                                                          mam.
50 Ca. mitte quaeso istum.   *   Th. uiden ut restat furcifer ?

1152 paruomper *cod.* (*antiqua forma?*)   me uicissim *cod.*: *trai.*
Acidalius   lucet *cod.* (*corr. B²*)   1154, 1155 eum *Bothe* (*cf. ad*
Epid. 135)   *fort.* pu. pr. (*usitato ordine*)   1156 fecit *Merula* : facit
cod.   1159 una nobiscum *cod.* : *trai. Camerarius*   nos *Came-*
rarius : non *cod.*   delinquimus *cod.*   1160 empta *add. Ritschl*   1163
illi sum *cod.*: *traieci*   1165 supplici⟨id⟩*Luchs*   1166 post *add. Mueller*
1167 c. lutum *cod.* : *trai. Guietus* : c. multum *Ussing*   tam inest si *cod.*
(tametsi *B²*)   1168 te *add. Guietus*   si uiuo *B²* : suibo *cod.*   1169
Tranioni *cod.*   amitte *Ussing* (*cf.* 1172)   1170 perf. a me fac. *Bothe*
1172 mitte que sis tume *cod.* (? *pro* istum.   E., *i. e. Theopropidis nota*) :
corr. Ritschl (quaeso *iam Ital.*)   *fort.* Th. ⟨men istum ?⟩(*Class. Rev.* 10,
333), *vel* istum, ⟨Theopropides.⟩ (iii. 2)   astat *Ritschl* (*cf.* 1169)

Ca. Tranio, quiesce, si sapi'.   Th. tu quiesce hanc rem modo
petere : ego illum, ut sit quietus, uerberibus subegero.
1175 Tr. nihil opust profecto.   Ca. áge iam, sine ted exorarier.
Th. nolo ores.   Ca. quaeso hercle.   Th. nolo, inquam,
                                    ores.   Ca. nequiquam neuis.
hanc modo unam noxiam, unam—quaeso, fac caussa mea.   55
Tr. quid grauaris ? quasi non cras iam commeream aliam
                                                    noxiam :
ibi utrúmque, et hoc et illud, poteris ulcisci probe.
1180 Ca. sine te exorem.   Th. age abi, abi inpune.   em huíc
                                    habeto gratiam.

spectatores, fabula haec est acta, uos plausum date.

1173 quiesce si sapis *Camerarius* : qui esse sapis *cod.*   1174
uerberibus ut sit quietus *cod.* : *trai. Acidalius*   1175 profecto ⟨orato⟩
Mueller (*Rhein. Mus.* 54, 403)   1177 unam *pr. del. Loman*
⟨missam⟩ fac *Ritschl*   1178 gras *cod.* (*corr. B²*)   1179 ⟨tu⟩
utr. *Ritschl*   1180 age abe (*corr. B²*) abi *cod.* (? *pro* a. abei, abei)

PERSA

ARGVMENTVM

Profecto domino suos amores Toxilus
Emit atque curat leno ut emittat manu ;
Raptamque vi emeret de praedone virginem
Subornata suadet sui parasiti filia,
5   **A**tque ita intricatum ludit potans Dordalum.

```
*     tur ⟨se⟩rvu   *
*      *      *      *
*      *      *      *
*      *      ⊢      *
*    fingunt  *      *                          5
*  ant ⟨v⟩erec *      *
*      *      *       *
*    ta  *    rsi    *
*   de ⟨vi⟩rgi *      *
*   cam ven  *       *                          10
*  ⟨pr⟩etio ⟨p⟩arv  *
*      *      *      *
*    a re⟨ci⟩pit e   *
*     tue ⟨l⟩eno     *
```

Hoc argumentum om. P, mediam versuum partem et 4, 6 exitus servavit
A   post v. 14 nihil scriptum fuit   1 ⟨erus dum peregrina⟩tur,
⟨se⟩ruu⟨s Toxilus⟩ Schoell   8 ⟨adla⟩ta ⟨e Pe⟩rsia Schoell   10
⟨pudi⟩cam uen⟨dit⟩ Leo   13 ⟨cum praed⟩a re⟨ci⟩pit Schoell   14
⟨perpe⟩tue leno ⟨luditur⟩ Leo

PERSONAE

Toxilvs Servvs
Sagaristio Servvs
Satvrio Parasitvs
Sophoclidisca Ancilla
Lemniselenis Meretrix
Paegnivm Pver
Virgo
Dordalvs Leno

Scaena ATHENIS

Sag.] Sagariscio *in v.* 459 *et* IV. ii. tit. *B, quod tuetur K. Schmidt*
(*Herm.* 37, 205)

ACTVS I

To. Qui amans egens ingressus est princeps in Amoris
uias
superauit aerumnis   suis aerumnas Hercul⟨e⟩i.
nam cum leone, cum excetra, cum ceruo, cúm apro Aetolico,
cum auibus Stymphalicis, cum Antaeo deluctari mauelim
5 quam cúm Amore : ita fio miser quaerendo argento mutuo 5
nec quicquam nisi 'non est' sciunt mihi respondere quos
rogo.
Sag. qui ero suo seruire uolt bene seruos seruitutem,
ne illum edepol multa in pectore suo conlocare oportet
quae ero placere censeat praesenti atque apsenti suo.
10 ego neque lubenter seruio neque sati' sum ero ex sententia, 10
sed quasi lippo oculo me eru' meus manum apstinere hau
quit tamen
quin mi imperet, quin me suis negotiis praefulciat.
To. quis illic est qui contra me astat ? Sag. quis hic est
qui sic contra me astat ?
To. similis est Sagaristionis. Sag. Toxilus hicquidem
meus amicust.
15 To. is est profecto. Sag. eum esse opinor. To. con- 15
grediar. Sag. contra adgredibor.

---

1 es *P*   uiam *codd. scholiastae in Verg. Buc.* 10, 69 (*A n. l.*)   2
suis] in suis *codd. schol. Verg.*   3 [et] cum
e. *P*   4 me del. malueram (*pro* -im ?) *schol. Verg., unde fit vers.*
anapaesticus   8 edepol illum *P*   9 q(uae)ro *A*   10
serui *A*   12 Quid *P*   13, 14 *inverso ordine A* (*v.* 13 *propter*
homoeoarch. praetermissus erat; ii. 6)   13 qui sic *Schoell* : qui
si *A* : qui *P* (*unde* quis illic est qui *Bach*)   14 sagaristioni *A, vix*
Plautinum   15 *vel* opino   c. adgredior *P* (*vix pro* contran
adgredior ?)

To. o Sagaristio, di ament te.   SAG. o Toxile, dabunt di
                                              quae exoptes.
            ut uales?
    To. ut queo.   SAG. quid agitur?   17ᵃ
            To. uiuitur.   17ᵇ
20   SAG. satin ergo ex sententia?   To. si eueniunt quae
                                              exopto, satis.
    SAG. nimi' stulte amicis utere.   To. quid iam?   SAG. im-
                                              perare oportet.
    To. mihi quidem tu iam eras mortuos, quia non te uisitabam. 20
    SAG. negotium edepol—To. ferreum fortasse?   SAG. plus-
                                              culum annum
    fui praéferratus apud molas tribunus uapularis.
25 To. uetu' iam istaec militiast tua.   SAG. satin tu usque ualuis-
                                              -ti?   To. hau probe.
    SAG. ergo edepol palles.   To. saucius factus sum in Veneris
                                              proelio :
    sagitta Cupido cor meum transfixit.   SAG. iam serui hic 25
                                              amant?
        To. quid ego faciam?   disne aduorser?   quasi Titani
                                              cum is belligerem
            quibu' sat esse non queam?
30   SAG. uide modo ulmeae catapultae tuom ne transfigant
                                              latus.
            To. basilice agito eleutheria.
                SAG. quid iam?   To. quia erus peregri est. 29ᵃ
                                              SAG. ain tu,
                peregri est?   To. si tut' tibi bene esse
                pote pati, ueni : uíues mecum,   30ᵃ
35   basilico accipiere uictu.

    16 o *alt. om. A*   op(te)s *A*   19 imperare] [quia iam] im-
perare *P* (iv. 5)   20 uisitaui *P*   21 negoti *A*   24 sum factus *A*
26 ergo *P*   aduorse *P* (? *pro* -sem)   is] dis *P*   28 ut meae *P*
30–167 *deficit A*   30 si tute *scripsi* : sicut et *B* : sit ut *P*ᶜᴰ : si tu
Camerarius

Sag. uah! iam scapulae pruriunt, quia te istaec audiui loqui.

    To. sed hoc me únum excruciat. Sag. quidnam id est?

    To. haec dies summa hodie | est, mea amica sitne libera

34ª an sempiternam seruitutem seruiat.

34ᵇ   Sag. quid nunc uis ergo et ego ⟨uolo⟩.   40

35   To. emere amicum tibi me potis es sempiternum. Sag.

                          quém ad modum?

To. ut mihi des nummos sescentos quos pro capite illius

                          pendam,

quos continuo tibi reponam in hoc tríduo aut quadriduo.

    age fi benignus, subueni.

Sag. qua confidentia rogare tu a med argenti tantum audes, 45

40   inpudens? quin si egomet totus ueneam, uix recipi potis est

    quod tu me rogas ; nam tú aquam a pumici nunc postulas,

qui ipsus siti aret. To. sicine hoc té mi facere? Sag. quid

                     faciam? To. rogas?

alicunde exora mutuom. Sag. tu fac idem quod rogas me.

To. quaesiui, nusquam repperi. Sag. quaeram equidem, ;o

                     si quis credat.

45 To. nempe habeo in mundo. Sag. si id domi esset mihi,

                     iam pollicerer :

hoc meumst ut faciam sedulo. To. quidquid erit, recipe te

                     ad me.

quaere tamen, ego item sedulo. Sag. si quid erit, * iam ut

                     scias

* To. opsecro te—Sag. resecroque. To. operam da hanc mihi

---

33 me unum] meum am B (*pro* meum animum?)   excrucia *cod.*
34 dis *corr.* dies *cod. ut uid.* (disees T, de Pᴮᶜ) (v. 3)   *fort.* summast h.   *vix* hōdie   34ᵇ *nihil post* ergo Pᴮᶜ : et ego (*hic repo-
nend.* ?) T   uolo *addidi*   38 fi] sed Pᶜᴰ (? *pro* sei benignu's), T *n. l.*
39 confitentia *cod.* : *vix* fidentia, *ut versus troch. fiat*   argentum Pᴮᶜ
40 ueniam *cod.*   41 [ma]nam B   42 sitiat *Ital.* : sitiare *cod.*
sicin te mi hoc *Mueller*   rogan B¹   44 quaeram — 46 sedulo
Sagaristioni dat (?) *Leo*   45 habes *Pius*   mi esset *Seyffert*   iam
Ital. : am *cod.*   47 ⟨te fac⟩iam *Abraham*   *fort.* iam ut scias ⟨tu
Mecum, dabo operam⟩   48 resecro (*om.* que) Pᴮᶜ   *vel* mi

55   fidelem. SAG. ah ! odio me enicas.   48ª
      To. amoris uitio, non meo, nunc tibi morologus fio.
      SAG. at pol ego aps te concessero.—To. iamne abis ? bene 50
                                      ambulato.
      sed recipe[te] quam primum potes,caue fuas miinquaestione.
      usque ero domi dum excoxero lenoni malam rem áliquam.

ii   S A T V R I O

      Veterem atque antiquom quaestum maiorum meum
      seruo atque optineo et magna cum cura colo.
      nam numquam quisquam meorum maiorum fuit   55
      quin parasitando pauerint uentris suos :
 5 pater, auos, proauos, abauos, atauos, tritauos
      quasi mures semper edere alienum cibum,
      neque edacitate eos quísquam poterat uincere,
      neque is cognomentum erat duris Capitonibus.   60
      unde égo hunc quaéstum optineo et maiorum locum.
10 neque quadrupulari me uolo, neque enim decet
      sine méo periclo ire aliena ereptum bona
      neque illí qui faciunt mihi placent.   planen loquor ?
      nam puplicae rei caussa quiquomque id facit   65
      magi' quam sui quaesti, animus induci potest
15 eum esse ciuem ét fidelem ét bonum.
      si legerupam qui damnet, det in publicum
      dimidium ; átque etiam in ea lege adscribier :
      ubi quádrupulator quempiam iniexit manum,   70
      tantidem ille illi rusus iniciat manum,
20 ut aequa parti prodeant ad trisuiros :
      si id fiat, né isti faxim nusquam appareant

     51 te *del. Bothe rhythmi causa* (i. 9)   60 atque *Leo fort. recte* : *del. Sixius*   *vel* cognomen tum *cod.*   Duricap. *Sixius*   61 optineo quaestum *Schoell*   62 *vel* quadruplari (*ita cod.*)   66 *vel* mage 67 nec—nec *Mueller* (*Rhein. Mus.* 54, 527)   68 [sed] si (? *pro* sei) *cod.* : sed *delevi* (iv. 3) : sed * * * | Si (*versu amisso*) *Brix*   69 etiam ⟨hoc⟩ in *Schoell*   70 *vel* quadruplator (*ita cod.*)   quoipiam *Acidalius* iniexit *Camerarius* : inlexi *cod.*   71 illi] illum *Bothe*   73 faxim nusquam *Pylades* : faximus quam *cod.*

qui | hic albo rete aliena oppugnant bona.
75 sed sumne ego stultus qui rem curo publicam
ubi sint magistratus quos curare oporteat?
nunc huc intro ibo, uisam hesternas reliquias,   25
quieríntne recte necne, num †infuerit† febris,
opertaen fuerint, ne quis obreptauerit.
80 sed aperiuntur aedes, remorandust gradus.

Toxilvs   Satvrio   iii

To. Omnem rem inueni, ut sua sibi pecunia
hodie illam faciat leno libertam suam.
sed eccúm parasitum quoius mihi auxiliost opus.
simulabo quasi non uideam : ita adliciam uirum.
85 curate istic uos atque adproperate ocius,   5
ne mihi morae sit quicquam ubi ego intro aduenero.
commisce mulsum, struthea coluteaque appara,
bene ut in scutris concaleat, et calamum inice.
iam pol ille hic aderit, credo, congerro meus.
90 Sat. me dicit, eugae ! To. lautum credo e balineis   10
iam hic adfuturum. Sat. ut ordine omnem rem tenet !
To. collyrae facite ut madeant et colyphia,
ne míhi incócta detis. Sat. rem loquitur meram.
nihili sunt crudae nisi quas madidas gluttias ;
95 tum nisi cremore crassost ius collyricum   15
nihilist macrum illud epicrocum pellucidum :
quasi †iuream† esse ius decet collyricum.
nolo in uesicam quod eat, in uentrem uolo.

<hr>

78 quieuenerint (-rit *T*) ne *cod.*   afuerit *Haupt* : *fort.* is fuerit
79 opertaen *Pylades* : oporte ne *cod.*   84 alliciam *Camerarius* :
allictam *cod.*   85 ocius *ut uid. cod.* (ac ius (?) *T*, oculus *P*BC)   87
colutheaque *Ital.* : colutheaquam *cod. ut uid.* (coluthequam *P*BC)   *me-*
trum suspectum   88 concaleant *Scaliger*   iniice *Ital.* : nice *cod.*
91 ut [in] o. *cod.* (*corr. P*CD)   rea *ut uid. cod.* (A *pro* M) (*corr. P*CD)
93 incocta ne mihi *Bothe*   loquitur meram *Camerarius* : loquitum
eram *cod.*   94 nihili *Pius* : nihil *cod*   96 nihilist *Scaliger* :
nihil est *cod.*   97 *uel* uiream

To. prope me hic nescioquis loquitur.   Sat. o mi Iuppiter
20 terrestris, coepulonus compellat tuos.   100

To. o Saturio, opportune aduenisti mihi.

Sat. mendacium edepol dicis atque hau te decet :
nam essurio uenio, non aduenio saturio.

To. at edes, nam iam intus uentris fumant focula.

25 calefieri iussi reliquias.   Sat. pernam quidem   105
ius est adponi frigidam postridie.

To. ita fieri iussi.   Sat. ecquid hallécis?   To. uah, rogas?

Sat. sapi' multum ad genium.   To. sed ecquid meministin
                                                                here

qua de re ego tecum mentionem feceram?

30 Sat. memini: ut murena et conger ne calefierent;   110
nam nimio melius oppectuntur frigida.

sed quid cessamus proelium committere?

dum mane est, omnis esse mortalis decet.

To. nimi' paene manest.   Sat. mane quod tu occeperis
35 negotium agere, id totum procedit diem.   115

To. quaeso animum aduorte hoc.   iám heri narraui tibi
tecumque oraui ut nummos sescentos mihi
dares utendos mutuos.   Sat. memini et scio
et te me orare et mihi non esse quod darem.

40 nihili parasitus est qui Argentumdonidest :   120
lubido extemplo coeperest conuiuium,
tuburcinari de suo, si quid domist.

cynicum esse egentem oportet parasitum probe :
ampullam, strigilem, scaphium, soccos, pallium,

45 marsuppium habeat, inibi paullum praesidi   125
qui familiarem suam uitam oblectet modo.

---

100 [te] c. *P*BC   104 ad aedes *codd. Nonii* 10 : atedis *cod.*   uentris *codd. Nonii* : ueneris *cod.*   106 iusses *Bugge* : satiust *Schoell*
107 écquid *suspectum*   108 sed ⟨tu⟩ *Schoell*   meministi *cod.*
110 ne *codd. Prisciani* 1, 224 : nec *cod.*   116 [enim] iam *P*CD narraut
(-auit *P*CD) *cod.*   120 q. argentum domidest *cod.* : -dast *Schoell* : quist
Argentumdonides *Fleckeisen* (*cf. ad Merc.* 330), *nam* -dest *pro* -des est
suspectum : cui a. domi est *Pylades*   123 egentem *Ital.* : gentem *cod.*

To. iam nolo argentum : filiam utendam tuam
mihi da.   Sat. numquam edepol quoiquam etiam utendam
dedi.

To. non ad istuc quod tu insimulas.   Sat. quid eam uis ?
To. scies.

130 quia forma lepida et liberali est.   Sat. res itast.   50
To. hic leno neque te nouit neque gnatam tuam.
Sat. me ut quisquam norit nisi ille qui praebet cibum ?
To. ita est.   hoc tu mi reperire argentum potes.
Sat. cupio hercle.   To. tum tu me sine illam uendere.

135 Sat. tun illam uendas ?   To. immo alium adlegauero   55
qui uendat, qui esse se peregrinum praedicet.
sicut istic leno non sex menses Megaribus
huc est quom commigrauit.   Sat. pereunt reliquiae.
posterius istuc tamen potest.   To. scin quam potest ?

140 numquam hercle hodie | hic prius edis, ne frustra sis,   60
quam te hoc facturum quod rogo adfirmas mihi ;
atque nisi gnatam tecum huc iam quantum potest
adducis, exigam hercle ego te ex hac decuria.
quid nunc ? quid est ? quin dicis quid facturu' sis ?

145 Sat. quaeso hercle me quoque etiam uende, si lubet,   65
dum saturum uendas.   To. hoc, si facturu's, face.
Sat. faciam equidem quae uis.   To. bene facis.   propera,
abi domum ;

praemostra docte, praecipe astu filiae,
quid fabuletur : ubi se natam praedicet,

150 qui sibi parentes fuerint, und' surrupta sit.   70
sed longe ab Athenis esse se gnatam autumet ;

128 utendam] uendaa *cod.* (A *pro* M)   129 instimulas *cod.*
eam uis *Ital.* : eamus *cod.*   137 non *Weise* : nondum *cod.* : haudum
Ritschl   140 ⟨ut⟩ num. *Lange (Jahrb. Class. Phil.* 1893, p. 193) :
fort. non (n̄) umquam   *vix* hercule   hic hodie *Spengel*   edis *Ital.* :
sedis *cod.* : edes *Bothe*   142 quantua *cod.* (A *pro* M)   144
quid est ? *Saturioni dat Seyffert*   145 uendes (uendas *P*^CD) elubet
cod. : *corr. Pylades, Schoell* (? sei)

et ut adfleat quom ea memoret. Sat. etiam tu taces?
ter tanto peior ipsa est quam illam tu esse uis.
To. lepide hercle dicis.   sed scin quid facias? cape
75 tunicam atque zonam, et chlamydem adferto et causeam   155
quam ille habeat qui hanc lenoni huic uendat—Sat. eu,
                                                 probe!
To. quasi sit peregrinus. Sat. laudo.   To. et tu gnatam
                                                  tuam
ornatam adduce lepide in peregrinum modum.
Sat. πόθεν ornamenta?   To. áps chorago sumito;
80 dare debet: praebenda aediles locauerunt.   160
Sat. iam faxo hic aderunt.   sed ego nihil horunc scio.
To. nihil hercle uero.   nam ubi ego argentum accepero,
continuo tu illam a lenone adserito manu.
Sat. sibi habeat, si non extemplo ab eo abduxero.—
85 To. abi et istuc cura.   interibi ego puerum uolo   165
mittere ad amicam meam, ut habeat animum bonum,
med esse ecfecturum hodie.   nimi' longum loquor.—

ACTVS II

II. i   Sophoclidisca   Lemniselenis

So. Sati' fuit indoctae, inmemorí, insipienti dicere totiens.
nimi' tandem me quidem pro barda et pro rustica reor habi-
                                                 tam esse aps te.
quamquam ego uinum bibo, at mandatá non consueui simul 170
                                                 bibere una.
me quidem iam sati' tibi spectatam censebam esse et meos
                                                 mores.

154 qui *cod*.   157 gnatam tuam *Camerarius* : tuam gnatam [tamen]
cod.   165 cura interibi ego *Acidalius* : curam me tibi ego *cod*.
167 me (*ita cod*.) e. e. ⟨hoc⟩ hodie *Guietus*   168 *accedit A*   indotae *P*
171 tibi] bi *P*   censueram *P*

nam equidem te iam sector quintum hunc annum, quom 5
interea, credo,
oui' si in ludum iret, potuisset iam fieri ut probe litteras
sciret,
quom interim tu meum ingenium fans atque infans nondum
etiam edidicisti.
175   potin ut taceas? potin ne moneas?
              memini et scio et calleo et commemini.
              amas pol misera: id tuo' scatet animus.   10
              ego istuc placidum tibi ut sit faciam.
              miser est qui amat.   certo is quidem nihilist
180   qui nihil amat: quid ei homini opu' uita est?
ire decet me, ut erae opsequens fiam, libera ea opera ocius
ut sit.
conueniam hunc Toxilum: eius auris, quae mandata sunt, 15
onerabo.

TOXILVS   PAEGNIVM   SOPHOCLIDISCA   ii

To. Satin haec tibi sunt plana et certa? satin haec meministi et tenes?
PA. melius quam tu qui docuisti.   To. ain uero, uerbereum
caput?
185 PA. aio enim uero.   To. quid ergo dixi?   PA. ego recte
apud illam dixero.
To. non edepol scis.   PA. dá hercle pignus, ni omnia
memini et scio,
et quidem sí scis tute quot hodie habeas digitos in manu.   5

172 iam te A   interea] interim (T ut vid.) vel interiam (PBC) P
173 ouis Bergk: quiṣ A, fort. recte (sed cf. ad Truc. 655, Merc. 524):
cuis (cuius TPCD) P   potuisse A   174 fans non edidicisti atque
infans P   178 placidum] pelagus A   179 miser—amat
Lemniselenidi dant Ital.   nihil est P   180 nihili A   ei] et A
181 liberam ea P (? i.e. libera mea)   182 aureis A   sunt mandata Ritschl, ut versus anapaesticus fiat   183 planae (-ne PCD) P
hac A   184 tu om. P   187 Equidem P   tute (i. e. tut') quod
(i. e. quot) habeas hodie P

To. egondempignustecum? Pa. audacter, si lubidost perdere.
To. bona pax sit potius. Pa. tum tu igitur sine me ire.
    To. et iubeo et sino ;
  sed ita uolo te : curre[re] ut domi sis, quom ego te esse 190
                                    illi censeam.
Pa. faciam. To. quó ergo is nunc ? Pa. domum : uti domi
                              sim, quom illi censeas.
10 To. scelu' tu pueri es atque ob istánc rem ego aliqui te
                                    peculiabo.
Pa. scio fide hercle erili ut soleat inpudicitia opprobrari
nec subigi queantur umquam ut pro ea fide habeant iudicem.
To. abi modo. Pa. ego laudabis faxo. To. sed has tabel- 195
                              las, Paegnium,
ipsi Lemniseleni fac des et quae iussi nuntiato.
15   So. cesso ire ego quo missa sum.
Pa. eo ego. To. i sane. ego domum ibo. face rem hanc
                              cum cura geras.
uola curriculo.—Pa. istuc marinus passer per circum solet.

illic hinc abiit intro huc. sed quis haec est quae me aduor- 200
                              sum incedit ?
So. Paegnium hicquidem est. Pa. Sophoclidisca haéc pe-
                              culiarest eiius
20 quo ego sum missus. So. nullus esse hodie hoc puero peior
                              perhibetur.
Pa. compellabo. So. commorandust. Pa. ⟨standumst⟩
                              apud hanc obicem.

188 lubidos est *P*   190 uolo] urolo *A*   curre *scripsi* : curare
P : currere *A* (*cf. Stich.* 285 currere *pro* curre *P*)   191 *duobus*
versiculis Faciam, *et* Domi *A*   192 aliqui *Dousa* : aliquiț *A* : aliquid *P*
193 hercole *ut vid. A*   194 Ne *A*   195–247 *deest A*   195 ergo
cod.   200 i. abiit (*i. e.* abit?) h. *cod.* : *trai. Ritschl* (*secundum morem*
Plautinum)   mi *Pradel de praep.* p. 485   203 *vel* commorandumst
(*sed* c. '*manendum est*' *vix Plautinum*)   standumst *add. Leo*   hana *B*
obicem (obiecem) *Valla* : obieci *cod.* (*pro* obiecim ?)   ob. ⟨gradus⟩
Schoell : obiēci ⟨moram⟩ *Pradel de praep.* p. 491   *fort.* compellabo. Pa.
commorandumst — ⟨So. Paegnium !⟩   Pa. me apud h. obicem (iii. 2)

So. Paegnium, deliciae pueri, salue.   quid agis? ut uales?

205 Pa. Sophoclidisca, di—me amabunt.   So. quid me?   Pa.

utrum hercle illis lubet;

sed si ut digna's faciant, odio hercle habeant et faciant male.

So. mitte male loqui.   Pa. quom ut digna's dico, bene, non 25

male loquor.

So. quid agis?   Pa. feminam scelestam te astans contra

contuor.

So. certe equidem puerum peiorem quam te noui neminem.

210 Pa. quid male facio aut quoi male dico?   So. quoi pol

quomque occasio est.

Pa. nemo homo umquam ita arbitratust.   So. at pol multi

esse ita sciunt.

Pa. heia!   So. beia!   Pa. tuo ex ingenio mores alienos 30

probas.

So. fateor e[r]go profecto me esse ut decet lenonis familiae.

Pa. sati' iam dictum habeo.   So. sed quid tu? confitere ut

te autumo?

215 Pa. fatear, si ita sim.   So. iam abi, uicisti.   Pa. abi nun-

ciam ergo.   So. hoc mi expedi,

quó agis?   Pa. quo tu?   So. dic tu.   ⟨Pa. dic tu.   So.⟩

prior rogaui.   Pa. at post scies.

So. eo ego hinc hau longe.   Pa. et quidem ego ⟨eo⟩ hau 35

longe.   So. quó ergo ⟨tu is⟩, scelus?

Pa. nisi scieró prius ex te, tu ex me numquam hoc quod

rogitas scies.

So. numquam ecastor hodie scibis priu' quam ex ted audi-

uero.

220 Pa. itane est?   So. itane est.   Pa. mala's.   So. scelestu's.

Pa. decet me.   So. me quidem hau decet.

205 iubet *cod.*   210 mali f. *P*CD   213 ego *Camerarius* : ergo
cod.   216 abis *var. lect. in P*CD   dic tu *add. Bentley*   217
eo *add. Ritschl*   ego *B*   tu is *add. Ritschl* (*spatium vacuum
in cod.*)   219 ⟨ego⟩ ex te (te *etiam cod.*) *Kampmann*   220
maleas *B* (*pro* malas *corr.* mala es)   h. d.] addecet *Bothe*

Pa. quid ais? certumnest celare quó iter facias, pessuma?

40 So. offirmastin occultare quo te immittas, pessume?

Pa. par pari respondes dicto. ábi iam, quando ita certa
                                                        rest.

nihili facio scire. ualeas. So. asta. Pa. at propero. So.
                                            et pol ego item.

Pa. ecquid habes? So. ecquid tu? Pa. nil equidem. 225

         So. cedo manum ergo. Pa. estne haec manus?

So. ubi illa áltera est furtifica laeua? Pa. dómi eccam.
                                            húc nullam attuli.

45 So. habes nescioquid. Pa. ne me attrecta, subigitatrix.
                                            So. sin te amo?

Pa. male operam locas. So. qui? Pa. quia enim nihil
                                            amas quom ingratum amas.

So. temperi hanc uigilare oportet formulam atque aetatulam,

né, ubi uorsicapillus fias, foede semper seruias.   230

tuquidem haud etiam es octoginta pondo. Pa. at con-
                                                      fidentia

50 illa militia militatur multo magi' quam pondere.

atque ego hanc [nunc] óperam perdo. So. quid iam? Pa.
                                            quia peritae praedico.

sed ego cesso. So. mane. Pa. molesta es. So. ergo ⟨ero⟩
                                            quoque, nisi scio

quó agas te. Pa. ad uos. So. et pol ego ad uos. Pa. 235
                                            quid eo? So. quid id ad te attinet?

Pa. enim non ibis nunc, uicissim nisi scio. So. odiosu's.
                                            Pa. lubet.

---

221 ⟨sed⟩ quid *Sonnenschein*   certumne *Camerarius*: certum *cod.*
222 offirmasti *cod.* (? *pro* -mauisti)   223 *vel* res (res est *cod.*)   224
item *Camerarius*: ite *cod.* (ire *P*CD)   225 *vix troch.* (*cum* ĕcquid tu)
226 eccillam *Mueller*   228 ingratu *cod.*   230 uorsicapillus
Ritschl: capillus uersipellis *cod.* (*pro* uersipellis *corr.* uersicapil-
lus?)   232 mil. illa *Ritschl*: tua mil. *Schoell*: ea mil. *Enger* (*cf.*
ad Epid. 135), *quibus* illa mīlitia *displicet*   *vel* mage   233 nunc
                                            hanc
del. *Bothe.   Credo in archetypo fuisse* nunc, *i. e.* nunc *corr. in* hanc, *nisi
quidem vv.* 232-3 *iambici sunt* (*cum* illaec mil.)   234 ero *add. Bothe*

numquam hercle istuc exterebrabis, tú ut sis peior quam 55
ego siem.

So. malitia certare tecum miseria est. PA. mers tu mala es.
quid est quod metuas? So. idem istuc quod tu : mora. PA.
dic ergo. So. at uotita sum
240 ne hoc quoiquam homini edicerem, omnes muti ut loquerentur prius.

PA. edictum est magno opere mihi, ne quoiquam hoc homini
crederem,

omnes muti ut eloquerentur prius hoc quám ego. So. at tu 60
hoc face :

fide data credamus. PA. noui : omnes sunt lenae leuifidae,
neque tippulae leuius pondust quam fides lenonia.
245 So. dic amabo. PA. dic amabo. So. nolo ames. PA.
facile impetras.

So. tecum habeto. PA. et tú hoc taceto. So. tacitum erit.
PA. celabitur.

So. Toxilo has fero tabellas tuo ero. PA. abi, eccillum domi. 65
at ego hánc ad Lemniselenem tuam eram opsignatam abietem.
So. quid istic scriptum? PA. iuxta tecum, si tu nescis,
nescio ;
250 nisi fortasse blanda uerba. So. abeo. PA. et ego abiero.—
So. ambula.

SAGARISTIO iii

Ioui ópulento, incluto, Ópe gnato,
supremo, ualido, uiripotenti,
opes, spes bonas, copias commodanti
* lubens uitulorque meri̞to,

237 peior *Camerarius* : prior *cod.*   239 mora *scripsi* : more n *T*
ut vid., *om.* P^BC   240 *vel* dicerem   242 ut] *vel* uti   eloquerentur
Mueller : loquerentur *cod.* (*cf. ad Mil.* 476)   244 n. tippulae *Paul.*
366 : n. stipulae *cod.* (? *pro* nequest tippulae)   *vel* pondus est (*ita cod.*)
248 *accedit A* ; *sed multa desunt in vv.* 251–8   hanc ⟨huc⟩ *Schoell*
250 et *Acidalius* : at *P*, *A n. l.*   254 *lacunam sign. ex A edd.*

5 quia meo amico amicitér hanc commoditatis copiam   255
   danunt, argenti mutuí ut ei egenti opem adferam ;
   quod ego non magi' somniabam neque opinabar neque cen-
                                    sebam,
   eam fore mihi occasionem, ea nunc quasi decidit de caelo ;
   nam eru' meu' me Éretriam misit, domitos boues uti sibi
                                 mercarer,
10 dedit argentum, nam ibi mercatum dixit ess' dieseptumei :   260
   stultus, qui hoc mihi daret argentum, quoius ingenium
                                 nouerat.
   nam hoc argentum | alibi abutar : 'boues quos emerem non
                                 erant.'
   nunc et amico prosperabo et genio meo multa bona
                                 faciam,
   diu quo bene erit, die uno apsoluam : tuxtax tergo erit méo.
                                 non curo.
15 nunc amico hominibus domitis mea ex crumina largiar.   265
   nam id demum lepidumst, triparcos homines, uetulos, auidos,
                                 ardos
   bene admordere, qui salinum seruo opsignant cum sale.
      uirtus est, ubi occasio
      admonet, dispicere.   quid faciet mihi ?   268[a]
20 uerberibus caedi iusserit, compedis impingi. uapulet,
   ne sibi me credat supplicem fore : uae illi ! nihil iam mihi 270
                                 noui
      offerre potest quin sim peritus.   sed Toxili puerum
      Paegnium eccum.

---

255 quia] quam *codd. Nonii* 510   256 utlegenti *P*   257 *vel*
mage   *vel* opinabam   258, 259 *inverso ordine P* (*v.* 258 *prius
omisso propter homoeoarch.* ? ii. 6)   259 num *P*   *vel* ut (*rhythmo
favente*)   260 die esse s *Bothe*   262 abutar alibi *Guietus   fort.*
aliubi ab.   263 et *om. A*   amico [meo] *P*   264 quod
P   265 homini binis (*vix* bibus) *A* : homini bubus (*T ut vid.*) *vel*
hominibus (*P*BC) *P* (*cf. Class. Rev.* 10, 333) : homini ibus *Sonnenschein*
267 quis alienum *P*   268 *vix* uirtust   269 imponi *P*   270
mihi iam nihil *P*   271 offerri *P, fort. recte*

PAEGNIVM   SAGARISTIO

PA. Pensum meum quod datumst confeci. nunc
    domum propero. SAG. mane, etsi properas.
Paegnium, ausculta. PA. emere oportet, quem tibi oboedire
                   uelis. SAG. asta.
PA. exhibeas molestiam, | ut opinor, si quid debeam,
275 qui nunc sic tamen es molestus. SAG. scelerate, etiam respicis?
PA. scio ego quid sim aetatis, eo istuc maledictum inpune 5
                auferes.

        SAG. ubi Toxilús est tuos erus?
277[a]   PA. ubi illi lubet, nec
277[b]   te consulit. SAG. etiam
      dicis ubi sit, uenefice?
        PA. nescio, inquam, ulmitriba tu.   10

280 SAG. male dicis maiori. PA. prior promeritus perpetiare.
280[a] seruam operam, linguam liberám eru' iussit med habere.
    SAG. dicisne mi ubi sit Toxilus? PA. dico ut perpetuo
                      pereas.
    SAG. caedere hodie tu restibus. PA. tua quídem, cucule,
                     caussa!
    non hercle, si os perciderim tibi, metuam, morticine. 15
    SAG. uideo ego te : iam incubitatus es. PA. ita sum. quid
                   id attinet ad te?
285 at non sum, ita ut tu, gratiis. SAG. confidens. PA. sum
                   hercle uero.
    nam ego me confido liberum fore, tu te numquam speras.
    SAG. potin ut molestus ne sies? PA. quod dicis facere non
                   quis.

                              domum
  272 *vel troch.*   d. p.] pro domum cero *ut vid.* P (*pro* pro pero ? v. 3)
273 astas A   274 *fort.* m. ⟨mi⟩   *vel* uti   *vel* opino   275
tam P   278 edicis P   *de* ubĭ *cf. ad Bacch.* 1068   280[a] liberam]
operam A (v. 4)   me iussit P^{CD}   281 *vel* dicin   *vel* mihi
283 morticẹine A   284 es] sum A (*cf.* 285)   an te attinet A,
unde ad te attingit *Mueller* : attinet te (*del.* ad) *Bothe, nam* áttinet ád
displicet   285 sum *pr. om.* A (*cf.* 284)   ut] ui P (I *pro* T)   286 foret
(fore P^{CD}) ut enumquam P^{BC}

20 SAG. abi in malam rem. PA. at tu domum : nam ibi tibi
                                parata praestost.
SAG. uadatur hic me. PA. utinam uades desint, in carcere
                                ut sis.
SAG. quid hoc? PA. quid est? SAG. etiam, scelus, male 290
                        loquere? PA. tandem uti líceat,
quom seruos sis, seruom tibi male dicere. SAG. itane? specta
quid dedero. PA. nihil, nam nihil habes. SAG. di deaeque
                                me omnes perdant—
25 PA. amicus sum, eueniant uolo tibi quae optas. SAG. atque
                                id fiat,
nisi te hodie, si prehendero, defigam in terram colapheis.
PA. tun me defigas? te cruci ipsum adfigent propediem aliei. 295
SAG. qui te di deaeque—scis quid hinc porro dicturus fuerim,
ni linguae moderari queam. potin abeas? PA. abigis facile.
30 nam umbra mea hic intus uapulat.—SAG. ut istúnc di
                                deaeque perdant !
tamquam proserpens bestiast bilinguis et scelestus.
hercle istum abiisse gaudeo. foris áperit, eccere autem   300
quem conuenire maxume cupiebam egreditur intus.

v TOXILVS   SOPHOCLIDISCA   SAGARISTIO

To. Paratum iam esse dicito unde argentum sit futurum,
iubeto habere animum bonum, dic me illam amare multum ;
ubi se adiuuat, ibi me adiuuat. quae dixi ut nuntiares,
satin éa tenes? So. magi' calleo quam aprugnum callum 305
                                callet.—
5 To. propera, ábi domum. SAG. nunc huic ego graphice
                                facetus fiam.

289 desinit *A*   292 te *P*   293, 294 *inverso ordine P*   293
eueniat *A*   294 deferam *A*   295 Tunc *P*   propediem adfigent
P   296 Quin *P*   297 moderaris (? -rei) quiam *A*   298 híc *vel*
iam *A* : om. *P*   299 bestiae (? *pro* bestia ē, *i. e.* est) *P*   300
illum *P*   fores *P*   301 cum uenire *P* (*pro* c̄, *i. e.* con-)   302
dicto *P*   304 adluat ibi me adluat *P*   305 satine t. *A*   *vel*
mage : plus *codd. Nonii* 258   306 ego huic *P*   ⟨nunc⟩ nunc ego
huic *Kaempf*

subnixis alis me inferam atque amicibor gloriose.

To. sed quis hic ansatus ambulat? SAG. magnufice con-
                                                    screabor.

To. Sagaristio hicquidemst. quid agitur, Sagaristio? ut
                                                    ualetur?

310 ecquid, quod mandaui tibi, estne ín te speculaé? SAG.
                                                    adito.

uidebitur. factum uolo. uenito. promoneto.   10

To. quid hoc híc in collo tibi tumet? SAG. uomicast, pres-
                                                    sare parce ;

nam ubi qui mala tangit manu, dolores cooriuntur.

To. quando istaec innatast tibí? SAG. hodie. To. secari
                                                    iubeas.

315 SAG. metuo ne inmaturam secem, ne exhibeat plus negotei.

To. inspicere morbum tuom lubet. SAG. ah ah! abi atque 15
                                                    caue sis

a cornu. To. quid iam? SAG. quia boues bini hic sunt in
                                                    crumina.

To. emitte sodes, ne enices fame ; sine ire pastum.

SAG. enim metuo ut possiem in bubile reïcere, ne uagentur.

320 To. ego reiciam. habe animum bonum. SAG. credetur,
                                                    commodabo.

sequere hac sis. argentum hic inest quod mecum dudum 20
                                                    orasti.

To. quid tú ais? SAG. dominus me boues mercatum Ere-
                                                    triam misit.

nunc mi Eretria erit haec tua domus. To. nimi' tu facete
                                                    loquere.

   308, 309 *inverso ordine A*   308 ansatus] conatus *codd. Nonii* 479
conscreabor *Nonius* : concreabor *A* : constabor (contestabor *D*) *P*
310 *rhythmus displicet vel* speculai   313 tetigit *P*   316 iubet *A*
ah ah abi] ahbi *P*   319 *vel* possim (*ita codd.*) (*cum* enim me-
tribrach.)   bubilem *P*   reïc. in bub. *Bothe*   uiagentur *P*   320
creditur *P, A n. l.* (*pro* -detur? i. 3)   321 seque *P*   quod me
dudum rogasti *P* (v. 1, p. 65)   322 boues] uobis *P*

atque égo omne árgentum tibi hoc actutum incolume redigam;
nam iam omnis sycophantias instruxi et comparaui   325
25 quo pacto ab lenone auferam hoc argentum—Sag. tanto
                                                        melior.
To. et mulier ut sit libera atque ipse ultro det argentum.
sed sequere me : ad eam rem usus est tua míhi opera.—Sag.
                                                utere ut uis.—

ACTVS III

III. i   Satvrio   Virgo

Sat. Quae res bene uortat mihi et tibi et uentri meo
perennitatique adeo huic, perpetuo cibus   33°
ut mihi supersit, suppetat, superstitet :
sequere hac, mea gnata, me, cum dis uolentibus.
5   quoi rei opera detur scis, tenes, intellegis ;
communicaui tecum consilia omnia.
ea caússa ad hoc exemplum te exornaui ego.   335
uenibis tu hodie, uirgo. Vi. amabo, mi pater,
quamquam lubenter escis alienis studes,
10   tuin uéntris caussa filiam uendas tuam?
Sat. mirum quin regi' Philippi caussa aut Attali
te potius uendam quam mea, quae sis mea.   340
Vi. utrum pro ancilla mé habes an pro filia ?
Sat. utrum hercle magis in uentris rem uidebitur.
15   meum, opino, imperiumst in te, non in me tibi[st].
Vi. tua istaéc potestas est, pater. uerum tamen,
quamquam res nostrae sunt, pater, pauperculae,   345
modice et modeste meliust uitam uiuere ;

324 hoc tutum (hoc totum *T*) *P*   ⟨hoc⟩ o. a. t. hoc (*i. e.* huc)
Mueller   325 omneis *A*   328 *vel* mi   uter *A*   330 perennitatis-
que *P*   cibo *codd.* : *corr. Leo*   perennitassitque adeo huic perpetuom
cibum *Buecheler*   335 exemptum *A*   338 tui uentris causam *A*
uendis *P* (?*pro* uendes)   341 u. tu pro *P, sed* utrům tu *vix ferendum*
343 opinor *codd.*   tibi *A*   346 modeste est melius *codd. Nonii* 342

nam ad paupertatem si admigrant infamiae,
grauior paupertas fit, fides sublestior.   20
SAT. enim uero odiosa es. VI. non sum neque me esse
                                            arbitror,
350   quom parua natu recte praecipio patri.
      nam inimici famam non ita ut natast ferunt.
      SAT. ferant eantque maxumam malam crucem ;
      non ego inimicítias omnis plure existumo   25
      quam mensa inanis nunc si apponatur mihi.
355   VI. pater, hominum inmortalis est infamia ;
      etiam tum uiuit quom esse credas mortuam.
      SAT. quid? metuis ne te uendam? VI. non metuo,
                                            pater.
      uerum insimulari nolo. SAT. at nequiquam neuis.   30
      meo modo istuc potius fiet quam tuo.
360   VI. fiat. SAT. quae hae res sunt? VI. cogita hoc
                                            uerbum, pater :
      eru' si minatus est malum seruo suo,
      tam etsi id futurum non est, ubi captumst flagrum,
      dum tunicas ponit, quanta adficitur miseria !   35
      ego nunc quod non futurumst formido tamen.
365   SAT. uirgo atque mulier nulla erit quin sit mala,
      quae praeter sapiet quam placet parentibus.
      VI. uirgo atque mulier nulla erit quin sit mala,
      quae reticet si quid fieri peruorse uidet.   40
      SAT. malo cauere meliust te. VI. at si non licet
370   cauere, quid agam? nam ego tibi cautum uolo.
      SAT. malu'ne égo sum? VI. non es neque me dignumst
                                            dicere,

---

347 immigrant *cod. Festi* 294   nam ubi ad p. accessit infamia
Nonius 177, *vix recte*   348 paupertas grauior *codd. Nonii*   349
me *om. A*   350 qum *A*   352 [in] max. *P*   353 plure *Charisii*
109, 211 *huc rettulit Seyffert* : pluris *codd.*   aestimo *Pylades*   362
tamenetsi *P* : tamenesi *A, fort. recte* (*i. e.* tamen si)   id futurum]
aurus *A*¹ (*vix pro* habiturus)   367 erat *P*   369 liceat *A*   371
esṭ *A*

uerum ei rei operam do ne alii dicant quibu' licet.

45   SAT. dicat quod quisque uolt ; ego de hac sententia

non demouebor.   VI. at, meo sí liceat modo,

sapienter potius facias quam stulte.   SAT. lubet.   375

VI. lubere tibi per me licere intellego ;

uerum lubere hau liceat, si lubeat mihi.

50   SAT. futura es dicto oboediens an non patri ?

VI. futura.   SAT. scis nam tibi quae praecepi ?   VI.

omnia.

SAT. et ut uí surrupta fueris ?   VI. docte calleo.   380

SAT. et qui parentes fuerint ?   VI. habeo in memoria.

necessitate me mala ut fiam facis.

55   uerum uideto, me ubi uoles nuptum dare,

ne haec fama faciat repudiosas nuptias.

SAT. tace, stúlta. non tu nunc hominum mores uides,   385

quoiiu' modi hic cum mala fáma facile nubitur ?

dum dos sit, nullum uitium uitio uortitur.

60   VI. ergo istuc facito ut ueniat in mentem tibi

me esse indotatam.   SAT. caue sis tu istuc dixeris.

pol deum uirtute dicam et maiorum meum,   390

ne te indotatam dicas quoi dos sit domi :

librorum eccillum hábeo plenum soracum.

65   si hoc adcurassis lepide, quoi rei operam damus,

dabuntur dotis tibi inde sescenti logei

atque Attici omnes ; nullum Siculum acceperis :   395

cum hac dote poteris uel mendico nubere.

VI. quin tu me ducis, si quo ducturu's, pater ?

70   uel tu me uende uel facé—quid tibi lubet.

---

372 uirum *P*   376 per me tibi *P*   377 liceat si liceat *A* :
lubeat si liceat *Pistoris, cf. Gray (Class. Rev.* 14, 24)   379 nam
displicet : iam *Seyffert*   380 et id ut s. *P*   386 quoiuis m. *Guietus*
387 sit] et *A*   390 dicọ *A*   391 ni *A*   392 eccillud *Sonnenschein*
(*Class. Rev.* 6, 400), (*ex Paulo* 296, *qui tamen* soracum *pro* soracus
perperam posuisse videtur; cf. Class. Rev. 5, 9)   plenum [illum]
A : *fort.* plellum (*cf. Poen.* 314)   394 longi *P*   398 ⟨me⟩ face
Ritschl

Sat. bonum aequomque oras.   sequere hac.—Vi. dicto
                                    sum audiens.—

Dordalvs   ii

400   Quidnam esse acturum hunc dicam uicinum meum,
       qui mihi iuratust sese hodie argentum dare?
       quod si non dederit atque hic dies praeterierit,
       ego argentum, ille iusiurandum amiserit.
       sed ibi concrepuit fori'.   quisnam egreditur foras?   5

Toxilvs   Dordalvs   iii

405   To. Curate isti intus, iam ego domum me recipiam.
                                                Do. oh,
       Toxile, quid agitur?   To. oh, lutum lenonium,
       commixtum caeno sterculinum publicum,
       inpure, inhoneste, iniure, inlex, labes popli,
       pecuniai accipiter auide atque inuide,   5
410   procax, rapax, trahax—trecentis versibus
       tuas ínpuritias traloqui nemo potest—
       accipin argentum? accipe sis argentum, inpudens,
       tene sis argentum, etiam tu argentum tenes?
       possum te facere ut argentum accipias, lutum?   10
415   non mihi censebas copiam argenti fore,
       qui nisi iurato mihi nil ausu's credere?
       Do. sine respirare me, ut tibi respondeam.
       uir summe populi, stabulum seruitricium,
       scortorum liberator, suduculum flagri,   15
420   compedium tritor, pistrinorum ciuitas,
       perenniserue, lurcho, edax, furax, fugax,
       cedo sis mi argentum, da mihi argentum, inpudens,

---

399 hac endicto *A* (en *pro personae nota*?)   audi eas *P*   400
dicat hunc *A*   401 se *A, fort. recte*   408 iniure] periure *A* (v. 1;
cf. Paulus 110)   409 pecunias *Buecheler* (-ae *codd.*)   415 *om. P*
417 tibi ut *P*   418 seruitritium *codd.*   419 subiculum *P*
420 ciuilas *A*   421 lyrchẹ *A* : lurch *ut vid. P*

                                                11*

possum [a] te exigere argentum ? argentum, inquam,
cedo,

2C   quin tu mi argentum reddis ? nihilne te pudet?

leno te argentum poscit, solida seruitus,   425

pro liberanda amica, ut omnes audiant.

To. tace, opsecro hercle. ne tua uox ualide ualet !

Do. referundae ego habeo linguam natam gratiae.

25   eodem mihi pretio sal praehibetur quo tibi.

nisi me haec defendet, numquam delinget salem.   430

To. iam omitte iratus esse. id tibi suscensui

quia te negabas credere argentum mihi.

Do. mirum quin tibi ego crederém, ut idem mihi

30   faceres quod partim faciunt argentarii :

ubi quid credideris, citius extemplo [a] foro   435

fugiunt quam ex porta ludis quom emissust lepus.

To. cape hoc sis. Do. quin das? To. nummi sescenti hic erunt,

probi, numerati. fac sit mulier libera

35   atque huc continuo adduce. Do. iam faxo hic erit.

non hercle quoi nunc hoc dem spectandum scio.   440

To. fortasse metuis in manum concredere ?

Do. mirum quom citius iam a foro argentarii

abeunt quam in cursu rotula circumuortitur.

40   To. abi istác trauorsis angiportis ad forum ;

eadem istaec facito mulier ad me transeat   445

per hortum. Do. iam hic faxo aderit. To. at ne propalam.

Do. sapienter sane. To. supplicatum cras eat.

Do. ita hercle uero.—To. dum stas, reditum oportuit.

---

423 a *om. A* (*cf.* 435)   424 nihilne] nihil ni *P*   430 haec me *A*
431 omitto *P*   432 te] tu *A*   433 ut ⟨tu⟩ *Bothe*   435
a *om. A*   436 quom emissust] emissus *A*   437 sape *corr.*
cape *P, ut uid.*   439 (ad)ducei *A*   442 mirum quin *A* (*pro*
qum) (*cf. Journ. Phil.* 26, 289)   444–78 *deest A*

ACTVS IV

Si quam rem accures sobrie aut frugaliter,
450 solet illa recte sub manus succedere.
atque edepol ferme ut quisque rem accurat suam,
sic ei procedit postprincipio denique,
si malus aut nequamst, male res uortunt quas agit,   5
sin autem frugist, eueniunt frugaliter.
455 hanc ego rem exorsus sum facete et callide,
igitur prouenturam bene confido mihi.
nunc ego lenonem ita hodie intricatum dabo,
ut ipsus sese qua se expediat nesciat.   10
Sagaristio, heus, exi atque educe uirginem
460 et istás tabellas quas consignaui tibi,
quas tu attulisti mi ab ero meo usque e Persia.

SAGARISTIO   TOXILVS   **ii**

SAG. Numquid moror? To. eúgae, eugae! exornatu's
                                        basilice;
tiara ornatum lepida condecorat schema.
tum hanc hospitam autem crepidula ut graphice decet!
465 sed satin estis meditati? SAG. tragici et comici
numquam aeque sunt meditati. To. lepide hercle 5
                                        adiuuas.
age, illúc apscede procul e conspectu, tace.
ubi cum lenone me uidebis conloqui
id erit adeundi tempus. nunc agerite uos.

---

451 ferme *Scaliger*: firme *cod.*   452 *vel ante* denique *distingue*
456 bene pr. *Bothe, cui* -turám *displicet*   463 tiara ornatum lepide
condecorat tuum *cod.* : theatrum lepida condecorat schema *codd. Pris-*
ciani 1, 200 *qui testatur* schema *primae decl. et gen. fem.*   tiaratum
Schoell   467, 468 (*cf.* 727, 728) *secl. Ussing*   467 aspice deprocul
inconspectum t. *cod.*

iii　　　　Do rd a l v s　　　To x i l v s

　　Do. Quoí homini di propitii sunt, aliquid obiciunt lucri ;　　470
nam ego hodie compendi feci binos panis in dies.

　　ita ancilla mea quae fuit hodie, sua nunc est : argento uicit ;
iám hodie alienum cenabit, nihil gustabit de meo.

5 sumne probus, sum lepidus ciuis, qui Atticam hodie ciuitatem
maxumam maiorem feci atque auxi ciui femina ?　　　　　475

sed ut ego hodie fui benignus, ut ego multis credidi !

nec satis a quiquam homine accepi : ita prosum credebam
omnibus ;

nec metuo, quibu' credidi hodie, ne quis mihi in iure
abiurassit :

10 bonu' uolo iam ex hoc die esse—quod neque fiet neque fuit.

　　To. hunc hominem ego hodie in trasennam doctis deducam 480
dolis,

itaque huic insidiae paratae sunt probe.　adgrediar uirum.

quid agis ?　Do. credo.　To. únde agis te, Dordalé ?　Do.
credo tibi.

　　di dent quae uelis.　To. eho, an iám manu emisisti mulierem ?

15 Do. credo edepol, credo, inquam, tibi.　To. iam libertạ
auctu's ?　Do. enicas.

　　quin tibi me dico crederé.　To. dic bona fide : iam 485-6
liberast ?　Do. ⟨pol aio.⟩

í ad forum ad praetorem, exquire, siquidem credere mihi
non uis.

libera, inquamst : ecquid audis ?　To. at tibi di bene faciant
omnes !

numquam enim posthac tibi nec tuorum quoiquam quod
nolis uolam.

20　　　　Do. abi, ne iura, sati' credo.　　　　490

---

471 binons *P*　479 *accedit A*　480 ducam *P*　483 mullirẹm *A*
485, 486 . olẹt . . *A* (pol aio *vel* doletne *vel* Do. olim) : *om. P*
487 ii *P* (*vel pro* ei, *i. e.* i, *vel pro* i, i)　　e praetore *A*　　mihi
credere *A*　489 quoiquam *Lambinus* : quiquam *A* : *om. P*　489,
490 *coniungit A*

To. ubi nunc tua libertast? Do. apud te.   To. ain, apud
                     mest?   Do. aio, inquam, apud te est, inquam.
To. ita me di amént ut ob istanc rem tibi multa bona
                                              instant a me.
nam est res quaedam quam occultabam tibi dicere : nunc
                                           eam narrabo,
und' tu pergrande lucrum facias : faciam ut mei memi-
                                         neris, dum uitam
495   uiuas.   Do. bene dictis tuis bene facta aures meae aúxi- 25
                                          lium exposcunt.
To. tuom promeritumst merito ut faciám.   et ut me scias
                                      esse ita facturum,
tabellas tene has, pellegé.   Do. hae quid ád mé?   To.
                                 immo ad te attinent et tua re
fert, nam ex Persia ad med adlatae modo sunt istaec
         a meo ero.   Do. quando?   To. hau dudum.
Do. quid istae narrant?   To. percontare ex ipsis : ipsae
                                           tibi narrabunt.
500 Do. cedo sane mihi.   To. at clare recitato.   Do. tace, dum 30
               pellego.   To. recita : haú uerbum faciam.
Do. 'salutem dicit Toxilo Timarchides
et familiae omni.   si ualetis, gaudeo.
ego ualeo recte et rem gero et facio lucrum
neque istóc redire his octo possum mensibus,
505   itaque hic est quod me detinet negotium.   35
Chrysopolim Persae cepere urbem in Arabia,
plenam bonarum rerum atque antiquom oppidum :
ea comportatur praeda, ut fiat auctio

491 libertas *P*   493 ea *codd. Nonii* 210   **494**
pergrandem *Nonius testatus gen. masc., sed* lucrŭm f. *displicet*   **495**
uiuas *priori v. adhaeret A* (*et P* ?)   dicis *P*   facta] actis *A*   ex-
postulant *P*   496 ita *om. P*   497 istae *Bach* : hae ! (*interiect.*)
Seyffert   alienent *A*   498 nam ex Persia sunt istaec allatae̦ mihi a̦
me̦o (er)o *A* (*anap.*) : nam e persia ad me allatae modo sunt istae a meo
domino *P* : *bacch. heptametr. scripsi*   499 *vel* istaec   500 recita
om. P   504 isto reddere *P*   505 detenet *A*   506 Cleusipolim
P   508 comparatur *P*

publicitus ; ea res me domo expertem facit.

40   operam atque hospitium ego isti praehiberi uolo   510
qui tibi tabellas adfert.   cura quae is uolet,
nam is míhi honóres suae domi habuit maxumos.'

Do. quid id ad me aut ad meam rem refert Persae quid
rerum gerant
aut quid eru' tuo'?   To. tace, stultiloque ; nescis quid te
instet boni
45 neque quam tibi Fortuna faculam lucriferam adlucere uolt. 515
Do. quaé istaec lucrifera est Fortuna?   To. ístas quae
norunt roga.
ego tantumdem scio quantum tu, nisi quod pellegi prior.
sed, ut occepisti, ex tabellis nosce rem.   Do. bene me mones.
fac silentium.   To. nunc ad illud uenies quod refert tua.

50   Do. 'ist' qui tabellas adfert adduxit simul   520
forma expetenda liberalem uirginem,
furtiuam, abductam ex Arabia penitissuma ;
eam te uolo curare ut istic ueneat.
ac suo periclo is emat qui eam mercabitur :

55   mancupio neque promittet neque quisquam dabit.   525
probum et numeratum argentum ut accipiat face.
haec cura et hospes cura ut curetur.   uale.'

To. quid igitur?   postquam recitasti quod erat cerae creditum,
iam mihi credis?   Do. ubi nunc illest hospes qui hasce huc
attulit?

60 To. iam hic credo aderit : arcessiuit illam a naui.   Do. nil 530
mi opust

511 offert A   uelit A   512 mi hic Redslob   513 eam A
515 nequiquam P   lucificam P (pro lucrificam) : lucrifera Ritschl
516 fo. lucrifica est P   519 uentes P   521
uirginem] mulierem P   522 adductam (aduectam B) P, codd.
Prisciani 1, 99   523 accurare P   vel isti   ueniat A   524
eam om. A, unde is eam emat qui m. Ritschl, rhythmo consulens
(nam periculo vix ferendum)   525 promittis A (-tes ?)   529
huc om. P

litibus neque tricis.   quámobrem ego argentum enumerem
                                                foras?

nisi mancupio accipio, quid eo mihi opust mercimonio?
To. tacen an non taces? numquam ego te tam esse matulam
                                                credidi.

quid? metuis? Do. metuo hercle uero. sensi ego iam com-
                                                pluriens,

535 neque mi haud inperito eueniet tali ut in luto haeream.   65
To. nihil pericli mihi uidetur. Do. scio istuc, sed metuo mihi.
To. mea quidem istuc nihil refert : tuá ego hoc facio gratia,
ut tibi recte conciliandi primo facerem copiam.

539-40 Do. gratiam habeo. sed te de aliis quam alios de te suauiust
fieri doctos.   To. ne quis uero ex Arabia penitissuma   70
persequatur.   etiam tu illam destinas? Do. uideam modo
mercimonium.   To. aequa dicis. sed optume eccum ipse
                                                aduenit

hospes ille qui has tabellas attulit. Do. hicinest? To. hic est.
545 Do. haecine illást furtiua uirgo? To. iuxta tecum aeque scio,
nisi quia specie quidem edepol liberalist, quisquis est.   75
Do. sat edepol concinnast facie. To. út contemptim carnu-
                                                fex!

taciti contemplemus formam. Do. laudo consilium tuom.

S AGARISTIO   V IRGO   T OXILVS   D ORDALVS iv

SAG. Satin Athenae tibi sunt uisae fortunatae atque opiparae?
550 VI. urbis speciem uidi, hóminum mores perspexi parum.
To. numquid in príncipio cessauit uerbum docte dicere?
Do. hau potui etiam in primo uerbo perspicere sapientiam.

531 numerum *P*   532 opus *P*   534 *vel sic distingue* quid
metuis?   iam *om. Gellius Noct. Att.* 5, 21, 16 (*unde hausit Nonius*
87) (*neglegens citatio*)   535 ludo *P*   536 p. u. (*om.* mihi) *P*   537
quidem ⟨hercle⟩ *Mueller*   hoc facio] refero *P* (v. 4)   539, 540
alios de te] de te alios *A*   541 barbaria *P*   543 adunt *P*
(*pro* adûit, *i. e.* aduenit?)   546 es *P*   547 concinnast *Came-*
rarius : concinnas *P*, *A n. l.* (*cf.* 491)   548 contemplemur *codd.*
549 sunt *om. P* (vii, p. 96)   550 hominum ⟨horum⟩ *Mueller* (*Rhein.*
Mus. 54, 527) : hominum ⟨autem⟩ *Schoell* (*A n. l.*)   prospexi *P*

5 SAG. quid id quod uidisti? ut munitum muro tibi uisum
                                                    oppidumst?

VI. si incolae bene sunt morati, id pulchre moenitum arbitror.

perfidia et peculatus ex urbe et auaritia si exsulant,   555

quarta inuidia, quinta ambitio, sexta óptrectatio,

septumum peiiurium,—To. eugae! VI. octaua indiligentia,

10 nona iniuria, decumum, quod pessumum adgressust, scelus:

haec unde aberunt, ea urbs moenita muro sat erit simplici;

ubi ea aderúnt, centumplex murus rebus seruandis parumst. 560

To. quid ais tu? Do. quid uis? To. tu in illis es decem
                                                    sodalibus:

té in exsilium ire hinc oportet. Do. quid iam? To. quia
                                                    peiiurus es.

15 Do. uerba quidem haud indocte fecit. To. ex tuo, inquam,
                                                    usust: eme hanc.

Do. edepol qui quom hanc magi' contemplo, magi' placet.
                                              To. si hanc emeris,

di inmortales! nullus leno te alter erit opulentior.   565

euortes tuo arbitratu hómines fundis, familiis;

cum optumis uiris rem habebis, gratiam cupient tuam:

20 uenient ad te comissatum. Do. at ego intro mitti uotuero.

To. at enim illi noctu occentabunt ostium, exurent fores:

proin tu tibi iubeás concludi aédis foribus ferreis,   570

ferreas aedis commutes, limina indas ferrea,

ferream seram atque anellum; ne sis ferro parseris:

25 ferreas tute tibi impingi iubeas crassas compedis.

Do. i sis [in] malum cruciátum. To. i sane tú—hanc
                                              eme; ausculta mihi.

553 uisumst oppidum P (cf. ad Merc. 330)   554 id om. P   556
ambitio] arbitrio A   557 vix SAG. eugae   558 adgressu P
(iii. 3)   559-60 ea urbs ... aderunt om. P (propter homoeotel.)
559 fort. moero   560 aberunt A   murum A   562 ire hinc]
h— A (i. e. hinc ire)   563 ussut B (pro ussust?)   564 vel mage c.
mage   568 uotuero Camerarius: uoluero A: om. P   572
anellum Bothe: anulum codd.   573 tulte A   conpedis crassas A
574 i sis in A: i in P: in seclusi: fort. in' (tu) h(an)c eme au. A:
hanc eme (sed eme hanc T) atque au. P

575 Do. modo uti sciam quanti indicet.   To. uin huc uocem?
                                    Do. ego illo accessero.
    To. quid agis, hospes?   Sag. uenio, adduco hanc ad te, ut
                                    dudum dixeram.
    nám heri in portum noctu nauis uenit.   ueniri hanc uolo,
    si potest; si non potest, iri hinc uolo quantum potest.   30
    Do. saluos sis, adulescens.   Sag. siquidem hanc uendidero
                                    pretio suo.
580 To. atqui aut hoc emptore uendes pulchre aut alio non
                                    potis.

    Sag. esne tu huic amicus?   To. tam quam di omnes qui
                                    caelum colunt.

    Do. tum tu mihi es inimicus certus.   nam generi lenonio
    numquam ullus deu' tam benignus fuit qui fúerit propitius.   35
    Sag. hoc age. opusnest hac tibi empta?   Do. si tibi uenissest
                                    opus,
585 mihi quoque emptast; si tibi subiti nihil est, tantumdemst
                                    mihi.

    Sag. indica, fac pretium.   Do. tua mers est, tua indicatiost.
    To. aequom hic orat.   Sag. uin bene emere?   Do. uin tu
                                    pulchre uendere?

    To. ego scio hercle utrumque uelle.   Do. age, indica pro- 40
                                    gnariter.

    Sag. priu' dico: hanc mancupio nemo tibi dabit.   iam scis?
                                    Do. scio.

590 indica minimo daturus qui sis, qui duci queat.

    To. tace, tace. nimi' tu quidem hercle homo stúltus es
                                    pueriliter.

    Do. quid ita?   To. quia enim te ex puella priu' percontari
                                    uolo

    576 agis] ais *P ut vid.*   ad te *om. P*   578 ire *P*   580 potis
vel potist *A* : potes *P*   581 estne *codd.*   584 hac] haec *P*
585 subiti *om. A* (iii. 1)   586 To. fac *vel* i fac *A*   591
hercle *om. A*   est *codd.*   592 ex puella te *A*

45 quae ad rem referunt. Do. atque hercle tu me monuisti
hau male.

uide sis, ego ille doctus leno paene in foueam decidi,
ni hic adesses. quantum est adhibere hominem amicum 595
ubi quid geras !

To. quo genere aut qua in patria nata sit aut quibu' parentibus,

ne temere hanc te emisse dicas mé impulsore aut inlice,
50 uolo te percontari. Do. quin laudo, inquam, consilium
tuom.

To. nisi molestum est, percontari hanc paucis hic uolt.
Sag. maxume,

suo arbitratu. To. quid stas ? adi sis tute atque ipse itidem 600
roga

ut tibi percontari liceat quae uelis ; etsi mihi
dixit dare potestatem eiius ; sed ego te malo tamen
55 eumpse adire, ut ne contemnat te ille. Do. sati' recte
mones.

hospes, uolo ego hanc percontari. Sag. a terra ad caelum,
quidlubet.

Do. iube dum ea huc accedat ad me. Sag. i sane ac 605
morem illi gere.

percontare, exquire quiduis. To. age, age nunc tu, in
proelium

uide ut ingrediare auspicato. Vi. liquidumst auspicium,
tace.

60 curabo ut praedati pulchre ad castra conuortamini.

To. concede istuc, ego illam adducam. Do. age, ut rem
esse in nostram putas.

593 reperant *A*   atque] et qui *P*   594 ego ille doctus] (ne)
illę (d)ortus *A*   leno [eṭ] *A*   595 hominem amicum adhibere
A   gerat *A*   597 d. suasu atque inpulsu meo *P*   598 *om.*
P   600 abi (*om.* sis) *P*   604 percontiri *A*   605 eam
Redslob   hoc *A* (*antiqua forma*)   608 *om. P*   609 istuc] sis
iam (si suam *B*) *P*   putras *A*

610 To. ehodum huc, uirgo. uide sis quid agas. Vi. taceas,
                                        curabo ut uoles.

To. sequere me. adduco hanc, si quid uis ex hac per-
                                        contarier.

Do. enim uolo te adesse. To. hau possum quin huic ope-
                                        ram dem hospiti,

quoí erus iussit. quid si hic non uolt me una adesse? Sag. 65
                                        immo i modo.

To. do tibi ego operam. Do. tibi ibidem das, ubi tu tuom
                                        amicum adiuuas.

615 Sag. exquire. To. heus tu, aduigila. Vi. satis est dictum:
                                        quamquam ego serua sum,

scio ego officium meum, ut quae rogiter uera, ut accepi,
                                        eloquar.

To. uirgo, híc homo probus est. Vi. credo. To. non diu
                                        apud hunc seruies.

Vi. ita pol spero, si parentes facient officium suom.   70
Do. nolo ego te mirari, si nos ex te percontabimur
620 aut patriam tuam aut parentes. Vi. qur ego hic mirer, mi
                                        homo?

seruitus mea mi interdixit ne quid mirer meum malum.
Do. noli flere. To. ah, di istam perdant! ita catast et
                                        callida.

ut sapiens habet cór, quam dicit quod opust! Do. quid 75
                                        nomen tibist?

To. nunc metuo ne peccet. Vi. Lucridi nomen in patria
                                        fuit.

625 To. nomen atque omen quantiuis iam est preti. quin tu
                                        hanc emis?

nimi' pauebam ne peccaret. expediuit. Do. si te emam,

___

610 *om.* P, *cf. Gray* (*Class. Rev.* 14, 24)   612 hu *A*   613 adesse
una *P*   614 ego tibi *P*   616 rogiter *A ut vid.* (-tet?): rogitet
P   619 minari *P*   620 hic] id *P*   homo mi *A*   623 ut sapiens]
iens (*post lacunam*) *P* (nec dolens *T, om.* P^BC)   quod n. *A*   624
nunc] nonte *P*   lucridei *A*   625 tam *an* iam *incert. A* : *om.* P

mihi quoque Lucridem confido fore te. To. tu si hanc
emeris,

80 numquam hercle hunc mensem uortentem, credo, seruibit
tibi.

Do. ita uelim quidem hercle. To. optata ut eueniant
operam addito.

nihil adhuc peccauit etiam. Do. ubi tu nata es? Vi. ut mihi 630
mater dixit, in culina, in angulo ad laeuam manum.

To. haec erit tibi fausta meretrix : natast in calido loco,

85 ubi rerum omnium bonarum copiast saepissuma.

tactus lenost ; qui rogaret ubi nata esset diceret,

lepide lusit. Do. at ego patriam te rogo quae sit tua.   635

Vi. quae mihi sit, nisi haec ubi nunc sum? Do. at ego illam
quaero quae fuit.

Vi. omne ego pro nihilo esse duco quod fuit, quando fuit :

90 tamquam hominem, quando animam ecflauit, quid eum
quaeras qui fuit?

To. ita me di bene ament, sapienter ! atque eo miseret
tamen.

sed tamen, uirgo, quae patriast tua, age mi actutum expedi. 640

quid taces? Vi. dico equidem : quando hic seruio, haec
patriast mea.

To. iam de istoc rogare omitte (non uides nolle eloqui?)

95 ne suarúm se miseriarum in memoriam inducas. Do. quid
est?

captusne est pater? Vi. non captus, sed quod habuit [id]
perdidit.

627 fore te] for̤te *A*   629 ut opt̤at̤a eueniant *A* : opta ut
eueniant (conueniant *P*ᴮᶜ) *P*   632 callido *P*   633 sepissime
(sepisse *B*) *P*   634 tactus est leno *P*   rogar̤it *A* : rogarat
Camerarius   635 te rogo] qu(ae)so *A* (*seq.* quae sit)   636
qui f. *A* (*ex* 638)   637 ducto *P*   639 eo] equidem *P* (? *pro*
quidem ; *cf. Skutsch, Herm.* 32, 94 ; *an pro* (ac) mequidem ? *Cf. ad
Stich.* 329)   641 quando] [patriam] quandoquidem *P* (iv. 1)
haec] hac (*B*¹) *vel* has (*B*²*P*ᶜᴰ) *P*   642–56 *pauca in uersuum initiis
seruata A*   642 eloqui *Camerarius* : loqui *P*, *A n. l.*   643
inducat *Dousa* (*A n. l.*)   644 id *del. Bothe* (*A n. l.*) : *ante* quod
trai. Schoell

645 To. haec erit bono génere nata : nihil scit nisi uerum loqui.

Do. quis fuit? dic nomen. VI. quid illum miserum memorem qui fuit?

nunc et illum Miserum et me Miseram aequom est nomina-
rier.

Do. quoiusmodi | is in populo habitust? VI. nemo quis- 100
quam acceptior :

serui liberique amabant. To. hominem miserum praedicas,

650 quóm et ipsus prope perditust et beneuolentis perdidit.

Do. emam, opínor. To. etiam 'opinor'? summo genere
esse arbitror ;

diuitias tu ex istac facies. Do. ita di faxint! To. eme
modo.

VI. iam hoc tibi dico : actutum ecastor meu' pater, ubi me 105
sciet

ueniisse, ipse aderit et me aps te redimet. To. quid nunc?
Do. quid est?

655 To. audin quid ait? VI. nam etsi res sunt fractae, amici
sunt tamen.

Do. ne sis plora ; libera eris actutum, si crebro cades.

uin mea esse? VI. dum quidem ne nimi' diu tua sim,
uolo.

To. satin ut meminit libertatis? dabit haec tibi grandis 110
bolos.

age si quid agis. ego ad hunc redeo. sequere. redduco
hanc tibi.

660 Do. adulescens, uin uendere istanc? SAG. magi' lubet quam
perdere.

648 quius A   ⟨suo⟩ in memorat Ussing (A n. l.)   fort. quoiusmodist
... habitus (A n. l.)   650 qum (et) A : et om. P   probe Bothe, Ritschl,
quibus prope pro 'paene' displicet (A n. l.)   651 vel opino . . .
opino   etiamne Mueller (A n. l.)   653 actutum Guietus :
[iam] actutum P, A n. l.   654 ueniisse (ip)se ade— A : uenisse
huc aderit hic P   abs te Bothe : absentem P, A n. l.   657
ne om. A ut vid.   659–70 paucissima in extremis versibus servata A
660 vel mage

Do. tum tu pauca in uerba confer : qui datur, tanti indica.
Sag. faciam ita ut te uelle uideo, út emas. habe centum
minis.

115 Do. nimiumst. Sag. octoginta. Do. nimiumst. Sag. nummus abesse hinc non potest,
quod nunc dicam. Do. quid id est ergo ? eloquere actutum
atque indica.

Sag. tuo periclo sexaginta haéc datur argenti minis.   665
Do. Toxilé, quid ago ? To. di deaeque te agitant irati, scelus,
qui hanc non properes destinare. Do. habeto. To. abi,
argentum ecfer huc.

120 non edepol minis trecentis carast. fecisti lucri.
Do. *   *   ⟨habeto⟩. To. eu ! praedatu's probe.   668ᵃ
Sag. heus tu, etiam pro uestimentis huc decem accedant
minae.

Do. apscedent enim, non accedent. To. tace sis, non tu 670
illum uides
quaerere ansam, infectum ut faciat ? abin atque argentum
petis ?

125 *   *   atque ut dignust perit.   671ᵃ
Do. heus tu serua istum. To. quin tu is intro ? Do. abeo
atque argentum adfero.—

v   T O X I L V S   V I R G O   S A G A R I S T I O

To. Edepol dedisti, uirgo, operam adlaudabilem,
probam et sapientem et sobriam. Vi. si quid bonis
boni fit, esse id et graue et gratum solet.   675

---

661 qui *Scioppius* : quid *P, A n. l.*   662 uideo *Acidalius* :
uideam *P, A n. l.*   centum *Valla* : —tum *A* : trecentum *P* (trecentis *B*) (*cf.* 668) : tibi (t) centum *Valla*   665 dabitur *Bentley*
(*A n. l.*)   666 irati *Pylades* : irati et *P, A n. l.* (*pro* -tei ?)   667
q. hac *P, A n. l.*   668ᵃ eu—probe (*om. priore uersus parte*) *post*
habeto (*v.* 667) *exhibet P*, habeto *addidi* (*A n. l.*) (*cf. ad Trin.* 1112-4) :
To. abi . . . huc *retractatoris esse credit Leo*   669 accedent *PᶜᴰД,
A n. l.*   671ᵃ *om. P* (*propter homoeotel.* ?)   672 is intro] in— *A*
(*i. e.* intro is ?)   675 idem et *P*

To. audin tu, Persa? ubi argentum ab hoc acceperis,
simulato quasi eas prosum in nauem. SAG. ne doce.   5
To. per angiportum rusum te ad me recipito
illac per hortum. SAG. quod futurum est praedicas.
680 To. at ne cum argento protinam permittas domum,
moneo, te. SAG. quod te dignumst, me dignum esse uis?
To. tace, párce uoci : praeda progreditur foras.   10

D o r d a l v s   S a g a r i s t i q   T o x i l v s   **vi**

Do. Probae hic argenti sunt sexaginta minae,
duobus nummis minus est. SAG. quid ei nummi sciunt?
685 Do. cruminam hanc emere aut facere uti remigret domum.
SAG. ne non sat esses leno, id metuebas miser,
inpure, auare, ne crumillam amitteres?   5
To. sine, quaeso. quando lenost, nihil mirum facit.
Do. lucro faciundo ego auspicaui in hunc diem :
690 nil mihi tam paruist quin me id pigeat perdere.
age, accipe hoc sis. SAG. hunc in collum, nisi piget,
impone. Do. uero fiat. SAG. numquid ceterum   10
me uoltis? To. quid tam properas? SAG. ita negotiumst :
mandatae quae sunt, uolo deferre epistulas ;
695 geminum autem fratrem seruire audiui hic meum,
eum ego ut requiram | atque uti redimam uolo.
To. atque edepol tu me commonuisti | hau male.   15
uideor uidisse hic forma persimilem tui,
eadem statura. SAG. quippe qui frater siet.
700 Do. quid est tibi nomen? To. * quod ad te attinet.

676 (ab hoc ar)gentum *A*   679 quo *P*   682 uoce *P*
(*pro* -cem *vel* -cei ; *vel cf.* i. 10)   684 *vel* minust   685 ⟨huc⟩ ut
(ut *codd.*) *Mueller* (*Rhein. Mus.* 54, 527)   687 cruminam *P*   691,
692 age accipe (-i *B*) hoc sis nunquid ceterum Hunc in collum nisi
piget impone uero fiat *P* (ii. 6)   692 imp. uero.   Do. fiat
Brix   696 Tum *P* (T *pro* E)   697 ⟨nunc⟩ com. *Hermann*
700 *om. P* (*propter homoeoarch.*)   Quid *Brix* : Quod *cod.* (*vix Plau-*
tinum)   ⟨sciscita⟩ *Leo*

Do. quid attinet non scire? Sag. ausculta ergo, ut scias:
20 Vaniloquidorus Virginesuendonides
Nugiepiloquides Argentumextenebronides
Tedigniloquides Nugides Palponides
Quodsemelarripides Numquameripides. em tibi!   705
Do. eu hercle! nomen multimodis scriptumst tuom.
25 Sag. ita sunt Persarum mores, longa nomina,
contortiplicata habemus. numquid ceterum
uoltis? Do. uale. Sag. et uos, nam animus iam in nauist
                                  mihi.

To. cras ires potius, hodie hic cenares. Sag. uale.—   710

vii   T O X I L V S   D O R D A L V S   V I R G O
          S A T V R I O   S A G A R I S T I O

To. Postquam illic abiit, dicere hic quiduis licet.
ne hic tibi dies inluxit lucrificabilis;
nam non emisti hanc, uerum fecisti lucri.
Do. ille quidem iam scit quid negoti gesserit,
5 qui mihi furtiuam meo periclo uendidit,   715
argentum accepit, abiit. quí ego nunc scio
an iam adseratur haec manu? quo illum sequar?
in Persas? nugas! To. credidi gratum fore
beneficium meum apud te. Do. immo equidem gratiam
10 tibi, Toxile, habeo; nam te sensi sedulo   720
mihi dare bonam operam. To. tibin ego? immo sedulo.
Do. attat! oblitus sum intus dudum edicere
quae uolui edicta. adserua hanc.—To. saluast haec quidem.
Vi. pater nunc cessat. To. quid si admoneam? Vi. tem-
                                  pus est.
15 To. heus, Saturio, exi. nunc est illa occasio   725

702 uirginis uendonident *P*   703 nugipiloquides *P*   argen-
tumexterebronides *Pius*   704 Nug. Palp.] numdesexpalponides
P (iv. 4) : Nummosexpalponides *Ritschl*   705 em] ea *P* (A *pro* M)
706 scriptum *A*   709 et] seṭ *A*   iam *om. A*   meus *P*   711
illic ⟨hinc⟩ *Kiessling*   712 lucrificabis *A*   721 sedulo] serui *P*
(? *pro* serio)   722 dicere *A*

inimicum ulcisci.   Sat. écce me.   numquid moror?

To. age, illúc apscede procul e conspectu, tace;

ubi cum lenone me uidebis conloqui,

tum turbam facito.   Sag. dictum sapienti sat est.

730 To. tunc, quando abiero—Sag. quin taces? scio quíd uelis. 20

       Dordalvs   Toxilvs   viii

Do. Transcidi loris omnis adueniens domi,

ita mihi supellex squalet atque aedes meae.

To. redis tu tandem? Do. redeo.   To. né ego hodie tibi

bona multa feci.   Do. fateor, habeo gratiam.

735 To. num quippiam aliud me uis? Do. ut bene sit tibi.   5

To. pol istúc quidem omen iám ego usurpabo domi,

nam iam inclinabo me cum liberta tua.

    Satvrio   Virgo   Dordalvs   ix

Sat. Nisi égo illunc hominem perdo, perii.   atque optume

eccum ipsum ante aedes.   Vi. salue multum, mi pater.

740 Sat. salue, mea gnata.   Do. ei! Persa me pessum dedit.

Vi. pater hic meus est.   Do. hem, quid? pater? perii

                                 oppido!

quid ego ígitur cesso infelix lamentarier   5

minas sexaginta?   Sat. ego pol te faciam, scelus,

te quoque etiam ipsum ut lamenteris.   Do. occidi!

745 Sat. age ambula in ius, leno.   Do. quid me in ius uocas?

Sat. illi apud praetorem dicam.   sed ego in ius uoco.

Do. nonne antestaris?   Sat. tuan ego caussa, carnufex,   10

quoiquam mortali libero auris atteram,

qui hic commercaris ciuis homines liberos?

750 Do. sine dicam.   Sat. nolo.   Do. aúdi.   Sat. surdus

                                sum.   ambula.

727, 728 (*cf*. 467, 468)   730 *om*. P (*propter homoeoarch.* ?)   734
bonamuita *P* (*cf. Cas.* 841)   effeci *A*   habẹbo *A*   736
omniam *P*   738 illum *codd*.   740 ei] et *P*   Pessa (*vix*
persum) *pronuntiandum*   *in* 741 *deficit A*

12*

sequere hac, scelesta feles uirginaria.

15 sequere hac, mea gnata, me usque ad praetorem.—Vɪ. sequor.—

ACTVS V

V. i   Tᴏxɪʟᴠs   Lᴇᴍɴɪsᴇʟᴇɴɪs   Sᴀɢᴀʀɪsᴛɪᴏ

Tᴏ.   Hostibu' uictis, ciuibu' saluis, re placida, pacibu'
perfectis,

bello exstincto, re bene gestá, intégro exércitu et praesidiis,

quom bene nos, Iuppiter, iuuisti, dique alii omnes caeli- 755
potentes,

eas uobis gratis habeo atque ago, quia probe sum ultus
meum ínimicum.

5 nunc ob eam rem inter participes diuidam praedam et parti-
cipabo.

ite foras : hic uolo ante ostium et ianuam
meos participes bene accipere.   758ᵃ

statuite hic lectulos, ponite hic quae adsolent.

hic statui uolo primum †aquilam†,   759ᵃ

10 unde ego omnis hilaros, ludentis, laetificantis faciam ut fiant, 760

quorum opera mihi facilia factu facta haec sunt quae uolui
ecfieri.

nam inprobus est homo qui beneficium scit accipere et reddere nescit.

Lᴇ.   Toxile mi, qur ego sine te sum, qur tu autem sine med
es ?   Tᴏ. agedum er-

---

751 sceleste *Lambinus*   756 habeo grates *P*ᶜᴰ   758 *vel* it'
   ᵢ   ᵢ
759ᵃ aquilam *vel* aliquam *cod. ut uid.* (aquila mihi *P*ᶜᴰ, aliqua mihi, *corr.*
aliquam *B*)   *fort.* aulam (aullam, *perperam script.* auilam) mi   761
h. m. facilia factu facta sunt *cod.* (*septenar.*) : *trai. Mueller*   762 acc.]
sumere *P*ᶜᴰ (*vix var. lect. in cod.*)   763 autem tu *P*ᶜᴰ   me *cod.*

-go accede ad me atque amplectere sis. Le. ego uero. To.
oh, nil hoc magi' dulcest.

765 sed, amabo, oculus meu', quin lectis nos actutum commen- 15
damus?

Le. omnia quae tu uis, ea cupio.

766ᵃ To. mutua fiunt a me. age, age, age ergo,
tu Sagaristio, accumbe in summo.

767ᵃ Sag. ego nil moror : cedo parem, quem pepigı.

To. temperi. Sag. mihi istuc temperi serost. To. hoc age, 20
accumbe. hunc diem suauem
meum natalem agitemus amoenum.

769ᵃ date aquam manibus, apponite mensam.

770 do hanc tibi florentem florenti. tu hic eri' dictatrix nobis.

Le. age, puere,

771ᵃ ab summo septenis cyathis committe hos ludos.   25
moue manus, propera.

772ᵃ To. Paegnium, tarde cyathos mihi das ;
cedo sane. bene mihi, bene uobis, bene meae amicae,

773ᵃ optatus hic mi
dies datus hodiest ab dis, quia te licet liberam med amplecti. 30

775 Le. tua factum opera. To. bene omnibu' nobis.

775ᵃ hoc mea manu' tuae poclum donat, ut amantem amanti
decet. Le. cedo. To. accipe. Le. bene

776ᵃ ei qui inuidet mi et ei qui hoc gaudet.

Dordalvs   Toxilvs   Sagaristio   ii
Paegnivm   Lemniselenis

Do. Qui sunt, qui erúnt quique fuerunt quique futuri sunt
posthac,

764 ad me Pᶜᴰ : me (mea B) ad me cod.   vel mage   765
quin Camerarius : quin [in] cod.   766ᵃ age tert. del. Ital.   768
age, ⟨age⟩ Mueller (octonar.)   769ᵃ ponite Guietus, cui manibus
äpponite displicet   772ᵃ cyathos Ital. : ciazas cod.   773 meae
Ital. : me cod. ut vid. (pro mee, i. e. meae)   775ᵃ mea Camerarius :
meae cod.   776ᵃ gaud Pᶜᴰ

solus ego omnibus antideo facile, miserrumus hominum ut
                                                        uiuam.
perii, interii ! pessumus hic mi dies hodie inluxit corruptor, 779-
ita me Toxilu' perfabricauit itaque meam rem diuexauit.
5 uehiclum argenti miser eieci, amisi, neque quám ob rem
                                                        eieci, habeo.
qui illum Persam atque omnis Persas atque etiam omnis
                                                        personas
male di omnes perdant ! ita misero Toxilus haec mihi con-
                                                        ciuit.
quia ei fidem non habui argentí, eo mihi eas machinas 785
                                                        molitust :
quem pol ego ut non in cruciatum atque in compedis cogam,
                                                        si uiuam !
10 siquidem huc umquam eru' redierit eiius, quod spero—sed
                                                        quid ego aspicio ?
hoc uide, quae haec fabulast ? pol hic quidem potant.
                                                        adgrediar. o bone uir,
salueto, et tu, bona libertá. To. Dordalus hicquidemst. 789-
                                                        Sag. quin iube adire.
To. adi, si lubet. Sag. agite, adplaudamus. To. Dordale,
                                                        homo lepidissume, salue.
locus hic tuos est, hic accumbé.   ferte aquam pedibus.
                                                        praeben tu puere ?
15 Do. ne sis me uno digito attigeris, ne te ad terram, scelus,
                                                        adfligam.
Pa. at tibi ego hoc continuo cyatho oculum excutiam
                                                        tuom.
Do. quid ais, crux, stimulorum tritor ? quomodo me hodie 795
                                                        uorsauisti,

---

778 homonum *cod.* (*vix antiqua forma*)   782 amisi *del. Acidalius*
788 hic quidem pol *Mueller*   789, 790 To.] Le. *Ussing*   792
accuba (?) *Leo*   fer aquam pedibus, praeben, puere *Guietus* (*anap.*)
sane aquăm p. *displiceat*   *vel* Pa. pr. tu (*sc.* pedes) ? Do. pu.
794 ego tibi *P*CD

ut me in tricas coniecisti, quomodo de Persa manu' mi
                                                    aditast?
    To. iurgium hinc auferas, si sapias.
    Do. at, bona liberta, haec sciuisti et me celauisti?   Le. 20
                                                    stultitiast,
     quoi bene esse licet, eum praeuorti
800   litibu'.   posterius istaec te
      magi' par agerest.
801ᵃ   Do. uritur cor mi.
801ᵇ   To. da illi cantharum, exstingue ignem, si   25
     cor uritur, caput ne ardescat.
       Do. ludos me facitis, intellego.
        To. uin cinaedum nouom tibi dari, Paegnium?
805   quin elude, ut soles, quando liber locust hic.
     hui, babae! basilice te intulisti et facete.   30
    Pa. decet me facetum esse et hunc inridere
    lenonem lubidost, quando dignus ⟨es⟩t.
      To. perge ut coeperas.   Pa. hoc, leno, tibi.
810   Do. perii! perculit me prope.   Pa. em, serua rusum.
       Do. delude, ut lubet, erus dum hinc abest.   35
       Pa. uiden ut tuis dictis pareo?
    sed quin tu meis contra item dictis seruis
    atque hoc quod tibi suadeo faci'?   Do. quid est id?
815   Pa. restim tu tibi cape crassam ac suspende te.
    Do. caue sis me attigas, ne tibi hoc scipione   40
    malum magnum dem.   Pa. tu uteré, te condono.
       To. iam iam, Paegnium, da pausam.
    Do. ego pol uos eradicabo.   Pa. at te ille, qui supra nos
                                                    habitat,

---

796 additast *cod.*   797 iurigium *Skutsch* (*Philol.* 59, 501), *ut
acatal. dimeter fiat* (*sed cf.* 800)   798 et *Camerarius* : ea *cod.*
801 *vel* mage   801ᵇ *vel* illic   810 probe *Bothe*   811
delube *cod.* (i. 10)   813 sed *Ital.* : i sed *cod.*   814 tibi *om. B*
815 te suspende *Ritschl, ut tetram. bacch. fiat*   817 tu utere *T ut
vid.*, tu *om.* Pᴮᶜ

qui tibi male uolt maleque faciet. non hi dicunt, uerum 820
ego.

45 To. age, circumfer mulsum, bibere da usque plenis cantharis.

iam diu fáctum est, postquam bibimus; nimi' diu sicci
sumus.

Do. di faciant ut id bibatis quod uos numquam transeat.

Sag. nequeo, leno, quin tibi saltem staticulum olim quem
Hegea

faciebat. uide uero, si tibi sati' placet. To. me quoque 825
uolo

50 reddere Diodorus quem olim faciebat in Ionia.

Do. malum ego uobis dabo, ni[si] abitis. Sag. etiam muttis,
inpudens?

iam ego tibi, si me inritassis, Persam adducam denuo.

Do. iam taceo hercle. ac tu Persa es, qui me usque
admutila[ui]sti ad cutem.

To. tace, stulte: hic eius geminust frater. Do. hicinest? 830
To. ac geminissumus.

55 Do. di deaeque ét te et geminum fratrem excrucient! Sag.
qui te perdidit:

nam ego nihil merui. Do. at enim quod ille meruit, tibi id
opsit uolo.

To. agite sultis, hunc ludificemus. Le. nisi si dignust,
non opust.

et me hau par est. To. credo éo quía non inconciliat,
quom te emo.

Le. at tamen non—tamen—To. caue ergo sis malo | et 835
sequere me.

60 te mihi dicto audientem esse addecet, nam hercle apsque me

---

821 bibere da] biberet *P*CD   829 iam taceo hercle *secl. Leo*
custem (*B*) *vel* curtem (*P*CD) *cod.*   833 hunc sultis *Guietus, nam*
súltis, hunc lú. *vix ferendum*   834 et *Ritschl*: at *cod.*   eo credo
cod.: *trai. Schoell*   inconciliaut *cod., quod ut* inconciliauit *interpretantur*
835 To. non attamen (nolo tamen *Ussing*), caue sis malo ergo *Bothe*

foret et meo praesidio, hic faceret te prostibilem propediem.
sed ita pars libertinorum est : nisi patrono qui aduorsatust,
nec sati' liber sibi uidetur nec sati' frugi nec sat honestus,

840 ní id ecfecit, ní ei male díxit, ni grato ingratus repertust.

LE. pol bene facta tua me hortantur tuo ut imperio paream. 65
To. ego sum tibi patronus plane qui huic pro te argentum
dedi.

* graphice hunc uolo ludificari.   LE. meo ego in loco
sedulo curabo.

Do. certo illi homines mihi nescioquid mali consulunt,
quod faciant. SAG. heus uos !

845 To. quid ais ? SAG. hicin Dordalus est leno qui hic
liberas uirgines mercatur ?

hicinest qui fuit quondam fortis ? Do. quae haec res 70
est ? ei ! colapho me icit.

malum uobis dabo. To. at tibi nos dedimus dabimusque
etiam. Do. ei ! natis peruellit.

PA. licet : iam diu saepe sunt expunctae. Do. loqueré
tu etiám, frustum pueri ?

LE. patrone mi, i intro, amabo, ad cenam.

850 Do. mea Ignauia, tu nunc me inrides ?

LE. quiane te uoco, bene ut tibi sit ? Do. nolo mihi bene 75
esse. LE. ne sit.

To. quid igitur ? sescenti nummi quid agunt, quas turbas
danunt ?

Do. male disperii ! sciunt referre probe inimico gratiam.

SAG. sati' sumpsimu' supplici iam.

855 Do. fateor, manus do uobis.

---

837 cropediem *cod.*   840 id] ei *Bothe*   843 * graphice]
hice *post spatium* P^{BC} : pergraphice *Spengel* : nunc (*vel age*) graphice
Mueller   844 quod *Ald.* : quid *cod.*   heus *Ald.* : heu *cod.*
845 agis *cod.* (*corr.* P^{CD})   hicin *Schoell* : hic si ne *cod.*   846
col. me *Lambinus* : colaphum *cod.*   847 percellit *Ussing*   848
dius *cod.*   sunt saepe *Ritschl, cui* saepe sŭnt (*vel* saep' sunt) *displicet*
852 To.] *vel* SAG.   acunt *cod.*   854 SAG.] *vel* To.   iam supplici
Bothe, ut integer dimeter fiat   855 u. d. *cod.* (*contra metrum*)

80   To. et post dabis sub furcis.
      Sag. abi intro—in crucem.   Do. an me hic parum exer-
                                              citum hisce
            habent? To. conuenisse   *   te Toxilum.

         mei spéctatores, bene ualete.   leno periit.   Caterva.
                                               plaudite.

856 exercitum *Camerarius* : execitum *cod. ut vid.*   858 Caterva]
pantio *cod.* (*pro* pantes *glossa siglo ω in* Pᴬ *addita*)

POENVLVS

ARGVMENTVM

Puer septuennis surripitur Carthagine.
Osor mulierum emptum adoptat hunc senex
Et facit heredem. eius cognatae duae
Nutrixque earum raptae. mercatur Lycus,
Vexatque amantem. at ille cum auro vilicum   5
Lenoni obtrudit, ita eum furto alligat.
Venit Hanno Poenus, gnatum hunc fratris repperit
Suasque adgnoscit quas perdiderat filias.

Per hanc fabulam totam praesto est T   2 mulierum i *B, unde*
m. ibi *Ritschl*   4 mercatur *Angelius* : mercatus *cod.*   6 itae *B*

PERSONAE

AGORASTOCLES ADVLESCENS
MILPHIO SERVVS
ADELPHASIVM ⎱ PVELLAE
ANTERASTILIS ⎰
LYCVS LENO
ANTAMOENIDES MILES
ADVOCATI
COLLYBISCVS VILICVS
SYNCERASTVS SERVVS
HANNO POENVS
GIDDENIS NVTRIX
PVER ANCILLA

SCAENA CALYDONE

ANTERASTILIS] *vel* ANTERASTYLIS
ANTAMOENIDES] ANTAMVNIDES *K. Schmidt* (*Herm.* 37, 376) : -MON-
A in V. v *tit. et* (*cum P*CD) *v.* 1322 (*pro* -MOEN-)
COLLYBISCVS] *vel* -LVB- : -LAB- *P in vv.* 415, 558 (*sed cf. K. Schmidt ibid.*)

PROLOGVS

    Achillem Aristárchi mihi commentari lubet:
    ind' mihi principium capiam, ex ea tragoedia
    'sileteque et tacete atque animum aduortite,
    audire iubet uos imperator'—histricus,
5   bonoque ut animo sedeant in subselliis   5
    et qui essurientes et qui saturi uenerint:
    qui edistis, multo fecistis sapientius,
    qui non edistis, saturi fite fabulis;
    nam quoi paratumst quod edit, nostra gratia
10   nimia est stultitia sessum inpransum incedere.   10
    'exsurge, praeco, fac populo audientiam.'
    iam dudum exspecto si tuom officium scias:
    exerce uocem quam per uiuisque et colis.
    nam nisi clamabis, tacitum te obrepet fames.
15   age nunc reside, duplicem ut mercedem feras.   15

    'bonum factum †esse†, edicta ut seruetis mea.'
    scortum exoletum ne quis in proscaenio
    sedeat, neu lictor uerbum aut uirgae muttiant,
    neu dissignator praeter os obambulet
20   neu sessum ducat, dum histrio in scaena siet.   20
    diu quí domi otiosi dormierunt, decet
    animo aequo nunc stent uel dormire temperent.
    serui ne opsideant, liberis ut sit locus,
    uel aes pro capite dent; si id facere non queunt,
25   domum abeant, uitent ancipiti infortunio,   25
    ne et hic uarientur uirgis et loris domi,

                  5 sedeant *Ital.*: sedeate *cod.*, *quod ut* sedeatis
interpretantur (*cf. ad Most.* 468)   6 esurientes *Ital.* : esuplentes
cod. (PL *pro* RI)   13 qua *T*   colis *displicet*: te alis *Leo*: uales
Geppert : *fort.* clues   16 factumst *Pylades*: *intercidisse quaedam
credit Leo*: *vix* haece   17 quis] quod *Ital.*   24 queant *Seyffert*

si minu' curassint, quóm eri reueniant domum.
nutrices pueros infantis minutulos
domi ut procurent neu quae spectatum adferat,
30   ne et ipsae sitiant et pueri pereant fame   30
neue essurientes hic quasi haedi obuagiant.
matronae tacitae spectent, tacitae rideant,
canora hic uoce sua tinnire temperent,
domum sermones fabulandi conferant,
35   ne et hic uiris sint et domi molestiae.   35
quodque ad ludorum curatores attinet,
ne palma detur quoiquam artifici iniuria
niue ambitionis caussa extrudantur foras,
quo deteriores anteponantur bonis.
40   et hoc quoque etiam quod paene oblitus fui :   40
dum ludi fiunt, in popinam, pedisequi,
inruptionem facite ; nunc dum occasio est,
nunc dum scribilitae | aestuant, occurrite,
haec imperata quae sunt pro imperio histrico,
45   bonum hercle factum pro se quisque ut meminerit.   45
ad argumentum nunc uicissatim uolo
remigrare, ut aeque mecum sitis gnarures.
eius nunc regiones, limites, confinia
determinabo : ei rei ego sum factus finitor.
50   sed nisi molestumst, nomen dare uobis uolo   50
comoediai ; sin odiost, dicam tamen,
siquidem licebit per illos quibus est in manu.
Καρχηδόνιος uocatur haec comoedia ;
latine Plautus 'Patruos' Pultiphagonides.

---

27 reueniant *Bothe* : ueniant *cod.* (iii. 3)   30 pertant *cod.* (T
pro E) (*unde* peritent *T*, pereant *P*CD)   32 rediant *cod.*   36
ad *om. B*   43 ⟨aestu⟩ aestuant *Goetz*   44 quae imperata *cod.* :
trai. Camerarius, rhythmo consulens   47 ignarures *cod. ut uid.*
49 eius *codd. Nonii* 11   finītor factus sum *Muretus, sed cf. Nettleship
(Journ. Phil. 24, 229)   50 nomen dare *Ital.* : non mendare *cod.*
53 *post hunc uersum lacunam signauit Geppert*

55 nomen iam habetis.   nunc rationes ceteras   55
   accipite ; nam argumentum hoc hic censebitur :
   locus argumentost suom sibi proscaenium,
   uos iuratores estis.   quaeso, operam date.
   Carthaginienses fratres patrueles duo
60 fuere summo genere et summis ditiis ;   60
   eorum alter uiuit, alter est emortuos.
   propterea apud uos dico confidentius,
   quia mi pollictor dixit qui eum pollinxerat.
   sed illi seni qui mortuost, ⟨ei⟩ filius
65 unicu' qui fuerat ab diuitiis a patre   65
   puer séptuennis surrupitur Carthagine,
   sexennio priu' quidem quam moritur pater.
   quoniam periisse sibi uidet gnatum unicum,
   conicitur ipse in morbum ex aegritudine :
70 facit illum heredem fratrem patruelem suom,   70
   ipse abit ad Accheruntem sine uiatico.
   ill' qui surrupuit puerum Calydonem auehit,
   uendit eum domino hic diuiti quoidam seni,
   cupienti liberorum, osori mulierum.
75 emit hospitalem is filium inprudens senex   75
   puerum illum eumque adoptat sibi pro filio
   eumque heredem fecit quom ipse obiit diem.
   is illíc adulescens habitat in illisce aedibus.
   reuortor rusus denuo Carthaginem :
80 siquid amandare uoltis aut curarier,   80
   argentum nisi qui dederit, nugas egerit ;
   uerum qui dederit, magi' maiores [nugas] egerit.
   sed illi patruo | huiius qui uiuit senex,

57 sibis *cod.*, *unde* suos sibist *Ritschl, fort. recte*   63 pollector *cod.*
64 *vel* illic   ⟨ei⟩ fi. *Acidalius*   65 fuerit *cod.* (*corr.* P^CD)   abditiuus
Gulielmius   71 habiit (*i. e.* abiit) *cod.*   74 mulierem
cod.   78 *vel* is illi   80 mandare *Saracenus, cui et* quid äm.
et sïquid *displicent*   82 uerum *del. Schoell*   *vel* mage   n.
del. Pylades   83 *vix* huĭus (*trisyll.*), *potius* huiusce : *fort.* huius
⟨hominis⟩ (iii, p. 51)

Carthaginiensi duae fuere filiae,
85   altera quinquennis, alterá quadrimula :   85
cum nutrice una periere a Magaribus.
eas quí surrupuit in Anactorium deuehit,
uendit eas omnis, et nutricem et uirgines,
praesenti argento—homini, si leno est homo,
90   quantum hominum terra sustinet sacerrumo.   90
uosmet nunc facite coniecturam ceterum
quid id sit hominis quoi Lyco nomen siet.
is ex Anactorio, ubi prius habituerat,
huc in Calydonem commigrauit hau diu,
95   sui quaésti caussa.   is in illis habitat aedibus.   95
earum hic adulescens alteram ecflictim perit,
suam síbi cognatam, inprudens, neque scit quae siet
neque eam umquam tetigit, ita eum leno macerat,
neque quicquam cúm ea fecit etiamnum stupri
100   neque duxit umquam, neque ille uoluit mittere :   100
quia amare cernit, tangere hominem uolt bolo.
illam minorem in concubinatum sibi
uolt emere miles quidam qui illam deperit.
sed pater illarum Poenus, posquam eas pérdidit,
105   mari te⟨rraque⟩ | usquequaque quaeritat.   105
ubi quamque in urbem | est ingressus, ilico
omnis meretrices, ubi quisque habitant, inuenit ;
dat aurum, ducit noctem, rogitat postibi
und' sit, quoiatis, captane an surrupta sit,
110   quo genere gnata, qui parentes fuerint.   110

85 altera ⟨erat⟩ qua *Ritschl*   86 quom *cod.* (*antiqua forma*)   89
praesenti *codd. Nonii* 397 : praesens *cod.* : praesenti ⟨ibi⟩ *Mueller, cui*
argento | homini *displicet*   94 commigrauit in Calydone *cod.* : *corr.*
Pylades   99 quom *cod.* (*antiqua forma*)   num *Merula* : nun *cod.*
99, 100 *damnat Guietus*   101 uolt bolo *Camerarius* : uolibolo *cod.*
⟨I *pro* T⟩   103 deperit *Ital.* : peperit *cod.* (P *pro* D)   104 illarum
Ital. : illi im *intercedente spatio cod.*   posquam *Ritschl* : pes quam *cod.*
eas *Ital.* : meas *cod.*   105 marite *cod.* : mari terraque eas *Geppert*
(*qui in v.* 104 eas *delet*)   *fort.* ⟨is⟩ us.   106 ⟨is⟩ est *Pylades*
109 quolatis captaneant *cod.* : *corr. Ital.*

ita docte atque astu filias quaerit suas.
et is omnis linguas scit, sed dissimulat sciens
se scire : Poenus plane est.   quid uerbis opust ?
is heri huc in portum naui uenit uesperi,
115   pater harunc ; idem huic patruos adulescentulo est :   115
iamne hoc tenetis ? si tenetis, ducite ;
caue dírrumpatis, quaeso, sinite transigi.
ehem, paéne oblitus sum relicuom dicere.
ill' quí adoptauit hunc sibi pro filio,
120   is illi Poeno | huius patruo hospes fuit.   120
[is hodie huc ueniet reperietque hic filias
et hunc sui fratris filium, ut quidem dídici ego.
ego ibo, ornabor ; uos aequo animo noscite.]
hic qui hodie ueniet reperiet suas fílias
125   et hunc sui frátris filium.   dehinc ceterum   125
ualete, adeste.   ibo, alius nunc fieri uolo :
quod restat, restant alii qui faciant palam.
ualete atque adiuuate ut uos seruet Salus.

ACTVS I

Agorastocles   Milphio   I. i

Ag. Saepe ego res multas tibi mandaui, Milphio,
130   dubias, egenas, inopiosas consili,
quas tu sapienter, docte et cordate et cate
mihi reddidisti | opiparas opera tua.

---

119 pro filio sibi *cod.* : *trai. Bothe metri causa*   120 *vix* huīus
(*trisyll.*),*potius* huiusce : *fort.* huius ⟨hominis⟩ (iii, p. 51)   patruo *Ital.* :
patri *cod.*   121–3 *retractatori tribuo, alterum exitum* (124-8) *ipsi
Plauto*   123 ibi *cod.* (*corr. D*[1])   aequos animos *cod.* (*corr. P*[CD])
124 huc *Geppert*   127 alii qui *Camerarius* : aliqui *cod.*   132
⟨ope⟩ opera *Lachmann*

5   quibu' pro benefactis fateor deberi tibi
      et libertatem et multas gratas gratias.
      MI. scitumst, per tempus si obuiamst, uerbum uetus.   135
      nam tuae blanditiae mihi sunt, quod dici solet,
      gerrae germanae, αἱ δὲ κολλῦραι λύραι.
10   nunc mihi blandidicus es : heri in tergo meo
      tris facile corios contriuisti bubulos.
      AG. amans per amorem si quid feci[t], Milphio,   140
      ignoscere id te mi aequom est.   MI. hau uidi magis.
      et nunc ego amore pereo.   sine te uerberem,
15   item ut tu mihi fecisti, ob nullam noxiam :
      postid locorum tu mihi amanti ignoscito.
      AG. si tibi lubido est aut uoluptati, sino :   145
      suspende, uinci, uerbera ; auctor sum, sino.
      MI. si auctoritatem postea defugeris,
20   ubi dissolutus tu sies, ego pendeam.
      AG. egone istuc ausim facere, praesertim tibi ?
      quin si feriri uideo te, extemplo dolet.   150
      MI. mihi quidem hercle.   AG. immo mihi.   MI. istuc
                                            mauelim.
      sed quid nunc tibi uis ?   AG. qur ego apud te mentiar ?
25   amo inmodeste.   MI. meae istuc scapulae sentiunt.
      AG. at ego hanc uicinam dico Adelphasium meam,
      lenonis huiius meretricem maiusculam.   155
      MI. iam pridem equidem istuc ex te audiui.   AG. dif-
                                          feror
      cupidine eiius.   sed lenone istoc Lyco,
30   illius domino, non lutumst lutulentius.

134 grates *cod.*, *sed cf. C. G. L.* v. 176, 20 'grata gratia . . . Plautus dixit.'   137 αἱ] σαὶ *Leo*   140 AG. amans *Weise* : adamans *cod.* (*pro* Ad(gorastocles) (*ita in tit. scaenae*) amans)   feci *Ital.*   142 et] em *Ussing*   et égo nunc pereo amore *Ritschl*   144 locorum Pylades ' *ex ant. codd.*' : locarum *cod.*   147 postea *Ital.* : post era *cod.*   152 ergo *cod.* (*corr.* P^{BC})   155 maiusculam *Ital.* : malusculum *cod.*

Mɪ. uin tu illi nequam dare nunc? Aɢ. cupio.   Mɪ.
                                      em me dato.

160   Aɢ. abi díerectus.   Mɪ. dic mihi uero serio :
uin dare malum illi? Aɢ. cupio.   Mɪ. em eundem
                                      me dato :
utrumque faxo habebit, et nequam et malum.
Aɢ. iocare.   Mɪ. uin tu illam hodie sine dispendio   35
tuo túam libertam facere?   Aɢ. cupio, Milphio.

165   Mɪ. ego faciam ut facias.   sunt tibi intus aurei
trecenti nummi Philippi?   Aɢ. sescenti quoque.
Mɪ. sati' sunt trecenti.   Aɢ. quid eis facturu's?   Mɪ. tace.
totum lenonem tibi cum tota familia   40
dabo hodie dono.   Aɢ. quí id facturu's?   Mɪ. iam scies.

170   tuo' Collybiscus nunc in urbest uilicus ;
eum hic non nouit leno.   satin intellegis?
Aɢ. intellego hercle, sed quo euadas nescio.
Mɪ. non scis?   Aɢ. non hercle.   Mɪ. át ego iam faxo 45
                                      scies.

ei dabitur aurum, ut ad lenonem deferat

175   dicatque se peregrinum esse ex alio oppido :
se amare uelle atque opsequí animo suo ;
locum sibi uelle liberum praeberier
ubi nequam faciat clam, ne quis sit arbiter.   50
leno ad se accipiet auri cupidus ilico :

180   celabit hominem et aurum.   Aɢ. consilium placet.
Mɪ. rogato seruos ueneritne ad eum tuos.
ill' me censebit quaeri: continuo tibi
negabit.   quid tu dubitas quin extempulo   55
dupli tibi, auri et hominis, fur leno siet?

159 em me dato *Ital.* : en mendato *cod.* (vii. 4)   163 dispendio
Gruterus : damno (damno et *P*ᴮᶜ) dispendio *cod.* (iv. 1?) : *duplicem
lectionem* damno tuo | Tuam *et* dispendio | Tuo tuam *eruunt alii*
166 philippii *cod.* (*pro* -pei?)   168 quom *cod.* (*antiqua forma*)   169
qui id *Guietus* : quid *cod.*   173 *vix* hercule   174 ei *Ital.* : et *cod.*
176 obsequi ⟨hic⟩ *Mueller*   184 duplici (*corr. ex* dupli?) *cod.*

13*

neque id unde ecficiat habet : ubi in ius uenerit,   185
addicet praetor familiam totam tibi.
ita decipiemus fouea lenonem Lycum.

60   AG. placet consilium. MI. immo etiam, ubi expoliuero,
magis hoc tum demum dices : nunc etiam rudest.
AG. ego in aedem Veneris eo, nisi quid uis, Milphio.   190
Aphrodisia hodie sunt. MI. sció. AG. oculos uolo
meos délectare munditiis meretriciis.

65   MI. hoc primum agamus quod consilium cepimus.
abeamus intro, ut Collybiscum uilicum
hanc perdoceamus ut ferat fallaciam.   195
AG. quamquam Cupido in corde uorsatur, tamen
tibi auscultabo.—MI. faciam ut facto gaudeas.

70   inest amoris macula huic homini in pectore,
sine damno magno quae elui ne utiquam potest.
itaque hic scelestus est homo leno Lycus,   200
quoi iam infortuni intenta ballistast probe,
quam ego hau multo post mittam e ballistario.

75   sed Adelphasium eccam exît atque Anterastilis.
haec est prior quae meum erum dementem facit.
sed euocabo. heus, i foras, Agorastocles,   205
si uis uidere ludos iucundissumos.
AG. quid istúc tumultist, Milphio? MI. em amores tuos,

80   si uis spectare. AG. o multa tibi di dent bona,
quom hoc mi optulisti tam lepidum spectaculum !

ii A D E L P H A S I V M   A N T E R A S T I L I S   A N C I L L A
       M I L P H I O   A G O R A S T O C L E S

ADE. Negoti sibi qui uolet uim parare,   210
nauem et mulierém, haec duo comparato.
nam nullae magis res duae plus negoti
habent, forte si occeperis exornare,

203 exit eccam *Camerarius, cui* exit *displicet*   211 ⟨sibi⟩ duo
Pylades, Spengel

neque umquam sat istae duae res ornantur   5
215 neque is ulla ornandi satis satietas est.
atque haec, ut loquor, nunc domo docta dico.
nam nos usque ab aurora ad hoc quod diei est,
[postquam aurora inluxit, numquam concessa[ui]mus],
ex industria ambae numquam concessamus   10
220 lauari aut fricari aut tergeri aut ornari,
poliri, expoliri, pingi, fingi ; et una
binae singulis quae datae nobis ancillae,
eae nos lauando, eluendo operam dederunt,
aggerundaque aqua sunt uiri duo defessi.   15
225 apage sis, negoti quantum in muliere una est.
sed uero duae, sat scio, maxumo uni
poplo quoilubet plus satis dare potis sunt,
quae noctes diesque omni in aetate semper
ornantur, lauantur, tergentur, poliuntur.   20
230   postremo modus muliebris nullus est.
        neque umquam lauando et fricando
231ª   scimus facere neniam.
nam quae lauta est nisi perculta est, meo quidem animo
                              quasi inluta est.
ANTE. miro[r] equidem, soror, te istaec sic fabulari 25
quae tam callida et docta sis et faceta.
235   nam quom sedulo munditer nos habemus,

214 sat istae *Reiz, Hermann* : satis hae *cod.* (satīs *vix ferendum*)
216 domo *Goeller* : modo *cod.*   218 *versum parum elegantem
retractatori tribuunt edd. post Acidalium* : *fort. prior pars* postquam au.
inl. *conservanda* (v. 4)   222 d. ancillae nobis *Bothe, nam* dataĕ *in
versu bacchiaco displicet* (ii. 1) : sunt a. n. *Reiz*   vix ancil-|-lae eae
nos *etc.* (*per synaphiam*)   223 eae *Pylades* : ea *cod.*   224 gerun-
daque aq. *Spengel* (iv. 3), *ut versus bacchiacus fiat* (*nam* aggerŭndaque *vix
ferendum*) : *vix* aquaque aggerunda (*cum* uirĭ)   231 neque umquam]
numquam *Bothe* (*in fine v.* 230) : *fort.* quae (*v.* 230) Necumquam, *ut v.*
230 *integer tetrameter fiat*   231ª neniam *Gruterus* : nniam *vel* eniam
cod.   232 qua clauata *cod.* (*i. e.* quae lauata)   inluta *Camerarius* :
inlusta *cod.*   233 miro *Geppert, nam* sorŏr *in versu bacchiaco
displicet*

uix aegreque amatorculos inuenimus.

ADE. ita est. uerum hoc unum tamen cogitato :

30 modus omnibus rebus, soror, optúmum est hábitu.

nimia omnia nimium exhibent negoti hominibus ex se.

ANTE. soror, cogitá, amabo, item nos perhiberi   240

quam si salsa muriatica esse autumantur,

sine omni lepóré et sine suauitate :

35 nisi multa aqua usque et diu macerantur,

olent, salsa sunt, tangere ut non uelis.

item nos sumus,   245

eiius seminis mulieres sunt,   245ª

insulsae admodum atque inuenustae

40   sine munditia et sumptu.

MI. coqua est haec quidem, Agorastocles, ut ego opinor:

scit muriatica ut maceret. AG. quid molestu's ?

ADE. soror, parce, amabo : sat est istuc alios   250

dicere nobis, ne nosmet in nostra etiam uitia loquamur.

45   ANTE. quiesco. ADE. ergo amo te. sed hoc nunc

responde mihi :   252ª

sunt hic omnia

quae ad deum pacem oportet adesse? ANTE. omnia ac-

curaui.

AG. diem pulchrum et celebrem et uenustatis plenum, 255

dignum Veneri pol, quoi sunt Aphrodisia hodie.

50 MI. ecquid gratiae, quom huc foras te euocaui ?

iam num me decet hic donari

cado uini ueteris ? dic dari. nil respondes ?

236 uix aegreque] ut aegre *codd. Nonii* 510   238 *vix* optumumst
(? -must) h. (*anap. colon*)   modust o. r. sorór optumum h. *Spengel*
(*bacch. tetram.*)   239 negoti *Hermann* : negotium *cod.*   246
inuenustae *Merula* : inuenustate *cod.* : inuenustate ⟨onustae⟩ *Schoell*,
ut integer tetram. fiat : *alii* ad⟨modum⟩que inuenustae *vel* ⟨inuenuste⟩
inuenustae   248 *vel* opino   250 amabo *Ital.* : amalo *cod.*
251 etiam uitiam *cod.*   eloquamur (*del.* in) *Hermann*   254
omnia *om. Hermann, Bothe, ut bacch. tetram. fiat*   256 *vel* Venere
257 gratiaest *Ritschl*   258 hic *scripsi* : huic *ut uid. cod.* (*om.* PBC)
259 dare *Dousa, fort. recte, nam* darĭ *in versu bacchiaco displicet*

260   lingua huic excidit, ut ego opinor.

quid hic, malum, astans opstipuisti? AG. sine amem, ne
                                            opturba ac tace.
MI. taceo. AG. si tacuisses, iam istuc 'taceo' non gnatum 55
                                                    foret
ANTE. eamus, mea soror. ADE. eho amabo, quid illo nunc
                            properas? ANTE. rogas?
quia erus nos apud aedem Veneris mantat. ADE. maneat
                                            pol. mane.
265 turba est nunc apud aram. an te ibi uis inter istás uorsarier
prosedas, pistorum amicas, reginas alicarias,
miseras schoeno delibutas seruilicolas sordidas,   60
quae tibi olant stabulum statumque, sellam et sessibulum
                                                    merum,
quas adeo hau quisquam umquam liber tetigit neque duxit
                                                    domum,
270 seruolorum sordidulorum scorta diobolaria?
MI. i in malam crucem! tun audes etiam seruos spernere,
propudium? quasi bella sit, quasi eampse reges ductitent, 65
monstrum mulieris, tantilla tanta uerba funditat,
quoius ego nebulai cyatho septem noctes non emam.
275 AG. di inmortales omnipotentes, quid est apud uos pulchrius?
quid habetis qui mage inmortalis uos credam esse quam ego
                                                    siem
qui haec tanta oculis bona concipio? nam Venus non est 70
                                                    Venus:
hanc equidem Venerem uenerabor me ut amet posthac
                                                    propitia.
Milphio, heus, Mílphio, ubi es? MI. assum apud te eccum.
                    AG. at ego elixus sis uolo.

---

260 *vel* opino   261 opstipuisti *Camerarius*: opstituisti *cod.*
ac tace *Camerarius*: actate *cod.*   264 mantet pol *Ritschl*   266
reginas (*T*) *vel* reliquias (*P*BC) *cod.*   267 seruulicolas *Gruterus,*
sed cf. Skutsch (*Jahrb. Class. Philol. suppl.* 27, 103)   270 duobo-
laria *cod.*   278 posthac *Camerarius*: [ac] (at *P*BC) posthac (pos
hac) *cod.* (iv. 3)   279 Milphio *alt. del. Bothe*

Mɪ. enim uero, ere, facis delicias.   Aɢ. de tequidem haec 280
  didici omnia.

Mɪ. etiamne ut ames eam quam numquam tetigeris?   Aɢ.
  nihil id quidemst :

75 deos quoque edepol et amo et metuo, quibu' tamen ápstineo
  manus.

Aɴᴛᴇ. eu ecastór ! quom ornatum aspicio nostrum ambarum,
  paenitet

exornatae ut simus.   Aᴅᴇ. immo uero sane commode ;

nam pro erili et nostro quaestu sati' bene ornatae sumus.   285

non enim potis est quaestus fieri, ni sumptus sequitur, scio,

8ɔ et tamen quaéstus non consistet, si eum sumptus superat,
  soror.

eo illud satiust ' satis ' quod satis est habitu ; ⟨hóc⟩ plus quam
  sat est.

Aɢ. ita me dí ament, ut illa mé amet malim quam di, Milphio.

nam illa mulier lapidem silicem subigere ut se amet potest. 290

Mɪ. pol idquidem hau mentire, nam tu es lapide silice
  stultior

85 qui hanc ames.   Aɢ. at uide sis, cum illac numquam limaui
  caput.

Mɪ. curram igitur aliquo ad piscinam aut ad lacum, limum
  petam.

Aɢ. quid eo opust?   Mɪ. ego dicam : ut illi ét tibi limem
  caput.

Aɢ. í in malam rem ! Mɪ. ibi sum equidem. Aɢ. perdis. 295
  Mɪ. taceo. Aɢ. at perpetuo uolo.

Mɪ. enim uero, ere, meo mé lacessis ludo et delicias facis.

---

281 id *Bothe* : illic *P ut uid.* (*pro* idic ? *cf.* 291) : hoc *Seyffert*   282
accedit A   [ego] tamen *P*   285 erili et] erilicet *P*   286 potis
est q.] pote q. *testatur Charisius* 223, *sed* ením *uix ferendum* : potest q.
P (*pro* potis est?)   fieri ... quaestus (*v.* 287) *om. P ut uid.* (*propter
homoeotel.*)   288 habitu hoc *scripsi* : habitus *P*, *A n. l.* : *fort.* hoc
autem (hᶜ aū)   ⟨quam illud quod⟩ *Ritschl*   291 id quidem]
equidem *A* (? *pro* icq.)   292 quom i. *P* (*antiqua forma*)   294 opus
sit *P* (i. 7, 2)   *uel* illic   limen *P*   295 i in] in *A* (? in')
perg(is) *A*

Ante. sati' nunc lepide ornatam credo, soror, te tibi uiderier ; 90
sed ubi exempla conferentur meretricum aliarum, ibi tibi
erit cordolium si quam ornatam melius forte aspexeris.
300 Ade. inuidia in me numquam innatast neque malitia, mea
soror.

bono med esse ingenio ornatam quam auro multo mauolo :
aurum, id fortuna inuenitur, natura ingenium bonum.   95
bonam ego quam beatam me esse nimio dici mauolo.
meretricem pudorem gerere magi' decet quam purpuram :
305 magi'que id meretricem, pudorem quam aurum gerere, condecet.

pulchrum ornatum turpes mores peius caeno conlinunt,
lepidi mores turpem ornatum facile factis comprobant.   100
Ag. eho tu, uin tu facinus facere lepidum et festiuom ?   Mi.
uolo.

Ag. potesne mi auscultare ?   Mi. possum.   Ag. abi domum
ac suspende te.
310 Mi. quámobrem ?   Ag. quia iam numquam audibis uerba
tot tam suauia.

quid tibi opust uixisse ? ausculta mihi modo ac suspende te.
Mi. siquidem tu es mecum futurus pro uua passa pensilis.   105
Ag. at ego amo hanc. Mi. at ego esse et bibere. Ade.ého
tu, quid ais ?   Ante. quid rogas ?
Ade. uiden tu ? pleni oculi sorderum quí erant, iam splen-
dent mihi ?
315 Ante. immo etiam in medio oculo paullum sordet.   cedo
sis dexteram.

298 conferuntur *P*   300 innatast] gnaṭa est *A*[1]   301 *uel* me (*ita
cod.*)   ingenio esse *P*   302 id] in *P*   303 *et* 304 (*post* 305 *in
A*) *retractatoris esse possunt*   304 *uel* mage   305 magisque id (?)
Leo : magisque *A* : magis quid (-it) *P* (i *pro* ei ?)   306 *cf. Most.*
291   turpest *A*   310 quia] qui *P*   311 ac] et *A*   312 es
tu *codd. Nonii* 11   pensili *codd. Nonii*   313 amabo *A*   314
ple(lli) *A, fort. recte*   sorderunt *P*   315 ⟨Ade.⟩ cedo *Ital.*
sị *A*   deteram *Scaliger, sed ancillam alloqui Anterastilis videtur*

AG. ut quidem tu húius oculos inlutis manibus tractes aut
teras?

110 ANTE. nimia nos socordia hodie tenuit.   ADE. qua de re,
opsecro?

ANTE. quia non iam dudum ante lucem ad aedem Veneris
uenimus,

primae ut inferremus ignem in aram.   ADE. aha ! non factost
opus :

quaé habent nocturna ora, noctu sacruficatum ire occupant. 320

priu' quam Venus expergiscatur, priu' deproperant sedulo

115 sacruficare ; nam uigilante Venere si ueniant eae,

ita sunt turpes, credo ecastor Venerem ipsam e fano fugent.

AG. Milphio.   MI. edepol Milphionem miserum !   quid
nunc uis tibi?

AG. opsecro hercle, ut mulsa loquitur !   MI. nil nisi later- 325
culos,

sesumam papaueremque, triticum et frictas nuces.

120 AG. ecquid amare uideor?   MI. damnum, quod Mercurius
minime amat.

AG.   namque edepol   lucrum | amare   nullum   amatorem
addecet.

ANTE. eamus, mea germana.   ADE. áge sis, ut lubet.   ANTE.
sequere hac.   ADE. sequor.

MI. eunt hae.   AG. quid si adeamus?   MI. adeas.   AG. 330
primum prima salua sis,

et secunda tu insecundo salue in pretio ; tertia

125 salue extra pretium.   ANC. tum pol ego et oleum et operam
perdidi.

AG. quó agis?   ADE. egone? in aedem Veneris.   AG. quid
eo?   ADE. ut Venerem propitiem.

ae
316 ut tu quidem *P*   319 primae] prima cum *P* (? *pro* primum,
i. e. primum *corr.* primae)   signem *P*   factust *A*   320
occupans *P*   321 experiscatur *P*   328 nam quidem edep. *Bothe*
⟨ullum⟩ am. *Brix*   331 tu in s. (*del. alt.* in) *Studemund* : tu secundo
Camerarius (*cf. Amer. Journ. Phil.* 21, 37)   333 q. te a. *P* (i. 9)

AG. eho, an irata est? ADE. propitia hercle est. AG. uel
ego pro illa spondeo.

335 quid tu ais? ADE. quid mihi molestu's, opsecro? AG. aha,
tam saeuiter!

ADE. mitte, amabo. AG. quid festinas? turba nunc illi est.
ADE. scio.

sunt illi aliae quas spectare ego et me spectari uolo.   130

AG. qui lubet spectare turpis, pulchram spectandam dare?

ADE. quia apud aedem Veneris hodie est mercatus mere-
tricius:

340 eo conueniunt mercatores, ibi ego me ostendi uolo.

AG. inuendibili merci oportet ultro emptorem adducere:

proba mers facile emptorem reperit, tam etsi in apstruso 135
sitast.

quid ais tu? quando illi apud me mecum palpas et lalas?

ADE. quo die Orcus Accherunte mortuos amiserit.

345 AG. sunt mihi intus nescioquot nummi aurei lymphatici.

ADE. deferto ad me, faxo actutum constiterit lymphaticum.

MI. bellula hercle! i dierecte in maxumam malam crucem! 140

quam magis aspecto, tam magis est nimbata et nugae merae.

ADE. segrega sermonem. taedet. AG. age, sustolle hoc
amiculum.

350 ADE. pura sum, comperce amabo me attrectare, Agorastocles.

AG. quid agam nunc? ADE. si sapias, curam hanc facere
compendi potest.

AG. quid ego nunc te curem? quid ais, Milphio? MI. ecce 145
odium meum!

quid me uis? AG. qur mi haec irata est? MI. qur haec
irata est tibi?

qur ego id curem? namque istaec magi' meast curatio?

334 ADE. *suspectum* (*cf. Gellius* 11, 6)   340 ego *om. A*   342 tam
etsi] tarem est et si *P* (*pro* tamenetsi?)   in occulto sitast *A*   343
mec. caput et corpus copulas *P*   lallas *A*   344 ab a. *P*   amiseris *P*
345 intus *om. A*   laurei *A*   347 ei *A* (*antiqua forma*) : ⟨AG.⟩ i
Ital.   351 potes *Ital.* : *fort.* pote   352 non *Acidalius*   ais]
agas *P*   354 *vel* nam quaé : nam qui *Ritschl*   *vel* mage

Ag. iam hercle tu periisti, nisi illam mihi tam tranquillam 355
facis

quam mare olimst quóm ibi alcedo pullos educit suos.

150 Mi. quid faciam ?   Ag. exora, blandire, expalpa.   Mi. faciam sedulo.

sed uide sis ne tu oratorem hunc pugnis pectas postea.

Ag. non faciam.   Ade. non aequos in me es, sed morare
et male facis.

bene promittis multa ex multis : omnia incassum cadunt.   360

liberare iurauisti me hau semel sed centiens :

155 dum te exspecto, neque ego usquam aliam mihi paraui
copiam

neque istuc usquam apparet ; ita nunc seruio nihilo minus.

i, soror. apscede tu a me.   Ag. perii ! ecquid ais, Milphio ?

Mi. mea uoluptas, mea delicia, mea uita, mea amoenitas,   365

meus ocellus, meum labellum, mea salus, meum sauium,

160 meum mel, meum cor, mea colustra, meu' molliculus
caseus—

Ag. mene ego illaéc patiar praesente dici ? discrucior miser,

nisi ego illum iubeo quadrigis cursim ad carnuficem rapi.

Mi. noli, amabo, suscensere ero meo caussa mea.   370

ego faxo, si non irata's, ninnium pro te dabit

165 ac te faciet ut sies cíuis Attica atque libera.

quin adire sini' ?   quin tibi qui bene uolunt, bene uis item ?

si ante quid mentitust, nunciam dehinc erit uerax tibi.

sine te exorem, sine prehendam auriculis, sine dem sauium. 375

---

355 peristiṣ *A*   356 alcedo *testatur Priscianus* 1, 206 (*cf.
Fronto*, p. 225 *N.*) : alcyo *codd.* (v. 1)   seducít *P*   357 exblandire
Goetz et Loewe   palpa *A fort. recte*   358 postea] omnia *A*
361 iura uis te *P* (*pro* -tei ?)   sedentiens (-tlens ?) *P ut uid.*   362
ego *om. P*   364 agis *P*   365 mea delicia *testatur Gellius* 19,
8, 6 (*unde Nonius* 100) : meae deliciae *codd.*   366 oculus *A*
368 ego praesent(e) patiar illaec *A* (? *pro* pr. pa. e. i.)   371 iratasṭ *A*
372 Atque *codd.*   373 quin adire sinis *Adelphasio* (*ut uid.*) dat *A*
(*pro* q. abire s. ?)   quin adiri (*T ut uid.*) *vel* qui in adire (*P*ᴮᶜ *ut
uid.*) *P*   374 quidem entitus sit *P* (? *pro* quid ementitust) *vix*
nunc iam (*cf. ad Epid.* 135)   375, 376 *inverso ordine P* (*prius
omisso v.* 375 *propter homoeoarch.* ; ii. 6)   375 auris *A*

Ade. apscede hinc sis, sycophanta par ero. Mi. at scin quo
                                                            modo ?

iam hercle ego faciam ploratillum, nisi te facio propitiam,   170
atque hic ne me uerberetíllum faciat, nisi te propitio,
male formido : noui ego huiius mores morosi malos.
380 quam ob rem amabo, mea uoluptas, sine te hoc exorarier.
Ag. non ego homo trioboli sum, nisi ego illi mastigiae
exturbo oculos atque dentes.   em uoluptatem tibi !   175
em mel, em cor, em labellum, ém salutem, em sauium !
Mi. impias, ere, te : oratorem uerberas. Ag. iam istoc magis :
385 etiam ocellum addam et labellum, linguam.   Mi. ecquid
                                                      facies modi ?

Ag. sicine ego te orares iussi ?   Mi. quo modo ergo orem ?
                                                        Ag. rogas ?

sic enim diceres, sceleste : huiius uoluptas, te opsecro,   180
huius mel, huius cor, huius labellum, huiius lingua, huiius
                                                          sauium,

huius delicia, huiius salus amoena, huiius festiuitas :
390 huiiu' colustra, huiius dulciculus caseus, mastigia,
390ᵃ huiius cor, huiius studium, huiius sauium, mastigia ;
omnia illa, quae dicebas tua esse, ea mémorares mea.   185
Mi. opsecro hercle te, uoluptas huiius atque odium meum,
huiius amica mammeata, mea inimica et maleuola,
oculus huiius, lippitudo mea, mel huiius, fel meum,
395 ut tu huïc irata ne sis aut, si id fieri non potest,
capias restim ac te suspendas cum ero et uostra familia.   190
nam mihi iam uideo propter te uictitandum sorbilo,
itaque iam quasi ostreatum tergum ulceribus gestito

377 plorantem illum *P*   propiciam facio *P*   378 me ne *P* :
ne in me (?) *Leo*   379 morosi] moros *A*   380 amabo *om. A*
te hoc *Geppert* : te *P* : hoc *A*   385 [et] li. *P*   386 orare *A* (i. 9)
iussiṭ *A*   ego *A*   389 *vel* huiiu' děl.   deliciae *A, corr. Mercerus*
(*ex v.* 365) : colustra *P* (*ex v.* 390)   390 *om. A*[1] (*cf. ad v. sq.*)   390ᵃ
supra sauium mastigia *scripsit* dulciculus caseus *A*[2]   392 ẹius *A*
396 quom *P* (*antiqua forma*)

propter amorem uostrum. ⟨ADE.⟩ amabo, men prohibere
postulas
ne te uerberet magi' quam ne mendax me aduorsum siet?   400
195 ANTE. aliquid huic responde, amabo, commode, ne incom-
modus
nobeis sit.   nam detinet nos de nostro negotio.
ADE. uerum.   etiam tibi hanc amittam noxiam unam, Agorastocles.
non sum irata.   AG. non es?   ADE. non sum.   AG. da ergo,
ut credam, sauium.
ADE. mox dabo, quom ab re diuina rediero.   AG. í ergo 405
strenue.
200 ADE. sequere me, soror.   AG. atque audin?   ADE. etiam.
AG. Veneri dicito
multum meis uerbeis salutem.   ADE. dicam.   AG. atque hoc
audi.   ADE. quid est?
AG. paucis uerbis rem diuinam facito. atque audin? respice.
respexit.   idem edepol Venerem credo facturam tibi.

iii   A G O R A S T O C L E S   M I L P H I O

AG. Quid nunc mi es auctor, Milphio?   MI. ut me uer- 410
beres
atque auctionem facias : nam inpunissume
tibi quidem hercle uendere hasce aedis licet.
AG. quid iam?   MI. maiorem partem in ore habitas meo.
5   AG. supersede istis uerbis.   MI. quid nunc ueis tibi?
AG. trecentos Philippos Collybisco uilico   415
dedi dúdum, priu' quam me euocauisti foras.
nunc opsecro te, Milphio, hanc per dexteram
perque hanc sororem laeuam perque oculos tuos
10   perq' meos amores perque Adelphasium meam
perque tuam leibertatem—MI. em nunc nihil opsecras.   420

400 *vel* mage   401 incommodis *P*   407 multa *P*   audin *Ritschl*
409 pol *P*   410 auctor es *A*   413 parte minore h. mea *P* (i. 6)
414 ueis nunc *A*   416 dum *A*

Ag. mi Milphidisce, mea commoditas, mea salus,
fac quod facturum te promisisti mihi,
ut ego hunc lenonem perdam. Mi. perfacile id quidemst.
i, adduce testis tecum ; ego intus interim   15
425 iam et ornamentis meis et sycophantiis
tuom exornabo uilicum.   propera atque abi.
Ag. fugio. Mi. meum est istuc magis officium quam
                    tuom.
Ag. egone, egone, si istuc lepide ecfexis—Mi. i modo.
Ag. ut non ego te hodie—Mi. abi modo. Ag. emittam 20
                    manu—
430 Mi. i modo. Ag. non hercle meream—Mi. óh—Ag.
                uah—Mi. abi modo.
Ag. quantum Accheruntest mortuorum. Mi. etiamne
             abis ?
Ag. neque quantum aquaist in marí—Mi. abiturun es ?
Ag. neque nubes omnes quantumst—Mi. pergin pergere ?
Ag. neque stellae in caelo—Mi. pergin auris tundere ?   25
435 Ag. neque hoc neque illuc neque—enim uero serio—
neque hercle uero—quid opust uerbis ? quippini ?
quod uno uerbo—dicere hic quidueis licet—
neque hercle uero serio—scin quomodo ?
ita me di amabunt—uin bona dicam fide ?   30
440 quod hic inter nos liceat—ita me Iuppiter—
scin quam uidetur ? credin quod ego fabuler ?
Mi. si nequeo facere ut abeas, egomet abiero ;
nam isti quidem hercle orationi Oédipo
opust cóniectore, qui Sphingi interpres fuit.—   35
445 Ag. illic hinc iratus abiit.   nunc mihi cautio est
ne meamet culpa meo amori obiexim moram.

422 te esse promisisti (-misti ?) P   424 om. A (propter homoeoarch.?)   425 et ornamentis] tormentis A   miis P (antiqua
forma)   430 merear A   432 mare A   435 illud A   436
opus A   440 licet A   441 vel sic distingue scin quam ?—uidetur—
uide tu P   442 abireo P   443 orationist (deinde opus) Bothe
(sed cf. Journ. Phil. 27, 217)

ibo atque arcessam testis, quando Amor iubet
me oboedientem | esse seruo liberum.—

ACTVS II

LYCVS   ANTAMOENIDES

LY. Di illum infelicent omnes qui post hunc diem
leno ullam Veneri umquam immolarit hostiam   450
quiue ullum turis granum sacruficauerit.
nam ego hodie infelix dis meis íratissumis
5   sex immolaui | agnos nec potui tamen
propitiam Venerem facere uti | esset mihi.
quoniam litare nequeo, ábii illim ilico   455
iratus, uotui | exta prosicarier ;
[neque ea poricere uolui, quoniam non bona   456ᵃ
10 haruspex dixit : deam esse indignam credidi.]   456ᵇ
eo pácto auarae Veneri pulchre adii manum.
quando id quod sat erat satis habere noluit,
ego pausam feci.   sic ago, sic me decet.
ego faxo posthac di deaeque ceteri   460
15 contentiores mage erunt atque auidi minus,
quom scibunt Veneri ut adierit leno manum.
condigne haruspex, non homo trioboli,
omnibus in extis aibat portendi mihi
malum damnumque et deos esse iratos mihi.   465
20 quid ei diuini aut humani aequomst credere ?
mina mihi argenti dono postilla dátast.
sed quaeso, ubinam illic restitit miles modo

---

447 Amor ⟨iambus⟩ *hic vix ferendum*   quando ⟨ita⟩ *Luchs* : quan-
doc (?) *Leo*   iubet Amor *vel* Amórí lubet (lubet *B*) *Luchs*   448 meo
ob. *B* : ob. me *Bentley* : meo ob. ⟨me⟩ *Gruterus, fort. recte*   451
quiue] qui *A* (iii. 3)   453 agnos immolaui *Pylades*   454 ⟨aes⟩
esset *Palmer*   455 non queo *Geppert   vel* abiui   456 uolui *A*
exta uotui *Reiz* : uotui ⟨ei⟩ (?) *Leo*   456ᵃ, 456ᵇ *om. A*   456ᵃ poricere *Seyffert* : picere *cod.*   456ᵇ dea e. indigna *Pistoris*   459
paussam *A*   461 audiuį *A*   462 qum *P*   463 *post v.* 471 *A*
(ii. 6)   466 aut *Pius* : haud *P* : atque *A*

quei hanc mihi donauit, quem ego uocaui ad prandium ?
470 sed eccum incedit. ANTA. ita ut occepi dicere,
lenulle, dé illac pugna Pentetronica,   25
quom sexaginta milia hominum uno die
uolaticorum manibus occidi meis.
LY. uolaticorum—hóminum ? ANTA. íta deico quidem.
475 LY. an, opsecro, usquam sunt homines uolatici ?
ANTA. fuere. uerum ego interfeci. LY. quo modo   30
potuisti ? ANTA. dicam. uiscum legioni dedi
fundasque ; eo praésternebant folia farferi.
LY. quoi rei ? ANTA. †ne ad fundas uiscus adhaeresceret†.
480 LY. perge. optume hercle peiieras. quid postea ?
ANTA. in fundas uisci indebant grandiculos globos,   35
eo illós uolantis iussi funditarier.
quid multa uerbá ? quemquem uisco offenderant,
484-5 tam crebri ad terram reccidebant quam pira.
ut quisque acciderat, eum necabam | ilico
per cerebrum pinna sua sibi quasi turturem.   40
LY. si hercle istuc umquam factum est, tum me Iup-
                                                piter
faciat ut semper sacruficem nec umquám litem.
490 ANTA. an mi haec non credis ? LY. credo, ut mi ae-
                                             quomst credier.
age eamus intro. ANTA. dum exta referuntur, uolo
narrare tibi etiam unam pugnam. LY. nil moror.   45
ANTA. ausculta. LY. non hercle auscultabo. ANTA. quo
                                                modo ?

471 lenulle *Priscianus testatur* 1, 109 : lenullo *A* : lenuile *P ut uid.* (I
pro L)   474 euolaticorum *P* (*cum A ante corr.*) (E *erat personae
nota*): uolaticorumne *Guietus*   475 uia**tici** *P*   479 ad f. u. ne
Bothe   fort. ambhaeresceret (v, p. 81)   481 uisci indebant
Gruterus : uiṣclindebant *A* : uis uindebant *P*   glandiculos *A*
482 eo *Camerarius* : eoṣ *A* : ego *P*   485 accidebant *P* : aeci-
vel reci- *A*   489 *vel* necumquam   490 est aecum *P*   credere *A*   491 referantur *A*   493 auscultabo *usque ad* (*v. sq.*)
hercle *om. P* (*propter homoeoteleuton*)

coiaphis quidem hercle tuom iam dilidam caput,
nisi aut auscultas aut—is in malam crucem.   405
Ly. malam crucem ibo potius. Anta. certumnest tibi ?
50   Ly. certum. Anta. tum tu igitur die bonó, Aphrodisiis,
addice tuam mihi meretricem minusculam.
Ly. ita res diuina mihi fuit : res serias
omnis extollo ex hoc die in alium diem.   500
profestos festos habeam decretum est mihi.
55   nunc hinc eamus intro. sequere hac me.— Anta. sequor.
in hunc diem iam tuo' sum mercennarius.—

ACTVS III

III. i   A g o r a s t o c l e s   A d v o c a t i

Ag. Ita me dí ament, tardo amico nihil est quicquam ne-
                                        quius,
praesertim homini amanti, qui quidquid agit properat omnia. 505
sicut ego hos duco aduocatos, homines spissigradissumos,
tardiores quam corbitae sunt in tranquillo mari.
5 atque equidem hercle dedita opera amicos fugitaui senes :
scibam aetati tardiores, metui meo amori moram.
nequiquam hos procos mi elegi loripedes, tardissumos.   510
quin si ituri hodie estis, ite, aut ite hinc in malam crucem.
sicine oportet ire amicos homini amanti operam datum ?
10 nam istequidem gradus succretust cribro pollinario ;
nisi cum pedicis **condidicistis** istoc grassari gradu.
Adv. heus tu, quamquam nos uidemur tibi plebeii et pau- 515
                                        peres,
si nec recte dicis nobis diues de summo loco,

494 elidam *P*   495 aut *pr. om. P*   497 aphrodiis *P*   500 ex
om. A   501–71 *deest A*   501 *vel* Anta. pr.   profestos *Turnebus* : profectos *cod.*   504 nihili *cod.*   inequius *P*BC (*vix pro*
iniquius)   505 que *cod.* (*corr. B*)   507 corbitae *Nonius* 533 : cor-
ditae *cod.* (D *pro* B)   in] et in *codd. Nonii*   511 aut ite *Ital.* :
audite *cod.*

diuitem audacter solemus mactare infortunio.

nec tibi nos obnoxii istuc quid tu ames aut oderis :   15

quom argentum pro capite dedimus, nostrum dedimus, non

                                                    tuom ;

520 liberos nos esse oportet.   nos te nihili pendimus,

ne tuo nós amori seruos esse addictos censeas.

liberos homines per urbem modico magi' par est gradu

ire, seruoli esse duco festinantem currere.   20

praesertim in re populi placida atque interfectis hostibus

525 non decet tumultuari.   sed si properabas magis,

pridie nos te aduocatos huc duxisse oportuit.

ne tu opinere, hau quisquam hodie nostrum curret per uias

neque nos populus pro cerritis insectabit lapidibus.   25

AG. at si ad prandium me in aedem uos dixissem ducere,

530 uinceretis ceruom cursu uel gralatorem gradu ;

nunc uos quia mihi aduocatos dixi et testis ducere,

podagrosi estis ac uicistis cocleam tarditudine.

ADV. an uero non iusta caussa est qur curratur celeriter   30

ubi bibas, edas de alieno quantum ueis usque ad fatim,

535 quod tu inuitus numquam reddas domino de quoio ederis ?

sed tamen cum eo cum quiqui, quamquam sumu' pauperculi,

est domi quod edimus, ne nos tam contemptim conteras.

quidquid est pauxillulum illuc, omne nostrum id intus est, 35

neque nos quemquam flagitamus neque nos quisquam

                                                    flagitat.

518 obnoxii *Bothe* : obnixii [sumus] *cod.* (? *pro* obnixi s.)   521
seruos *Pylades* : seruos [tuos] *cod.*   522 *vel* mage   523 (seruuli
C : seruili *D* : seruile *B* : *T n. l.*) ul *per ligaturam script. cum* il *facile
confunditur*)   527 *vel* opines   530 ceruom cursu] circum (? *i. q.*
κίρκον, ' *accipitrem* ') curso *cod. Varronis de L. L.* 7. 69 : cursu ceruas
codd. Pauli 97   uel] el *B* : et *codd. Pauli*   *vel* grall- : glabatorem *cod.*
(*B pro* R ; *pro* glar-, *plebeia forma*)   532 tarditune *cod.*   533 an
Dousa : ad (at) *cod.*   quor *Ritschl* : quo *cod.*   534 edis *Speijer*
ueis *ut vid. cod.* (*unde* uelis *P*CD, *om. B*)   535 quoio *Bergk* :
quio *cod.*   536 quom eo quom *cod.* (*antiqua forma*)   538
pauxillum *B*   nostrum id omne *cod.* : *traieci*   int. est] non
tuomst *Bentley*

                                                    14*

tua caussa nemo nostrorumst suos rupturus ramites.   540

AG. nimis iracundi estis : equidem haec uobis dixi per
iocum.

ADV. per iocum itidem dictum habeto quae nos tibi respon-
dimus.

40 AG. opsecro hercle, operam celocem hanc mihi, ne cor-
bitam date ;

adtrepidate saltem, nam uos adproperare hau postulo.

ADV. si quid tu placide otioseque agere uis, operam damus ; 545

si properas, cursores meliust te aduocatos ducere.

AG. scitis rem, narraui uobis quod uostra opera mi opu' siet,

45 de lenone hoc qui me amantem ludificatur tam diu,

ei paratae ut sint insidiae de auro et de seruo meo.

ADV. omnia istaec scimus iam nos, si hi spectatores sciant ; 550

horunc hic nunc caussa haec agitur spectatorum fabula :

hos te satius est docere, ut, quando agas, quid agas sciant.

50 nos tu ne curassis : scimus rem omnem, quippe omnes simul

dedicimus tecum una, ut respondere possimus tibi.

AG. ita profecto est.   sed agite igitur, ut sciam uos scire, 555
rem

expedite et mihi quae uobis dudum dixi dicite.

ADV. itane ? temptas an sciamus ? non meminisse nos ratu's

55 quo modo trecentos Philippos Collybisco uilico

dederis, quos deferret huc ad lenonem inimicum tuom,

isq' se ut adsímularet peregrinum esse aliunde ex alio oppido ? 560

ubi is detulerit, tú eo seruom quaesitum aduentes tuom

cum pecunia.   AG. meministis memoriter, seruasti' me.

60 ADV. ille negabit : Milphionem quaeri censebit tuom ;

id duplicabit omne furtum.   leno addicetur tibi.

565 ad eam rem nos esse testis uis tibi. AG. teneti' rem.

ADV. uix quidem hercle, íta pauxilla est, digitulis primoribus.

AG. hoc cito et cursim est agendum. propera iam quan-

tum potest.

ADV. bene uale igitur. te aduocatos meliust celeris ducere ; 65
tardi sumu' nos. AG. optume itis, pessume hercle dicitis.

570 quin etiam deciderint femina uobis in talos uelim.

ADV. at edepol nos tíbi in lúmbos linguam atque oculos in

solum.

AG. heia ! hau uostrumst iracundos esse quod dixi ioco.

ADV. nec tuom quidem est amicis per iocum iniuste loqui. 70

AG. mittite istaec. quid uelim uos scitis. ADV. callemus

probe :

575 lenonem ut peiiurum perdas, id studes. AG. teneti' rem.

eugae ! opportune egrediuntur Milphio una et uilicus.

basilice exornatus cedit et fabre ad fallaciam.

MILPHIO   COLLYBISCVS   AGORASTOCLES ii
ADVOCATI

MI. Iam tenes praecepta in corde ?   Co. pulchre.   MI.

uide sis calleas.

Co. quid opust uerbis ?   callum aprugnum callere aeque

non sinam.

580 MI. fac modo ut condocta tibi sint dicta ad hanc fallaciam.

Co. quin edepol condoctior sum quam tragoedi aut comici.

MI. probus homost. AG. adeamus propius. adsunt testes. 5

MI. tot quidem

non potuisti adducere homines magis ad hanc rem idoneos.

565 testis] estis *cod.*   566 *vix* hercule   itast p. *Geppert*
567–77 *cf. ad* 543–6   568 aduocatus *cod.*   melius *cod.*   570
uobis femina *cod.* : *trai. Ritschl*   571 tibi nos *Bothe*   572
accedit A   573 nȩ *A*   574 mitte *ut vid. A*   uelim uos]
uelimus *A*   576 Ecce *P*   577 incedit *P*   582 ad eam
proprius (propius *D*) *P*   adsunt t.? *Milphioni tribuit*, tot quidem
Agorastocli Leo

nam istorum nullus nefastust :. comitiales sunt meri ;

ibi habitant, ibi eos conspicias quam praetorem saepius.   585

hodie iuris coctiores non sunt qui litis creant

10 quam hi sunt qui, si nihil est quicum litigent, litis emunt.

    Adv. di te perdant ! Mi. uos quidem hercle—cúm eo cum

                               quiqui tamen

et bene et benigne facitis quóm ero amanti operam datis.

sed isti iam sciunt negoti quid sit ? Ag. omne in ordinem. 590

Mi. tum uos animum aduortite igitur. hunc uos lenonem

                                    Lycum

15 nouistis ? Adv. facile. Co. at pol ego eum qua sit facie

                                    nescio.

eum mihi uolo demonstretis hominem. Adv. nos curabimus.

sati' praeceptumst. Ag. hic trecentos nummos numeratos

                                    habet.

Adv. ergo nos inspicere oportet istuc aurum, Agorastocles, 595

ut sciamus quid dicamus mox pro testimonio.

20 Co. agite, inspicite. Adv. aurum est profecto hic, specta-

                                  tores, comicum :

macerato hoc pingues fiunt auro in barbaria boues ;

uerum ad hanc rem agundam Philippum est : ita nos adsi-

                                  mulabimus.

Co. sed ita adsimulatote quasi ego sim peregrinus. Adv. 600

                                  scilicet,

et quidem quasi tu nobiscum adueniens hodie oraueris

25 liberum ut commostraremus tibi locum et uoluptárium

ubi ames, potes, pergraecere. Co. eu edepol mortalis malos !

Ag. ego enim docui. Mi. quis te porro ? Co. agite intro

                              abite, Agorastocles,

ne hic uos mecum conspicetur leno neu fallaciae   605

    586 doctiores *Ital.* (*A n. l.*) *fort. recte*   587 quic. l. l. e.] litium lites semunt *P* (? *pro* ⟨aliud⟩ *vel* ⟨quicquam⟩ lit. *etc.*)   588 quom eo quom *P* (*antiqua forma*)   590 omnem in ordine *P* : omne in ordine *Ital.*   593 uolo mihi *P*   597 hoc *Geppert* : om. *P*   599 ab *A* agundum est philippum est ita nos adsimulemus *A*   601 hodie om. *A*   602 uoltarium *A*   603 eu om. *A*   604-34 *deest A*

praepedimentum obiciatur. ADV. hic homo sapienter sapit.
facite quod iubet. AG. abeamus. sed uos—ADV. sati' 30
                              dictumst. abi.
AG. abeo. ADV. quaeso, di inmortales, quin abis? AG.
                             abeo.—ADV. sapis.
Co. st!
609ᵃ tace. ADV. quid est? Co. fores haé fecerunt magnum
                              flagitium modo.
610 ADV. quid ⟨id⟩ est flagiti? Co. crepuerunt clare. ADV. di te
                              perduint!
pone nos recede. Co. fiat. ADV. nos priores ibimus. 35
Co. faciunt scurrae quod consuerunt: pone sese homines locant.
ADV. illic homo est qui egreditur leno. Co. bonus est, nam
                              similis malist.
iam nunc ego illic egredienti sanguinem exsugam procul.

  LYCVS   ADVOCATI   COLLYBISCVS   iii

615 LY. Iam ego istúc reuortar, miles: conuiuas uolo
reperire nobis commodos qui una sient;
interibi attulerint exta, [atque] eadem mulieres
iam ab re diuina credo apparebunt domi.
sed quid huc tantum hominum incedunt? ecquidnam adfe- 5
                               runt?
620 et illé chlamydatus quisnam est qui sequitur procul?
ADV. Aetoli ciues te salutamus, Lyce,
quamquam hanc salutem ferimus inuiti tibi et
622ᵃ quamquam bene uolumus leniter lenonibus.
LY. fortunati omnes sitis, quod certo scio   10
nec fore nec Fortunam id situram fieri.

606-8 *vel* AG. hic . . . dictumst. ADV. abi. AG. abeo . . . inmortales—ADV. quin   607 sed] et *Seyffert*   609 st *Camerarius*:
si *cod.*   610 id *add. Acidalius*   612 *vel* sesse (*antiqua forma?*,)
615 istuc (? *pro* isto) ego *cod.*: *trai. Bothe*   617 attulerint (*B*) *vel*
attulerunt (*P*ᶜᴰ) *cod.*   atque *improbat Niemoeller*   618 rediuiua *cod.*
620 *vel* ill'   sequetur *cod.*   622ᵃ (*cum* et *v. prioris*) *secl. Bentley*
(*cf. v.* 639) (*vid. ad v.* 706)   624 fore nec *Pylades*: foren et *cod.*

ADV. istic est thensaurus stultis in lingua situs,   625
ut quaestui habeant male loqui melioribus.
LY. uiam qui nescit qua deueniat ad mare,
15 eum oportet amnem quaerere comitem sibi.
ego male loquendi uobis nesciui uiam :
nunc uos mihi amnes estis ; uos certum est sequi :   630
si bene dicetis, uostra ripa uos sequar,
si male dicetis, uostro gradiar limite.
20 ADV. malo bene facere tantumdemst periculum
quantum bono male facere. LY. qui uero? ADV. scies.
malo si quid bene facias, beneficium interit ;   635
bono si quid male facias, aetatem expetit.
LY. facete dictum ! sed quid istúc ad me attinet ?
25 ADV. quia nos honoris tui caussa ad te uenimus,
quamquam bene uolumus leniter lenonibus.
LY. si quid boni adportatis, habeo gratiam.   640
ADV. boni de nostro tibi nec ferimus nec damus
neque pollicemur neque adeo uolumus datum.
30 LY. credo hercle uobeis : ita uostra est benignitas.
sed quid nunc uoltis ? ADV. hunc chlamydatum quem uides,
ei Márs iratust.   Co. capiti uostro istuc quidem !   645
ADV. nunc hunc, Lyce, ad te diripiundum adducimus.
Co. cum praeda hic hodie incedet uenator domum :
35 canes compellunt in plagas lepide lupum.
LY. quis hic est ? ADV. nescimus nos quidem istum qui siet ;
nisi dudum mane ut ad portum processimus,   650
atque istunc e naui exeuntem oneraria
uidemus. adiit ad nos extemplo exiens ;

    630 amnis *Brix*   631 uos ripa *Bothe*   634 qui *Ital.* : quid
cod.   635 *accedit A*   bene] malẹ *A* (*ex v.* 636)   id beneficium interit *P* : id *del. Bentley* : aetatem expetit *A* (*ex v.* 636)
636 expetis *A*   638 [huc] ad te *P, unde* tui honoris causa huc
ad te *Reiz*   640 adportastis *A*   641 damus [tibi] *P*   646
hunc nunc *P*   647 raeda *P*   648 lupum] lycum *P* (? *pro* λύκον)
649 istum quidem *P*   650 d. a mane *P*

salutat, respondemus.   Co. mortalis malos!   40
ut ingrediuntur docte in sycophantiam!

655 Ly. quid deinde? Adv. sermonem ibi nobiscum copulat.
ait se peregrinum esse, huius ignarum oppidi;
locum sibi uelle liberum praeberier
ubi nequam faciat.   nos hominem ad te adduximus.   45
tu sei te dí amant, agere tuam rem occasiost.

660 Ly. itane ille est cupiens? Adv. aurum habet.   Ly. praeda
                                                haec meast.
Adv. potare, amare uolt.   Ly. locum lepidum dabo.
Adv. at enim hic clam, furtim | esse uolt, ne quis sciat
neue arbiter sit.   nam hic latro in Sparta fuit,   50
ut quidem ipse nobeis dixit, apud regem Attalum;
665 ind' nunc aufugit, quoniam capitur oppidum.
Co. nimi' lepide de latrone, de Sparta optume.
Ly. di deaeque uobis multa bona dent, quom mihi
et bene praecipitis et bonam praedam datis.   55
Adv. immo ut ipse nobis dixit, quo accures magis,
670 trecentos nummos Philippos portat praesidi.
Ly. rex sum, si ego illunc hodie ad me hominem adlexero.
Adv. quin hicquidem tuos est.   Ly. opsecro hercle hor-
                                                    tamini,
ut deuortatur ad me in hospitium optumum.   60
Adv. neque nos hortari neque dehortari decet
675 hominem peregrinum: tuam rem tú ages, si sapis.
nos tibi palumbem ad aream usque adduximus:
nunc te illum meliust capere, si captum esse uis.
Co. iamne itis? quid quod uobeis mandaui, hospites?   65

---

655 copulant *P*   658 faciet *P*   659 age *Acidalius*   660
ille ... habet *advocatis dat Seyffert*   661 uoli *P* (I *pro* T) (*item*
662)   662 ⟨se⟩ esse *Mueller*   663 siparta *P*
        665 nunc *om. A*: huc *Camerarius*   669 accurres *codd.*
670 praesidi *Gulielmius*: praes ibi (prae sibi) *codd., vix recte*   671
illum *codd.*   *vel* ad med: *om. A* (?*pro* hod. hom. ad me adle.)
mallexero *P*   672 tuus sum *A* (*pro* sume?): tuus Ly. est *P* (*in
archetypo* E *not.1 lenonis personae erat*)   677 melius *codd.*   castum *P*

ADV. cum illoc te meliust tuam rem, ádulescens, loqui :
illic est ad istas res probus quas quaeritas.   680
Co. uidere equidem uos uellem quom huic aurum darem.
ADV. illinc procul nos istuc inspectabimus.
70 Co. bonam dedistis mihi operam.   LY. it ad me lucrum.
Co. illud quidem quorsum asinus caedit calcibus.
LY. blande hominem compellabo.   hóspes hospitem   685
salutat.   saluom te aduenire gaudeo.
Co. multa tibi di dent bona, quom me saluom esse uis.
75 LY. hospitium te aiunt quaeritare.   Co. quaerito.
LY. ita illí dixerunt quei hinc a me abierunt modo,
te quaeritare a muschis.   Co. minime gentium.   690
LY. quid ita? Co. quia ⟨a⟩ múscis si mi hospitium quae-
                                                    rerem,
adueniens irem in carcerem recta uia.
80 ego id quaero hospitium ubi ego curer mollius
quam regi Antiocho | oculi curari solent.
LY. edepol ne tibi illum possum festiuom dare,   695
siquidem potes esse te pati in lepido loco,
in lecto lepide strato lepidam mulierem
85 complexum contrectare.   Co. ís, leno, uiam.
LY. ubi tu Leucadio, Lesbio, Thasio, Chio,
uetustáte uino edentulo aetatem inriges ;   700
ibi ego te repplebo usque unguentum geumatis,
quid multa uerba? faciam, ubi tu laueris,
90 ibi ut bálineator faciat unguentariam.
sed haec latrocinantur quae ego dixi omnia.
Co. quid ita? LY. quia aurum poscunt praesentarium.   705

679 quom *P* (*antiqua forma*)   rem tuam *Guietus*   682 illic *A*
690 muscis *codd.* (*cf. Class. Rev.* 10, 333)   [ah] mi. *A* (*ex v.* 691 ?)
691 a *add. Ital.* (*cf. ad v.* 690)   692 [huc] irem *P*   693 hostium *P*
694 quam ⟨quom⟩ *Schoell*   ocelli *Goetz, Loewe* (*cf. v.* 366 oculus *pro*
ocellus) : eculei *Mueller* (*Rhein. Mus.* 54, 529) *fort. recte* : loculi *alii*
(*cf. Men.* 691 oculos *pro* loculos)   695 illud *Ital.*   696 te *om. P*
697 [et] lepidam *A*   699 choo *P*   701 ego *om. P*   egeu-
matis *P* (? *pro* te g.) : cheumatis *Ritschl*   702 laueres *A*

Co. quin hercle accipere tu non mauis quam ego dare.
Adv. quid si euocemus huc foras Agorastoclem,
ut ipsus testis sit sibi certissumus?   95
heus tu, qui furem captas, egredere ocius,
710 ut tute inspectes aurum lenoni dare.

      Agorastocles   Advocati   iv
        Collybiscvs   Lycvs

Ag. Quid est? quid uoltis, testes? Adv. specta ad dexteram.
tuo' seruos aurum | ipsi lenoni dabit.
Co. age, accipe hoc sis: heic sunt numerati aurei
trecenti nummi qui uocantur Philippei.
715 hinc me procura; propere hosce apsumi uolo.   5
Ly. edepol fecisti prodigum promum tibi.
age, eamus intro. Co. te sequor. Ly. age, age, ambula,
ibi quae relicua alia fabulabimur.
Co. eadem narrabo tibi res Spartiaticas.
720 Ly. quin sequere me ergo.—Co. abduc intro.   addictum 10
                                       tenes.—
Ag. quid nunc mi auctores estis? Adv. ut frugi sies.
Ag. quid si animus esse non sinit? Adv. esto ut sinit.
Ag. uidistis leno quom aurum accepit? Adv. uidimus.
Ag. eum uos meum esse seruom scitis? Adv. sciuimus.
725 Ag. rem aduorsus populi saepe leges? Adv. sciuimus.   15
Ag. em istaec uolo ergo uos commeminisse omnia,
mox ad praetorem quom usus ueniet. Adv. meminimus.
Ag. quid si recenti re aedis pultem? Adv. censeo.
Ag. si pultem, non recludet? Adv. panem frangito.

706 Qui *P*   *post hunc v. secuntur in P vv.* 720, 707, 708, *in A vv.*
707, 720 (*om.* ad. te.), 730, 708; *scilicet decurtandae scaenae causa*
versus in margine adscripti erant   708–45 *deest A*   710 dari
(-rei) *Bentley*   712 ⟨iam⟩ ipsi *Geppert*: *fort.* ⟨ubi⟩ ipsi   dabit
Pylades: dabat *cod.*   713 hic *Ital.*: se ic *cod.*   714 philippi
cod. (i. 7)   718 ibique r. *cod.*   720 (*cf. ad* 706)   ergo] intro
codd. in priore loco   abduc] duc me ergo *codd. ibid.*   721 sies
Ital.: spes *cod.*   722 ⟨ita⟩ ut *Mueller*   724 sciuimus *Camera-*
rius: scimus *cod.*   727 quom ad praetorem *cod.*: *trai. Geppert*

20 Ag. si exierit leno, censen hominem interrogem   730
   meu' seruos ad eum ueneritne? Adv. quippini?
   Ag. cum auri ducentis nummis Philippis? Adv. quippini?
   Ag. ibi extémplo leno errabit. Adv. qua de re? Ag. rogas?
   quia centum nummis minu' dicetur. Adv. bene putas.
25 Ag. alium censebit quaeritari. Adv. scilicet.   735
   Ag. extemplo denegabit. Adv. iuratus quidem.
   Ag. homo fúrti sese astringet—Adv. hau dubium id quidemst.
   Ag. quantumquantum ad eum erit delatum. Adv. quippini?
   Ag. Diespiter uos perduit! Adv. te quippini?
30 Ag. ibo et pultabo ianuám. Adv. ita, quippini?   740
   Ag. tacendi tempus est, nam crepuerunt fores.
   foras egredier uideo lenonem Lycum.
   adeste quaeso. Adv. quippini? * si uoles
   operire capita, ne nos leno nouerit,
35 qui illi malae rei tantae fuimus inlices.   745

v   Lycvs   Agorastocles   Advocati

   Ly. Suspendant omnes nunciam se haruspices
   quam ego illis posthac quod loquantur creduam,
   qui in re diuina dudum dicebant mihi
   malum damnumque maxumum portendier:
5 is explicaui meam rem postilla lucro.   750
   Ag. saluos sis, leno. Ly. di te ament, Agorastocles.
   Ag. magi' me benigne nunc salutas quam antidhac.
   Ly. tranquillitas euenit quasi naui in mari:

730 (cf. ad 706)   censent P (pro censen): quid tum A   731
seruos Geppert: seruosi cod.   732 quom cod. (antiqua forma)
734 dicetur Pylades: diceretur cod.   737 furtis ese aut furtisé cod.
(vii. 4) (furtis est B¹D¹, f. es C¹B¹, f. e C²D²)   adstringit cod. (pro
-et?)   quidem PCD: quid est B   739 post 740 posuit Acidalius
740 ita] ito Acidalius   742 egredie T ut uid.: egredietur PCD:
egredi eccum Mueller (Rhein. Mus. 54, 528), nam egredier forma
suspecta   743 ⟨sine⟩ si Geppert   744 operite Scaliger   745
qui] quid codd. Nonii 446 (? pro quia)   malae ire it ante cod.   746
accedit A   sese A   748 uel quoi   uix dina   750 explicauit A
752 uel mage   753 quasi nautin A (T pro I): quast naui in P
(T pro I)

utquomque est uentus exim uelum uortitur.

755 AG. ualeant apud te quos uolo ; atque hau te uolo.   10
　　LY. ualent ut postulatumst, uerum non tibi.
　　AG. mitte ad me, si audes, hodie Adelphasium tuam,
　　die fésto celebri nobilique Aphrodisiis.
　　LY. calidum prandisti prandium hodie? dic mihi.
760 AG. quid iam? LY. quia os nunc frigefactas, quom 15
　　　　　　　　　　　　　　　　　　　　　　　　rogas.

　　AG. hoc age sis, leno.　seruom esse audiui meum
　　apud te.　LY. apud me? numquam factum reperies.
　　AG. mentire.　nam ad te uenit aurumque attulit.
　　ita mi renuntiatumst, quibu' credo satis.

765 LY. malus es, captatum me aduenis cum testibus.   20
　　tuorum apud me nemost nec quicquam tui.
　　AG. mementote illuc, aduocati.　ADV. meminimus.
　　LY. hahahae! iam teneo quid sit, perspexi modo.
　　hi qui illum dudum conciliauerunt mihi

770 peregrinum Spartanum, id nunc his cerebrum uritur,   25
　　me esse hos trecentos Philippos facturum lucri.
　　nunc hunc inimicum quia esse sciuerunt mihi,
　　eum adlegarunt suom qui seruom diceret
　　cum auro esse apud me ; compositast fallacia

775 ut eo me priuent atque inter se diuidant.   30
　　lupo agnum eripere postulant.　nugas agunt.
　　AG. negasne apud te esse aurum nec seruom meum?
　　LY. nego : et negando, si quid refert, aruio.
　　ADV. periisti, leno.　nam istest huiius uilicus

780 quem tibi nos esse Spartiatem diximus,   35
　　qui ad te trecentos Philippeos modo detulit.
　　idque in istoc adeo | aurum inest marsuppio.

---

　　754 est *om.* A　　*fort.* uentust　　755 ualent A (*cf.* 756)　　75ᶠ.
postulant(um) est A　　763 maurumque P　　765 esṭ A　　qum P
768 *vel* hahae　　perpexit P　　773 *vel* adlegauerunt　　774 quom
P (*antiqua forma*)　　777 nec] nẹ A　　778 aruio (*plebeia forma*)
vel rāuio　　781 philippos P　　782 adeo in istoc *Pylades*

Ly. uae uostrae aetati ! Adv. íd quidem ⟨in⟩ mundo est tuae.

Ag. age omitte actutum, furcifer, marsuppium :

40 manufesto fur es.   mihi quaeso hercle operam date   785
dum me uideatis seruom ab hoc abducere.—

Ly. nunc pol ego perii certo, haud arbitrario.

consulto hoc factum est mihi ut insidiae fierent.

sed quid ego dubito fugere hinc in malam crucem

45 priu' quam hinc optorto collo ad praetorem trahor ?   790
eheu ! quom ego habui háriolos haruspices ;

qui si quid bene promittunt, perspisso euenit,

id quod mali promittunt, praesentariist.

nunc ibo, amicos consulam quo me modo

50 suspendere aequom censeant potissumum.—   795

vi Agorastocles   Collybiscvs   Advocati

Ag. Age tu progredere, ut [testes] uideant te ire istinc foras.

estne hic meu' seruos ?   Co. sum hercle uero, Agorastocles.

Ag. quid nunc, sceleste leno ?   Adv. quicum litigas

apscessit.   Ag. utinam hinc abierit malam crucem !

5 Adv. ita nos uelle aequom est.   Ag. cras susscribam homini 800
dicam.

Co. numquid me ?   Ag. apscedas, sumas ornatum tuom.

Co. non sum nequiquam miles factus ; paullulum

praedae intus feci : dum lenonis familia

dormitat, extis sum satur factus probe.

10 apscedam hinc intro.—Ag. factum a uobis comiter.   805

bonam dedistis, aduocati, operam mihi.

783-849 *deest A*   783 istuc quidem *Luchs*   in *add. Pylades*
785 *vel post* mihi *distingue*   791 quam *codd. Nonii* 392   792
Quia quid *codd. Nonii* (? *pro* Quidquid)   792, 793 perspisso . . . promittunt *om. cod.* (*propter homoeotel.*) : *supplet Nonius*   793 prae-
sentari est *codd. Nonii*: praesentarium est *P*BC   796 age tu *Ital.* :
agetur *cod.* : *hoc potius ut ex Agorastoclis nomine ortum del. Spengel*
testes *del. Bentley*   797 hercle *Acidalius* : [me] hercle *cod.*   798
quiquom *cod.* (*antiqua forma*)   799 aberit *cod.*   801 numquid
Lambinus : num qui *cod.*   803 fe. in. (?) *Leo, nam* praedae *cum
elisione dipthongi suspectum* (*nisi quidem* praedaĕ ĭnt- *pronuntiandum*)

cras mane, quaeso, in comitio estote obuiam.
tu sequere me intro.   uos ualete.—ADV. et tu uale.
iniuriam illic insignite postulat:
810 nostro seruire nos sibi censet cibo.   15
uerum ita sunt * isti nostri diuites:
si quid bene facias, leuior pluma est gratia,
si quid peccatumst, plumbeas iras gerunt.
domos abeamus nostras, sultis, nunciam,
815 quando id quoi rei operam dedimus impetrauimus,   20
ut perderemus corruptorem ciuium.—

ACTVS IV

MILPHIO   IV. i

Exspecto quo pacto meae techinae processurae sient.
studeo hunc lenonem perderé, ut meum erum miserum ma-
                                                    cerat,
is me autem porro uerberat, incursat pugnis, calcibus:
820 seruire amanti miseria est, praesertim qui quod amat caret.
attat! e fano recipere uideo se Syncerastum,   5
lenonis seruom; quid habeat sermonis auscultabo.

SYNCERASTVS   MILPHIO   ii

SY. Sati' spectatum est, deos atque homines eius neclegere
                                                 gratiam,
quoi hominí erus est consimilis uelut ego habeo hunc
                                                huiusmodi.
825 neque peiiurior neque peior alter usquam est gentium

---

810 nostro *Ital.*: nostros *cod.*   811 ⟨morati⟩ *Palmer* (*Hermath.*
5, 61): *fort.* uerum ⟨enim uero⟩, *vel* uerum ita sunt, ⟨ita sunt⟩   uostri
Bach   812 gratia *Ital.*: grauia *cod.*   818 ut] qui *Ital.* (iut *B, pro*
uti?)   820 praesentim *cod.* (*corr. D*)   822 sermones *cod.* (*i. e.* -is)
824 quoius hominis *Geppert*   est *Pylades* (*etiam cod.*?): et *P*BC

quám erus meus est, neque tam luteus neque tam caeno
                          coniitus.

5 ita me ái ament, uel in lautumiis uel in pistrino maueíim
agere aetatem praepeditus latere forti ferreo
quam apud lenonem hunc seruitutem colere. quid illuc est
                          genus,
quaé illic hominum corruptelae fiunt! di uostram fidem!   830
quoduis genus ibi hominum uideas quasi Accheruntem
                        ueneris,
10 equitem, peditem, libertinum, furem an fugitiuom uelis,
uerberatum, uinctum, addictum: quí habet quod det, utut
                        homo est,
omnia genera recipiuntur; itaque in totis aedibus
tenebrae, latebrae, bibitur, estur quasi in popina, haú secus. 835
ibi tu uideas litteratas fictilis epistulas,
15 pice signatas, nomina insunt cubitum longis litteris:
ita uinariorum habemus nostrae dilectum domi.
  Mi. omnia edepol mira sunt nesi erus hunc heredem facit,
nam id quidem, illi, uti meditatur, uerba facit emortuo.   840
et adire lubet hominem et autem nimis eum ausculto lubens.
20 Sy. haec quom hic uideo fieri, crucior: pretiis emptos
                        maxumis
apud nos expeculiatos seruos fieri suis eris.
sed ad postremum nihil apparet: male partum male disperit.
  Mi. proinde habet orationem quasi ipse sit frugi bonae,   845
qui ipsus hercle ignauiorem potis est facere Ignauiam.
25 Sy. nunc domum haec ab aedi Veneris refero uasa, ubi
                        hostiis
eru' nequiuit propitiare Venerem suo festo die.

828 ferreo *Scaliger*: ferro *cod.*   829 quod *Bothe*   832 an *Acidalius*: ad *cod.*: *del.* (?) *Leo*   833 utut *ut vid. cod.*: ut P[BC]   834
in *del. Abraham*   836 futiles (? fict.) *T*: *om.* P[CD]   840 nam
hic quidem *Luchs*   *vel* illic ut (ut *cod.*)   faciet mortuo *Ussing*
841 aut culto *cod.*   843 eris (heris) *Camerarius*: ceris *cod.*
844 partum *Ital.*: parum *cod.*   846 hercle ipsus *cod.*: *trai. Curio*
poti est *cod.* (? *pro* potes e. *corr.* potis e.)   848 nequiuit *Ital.*: ne
quuti *cod.*

Mɪ. lepidam Venerem! Sʏ. nam meretrices nostrae primis

hostiis

850 Veneremplacauereextemplo. Mɪ. o lepidamVeneremdenuo!

Sʏ. nunc domum ībo. Mɪ. heus, Synceraste! Sʏ. Synce-

rastum qui uocat?

Mɪ. tuos amicus. Sʏ. haud amice faci' qui cum onere 30

offers moram.

Mɪ. at ob hanc moram tibi reddam operam ubi uoles, ubi

iusseris.

habe rem pactam. Sʏ. si futurumst, do tibi operam hanc.

Mɪ. quo modo?

855 Sʏ. ut enim ubi mihi uapulandum sit, tu corium sufferas.

apage, nescio quid uiri sis. Mɪ. malu' sum. Sʏ. tibi sis.

Mɪ. te uolo.

Sʏ. at onus urget. Mɪ. at tu appone et respice ad me. 35

Sʏ. fecero,

quamquam haud otiumst. Mɪ. saluos sis, Synceraste. Sʏ.

o Milphio,

di omnes deaeque ament—Mɪ. quemnam hominem? Sʏ.

nec te nec me, Milphio:

860 neque erum meum ádeo. Mɪ. quém ament igitur? Sʏ.

aliquem id dignus qui siet.

nam nostrorum nemo dignust. Mɪ. lepide loquere. Sʏ.

me decet.

Mɪ. quid agis? Sʏ. facio quod manufesti moechi | hau 40

ferme solent.

Mɪ. quid id est? Sʏ. refero uasa salua. Mɪ. di te et tuom

erum perduint!

849 1ˡˢ (?) *cod.* (primus *P*ᶜᴰ, *om. B*)   850 *accedit A*   exemplo
P   851 heu *P (corr. D)*   852 cum] quam *P* (? *pro* quom,
antiqua forma)   offeras *A, B* ᵃ*ante corr.*   853 moram] rem *P* :
remoram *Geppert*   854–6 *vel* Sʏ. habe ... Mɪ. si ... Sʏ. quo ...
Mɪ. ut ... Sʏ. apage   855 sit] est *P* (*pro* siet? *cf. v.* 1213)   856
tibisisis *A*   860 id *vel* eo *A* : *om. P*   861 lepidueloquere
(lepidum el. *P*ᶜᴰ) *P*   862 manufesto *corr.* -i *P ut vid.* (manifesti *T*,
manufesto i *P*ᴮᶜ)   moechi ⟨hic⟩ *Bothe* : moechuli *Schoell*

Sʏ. me non perdent; illum ut perdant facere possum, si
uelim,
meum erum ut perdant, nei mihi metuam, Milphio. Mɪ. 865
quid id est? cedo.
Sʏ. malus es? Mɪ. malu' sum. Sʏ. male mihi est. Mɪ.
memoradum, num esse aliter decet?
45 quid est quod male sit tibi, quoi domi sit quod edis, quod
ames adfatim,
neque triobolum ullum amicae das et ductas gratieis?
Sʏ. Diespiter me sic amabit—Mɪ. ut quidem edepol
dignus es.
Sʏ. ut ego hanc familiam interire cupio. Mɪ. adde operam, 870
si cupis.
Sʏ. sine pinnis uolare hau facilest: meae alae pinnas non
habent.
50 Mɪ. nolito edepol deuellisse: iam his duobus mensibus
uolucres tibi erunt túae hirquínae. Sʏ. í malam rem! Mɪ.
i tú atque erus.
Sʏ. uerum. enim qui homo eum norit, norit. cito homo
peruorti potest.
Mɪ. quid iam? Sʏ. quasi tu tacere [uero] quicquam poti' 875
sis. ⟨Mɪ.⟩ rectius
tacitas tibi res sistam quam quod dictum est mutae mulieri.
55 Sʏ. animum inducam facile ut tibi istuc credam, ni te
nouerim.
Mɪ. crede audacter meo periclo. Sʏ. male credam et credam tamen.

864 perdent illum⟩ perde nullum *P*   865 idst *A*   866
memora⟨dum⟩ num *Geppert*: memora num *A*: memorandum *P*   867
tibi *om*. *P*   quodque ames *A*   871 meae *monosyll. elis. displicet,
neque minus* mé'ae⟩ älae   872 noli *A*   873 i m.] in m. *P* (*i. e.*
isne?): i in m. *Ital.*   874 norit *semel* (*sequente spatio*) *P*   scito *A*
875 *om*. uero *P*   *vel* pote sis: potise̜s *A*   *aut iambicus versus cum*
uero *aut trochaicus* (quam si tu t. q.)   876 tacitus tibi resistam
codd.: *corr. Palmerius, Bothe*   mulae *P* (L*pro* T)   877 credam
ni] credamini *P*   878 credam credam et *A*

Mɪ. scin tu erum tuom meo ero esse inimicum capitalem?
Sʏ. scio.

880 Mɪ. propter amorem—Sʏ. omnem operam perdis.   Mɪ.
quid iam? Sʏ. quia doctum doces.

Mɪ. quid ergo dubitas quin lubenter tuo ero meu' quod
possiet

facere faciat male, eius merito? tum autem si quid tu 60
adiuuas,

eo facilius facere poterit. Sʏ. at ego hoc metuo, Milphio.

Mɪ. quid est quod metuas? Sʏ. dúm ero insidias paritem,
ne me perduim.

885 si eru' meus me esse elocutum quoiquam mortali sciat,

continuo is me ex Syncerasto Crurifragium fecerit.

Mɪ. numquam edepol mortalis quisquam fiet e me certior, 65
nisi ero méo uni índicasso, atque ei quoque ut ne enuntiet
id esse facinus ex ted ortum. Sʏ. male credam et credam
tamen.

890 sed hoc tu tecum tacitum habeto. Mɪ. Fide non melius
creditur.

loquere (locus occasioque est) libere : hic soli sumus.

Sʏ. eru' si tuo' uolt facere frugem, meum erum perdet. Mɪ. 70
quí id potest?

Sʏ. facile. Mɪ. fac ergo id 'facile' noscam ego, ut ille
possit noscere.

Sʏ. quia Adelphasium, quám erus deamat tuos, ingenuast.
Mɪ. quo modo?

895 Sʏ. eodem quo soror illius altera Anterastilis.

Mɪ. cedo qui id credam. Sʏ. quia illas emit in Anactorio
paruolas

---

881 quin] qui *P*   quod] quid *A*   883 poteris *P*   884
                  A
pariter *A*   perdiam *P* (*aut pro* -DVIM *aut* IA *ex* VA)   885 locutum *P*
mortalis *A* (*etiam P?*)   888 ero uni meo *Bothe*   889 *vel* te (*ita*
codd.)   891 libera *A*   892 uolet *P*   perdit *A*   893 ego
om. P   896 cedo qui] sequi *P*   id *om. A*   parudas *P*

15*

75 de praedone Siculo. Mɪ. quanti? Sʏ. duodeuiginti minis,
   duas illas et Giddenenem nutricem earum tertiam.
   et ille qui eas uendebat dixit se furtiuas uendere:
   ingenuas Carthagine aibat esse. Mɪ. di uostram fidem!   900
   nimium lepidum memoras facinus. nam eru' meus Agora-
                                                     stocles
80 ibidem gnatust, ind' surruptus fere sexennis, postibi
   qui eum surrupuit huc deuexit meoque eró eum hic uendidit.
   is in diuitias homo adoptauit hunc quom diem obiit suom.
   Sʏ. omnia memoras quo id facilius fiat: manu eas adserat, 905
   suas popularis, liberali caussa. tacitu's? Mɪ. tace modo.
85 Sʏ. profecto ad incitas lenonem rediget, si eas abduxerit.
   Mɪ. quin priu' disperibit faxo quam unum calcem ciuerit.
   ita paratumst. Sʏ. ita di faxint ne apud lenonem hunc
                                                     seruiam!
   Mɪ. qui hercle conlibertus meu' faxo tu eris, sei di uolent. 910
   Sʏ. ita di faxint! numquid aliud me morare, Milphio?
90 Mɪ. ualeas beneque ut tibi sit. Sʏ. pol istuc tibi et tuost
                                                  ero in manu.
   uale et haec cura clanculum ut sint dicta. Mɪ. non dic-
                                                  tumst. uale.
   Sʏ. at enim nihil est, nisi dum calet hoc agitur. Mɪ.
                                              lepidu's quom mones.
   et ita hoc fiet. Sʏ. proba materies data est, si probum 915
                                              adhibes fabrum.
   Mɪ. potin ut taceas? Sʏ. taceo atque abeo.—Mɪ. mihi
                                              commoditatem creas.

95 illic hinc ábiit. di inmortales meum erum seruatum uolunt
   et hunc disperditum lenonem: tantum eum instat exiti.
   satine priu' quam unumst iniectum telum, iam instat alterum?

898 giddeminem *P ut uid.*   903 eum] tum *P*   eum] *fort.*
tum   906 Mɪ. tacitus tace m. *Camerarius*   908 unum
testatur Nonius 199 : unam *codd.*   909 lenẹm *A*   910 quin *A*,
sed hercl' *displicet*   tu *om. P*   911 nunc quid *P*   vel aliud? me
912 tuo erost *P (cf. ad Merc.* 330)   913 dicia *P* (I *pro* T)   917
illinc hinc *P*   919 iam] tam *ut uid. P*   alterum] iterum *P*

920 ibo intro haec ut meo ero memorem. nam huc si ante
aedis euocem,

quae audiuistis modo, nunc si eadem híc iterum iterem,
inscitiast.

ero uni potius intus ero odio quam hic sim uobis omni- 100
bus.—

[di inmortales, quanta clades, quanta aduentat calamitas
hodie ad hunc lenonem! sed ego nunc est quom me commoror.

925 ita negotium institutumst, non datur cessatio;
nám et hoc docte consulendum quod modo concreditumst
et illud autem inseruiendumst consilium uernaculum.   105
remora si sit, qui malam rem mihi det merito fecerit.
nunc intro ibo: dum erus adueniat a foro, opperiar domi.—]

ACTVS V

HANNO   V. i

930   [Ythalonimualonuthsicorathisymacomsyth
chymlachchunythmumsysthyalmycthybaruimysehi
liphocanethythbynuthiiadedinbynuii
bymarobsyllohomalonimuybymysyrthoho

920 seuocem P   921 audiuisti P   iterem om. P   922
ero uni] uni Guietus, ut vers. troch. fiat, nam ero úni vix ferendum
intro ero A   obio P (B pro D)   923-9 retractatoris esse
videntur   923 ţuŗ(ba) (vix clades) A   aduenit P   924
moror P   925 ita] id P   926 nocte P   quod modo per
compend. scr. P (quomodo T, quo domo B, quod homo PCD)   927
autem] aurum A   928 remora Camerarius: remor P: remoror A
quia A   930-9 om. A (vix propter homoeoarch.)   verborum
divisio quae interpunctione indicata erat in P nonnisi in vv. 935-6 servata
est. De toto loco cf. Class. Rev. 12, 362. Singulas codicum Palatinorum
lectiones enarrare nolui   930 ythalonium T (cf. codd. Rufini in
metr. Terent. 560 K. halonium 'Poeni dicunt deum et producenda
syllaba metri gratia sicut exigit iambus')   931 eiybar uimysthi
T ut vid.   932 bynuii] vel bynuhii   933 hamolomim T ut vid.

5   bythlymmothynnoctothuulechantidamaschon
    yssidobrimthyfel yth chyl ys chon chem liful   935
    yth binim ysdybur thinnochotnuagorastocles
    ythemanethihychirsaelychotsithnaso
    bynnyydchilluchilygubulimlasibitthym
10   bodialytheraynnynuyslymmonchothiusim]

    Ythalonimualoniuthsicorathiịsthymhimịhymacomsyth   940
    combaepumamịtalmețloțiambẹat
    iulecantheconaalonịmbalumbar dechor
    bațs . . . . hunesobinesubịcsịllimbalịm
15   esseantidamossonalẹmuedubertefet
    dọnobun. ḥunẹccilthumucommucroluful   945
    altanịmauosdubẹrithemḥụarcharistolem
    sitțeședanecnasotersahelicot
    alemusdubertịmụrmuçọpsuisțiti
20   aoccaaneclicțorbodẹsiụssilimlimmịmçọlus

    deos deasque ueneror qui hanc urbem colunt   950
    ut quod de mea re huc ueni rite uenerim,
    measque híc ut gnatas et mei frátris filium
    reperire me siritis, di uostram fidem !
25   [quae mihi surruptae sunt et fratris filium.]

   935 yssideobrum *T ut vid.*   936 *vel* thinnochut   937
aelychot] elycothi *T*   938 idchilliihily *P*BC : ydchid lithyly *T*
939 choth lusim *P*BC : choth iufim (tu-) *T*   940-9 *dedi ex
Studemundi apographo. Haec fuisse videntur in P (cf. Class. Rev. ibid.)*
   N Exanolimuolanussuccurratimistimaltimacumesse
    concubitumabellocutimbeatlulacantichona
    enuseshuiecsilihcpanasseathidmascon
    alemuidubertefelonobutuneceltummcomucroluful
    atenimauosouberhenthyacharistoclem
    etteseanec(-ehc)nasocteliahelicos
    alemusdubertermicompsuestipti
    aodeaneclictorbodesiussumlimnimcolus
940 Exanolim *P, pro* X (*i. e. nota personae Hannonis*) a. *ut vid.*   951
hunc *A*   952 mẹl *A* (*etiam P?*) (L *pro* I)   954 *secl. Lindemann*

955 sed hic mihi antehac hospes Antidamas fuit ;
    eum fécisse aiunt sibi quod faciundum fuit.
    eius filium esse hic praedicant Agorastoclem :
    ad eum hospitalem hanc tesseram mecum fero ;
    is in hisce habitare monstratust regionibus.   30
960 hos percontabor qui hinc egrediuntur foras.

       AGORASTOCLES   MILPHIO   HANNO   ii

    AG. Ain tu tibi dixe Syncerastum, Milphio,
    eas ésse ingenuas ambas surrupticias
    Carthaginiensis ?   MI. aio, et, si frugi esse uis,
    eas líberali iam adseres caussa manu.
965 nam tuom flagitiumst tuas te popularis pati   5
    seruire ante oculos, domi quae fuerint liberae.
    HA. pro di inmortales, opsecro uostram fidem !
    quam orationem hanc aures dulcem deuorant ?
    cretast * profecto horum hominum oratio.
970 ut mi apsterserunt omnem sorditudinem !   10
    AG. si ad eam rem testis habeam, faciam quod iubes.
    MI. quid tu mihi testis ? quin tu insistis fortiter ?
    aliqua Fortuna fuerit adiutrix tibi.
    AG. incipere multost quam impetrare facilius.
975 MI. sed quaé illaec auis est quae huc cum tunicis aduenit ? 15
    numnam in balineis circumductust pallio ?
    AG. facies quidem edepol Punicast.   guggast homo.
    MI. seruos quidem edepol ueteres antiquosque habet

957 hic praedicant esse P   958 ad eum] meum (T ut vid.) vel
deum (PBC) P   959 is om. P   abitrare A   960 hinc] huc
P   962 eas] as P   964 iam om. A   adsere P   manum
APCD   965 popularis te P   968, 969 inverso ordine P
969 vix cretast ⟨cretast⟩   ⟨haec⟩ horunc Geppert   970 mihi hi
cod. opt. Nonii 173 (pro mi i apstersere vel -runt ?)   971 habeant A
972 quid tu Ital. : quiṭu A : quintu (PBC ut vid. : quantu B) vel qua tu
(T) P   quin tu] quitu A : quntu (PBC ut vid. : quantu B : quin
tu PCD) vel quo tu T   fort. quo tu . . qua tu   975 sed quaenam P
quom t. P (antiqua forma)   976 in abaliniis (-neis) P   circum-
ductus P   977 guggast homo] Milphioni dat Leo

AG. qui scis? MI. uiden ómnis sarcinatos consequi?

20 atque ut opinor digitos in manibus non habent.   980

AG. quid iam? MI. quia incédunt cum anulatis auribus.

HA. adibo | hosce atque appellabo Punice.

si respondebunt, Punice pergam loqui ;

si non, tum ad horum mores linguam uortero.

25 MI. quid ais tu? écquid commeministi Punice?   985

AG. nihil edepol.   nam qui scire potui, dic mihi,

qui illim sexennis perierim Carthagine?

HA. pro di inmortales ! plurumeí ad illunc modum

periere pueri liberi Carthagine.

30 MI. quid ais tu? AG. quid uis? MI. uin appellem hunc 990

Punice?

AG. an scis? MI. nullus me est hodie Poenus Poenior.

AG. adei atque appella quid uelit, quid uenerit,

qui sit, quoiatis, unde sit : ne parseris.

MI. auo.   quoiates estis aut quo ex oppido?

35 HA. annobynmytthymballebechaedreanech.   995

AG. quid ait? MI. Hannonem se esse ait Carthagine,

Carthaginiensis Mytthumballis filium.

HA. auo.   MI. salutat.   HA. donni.   MI. doni uolt tibi

dare hic nescioquid.   audin pollicitarier?

    979 hominis P^{BC} 980 atq⟨ue . . . . . op⟩inor A (a. hercle op. ?)
atque ut ego opino in manibus digitos non habent *Weise rhythmo consulens*   981 quom *codd.* (*antiqua forma*)   982 audibo P : *fort.*
adibon   ⟨ego⟩ hosce *Reiz*   atque hosce P^{CD} : ⟨ad⟩ hosce atque
Camerarius   983 si *om. A*   984 linguam u.] lingua ac ue. P^{BC}
(*vix pro* linguam atuertero, *i. e.* adu.)   985 quid ais? ecquid tu
Goetz, Loewe : *fort.* quid ais? tun ecquid   988 *an* plurumein?
ad illum modo A : ad hunc modum P (hunc *pro* illum hunc, *i. e.*
illunc?)   991 denus (*corr.* D^2) P *ut vid.*   993 quid *Priscianus*
1, 595 *et* 2, 122   quo patis P (P *pro* I)   parseris *Priscianus* 2,
122 : parserit A : parleris P 994 auo quoiatis estis unde sit ne
p(a)rs(e)rit (*ex v.* 993) A auo] quid est *Priscianus utrubique*
995 annobynmytthymballeudradaitannech A : anno muthum balle
bechaedre anech P 996 se esse] sese P 997 mytthumbalis
A : muthum baslis P (-ballis P^{CD})   998 auo] uo P (A *cum nota
personae confuso*)   999 hinc P autin A pollicierier P
(-cerier D)

1000 Ag. saluta hunc rusus Punice uerbis meis.   40
     Mi. auo donnim inquit hic tibi uerbis suis.
     Ha. meharbocca. Mi. istuc tibi sit potius quam mihi.
     Ag. quid ait? Mi. miseram esse praedicat buccam sibi.
     fortasse medicos nos esse arbitrarier.

1005 Ag. †si ést†, nega esse; nolo ego errare hospitem.   45
     Mi. audin tu? ⟨Ha.⟩ rufeennycchoissam. Ag. sic uolo
     profecto uera cuncta huic expedirier.
     roga númquid opu' sit. Mi. tu qui sonam non habes,
     quid in hanc uenistis urbem aút quid quaeritis?

1010 Ha. muphursa. Ag. quid ait? Ha. miuulechianna. Ag. 50
                                              quid uenit?
     Mi. non audis? mures Africanos praedicat
     in pompam ludis dare se uelle aedilibus.
     Ha. lechlachananilimniichot. Ag. quid nunc ait?
     Mi. ligulas, canalis ait se aduexisse et nuces:

1015 nunc orat operam ut des sibi, ut ea ueneant.   55
     Ag. mercator credo est. Ha. assam. Mi. áruinam quidem.
     Ha. palumergadetha. Ag. Milphio, quid nunc ait?
     Mi. palas uendundas sibi ait et mergas datas,
     ad messim credo, nisi quid tú aliud sapis,

1020 ut hortum fodiat atque ut frumentum metat.   60
     Ag. quid istuc ad me? Mi. certiorem te esse uolt,
     ne quid clam furtim se accepisse censeas.

1001 donnim *A* : nonni (-e *P*CD) mihi *P*   hic tibi inquid *P*
1002 me har bocca *P* : mepharbua *A*   1005 ⟨ita⟩ est *Camerarius,
sed cf. Amer. Journ. Phil.* 21, 35   1006 audi *P*   rufee(*vel* y)n-
nycchoissam *A* : rufeen nuco istam *P*   1008 zonam *P*CD (*usitata
forma*)   1010 miu — na *spatio non satis capiente quae in P inter-
cedunt A*   1011 mu(res)acrifica(no)s *A*   1012 dare se] dares *P*
1013 lechlacha(n)nanilimniichto *A* : laechlachananimliminichot *P*
1015 sibi *om. A*   ueniant *P (corr. C²)*   1016 assammarbinam
A : issam Mi. arbinam *P*; m (*vel* h) *in A fort. Milphionis nomen in-
dicauerat*   1017 palumirgadetha *A* : palumergadetha *P*   1018
sibi ait et] sibim tet *P* (M *ex* AI)   1019, 1020 *inverso ordine P*
1019 quid] quidem *P*   1020 fodi *P* (iii 3)   petat *A*   1022
furti *P*

HA. muphonnimsycorathim. MI. hem! caue sis feceris
quod hic te órat. AG. quid ait aut quid orat? expedi.

65 MI. sub cratim ut iubeas se supponi átque eo   1025
lapides imponi multos, ut sese neces.
HA. gunebelbalsameniyrasa. AG. narra, quid est?
quid ait? MI. non hercle nunc quidem quicquam scio.
HA. at ut scias, nunc dehinc latine iam loquar.

70 seruom hercle te esse oportet et nequam et malum,   1030
hominem peregrinum atque aduenam qui inrideas.
MI. at hercle te hominem et sycophantam et subdolum,
qui huc aduenisti nos captatum, migdilix,
bisulci lingua quasi proserpens bestia.

75 AG. maledicta hinc aufer, linguam compescas face.   1035
maledicere huïc temperabis, si sapis.
meis cónsanguineis nolo te iniuste loqui.
Carthagini ego sum gnatus, ut tu sis sciens.
HA. o mi popularis, salue! AG. et tu edepol, quisquis es.

80 et si quid opus est, quaeso, dic atque impera   1040
popularitatis caussa. HA. hábeo gratiam.
[uerum ego hic hospitium hábeo: Antidamae filium
quaero (commostra si nouisti) Agorastoclem.]
sed ecquem ádulescentem tu hic nouisti Agorastoclem?

85 AG. siquidem Antidamai quaeris ádoptaticium,   1045
ego sum ipsus quem tu quaeris. HA. hem! quid ego audio?
AG. Antidamae gnatum me esse. HA. sí itast, tesseram
conferre si uis hospitalem, eccam attuli.

1023 mufo(n)nimsi(vel y)ccoratim A : muphonnium sucorachim
(-ahim) P   sis] si P   1025 sese Pylades   an supponiér?   1027
gunebbalsamęmly(vel i)ryla A : gunebelbalsamenierasan P   1028
Qui P   1031 adueniam A   qui inrideas om. A   1032 sycophanta P (corr. C)   1035 hanc A   aufers P (interrogative?)   1036
huic tu PBC   1039 est A   1042, 1043 cum 1053 (qui suo loco
redit) post v. 1048 collocat A. Scilicet in margine archetypi steterant.
Retractator voluit vv. 1044–52 abicere   1042 hospiti (-te) sum P
vel Antidamai   1043 commostra si] commonstransi P   1045
Antidamai Bothe: antidamati A : anthidamarchi P   1047 te
esseram P   1048 comferre A

Ag. agedum huc ostende. est par probe. nam habeo domi.

1050 Ha. o mi hospes, salue multum! nam mi tuo' pater   90
     patritus †ergo† hospes Antidamas fuit.
     haec mi hospitalis tesserá cum illo fuit.
     Ag. ergo hic apud med hospitium praebebitur.
     nam haú repudio hospitium neque Carthaginem.

1055 ind' súm oriundus. Ha. di dent tibi omnes quae uelis!   95
     quid ais? qui potuit fieri uti Carthagini
     gnatus sis? hic autem habuisti Aetolum patrem.
     Ag. surruptus sum illim. hic me Antidamas hospes tuos
     emit et is me sibi adoptauit filium.

1060 Ha. Demarcho item ipse fuit adoptaticius.   100
     sed mitto dé illoc, ad te redeo. dic mihi,
     ecquid meministi tuom parentum nomina,
     patris atque matris? Ag. memini. Ha. memoradum
                                                    mihi,
     si noui forte aut si sunt cognati mihi.

1065 Ag. Ampsigura mater mihi fuit, Iahon pater.   105
     Ha. patrem atque matrem uiuerent uellem tibi.
     Ag. an mortui sunt? Ha. factum, quod ego aegre tuli.
     nam mihi sobrina Ampsigura tua mater fuit;
     pater tuos, is erat frater patruelis meus,

1070 et is me heredem fecit quom suom obiit diem,   110
     quo priuatum med aegre patior mortuo.
     sed sí ita est, ut tu sis Iahonis filius,

1049 huic *A*   es *A*   nam] quam *Seyffert*   domum *P*   1050
mihi tuus p. *P* : mi p. *A*   1051 patri tuus *P ut vid.* (pater tuus *B*,
patruus *C*)   *vix* erego, *antiqua forma*   1052 quom *P* (*antiqua forma*)   1053 hospitium [tibi] *P*   1054 nam ⟨ego⟩ *Mueller* :
namque *Acidalius post Pyladem*   prepudio *P*   1055 unde *Ital.*
1056 qui] quid *A*   ut *codd.*   1058 *vix* surptus (*Journ. Phil.*
26, 296)   illinc *codd.*   Antidama *Mueller*   1063 patris atque
matris memini *Agorastoclis P*   memorandum *P*   1064 noui]
notio *A*   1065 fuit mihi *A*   1066-1103 *deest A*   1067 ego]
om. *P*BC (iii. 1)   1071 me priuatum *cod.*: *traieci* : m. p. ⟨esse⟩
Camerarius

signum esse oportet in manu laeua tibi,
ludenti puero quod memordit simia.
115 ostende : inspiciam.   †aperi.   audi atque adest†.   1075
   AG. mi patrue, salue.   HA. ét tu salue, Agorastocles.
   iterum mihi gnatus uideor quom te repperi.
   MI. pol istám rem uobis bene euenisse gaudeo.
   sed te moneri num neuis?   HA. sane uolo.
120 MI. paterna oportet filio reddi bona.   1080
   aequomst habere hunc bona quae possedit pater.
   HA. hau postulo aliter : restituentur omnia ;
   suam síbi rem saluam sistam, si illo aduenerit.
   MI. facito sis reddas, etsi hic habitabit, tamen.
125 HA. quin mea quoque iste habebit, si quid me fuat.   1085
   MI. festiuom facinus uenit mihi in mentem modo.
   HA. quid id est?   MI. tuá opust opera.   HA. dic mihi,
                          quid lubet?
   profecto uteris, ut uoles, operam meam.
   quid est negoti?   MI. potin tu fieri subdolus?
130 HA. inimico possum, amicost insipientia.   1090
   MI. inimicus hercle est huiius.   HA. male faxim lubens.
   MI. amat ab lenone hic.   HA. facere sapienter puto.
   MI. leno hic habitat uicinus.   HA. male faxim lubens.
   MI. ei duae puellae sunt meretrices seruolae
135 sorores : earum hic alteram ecflictim perit   1095
   neque eam incestauit umquam.   HA. acerba amatiost.
   MI. hunc leno ludificatur.   HA. suom quaestum colit.
   MI. hic illí malam rem dare uolt.   HA. frugist si id facit.

    1075 inspice iam *P*CD   *fort.* ostende. ⟨AG. ostendo.⟩ inspice iam.
HA. aperi   ades] audes *T ut uid.*   *vix* aperi — audes? (*vel* si
audes)—atque adest !   1077 '*fort. Agorastocles loquitur*' *Leo*
1078 bene uertisse *Mueller* (*Rhein. Mus.* 54, 528), *dictio usitata*
1079 sed (set) *Pareus*: et *cod.*   1080 reddi filio *cod.*, *contra
metrum* (*corr. D*¹)   1084 habitabit *Pylades* : habit *cod.* (iii. 3)   108ʹ
vel tuast opus : t. eo opust *Mueller* (*Rhein. Mus.* 54, 529)   1090 insipientia est *cod.*: *trai. Pylades*   1092 allenone (ale-) *cod.*   facere
Camerarius : facele *cod. ut uid.*   1095 periit *cod.* (*i. e.* perît)   1097
hunc *Pius* : nunc *cod.* (N *pro* H)   1098 frugist *Mueller*: frugi *cod.* (iii.3)

Mɪ. nunc hoc consilium capio et hanc fabricam paro,
1100 ut te adlegemus, filias dicas tuas   140
surruptasque esse paruolas Carthagine,
manu líberali caussa | ambas adseras
quasi filiae tuae sint ambae.   intellegis?
Hᴀ. intellego hercle.   nam mihi item gnatae duae
1105 cum nutrice una surruptae sunt paruolae.   145
Mɪ. lepide hercle adsimulas.   iam in principio id mihi
placet.
Hᴀ. pol magi' quam uellem.   Mɪ. eu hercle mortalem
catum,
malum crudumque et callidum | et subdolum!
ut adflet, quo illud gestu faciat facilius!
1110 me quoque dolis iam superat architectonem.   150
Hᴀ. sed earum nutrix qua sit facie mi expedi.
Mɪ. statura hau magna, corpore aquilo.   Hᴀ. ípsa east.
Mɪ. specie uenusta, óre atque oculis pernigris.
Hᴀ. formam quidem hercle uerbis depinxti probe.
1115 Mɪ. uin eam uidere?   Hᴀ. filias malo meas.   155
sed i atque uoca illam; sí eae meae sunt filiae,
si illarum est nutrix, me continuo nouerit.
Mɪ. heus, ecquis hic est? nuntiate ut prodeat
foras Gíddeneni.   est qui illam conuentam esse uolt.

1099 fabricam apparo *P*CD (*pro* fabrica aparo, *perperam script. pro*
fabricam paro; A *pro* M)   1102 manu *Scutarius*: manum *cod.* :
manuque *Pylades*   ambas] eas *vel* has *Weise*   1103 inpellegis
cod. (P *pro* T)   1104 *accedit A*   1105 quom *P* (*antiqua forma*)
(sunt s)u̯rruptae̯ *A* : surreptas uni *P* (I *pro* T)   1107 *vel* mage
1108 (senem) malum (?) *Leo*   et callidum *Pylades* : est ollidum *P*
(*pro* estolidum?), *A n. l.*   1109 illum ge̯s̯tum *A*   1111 facilȩ *A*
1112 hau] non *Gellius* 13. 30, 6 (*unde Nonius* 52)   aquilost *Gellius*
(aquilino *Nonius*)   east] est *codd. Gellii* (*vix pro* ipsast, east)   1114
depinxit *codd. Gellii*   probe] mihi *P* (v. 1)   1115 uin eam]
uinam *P*   1116 atque uoca *Guietus* : atque euoca *codd.* (iv. 4),
contra metrum, ut videtur : euoca *Pareus* (*del.* atque)   illum *A*
meae *om. A*   1118 ecquid *A*   1119 Giddeneni (-ini) *Mueller* :
gid dene mē̆ (-em *vel* -en) *P*: giddenenem *A*

iii   G I D D E N I S   M I L P H I O   H A N N O
                A G O R A S T O C L E S   P V E R

GI. Quis pultat?   MI. qui te proxumust.   GI. quid uis? 1120
                                             MI. eho,
nouistin tu illunc tunicatum hominem qui siet?
GI. nam quém ego aspicio? pro supreme Iuppiter!
eru' meus hicquidem est, mearum alumnarum pater,
5 Hanno Carthaginiensis.   MI. ecce autem mala!
praestrigiator hic quidem Poenus probust,   1125
perduxit omnis ad suam sententiam.
GI. o mí ere, salue, | Hanno insperatissume
mihi tuisque filiis, salue atque—eho,
10 mirari noli neque me contemplarier.
cognoscin Giddenenem | ancillam tuam?   1130
HA. noui. sed ubi sunt meae gnatae? id scire expeto.
GI. apud aedem Veneris.   HA. quid ibi faciunt? dic mihi.
GI. Aphrodisia hodie Veneris est festus dies:
15 oratum ierunt deam ut sibi esset propitia.
MI. pol sati' scio, impetrarunt, quando hic hic adest.   1135
AG. eho an huius sunt illae filiaé?   GI. ita ut praedicas.
tua pietas nobis plane auxilio fuit,
quom húc aduenisti hodie in ipso tempore;
20 namque hodie earum mutarentur nomina
facerentque indignum genere quaestum corpore.   1140
PV. auonesilli.   GI. hauonbanesilliimustine.
mepsietenestedumetalannacestimim.

    1120 te] tu A   1121 mouistin P   1123 (hi)c quid⟨em est
meus e)rus A (vel meus est)   1127 ⟨o⟩ Hanno Mueller   in-
sperastis sume P   1128 in eho (contra morem Plautinum hic
adhibito) vocem Punicam latere credit Ussing   1129 contemptarier P
1130 vel Giddeninem: Gid. ⟨me⟩ Koch   1131 sint A   1132
sub finem A discrepare videtur   1136 illa et P (pro illaec?)
1137 neque tuá pietas neque tua pīetas omnino placet   plane nobis
Acidalius   fort. plane ⟨ea⟩ aux.   1141 auammailli hauon-
banesill .. mustinẹ— A: hauonbenesiilliinmustine P   1142 mip-
staẹtemẹstx(vel a)sdumetalan....sti—A: messiestenestedum—T:
mepsietenestedumetalamnacestimim PBC

AG. quid illí locuti sunt inter se ? dic mihi.

HA. matrem hic salutat suam, haec aútem hunc filium.   25

1145 tace atque parce muliebri supelléctili.

AG. quae east supellex ?   HA. clarus clamor.   AG. sine

modo.

HA. tu abduc hosce intro et una nutricem semul

iube hanc abire hinc ad te.   AG. fac quod imperat.

MI. sed quis illas tibi monstrabit ?   AG. ego doctissume.   30

1150 MI. abeo igitur.   AG. facias modo quam memores mauelim.

patruo aduenienti cena curetur uolo.

MI. lachanna uos, quos ego iam detrudam ad molas,

ind' porro ad puteum atque ad robustum codicem.

ego faxo hospitium hoc leniter laudabitis.—   35

1155 AG. audin tu, patrue ?   dico, ne dictum neges :

tuam míhi maiorem filiam despondeas.

HA. pactam rem habeto.   AG. spondesne igitur ?   HA.

spondeo.

AG. mi patrue, salue.   nam nunc es plane meus.

nunc demum ego cum illa fabulabor libere.   40

1160 nunc, patrue, si uis tuas uidere filias,

me sequere.   HA. iamdudum equidem cupio et te sequor.

AG. quid si eámus illis obuiam ?   HA. at ne interuias

praeterbitamus metuo.   magne Iuppiter,

restitue certas mi ex incertis nunc opes.   45

1165   AG. egoquidem meos amores mecum confido fore.

sed eccás uideo ipsas.   HA. haecin meae sunt filiae ?

quantae e quantillis iam sunt factae !   AG. scin quid est ?

Thraecae sunt : in celonem sustolli solent.

1143 (si\nt *A*   1146 suppelle *P*   sine modo *Hannoni continuat P*
1147 *vel* abduce   1148 hanc abire hinc] abire hanc *P*   1152
lachanna *A* : lachanam *P*   1153 ad puteum] apud eum *P*   1159
quom *P* (*antiqua forma*)   1162 illi *P* (*? pro* illisce)   interuiis *A*
1163 praeterbita *P*   1165 amores meos *Pylades, ut versus iambicus
fiat*   1167 e] tẹ *A*   1168 (in cel)onem *A* : celumne (cae-)
P (*cf. Amer. Journ. Phil.* 21, 37)   tragicae sunt ; in calones
sustolli solent *Leo*   sustolli solem (-ni *P*CD) *P*

50   MI. opino hercle hodie, quod ego dixi per iocum,
      id euenturum esse et seuerum et serium,   1170
      ut haec ínueniantur hodie esse huiius filiae.
      AG. pol istúc quidem iam certum est. tu istos, Milphio,
      abduce intro.   nos hasce hic praestolabimur.

iv   A D E L P H A S I V M   A N T E R A S T I L I S
           H A N N O   A G O R A S T O C L E S

ADE. Fuit hodie operae pretium quoiuis qui amabilitati
                         animum adiceret
oculis epulas dare, delubrum qui hodie ornatum eo uisere 1175
                                uenit.
    deamaui ecastor illi ego hodie lepidissuma munera mere-
                             tricum,
    digna diua uenustissuma [Venere], neque contempsi eiius
                          opes hodie.
5 tanta ibi copia uenustatum aderat, in suo quique loco sita
                         munde.
        Arabus, murrinus, omnis odor
          complebat. hau sordere uisust   1179ᵃ
festu' dies, Venu', nec tuom fanum: tantus ibi clientarum 1180
                        erat numerus
    quae ad Calydoniam uenerant Venerem. ANTE. certo
                 enim, quod quidem ad nos duas
10   attin[u]it, praepotentes pulchre pacisque potentes, soror,
                       fuimus,
    neque ab iuuentute inibi inridiculó habitae, quod pol,
              soror, ceteris omnibu' factumst.

1169-73 *secl. Ussing*   1169 opinor *P, A n. l.*   ego *om. A ut vid.*
1170 (esse)ṭ et *A*   1173 intró *suspectum*   intro ⟨hinc⟩ *Goetz,*
Loewe (*A n. l.*)   praestolabitur *P*   1174 ciuis *P*   1176
deamauit *A*   *vix* ecastör (*anap. septenar.*\   illic ego *P* : illic ẹo *A*
1177 dea *Guietus, ut versus anapaesticus fiat*   Venere *seclusi metri*
causa   iius *corr. ex* ius *A*   opus *P*   1178 quique (*P*ᴮᶜ) *vel*
quicquam (quicque?) (*T*) *P* : quicque *A*   loco (*vel* sita) *om. A* :
loco *om. T* (*etiam P*?)   1179 arabius murrinusque omnis dor *P*
(odor *D*)   1180 tum *P*   1182 *vel* pulchrae   1183 (inibi) *A* : ibi *P*

ADE. malim istuc aliis uideatur quam uti tu te, soror,
conlaudes.

1185 ANTE. spero equidem. ADE. et pol ego, quom ingeniis
quibu' sumus atque aliae gnosco ;

eo sumu' gnatae genere ut deceat nos esse a culpa castas.

HA. Iuppiter, qui genu' colis alisque hominum, per quem 15
uiuimu' uitalem aeuom,

quem penes spes uitae sunt hominúm omnium, da diem
hunc sospitem, quaeso,

rebus mis agundis, ut quibus annos multos carui quasque
e patri-

1190 -a perdidi paruas redde is libertatem, inuictae praemium
ut esse sciam pieta-

ti. AG. omnia faciet Iuppiter faxo, nam mihi est obnoxius
et me metuit. HA. tace quaeso.

AG. ne lacruma, patrue.   20

1192ª ANTE. ut uolup est homini, mea soror, si quod agit cluet
uictoria ;

sicut nos hodie inter alias praestitimus pulchritudine.

ADE. stulta, soror, magis es quam uolo. an tu eo pulchra
uidere, opsecro,

1195 si tibi illi non os oblitumst fuligine ? AG. o pátrue, o patrue mi !

HA. quid est, fratris mei gnate, [gnate] quid uis ? expedi. 25
AG. at enim hoc uolo agas. HA. at enim ago istuc.
AG. patrue mi patruissume.

1197ª   HA. quid est ? AG. ést lepida et lauta. ut sapit !
HA. ingenium patris habet quód sapit.

1184 [ita] uid. *P*   1185 et *Pylades* : ut *P, A n. l.*   ig(no)ṣ(co) *A*
1187 ueitalem *A* (*antiqua forma*)   1188 [apud] penes *P* (iv. 2)
spe *P*   quaeso *om. A*   1189 meis *A* (*cf. ad Trin.* 822)   e *om. A*
1190 redde is] pederis *A*   ubertatem *P*   sciant *A*   1192
lacrime *P*   1194 (e)ṣt *A*   1195 fuli neci *P* (ii. 7)   mi
[patruissime] *P* (*cf.* 1197). *Metrum displicet et huius uersus et prae-
cedentis*   1196 gnate *semel A ut uid.* : *vix* gnate gnate ⟨gnate⟩, *ut
troch. septenar. fiat*   1197 uolo hoc *P*   ate *P, A n. l.*

AG. quae res? iam diu édepol sapientiam tuam haec
          quidem abusast.
30 nunc hinc sapit, hinc sentit quidquid sapit, ex meo amore. 1200

ADE. non eo génere sumu' prognatae, tam etsi sumu' seruae,
               soror,
ut deceat nos facere quicquam quod homo quisquam inrideat.
multa sunt mulierum uitia, sed hoc e multis maxumumst,
quom sibi nimi' placent minu'que addunt operam uti pla-
             ceant uiris.
35 ANTE. nimiae uoluptatíst quod in extis nostris portentumst, 1205
               soror,
quod haruspex de ambabus dixit — AG. uelim de me
           [ali]quid dixerit.
ANTE. nos fore inuíto domino nostro diebus paucis liberas.
id ego, nisi quid dí aut paréntes faxint, qui sperem hau scio.
AG. mea fiducia hercle haruspex, patrue, his promisit, scio,
40 libertatem, quia me amare hanc scit. ADE. soror, sequere 1210
          hac. ANTE. sequor.
HA. priu' quam abitis, uos uolo ambas. nisi piget, consistite.
ADE. quis reuocat? AG. qui bene uolt uobis facére. ADE.
          . facere occasiost.
sed quis homost? AG. ameicus uobeis. ADE. quiquidem
          inimicus non siet.
AG. bonus est hic homo, mea uoluptas. ADE. pol istum
          malim quam malum.
45 AG. seiquidem amicitiast habenda, cum hoc habendast. ADE. 1215
          hau precor.
AG. multa bona uolt uobeis facere. ADE. bonu' boneis
          bene feceris.

1199 [eo] edepol *A* quidem] qui quem *P* 1200 hicc (*corr. B*) sapit
hinc *P* : hic sapit hic *A* 1203 mulierum sunt *Bothe, favente allittera-*
tione 1204 *vel* ut (*ita codd.*) 1206 quod *Bothe* : quodque *codd.*
vix ambis aliquid *A* (v. 1) : aliquid quid *P* (iv. 1) 1208 qui] quid *P*
1211 uola *P ut vid.* 1212 qui] quis *A* 1213 siet] est *P* 1215
quom *P* (*antiqua forma*) 1216 uobis facere uult *P* boneis] beneis *A*

Ha. gaudio ero uobeis—Ade. at edepol nos uoluptati tibi.

Ha. leibertatique. Ade. istoc pretio tuas nos facile feceris.

Ag. patrue mí, ita me di amabunt, ut ego, si sim Iuppiter,

1220   iam hercle ego illam uxorem ducam et Iunonem extrudam 50
                                          foras.

ut pudice uerba fecit, cogitate et commode,

ut modeste orationem praebuit ! Ha. certo haec meast.

sed ut astú sum adgressus ad eas ! Ag. lepide hercle
                                          atque commode.

perge etiam temptare. in pauca confer : sitiunt qui sedent.

1225   Ha. quid istic? quod faciundumst qur non agimus? in 55
                                          ius uos uolo.

Ag. nunc, patrue, tu frugi bonae es. uin hanc ego ad-
                                          prendam? Ha. tene.

Ade. an patruos est, Agorastocles, tuos hic? Ag. iam faxo
                                          scibis.

nunc pol ego te ulciscar probe, nam faxo—mea eris sponsa.

Ha. ite in ius, ne moramini. antestare me atque duce.

1230 Ag. ego te antestabor, postea hanc amabo atque amplexabor. 60
sed illudquidem uolui dicere—immo hercle dixi quod uole-
                                          bam.

Ha. moramini. in ius uos uoco, nisi honestiust prehendi.

Ade. quid in ius uocas nos ? quid tibi debemus ? Ag. deicet
                                          illi.

Ade. etiam me meae latrant canes ? Ag. at tu hercle adlu-
                                          diato:

1219 me *om. A*   1223 astus *P*   1224 Ha. (*ita B*) Pergo e. t. ?
Acidalius   temptaret *P*BC (*vix pro* temptare et *vel* at)   qui] que *P*
1225 uoco *Camerarius* (*usitata locutio*) (*cf. ad Mil.* 1400)   1226 nunc
tene patrue tufrugi sibonę es. Ha. uin ego hanc adpredam tene (tene
*om. P*CD) *P* (ego hanc *usitatus ordo*)   1227 hic] hec (haec) *P*   1228
ego pol *A*   eris mea *A*   1229 antetarde *A*   1230 amplexabo *P*,
fort. recte   1231 deicere *A* (*antiqua forma*)   immo dixi hercle *P* :
immo dixi (*del.* hercle) *Bentley, rhythmi causa*   *vix* hercl'   1233
dẹ(ic\ẹṭịṣilli *A* (*i.e.* dicet [is] illi, *vix pro* discetis illi)   1234 me *om.*
A : meae me *Kaempf*

16*

65 dato mi pro offa sauium, pro ósse linguam obicito.   1235
   ita hanc canem faciam tibí oleo tranquilliorem.
   HA. it' si itis. ADE. quid nos fecimus tibi? HA. fures estis
                                                         ambae.
   ADE. nosn' tibi? HA. uos inquam. AG. atque ego scio.
                     ADE. quid id fúrtist? AG. hunc rogato.
   HA. quia annos multos feilias meas célauistis clam me
70 atque equidem ingenuas leiberas summoque genere gnatas.   1240
   ADE. numquam mecastor reperies tu istuc probrum penes nos.
   AG. da pignus, ni nunc peiieres, in sauium, uter utri det.
   ADE. nil tecum ago, apscede opsecró. AG. atque hercle
                                       mecum agendum est.
   nam hic patruos meus est, pro hoc mihi patronus sim
                                              necesse est ;
75 et praedicabo quomodo uos furta faciatis multa   1245
   quoque modo | huius filias apud uós habeatis seruas,
   quas uos ex patria liberas surruptas esse scitis.
   ADE. ubi sunt eae? aut quas, opsecro—AG. sati' iam sunt
                                              maceratae.
   HA. quid si eloquamur? AG. censeo hercle, patrue. ADE.
                                              misera timeo
80 quid hoc sít negoti, mea soror ; ita stupida sine animo asto. 1250
   HA. aduortite animum, mulieres. primum, si id fieri possit,
   ne indigna indignis di darent, id ego euenisset uellem ;
   nunc quod boni mihi di danunt, uobeis uostraeque matri,
   eas dís est aequom gratias nos agere sempiternas,
85 quom nostram pietatem adprobant decorantque di inmor- 1255
                                              tales.

    1238 id furti estis *P* (i. 7, p. 20)   nunc *P*   1240 quidem *Bentley*
e genere *A*   1242 da *om. A*   1243 atqui *Guietus*   1245 quŏ-
modo *suspectum* (*cf. ad Bacch.* 1068)   uos *del. E. Becker* (*cf. ad v.* 1246)
fort. furtificetis (v. 1)   1246 quoqui *B*   *aut* uos *addend. uidetur
post* uos (*vel post* habeatis) (*cf. v.* 1245) *aut* hominis *post* huius (iii, p. 51)
huiusce *Camerarius*   1248 AG.] *vel* HA.   1249 Quin eloquar *P* :
quin eloquamur *Weise*   herci . . *A* : ergo *P*CD: hercle, o (?) *Leo*   1251
posset *A*   1252 euenire *P*

uos meae estis ambae filiaé et hic est cognatus uoster,
huiusce fratris filius, Agorastocles. ADE. amabo,
num hi falso oblectant gaudio nos? AG. at med ita di
                                              seruent
ut hic páter est uoster. date manus. ADE. salue, insperate
                                                    nobis
1260 pater, té complecti nos siné.   cupite atque exspectate   90
pater, salue. HA. ambae filiae sunt. ANTE. amplectamur
                                                ambae.

AG. quis mé amplectetur postea ? HA. nunc ego sum fortu-
                                                natus,
multorum annorum miserias nunc hac uoluptáte sedo.
ADE. uix hoc uidemur credere. HA. magi' qui credatis
                                                dicam.
1265 naın uostra nutrix primum me cognouit. ADE. ubi ea, amabo, 95
                                                est ?

HA. apud hunc est.   AG. quaeso, qui lubet tam diu tenere
                                            collum ?
omitte saltem tu alterá.   nolo ego istunc enicari
priu' quam te mi desponderit. ADE. mitto. ANTE. sperate,
                                                salue.

HA. condamus alter alterum ergo in neruom bracchialem.
1270 quibu' nunc in terra melius est? AG. eueniunt digna dignis. 100
HA. tandem huic cupitum contigit.   AG. o Apelle, o Zeuxis
                                            pictor,

1258 obiectant *P*   *vel* me (*ita codd.*)   ita me *Geppert* (*usitatus ordo*)   1260 te] e *P*   1261 sumus *Ital.* (*A n. l.*), *i. e.* ANTE.
a. f. sumus, a. a.   1263 sedeo *P*   1264 uideamur *P*   *vel*
mage   1265 prima *Bentley, nam spondeus* (-um me) *in fine
hemistichii displicet*   ea] e *P*   1266 nunc *P*   est *om. A*
1267, 1268 *ordine inverso P*   1267 saltē (*i. e.* saltem) *ut vid. P*
(*salutem T*, salute *B*, salte *P*CD)   istunc *scripsi* : istuc *P, A n. l.*
enicari (*T*) *vel* enicam (*P*BC) *P* : (enicas) m(e) *A*   nolo ego istuc—
⟨ADE.⟩ enicas me. ⟨AG.⟩ Prius etc. *Goetz, Schoell*   1268 omitto *P*
(*sed* despenderit *B*) (? v. 3)   *vel* ADE. mitto? sp. sa.   1271
contingit *A*

qur numero | estis mortui, hoc exemplo ut pingeretis?
nam alios pictores nil moror huiusmodi tractare exempla.

HA. di deaeque ómnes, uobeis habeo merito magnas gratias,
105   quom hac me laetitia adfecistis tanta et tantis gaudiis,   1275
ut meae gnátae ad me redirent et potestatem meam.
ADE. mi pater, tua pietas plane nobeis auxilio fuit.
AG. patrue, facito in memoria habeas tuam maiorem filiam
mihi te despondisse. HA. memini. AG. et dotis quid
promiseris.

V   ANTAMOENIDES   ADELPHASIVM
     ANTERASTILIS   HANNO   AGORASTOCLES

ANTA. Si ego minam non ultus fuero probe quam lenoni 1280
dedi,
tum profecto me sibi habento scurrae ludificatui.
is etiam me ad prandium ad se abduxit ignauissumus,
ipse abiit foras, mé reliquit pro atriensi in aedibus.
5   ubi nec leno neque illae redeunt nec quod edim quicquam
datur,
pro maiore parte prandi pignus cepi, abii foras;   1285
sic dedero : aere militari tetigero lenunculum.
nanctus est hominem mina quem argenti circumduceret.
sed mea amica nunc mihi irato obuiam ueniat uelim :
10   iam pol ego illam pugnis totam faciam uti sit merulea,
ita replebo | atritate, atritior multo ut siet   1290
quam Aegyptini, qui cortinam ludis per circum ferunt.
ADE. tene sis me arte, mea uoluptas; male ego metuo
miluos,

1272 *fort.* ⟨qur⟩, qur   estis numero *Reiz*   hic exemplum *P*   1275
adfecistis *post* tantis *P*   1276 et *A ut uid.* : in *P*   1278 memoriam *P*
1281 habeant oscurrae *P*   ludificatui *ut uid. A* : ludificis catii *ut
uid. P*   1282 in p. *A*   abduxit (*B*) *uel* adduxit (*P*CD) *P, A n. l.*
1283 abẹit *A*   1285 prandẹi̯ *A*   1286 aere] e (*uel* i) *A* : e *codd.
Prisciani* 1, 109 : e re *Seyffert*   1287 que *P*   1290 repl. ⟨eam⟩
Bentley   atriṭior *A* : atrior *P* : *cf. Paulus* 28 'atritas (*leg.* atritus)
atri coloris'   1291 Aegyptini] aegipti aut *P*   fuerunt *P*

mala illa bestiast, ne forte me auferat pullum tuom.

ANTE. ut nequeo te sati' complecti, mi pater !   ANTA. ego 15
                                               me moror.

1295 propemodum | hoc opsonare prandium potero mihi.

sed quid hoc ést? quid est? quid hoc est? quid ego uideo?
                                               quo modo?

quid hoc est conduplicationis? quaé haec est congeminatio?

quis hic homo est cum tunicis longis quasi puer cauponius?

satin ego oculis cerno? estne illaec mea amica Anterastilis? 20

1300 et ea est certo.   iam pridem ego me sensi nihili pendier.

non pudet puellam ámplexari baiiolum in media uia?

iam hercle ego illunc excruciandum totum carnufici dabo.

sane genus hoc mulierosumst tunicis demissiciis.

sed adire certum est hanc amatricem Africam.   25

1305 heus tu, tibi dico, mulier, ecquid te pudet?

quid tibi negotist autem cum istac? dic mihi.

HA. adulescens, salue.   ANTA. nolo, nihil ad te attinet.

quid tíbi hanc dígito tactio est?   HA. quia mihi lubet.

ANTA. lubet?   HA. ita dico.   ANTA. ligula, ín' malam 30
                                               crucem?

1310 tune hic amator audes esse, hallex uiri,

aut contrectare quod mares homines amant?

deglupta maena, sarrapis sementium,

manstruca, halagora, sampsa, tum autem plenior

ali ulpicique quam Romani remiges.   35

1315 AG. num tibi, adulescens, malae aut dentes pruriunt,

1294 compecti A   1295 ⟨iam⟩ hoc Pradel   1296 quid est]
quid hoc P   1298 quom P (antiqua forma)   1299 oc(ulis) ego A
anterastris P   1300 est certo] esterto P   1301 baliolum P (i. e.
baiiolum)   1302 vix hercule   illum (ita codd.) ego B   dato A
1303 muliebrosum st P   1304 hanc [ad] P   1306 negotium est
au. A : negotii autem est P   1308 istanc Pylades   1309 legula P
(corr. Pᶜᴰ)   in' (i. e. isne)] i A¹ : i in A² : in post spat. B (i. e. HA. in'?)
1310 fallax A   1313 manstructa P   halagora om. A   samçsa
(-psa?) A : sama P   1314 ulpique P

qui huic es molestus, an malam rem quaeritas?

ANTA. †qur non† adhibuisti, dum istaec loquere, tympa-
                                                  num?

nam te cinaedum esse arbitror magi' quam uirum.

40 AG. scin quam cinaedus sum? ite istinc, serui, foras,

ecferte fustis. ANTA. heus tu, si quid per iocum   1320

dixi, nolito in serium conuortere.

ANTE. quid tibi lubidost, opsecro, Antamoenides,

loqui inclementer nostro cognato et patri?

45 nam hic noster pater est; hic nos cognouit modo

et hunc sui frátris filium? ANTA. ita me Iuppiter   1325

bene amet, bene factum! gaudeo et uolup est mihi

siquidem quid lenoni optigit magni mali

quomque e uirtute uobis fortuna optigit.

50 ANTE. credibile ecastor dicit.   crede huic, mi pater.

HA. credo. AG. et ego credo.   sed eccum lenonem op- 1330
                                                  tume,

credo. ANTA. et ego credo. AG. édepol hic uenit
                                              cómmodus.

bonum uirum eccum uideo, se recipit domum.

[HA. quis hic est? AG. utrumuis est, uel leno uel Lycus.

55 in seruitute hic filias habuit tuas

et mi auri fur est. HA. bellum hominem, quem noueris!] 1335

rapiamus in ius. HA. minime. AG. quapropter? HA. quia

iniuriarum multo induci satius est.

1317 curne *Bothe* : quin *Geppert* (*cf. ad Pseud.* 501)   adhib. (*cf. ad
Most.* 598)   1318 cinaedu *A*   *vel* mage   1320 fuistis *A*
1322 qui *Seyffert*   es *P* (est *C¹*) : om. *A*   1323 indementer
P (*corr. D*)   1327 siquidem quid *Camerarius* : ṣiquiḍ *A* : siquidem *P*   1330 optume] lycum *P* (v. 1 ?)   1331 om. *P* (*propter
homoeoarch.* ?)   et *scripsi* (*cf. v.* 1330) : at *cod.*   1332 se
recipit] (r)ẹdeun(te)m *A*   1333-5 (*cf.* 1382-4) *om. A, nisi quod
verba* quis hicst (*sic*) *in fine v.* 1332 *exhibet* (*scilicet e margine exemplaris
sumpta*). *Retractatoris esse videntur*   1333 uel leno uel *v.* 1382 :
et leno *cod.*   1335 mihi *v.* 1384 : mihi hic *cod.*   1336 in ius]
intus *P*   1337 indici *A*

LYCVS   AGORASTOCLES   HANNO   **vi**
ANTAMOENIDES

LY. Decipitur nemo, mea quidem sententia,
qui suis amicis narrat recte res suas ;
1340 nam omnibus amicis meis idem unum conuenit,
ut me suspendam, ne addicar Agorastocli.
AG. leno, eamus in ius.   LY. opsecro te, Agorastocles,   5
suspendere ut me liceat.   HA. in ius te uoco.
LY. quid tibi mecum autem?   HA. quia | hasce aio liberas
1345 ingenuasque esse filias ambas meas ;
eae súnt surruptae cum nutrice paruolae.
LY. iam pridem equidem istuc sciui, et miratus fui   10
neminem uenire qui istas adsereret manu.
meae quidem profecto non sunt.   ANTA. leno, in ius eas.
1350 LY. de prandio tu dicis.   debetur, dabo.
AG. duplum pro furto mi opus est.   LY. sume hinc quid
lubet.

HA. et mihi suppliciis multis.   LY. sume hinc quid lubet : 15
ANTA. et mihi quidem mina argénti.   LY. sume hinc quid
lubet.

collo rem soluam iam omnibus quasi baiiolus.
1355 AG. numquid recusas contra me?   LY. hau uerbum quidem.
AG. ite igitur intro, mulieres.   sed, patrue mi,
tuam, ut dixisti, mihi desponde filiam.   20
HA. haud aliter ausim.   ANTA. bene uale.   AG. et tu bene
uale.

ANTA. leno, arrabonem hoc pro mina mecum fero.—

1341 addicare *P*   1343 [leno] in ius *P* (iv. 3 ?)   1344 quia
⟨enim⟩ *Bothe* : *fort.* ⟨'quid'?⟩ quia   has d(ico) *A*   1348 manum *P*
1351 *vel* míhi opust   mi *om. A*   quidlubet *Acidalius* : quodiubet
A : quidem *P*   1352 quod (lu)bet *A*   1353 *om. A* (*propter
homoeotel.*?)   *vel* miquidem   mina *Camerarius* : minimam *cod.*
1355 contra me] contram *A* : contra *Langen*   had *P* (*cf. Trin.* 585
had *pro* haud)   1357 dixti *A*   1358 alter *A*

Ly. perii hercle !   Ag. immo hau multo post, si in ius 1360
                                                        ueneris.
Ly. quin egomet tibi me addico.   quid praetore opust ?
25   uerum opsecro te ut liceat simplum soluere,
     trecentos Philippos ; credo conradi potest :
     cras auctionem faciam.   Ag. tantisper quidem
     ut sis apud me lignea in custodia.   1365
Ly. fiat.   Ag. sequere intro, patrue mi, ut [hunc] festum
                                                          diem
30   habeamus hilare, huiius malo et nostro bono.

     multum ualete.   multa uerba fecimus ;
     malum postremo omne ad lenonem reccidit.
     nunc, quod postremum est condimentum fabulae,   1370
     si placuit, plausum postulat comoedia. —

                    (Alter Exitvs Fabvlae)

vii Agorastocles   Lycvs   Antamoenides
       Hanno   Adelphasivm   Anterastilis

Ag. Quam rém agis, miles ? qui lubet patruo meo
     loqui inclementer ? ne mirere mulieres
     quod eum sequontur : modo cognouit filias
     suas ésse hasce ambas. Ly. hem, quod uerbum auris meas 1375
5   tetigit ? nunc perii !   Anta. únde haec perierunt domo ?
Ag. Carthaginienses sunt.   Ly. at ego sum perditus.
     illuc ego metuei semper ne cognosceret
     eas áliquis, quod nunc factumst.   Anta. uae misero mihi !
Ly. periere, opinor, duodeuiginti minae,   1380

1360 in ius] intus *P*   1361 quid] quod *P*   1366 hunc *om. A*
1367 habemus *P* (*corr. B*[1])   hilare *Bentley* : hilarem (*il.*) *codd.*
(*vix Plautinum ; cf. Abraham stud. Plaut.* 221)   1369 posttro *A*
reccidit] redit *P*   1370 quid *P*   1372 agitis *P*   melius cui
A (? *pro* meil.)   1373 ne mirere] meminere *P* (ne- *B ex corr.*)
1376 Ag. domo *P ut vid.*   1377 *repetitur post* 1381 (*ubi A iam
deficit*) *P* ' *atque omitti potuerunt vv.* 1378-81 ' *Leo*   1380 *vel* opino

qui hasce emi. AG. ét tute ipse periisti, Lyce.   10
HA. quis hic est ?   AG. utrumuis est, uel leno uel Lycus.
in seruitute hic filias habuit tuas,
et mi auri fur est. HA. bellum hominem, quem noueris !
1385 ANTA. leno, rapacem te esse semper credidi,
uerum etiam furacem ⟨aiunt⟩ qui norunt magis.   15
LY. accedam.   per ego te tua te genua opsecro
et hunc, cognatum quem tuom esse intellego :
quando boni estis, ut bonos facere addecet
1390 †facite et† uostro subueniatis supplici.
iam pridem equidem istas esse sciui liberas   20
et exspectabam si qui eas ádsereret manu.
nam meae ⟨eae⟩ prosum non sunt. tum autem aurum
                                                           tuom
reddam quod apud me est et iusiurandum dabo
1395 me malitiose nihil fecisse, Agorastocles.
AG. quid mihi par facere sit cum me egomet consulam. 25
omitte genua. LY. mitto, si ita sententia est.

ANTA. heus tu leno ! LY. quid lenonem uis inter negotium ?
ANTA. ut minam mi argenti reddas priu' quam in neruom
                                                      abducere.
1400 LY. di meliora faxint ! ANTA. sic esto : ideo cenabis foris.
aurum, argentum, collum, leno, tris res nunc debes semul. 30
HA. quid med hac re facere deceat egomet mecum
                                                        cogito.

1381 tute] tu *P*   1382-1419 *deest A*   1382-4 (*cf.* 1333-
5)   1382 est nouelle nouellycus *cod.* : *corr. Lipsius ex v.*
1333   1386 ⟨aiunt⟩ *Brix*   1387 ego tua te *Kaempf*: ego te tua haec
Pradel   ⟨oro⟩ obsecro *Geppert*   1390 facitote et *Bothe* : *uix* faciate
et (*cf. ad v.* 5) : faciatis (*om.* et) *Leo* : facite ut ⟨uos⟩ *Hasper*   1391
sciui esse *cod.* : *trai. Bothe*   1392 manum *cod.*   1393 eae *add.*
Geppert   1396 quid *Hasper* : quod *cod.*   quom (*antiqua forma*)
egomet *P*BC : quomodo egomet *T*   1397 HA. omitte *P*CD   1399 ut
minam mi argenti *Seyffert* : utinam mihi argentum *cod.*   1400 faxsint
ut uid. cod.   esto *scripsi* : estu *cod.* : est, tu *Hasper*   ideo] hodie
Hasper, fort. recte   1401 re *cod.*   1402 me (*ita codd.*) ⟨in⟩ *Reiz,*
Geppert

si uolo hunc ulcisci, litis sequar in alieno oppido,
quantum audiui ingenium et mores eiius quo pacto sient.
ADE. mi pater, ne quid tibi cum istoc rei siet †acmassum† 1405
                                                    opsecro.
35 ANTE. ausculta sorori. abi, díiunge inimicitias cum inprobo.
HA. hoc age sis, leno.   quamquam ego te meruisse ut
                                                    pereas scio,
non experiar tecum.   AG. neque ego ; si aurum mihi reddes
                                                    meum,
leno, quando ex neruo emissu's—compingare in carcerem.
LY. iamne autem ut soles ? ANTA. ego, Poene, tibi me 1410
                                                    purgatum uolo.
40 si quid dixi iratus aduorsum animi tui sententiam,
id uti ignoscas quaeso ; et quom istas inuenisti filias,
ita me dí ament, mihi uoluptátist.   HA. ignosco et credo
                                                    tibi.
ANTA. leno, tu autem amicam mihi des facito aut mihi
                                                    reddas minam.
LY. uin tibicinam meam habere ?   ANTA. nil moror tibici- 1415
                                                    nam ;
45 nescias utrum ei maiores buccaene an mammae sient.
LY. dabo quae placeat. ANTA. cura. LY. aúrum cras ad
                                                    te referam tuom.
AG. facito in memoria habeas. LY. miles, sequere me.—
                                        ANTA. ego uero sequor.—
AG. quid ais, patrue ? quando hinc ire cogitas Cartha-
                                                    ginem ?

1403 sequăr *displicet*   1404 quod *cod.*   1405 ni p. *cod.* (*corr. D*)
quom *cod.* (*antiqua forma*)   acmassum] fac missum *Pradel de praep.*
515, *Niemeyer Mil. Glor.* p. 166.   *Sed potest esse Punicum* achmassim
vel hamāsīm 'iniuriae'   1409 compingam te *Skutsch*   1410 iamne
Spengel : iam *cod.*   purgatum *Ital.* : pugnatum *cod.*   1413
uoluptatis est *cod.* : ⟨ut⟩ mihi uolup est *Seyffert*   1414 aut *Seyffert* :
                                          aut
aut [auri] *cod.* (*pro* auri ? v. 3)   1416 ei maiores *Ital.* : eim mores
cod. (M *pro* AI)   an m. *Ital.* : amammae *cod.*   1418 facto *cod.*

1420 nam tecum mi una ire certum est. HA. ubi primum potero,
                                                      ilico.

   AG. dum auctionem facio, hic opus est aliquot ut maneas dies. 50
   HA. faciam ita ut uis. AG. age sis. eamus, nos curemus.
                              CATERVA. plaudite.

   1420-2 *initia et media quaedam extant* A   1421 facto *P*,
A n. l.

PSEVDOLVS

M,   IVNIO.   M.   FIL.   PR.   VRB.
AC.   ME.

didascaliae reliquias servavit A   2 ac *vel* fac   me *vel* aed   acta
Megalesiis *Ritschl*

ARGVMENTVM I

Praesentis numerat quindecim miles minas,
Simul consignat symbolum, ut Phoenicium
Ei det leno qui eum cum relicuo adferat.
Venientem caculam intervortit symbolo
Dicens Syrum se Ballionis Pseudolus   5
Opemque erili ita tulit ; nam Simmiae
Leno mulierem, quem is supposuit, tradidit.
Venit Harpax verus : res palam cognoscitur
Senexque argentum quod erat pactus reddidit.

ARGVMENTVM II

Calidorus iuvenis m⟨eretricem Phoenicium⟩
ecflictim deperibat, nummorum indigus ;
eandem miles, qui viginti mulierem
minis mercatus abiit, solvit quindecim.
scortum reliquit ad lenonem ac symbolum,   5
ut qui attulisset signum simile cetero
cum pretio secum aveheret emptam mulierem.
mox missus ut prehendat scortum a milite
venit calator militaris.   hunc dolo
adgreditur adulescentis servus Pseudolus   10
tamquam lenonis atriensis : symbolum
aufert minas⟨que⟩ quinque acceptas mutuas
dat subditicio caculae cum symbolo ;
lenonem fallit sycophanta[cie] cacula.
scorto Calidorus potitur, vino Pseudolus.   15

Arg. I habet P post prologum : *om. A*   6 attulit *Bothe*
Arg. II habet A ante prologum sed posteriori manu : *om. P*   1 iu-
u̯enis *incertissima lectione cod.*   mer. Phoen. *suppl. Ritschl*   4
soluit *Ritschl* : absoluit *cod.*   7 muliere *cod.*   8 ut prehendat *Bugge* : adpraehendit *cod.*   scortu *cod.*   9 dolo *incertissima lectione cod.*   12 aufert *Mai* : adfert *cod.*   que *add.*
Ritschl   13 subditiuo cā. *Ritschl* : cā. subditicio *Bergk*   14 *vel*
secophantaue *cod.* : sycophanta *Ritschl*   cacula sycophantice
Seyffert   15 uino Pseudolus *Sauppe* : uiuo seudulo *cod.*

PERSONAE

PSEVDOLVS SERVVS
CALIDORVS ADVLESCENS
BALLIO LENO
SIMO SENEX
CALLIPHO SENEX
HARPAX CACVLA
CHARINVS ADVLESCENS
LORARII
MERETRICES
PVER
COCVS
SIMIA SYCOPHANTA

SCAENA ATHENIS

PROLOGVS

Exporgi meliust lumbos atque exsurgier :
Plautina longa fabula in scaenam uenit.

ACTVS I

Ps. Si ex te tacente fieri possem certior,
ere, quae miseriae te tam misere macerant,
5   duorum labori ego hominum parsissem lubens,
mei té rogandi et tis respondendi mihi ;
nunc quoniam id fieri non potest, necessitas   5
me subigit ut te rogitem.   responde mihi :
quid est quod tu exanimatus iam hos multos dies
10   gestas tabellas tecum, eas lacrumis lauis
nec tui participem consili quemquam facis ?
eloquere, ut quod ego nescio id tecum sciam.   10
    Cali. misere miser sum, Pseudole.   Ps. id te Iuppiter
prohibessit !   Cali. nihil hoc Iouis ad iudicium attinet :
15   sub Veneris regno uapulo, non sub Iouis.
Ps. licet me id scire quid sit ? nam tu me antidhac
supremum habuisti comitem consiliis tuis.   15
    Cali. idem animus nunc est.   Ps. face me certum quid
                                              tibist ;
iuuabo aut re⟨d⟩ aut opera aut consilio bono.
20   Cali. cape has tabellas, tute hinc narrato tibi
quae me miseria et cura contabefacit.
    Ps. mos tibi geretur. sed quid hoc, quaeso ? Cali. quid est ? 20

*Prologum exhibet post Argumentum A :   ante Argumentum P
lacunam ante sign. Ritschl, et ante et post Leo*   1 exsurger *P (vix pro*
exsurgere)   4 macerent *A, codd. Gellii* 20, 6, 9 (i. 9)   6 Mis
                                                                        tui
Popma   et [tui] tis *codd. Gellii (unde Nonius* 501) (*pro* et tis; iv. 2) :
etui *A* : et te *P*   12 id *om. A*   16 id *om. A*   tu meo *A*
17 com. con.] se— *cod. Festi* 305   19 aut re iuu. *Bothe*   *de* red,
ablativi forma dubia, cf. Arch. Lat. Lex. 10, 550
PLAVT. II   17

Ps. ut opinor, quaerunt litterae hae sibi liberos :
alia áliam scandit.   CALI. ludis iam ludo tuo?
Ps. has quidem pol credo nisi Sibulla legerit,   25
interpretari alium potesse neminem.

25   CALI. qur inclementer dicis lepidis litteris
lepidis tabellis lepida conscriptis manu?
Ps. an, opsecro hercle, habent quas gallinae manus?
nam has quidem gallina scripsit.   CALI. odiosus mihi es. 30
lege uel tabellas redde.   Ps. ímmo enim pellegam.

30   aduortito animum.   CALI. non adest.   Ps. at tu cita.
CALI. immo ego tacebo, tú istinc ex cera cita ;
nam istic meus animus nunc est, non in pectore.
Ps. tuam amicam uideo, Calidore.   CALI. ubi ea est, 35
                                              opsecro?
Ps. eccam in tabellis porrectam : in cera cubat.

35   CALI. at te di deaeque quantumst—Ps. seruassint quidem!
CALI. quasi solstitialis herba paullisper fui :
repente exortus sum, repentino occidi.
Ps. tace, dúm tabellas pellego.   CALI. ergo quin legis? 40
Ps. 'Phoenicium Calidoro amatori suo

40   per ceram et linum litterasque interpretes
salutem impertit et salutem ex te expetit
lacrumans titubanti | animo, corde et pectore.'
CALI. perii ! salutem nusquam inuenio, Pseudole,   45
quam illi remittam.   Ps. quam salutem?   CALI. argenteam.

45   Ps. pro lignean salute ueis argenteam
remittere illi?   uide sis quam tu rem geras.
CALI. recita modo : ex tabellis iam faxo scies
quam subito argento mi usus inuento siet.   50
Ps. 'leno me peregre militi Macedonio

23 *vel* opino   24 iam] me *P* (iv. 2?)   26 posse *codd.*   29
quas] que (*i. e.* quae?) *P*   30 gallinas *A*   33 hinc *P* (*pro* iste hinc,
i. e. istinc?)   36 ceram *A*   42 lignum *codd. Ausonii epist.* 22,
1, *p.* 184 *Sch., fort. recte (cf.* 47 *infr.*)   43 impertit] mittit *P*
(*cf. v.* 46)   abste *P*   44 illacrumans *Schoell*   titubantique *Ritschl*
45 ipseudole *P*   51 macedonico *P*

minis uiginti uendidit, uoluptas mea ;   50
et priu' quam hinc abiit quindecim miles minas
dederat ; nunc unae quinque remorantur minae.
55 ea caússa miles hic reliquit symbolum,
expressam in cera ex anulo suam imaginem,
ut qui huc adferret eiius similem symbolum   55
cum eo simul me mitteret.   ei rei dies
haec praestituta est, proxuma Dionysia.'
60 CALI. cras ea quidem sunt : prope adest exitium mihi,
nisi quid mi in ted est auxili.   Ps. sine pellegam.
CALI. sino, nám mihi uideor cúm ea fabularier ;   60
lege : dulce amarumque una nunc misces mihi.
Ps. 'nunc nostri amores, mores, consuetudines,
65 iocu', ludus, sermo, suauisauiatio,
compressiones artae amantum corporum,
teneris labellis molles morsiunculae,   65
67ᵃ nostr[or]um orgiorum * -iunculae,
papillarum horridularum oppressiunculae,
harunc uoluptátum mi omnium atque ibidem tibi
70 distractio, discidium, uastities uenit,
nisi quae mihi in test aut tibist in me salus.   70
haec quaé ego sciui ut scires curaui omnia ;
nunc ego te experiar quid ames, quid simules.   uale.'
CALI. est misere scriptum, Pseudole.   Ps. oh ! miserrume.
75 CALI. quin fles ? Ps. pumiceos oculos habeo : non queo
lacrumam exorare ut exspuant unam modo.   75
CALI. quid ita ? Ps. genu' nostrum semper siccoculum fuit.

---

52 mea uoluptas uendidit *A*   55-9 *pauca in initiis leguntur A*
57 ut] qi *A*   59 ⟨ad⟩ Dionysia *Ritschl*   60 cras ... sunt *epistolae
continuat P, A n. l.*   61 te *codd.*   62 quom *P (antiqua forma)*
65 *del. Kiessling (cf. Bacch.* 116) loci *A (pro* ioci, *vix pro* logi, suauis
sauiatio (suau-) *codd.*   66 comparum *P*ᶜᴰ (n *pro* r ; *vix var. lect.
in P)*   67ᵃ *om. P (propter homoeotel.)*   nostrum *Lorenz*   69 *vel*
mihi   ibidea *P (A pro* M) : itidem *Ital.*   70 au(stitie)s *A*
71 intestauit ibi est *P :* in ted est a. t. *Ritschl*   73-8 *paucissima
servata A*   77 quii *B (pro* quit, *vix pro* qui)

17*

CALI. nilne adiuuare me audes?   Ps. quid faciam tibi?
CALI. eheu!   Ps. 'eheu'? id quidem hercle ne parsis:
dabo.

CALI. miser sum, argentum nusquam inuenio mutuom—   8o

80   Ps. eheu! CALI. neque intus nummus ullus est. Ps. eheu!
CALI. ille abducturus est mulierem cras.   Ps. eheu!
CALI. istocine pacto me adiuuas?   Ps. do id quod mihi
est;
nam is mihi thensaurus iugis in nostra domost.
CALI. actum est de me hodie.   sed potes tu mutuam   85

·85   drachumam dare unam mihi quam cras reddam tibi?
Ps. uix hercle, opinor, si me opponam pignori.
sed quid ea drachuma facere uis?   CALI. restim uolo
mihi emere.   Ps. quámobrem?   CALI. qui me faciam
pensilem.
certum est mihi ante tenebras tenebras persequi.   90

90   Ps. quis mi igitur drachumam reddet, si dedero tibi?
an tu te ea caússa uis sciens suspendere
ut me defrudes, drachumam si dederim tibi?
CALI. profecto nullo pacto possum uiuere
si illa a me abalienatur atque abducitur.   95

95   Ps. quid fles, cucule? uiues. CALI. quid ego ni fleam,
quoi nec paratus nummus argenti siet
neque libellai spes sit usquam gentium?

Ps. ut litterarum ego harum sermonem audio,
nisi tu illi drachumis fleueris argenteis,   100

---

78 audes *Ital.*: ades *P, A n. l.*   79 Ps. heu *P*   81 [pseudole]
Ps. eheu neque i. n. ullust *P* (*vix pro* Pseudole. Ps. eheu. CALI.
neque i. nummulus nullust)   82 abducturust *A*   *fort.* abducturust múl. cras. Ps. ⟨cras?⟩ e.   83 adiuuas *Ital.*: adtuas *P, A n. l.*
84 (d)o —t *A* (domost?) : est domo *P*   85 actum hodie iam de
me est sed (quod *B*) potes nunc mutuam *P*   86 mihi unam *P*
87 *vel* opino   o. [est] (*perperam scriptum pro* ST, *i. e.* SI; iv. 3) si
P, unde opino, etsi *Ritschl*   88 quidem a d. *P*   89 pendulum
codd. Porphyrionis ad Hor. Sat. 2, 2, 99   91 dederim *P* (*cf. v.* 93)
93 drachuma *P*CD   100 lacrumis *Meursius* (dacrumis)

quod tu istis lacrumis te probare postulas, 10ᵣ
non pluris refert quam si imbrim in cribrum geras.
uerum ego te amantem, ne paue, non deseram.
spero alicunde hodie me bona opera aut hac mea
105 tibi inuenturum esse auxilium argentarium. 105
atque id futurum unde unde dicam nescio,
nisi quia futurumst: ita supercilium salit.
Cali. utinam quae dicis dictis facta suppetant!
Ps. scis tu quidem hercle, mea si commoui sacra,
110 quo pacto et quantas soleam turbellas dare. 110
Cali. in te nunc omnes spes sunt aetati meae.
Ps. satin est si hanc hodie mulierem ecficio tibi
tua ut sit aut si tibi do uiginti minas?
Cali. sati', si futurumst. Ps. roga me uiginti minas,
115 ut me ecfecturum tibi quod promisi scias.
roga, opsecro hercle. gestio promittere. 115
Cali. dabisne argenti mi hodie uiginti minas?
Ps. dabo. molestus nunciam ne sis mihi. Sponsio
atque hoc, ne dictum tibi neges, dico prius:
120 si neminem alium potero, tuom tangam patrem.
Cali. di te mi semper seruent! uerum, si potest, 120
pietatis caussa—uel etiam matrem quoque.
Ps. de istac re in oculum utrumuis conquiescito.
Cali. utrum? anne in aurem? Ps. at hoc peruolgatumst
minus.
125 nunc, ne quis dictum sibi neget, dico omnibus,
pube praesenti in contione, omni poplo, 125
omnibus amicis notisque edico meis
in hunc diem a me ut caueant, ne credant mihi.

101 *an* dacrumis? 102 legas *A*: ingeras *Salmasius* 104
hac mea *Merula*: học meam *A*: haec mea *P* 115 quo *P* 116
cf. v. 1073 opsecro hercle *Calidori P* 117 *vel* Dabin
árgentí 121 semper *om. P* (iii. 1) sẹ (*pro* sei?) *A* potes
P 124 oculum utrum anne *P* (iv. 1): utr(um a)n *A*: oculum anne
Bentley

CALI. st!

tace opsecro hercle. Ps. quid negoti est? CALI. ostium 130
130 lenonis crepuit. Ps. crura mauellem modo.

CALI. atque ipse egreditur penitus, peiiuri caput.

ii   B A L L I O   L O R A R I I   M E R E T R I C E S
         P S E V D O L V S   C A L I D O R V S

BA. Exite, agite exite, ignaui, male habiti et male conciliati,

quorum numquam quicquam quoiquam uenit in mentem ut
                recte faciant,

quibu', nisi ad hoc exemplum experior, non potest usura 135
                usurpari.

neque ego homines magis asinos numquam uidi, ita plagis
                costae callent :

5 quos quom ferias, tibi plus noceas ; eo enim ingenio hi sunt
                flagritribae,

qui haec habent consilia, ubi data occasiost, rape, clepe, tene,
                harpaga, bibe, es, fuge : hoc est

eorum officium, ut mauelis lupos apud ouis quam 140-1
                hos domi linquere custodes.

at faciem quom aspicias eorum, hau mali uidentur : opera
                fallunt.

10 nunc adeo hanc edictionem nisi animum aduortetis omnes,

nisi somnum socordiamque ex pectore oculisque exmouetis,

ita ego uostra latera loris faciam ut ualide uaria sint,   145

ut ne peristrómata quidem | aeque picta sint Campanica

neque Alexandrina beluata tonsilia tappetia.

130 hercle opsec(r)o *A*   131 mauelim *A. contra metrum*   132
penitus] intus *Acidalius*   133 agite ite *P*   malace h. *Schoell*
(*anap. octonar.*)   134 faciat *A*   136 umquam *P*   137
quom (qum)] dum *P* (D *pro* Q)   138, 139 *coniungunt codd.*   138
clepe *om. A* (iii. 4)   139 est fugi *P*   140, 141 officium] opus *P*
mauelis] induellis *P*   lupus *P*   oueis *A*   linquere quam hos
domi c. *P*   142 aspicies *P*   144 amouetis *P* (A *pro* X ?)
146 *vix* peristromáta (*troch. septenar.*)   147 consilia *P* (c *pro* t) :
tonsiliā *suspectum*

atque heri iam edixeram omnibus dederamque eas pro- 15
                             uincias,
uerum ita uos estis praediti †neglegentes† ingenio inprobi,
150 officium uostrum ut uos malo cogatis commonerier;
nempe ita animati | esti' uos : uinciti' duritia hoc atque me.
hoc sis uide, ut álias res agunt! hoc agite, hoc animum
                             aduortite,
huc adhibete auris quae ego loquor, plagigera genera | 20
                             hominum.
numquam edepol uostrum durius tergum erit quam ter-
                           ginum hoc meum.
155 quid nunc? doletne? em sic datur, si quis erum seruos
                           spernit.
adsistite omnes contra me et quae loquor aduortite ani-
                           mum.
tu qui urnam habes aquam ingere, face plenum ahenum
                           sit coquo.
te cum securi caudicali praeficio prouinciae.   25
Lo. at haec retunsast. Ba. sine siet; itidem uos [quo-
                     que estis] plagis omnes :
160 numqui minus ea gratia tamen omniúm opera utor?
tibi hoc praecipio ut niteant aedes. habes quod facias:
                     propera, abi intro.
tú esto lectisterniator. tú argentum eluito, idem exstruito.
haec, quom ego a foro reuortar, facite ut offendam parata, 30

149 nĕglegentes *vix ferendum*: neglẹṇṭị *A*   improbo *P*   150
male *A*   151 *fort.* ⟨animi⟩ animati   uincite *P*   durita hoc *A* :
hoc duritia ergo *P* (ergo *pro* terg-; iv. 1)   152 sis uide ut *Loewe* :
uide sis ut *P*: uid(e ut) *A* : *an* uides ut?   153 *post* 154 *A* (*prius
om. propter homoeotel.*; ii. 6)   loquar *P*   plagigerula *Bothe*   *vix*
homōnum, *veri similius* homullûm   154 etit *vel* efit *A*   terginum
hoc *P*: hoc terg. *codd. Nonii* 227 : terginum (*om.* hoc) *A*   155 qui
nunc *P* (*pro* quinnunc)   sic] si *A*   156 me et quae] meeque
P, ut vid.   loquar *A, sed* loquăr *displicet*   157 igẹṛẹ *A*   ahe-
mum *A*   coquo (coco)] cito *P*   158–81 *pauca leguntur A*   158
te] se *A*   159 quoque estis *delevi* (iv. 2) (*A n. l.*)   —(plagi)s
in fine versus A ut vid. (? *i. e.* omnes plagis)   160 opera ⟨ego⟩ utor
Hermann   163 eo *P*   reuortar *Ritschl* : reuortor *P, A n. l.*

uorsa, sparsa, terta, strata, lautaque coctaque omnia úti sint.
nam mi hodie natalis diès est, decet eum omnis uos 165
concelebrare.
pernam, callum, glandium, sumen facito in aqua ia-
ceant.   satin audis?
magnufice uolo me uiros summos accipere, ut mihi rem
esse reantur.

35   intro abite atque haec cito celebra, ne mora quae
sit, coquo' quom ueniat;
ego eo in macellum, ut piscium quidquid ibist pretio
praestinem.
i, puere, prae; ne quisquam pertundat cruminam cautiost. 170
uel opperire, est quod domi dicere paene fui oblitus.
auditin? uobis, mulieres, hanc habeo edictionem.

40 uos quae in munditiis, mollitiis deliciisque aetatulam agitis,
uiris cum summis, inclutae amicae, nunc ego scibo
atque hodie experiar
quae capiti, quae uentri operam det, quaeq' suae rei, 175
quae somno studeat;
quam libertam fore mihi credam et quam uenalem hodie
experiar.
facite hodie ut mihi munera multa huc ab amatoribu'
conueniant.
45   nam nisi mihi penus annuos hodie conuenit, cras poplo
prostituam uos.

<hr>

164 uorsasprastergastrata *P* (terga, *i. e.* terca, *pro* terta)   lauta·
que coctaque] aut unctaque *schol. Aen.* 1. 478 (*A n. l.*), *unde* 1. uncta·
que *Ladewig*   165 uos] l . . s *A*   166 gallum *P*   167 summos
uiros *P, A n. l.* : *trai. Bothe*   168 celebra (*vel* celera : *cf. v.* 165)
scripsi (*cum* ābite) : celebrate *P, A n. l.*   ueniat *Ritschl* : ueniat
[mihi] *P, A n. l.*   169 (ibi est) *A* : est *P* (iii. 3)   praesentinem *P*
170 qu(ispi)am *A, unde* quispiam tundat *Spengel*   171 obl. fui
Spengel, rhythmi causa   173 *vix* aetatlam (*anap.*)   175 quae·
que] quae suae *Bothe* (*A n. l.*), *nam* quaeq' *suspectum*   178 mihi
(mi) *om. P*   annuus penus *codd. Servii Aen.* 1, 703, *Prisciani* 170
et 260   hodie *omittunt idem*   conuenit] congeritur (-atur) *Prisc.*
poplŏ *suspectum*

natalem scitis mi esse diem hunc : ubi isti sunt quibu' uos
           oculi estis,
180 quibu' uitae, quibu' deliciae estis, quibu' sauia, mammia,
           mellillae ?

maniplatim mihi munerigeruli facite ante aedis iam hic adsint.
qur ego uestem, aurum atque ea quibus est uobis usus,
           praebeo ? [aut] quid mi
domi nisi malum uostra operast hodie ? inprobae uino modo 50
           cupidae estis :
eo uos uostros panticesque adeo madefactatis, quom ego
           sim hic siccus.

185 nunc adeo hoc factust optumum ut nomine quemque ap-
           pellem suo,
ne dictum esse actutum sibi quaepiam uostrarum mihi neget :
    aduortite animum cunctae.

principio, Hedylium, tecum ago, quae amica es frumentariis, 55
quibu' cunctis montes maxumi frumenti acerui sunt domi :
190 fac sis sit delatum huc mihi frumentum, hunc annum quod
           satis,
mihi et familiae omni sit meaé, atque adeo ut frumento
           afluam,
ut ciuitas nomen mihi commutet meque ut praedicet
lenone ex Ballione regem Iasonem. CALI. audin ? furcifer 60
           [quae loquitur ?]
satin magnuficus tibi uidetur ? Ps. pol iste atque etiam
           malificus.

179 *vel* sciti' mihi   180 mamilla *P* (*pro* mamiia ?)   mellitae *P*
(*A incert.*)   182 usuș *A* : usui *P*   praehibeo *cod.* (*i. e.* prĕhibeo
ut prĕhendo ?)   aut *om. P*   183 *vel post* inprobae *distingue*
184 madefactatis *codd. Nonii* 395 : madefecistis *A* : madefacitis (*B*)
vel madefactis (*P*CD) *P*   simihic *A*   185 factust *Lambinus* :
factum est *codd.*   quamque nomine *A*   186, 187 *cohaerent codd.*
186 nec *P*   188 hedyllum *P* (*i. e.* Hedylium ?) : (edy)tium *A*
amices *P* (*pro* -caes)   189 acerui frumenti *P*   acerui *impro-*
bat ut glossam Acidalius   191 etiam familiae *P* : et malitiae *A*
vel siet   193 sqq. *sic disp. Bothe* Lenóne—Iasonem (*iamb.*) | Aúdin
f. quae loquitur . . . uidetur (*troch.*) | Pol—malificus (*troch.*)   193
exbaliạto regẹm regem iasonem *A*   quae loquitur *om. A* (iv. 1)

     sed tace atque hanc rem gere.   195

BA. Aeschrodora, tu quae amicos tibi habes lenonum aemulos

lanios, quí item ut nos iurando iure maló male quaerunt

              rem, audi :

65 nisi carnaria tria grauida tegoribus onere uberi hodie

mihi erunt, cras te, quasi Dircam olim ut memorant duo

              gnati Iouis

deuinxere ad taurum, item ego te distringam ad carnarium ; 200

id tibi prófecto taúrus fiet. CALI. nimi' sermone huius ira

             incendor.

   Ps. huncine hic hominem pati

70   colere iuuentutem Atticam ?   202ª

ubi sunt, ubi latent quibus aetas integra est, qui amant a

           lenone ?

quin conueniunt ? quin una omnes peste hac populum hunc 204

          liberant ?

    sed uah !   205

    nimium stultus, nimium fui   205ª

75   indoctus : illine audeant   205ᵇ

    id facere quibus ut seruiant   205ᶜ

suos amor cogit ? simul prohibet faciant aduorsum eos

          quod nolint.

 CALI. uah ! tace.

 PS. quid est ? CALI. mále morigeru's, male facis mihi

       quom sermone huic obsonas.

80 Ps. taceo. CALI. at taceas malo multo quam tacere dicas.

          BA. tu autem,

Xytilis, fac ut animum aduortas, quoius amatores oliui 210

---

 197 male *om.* P (iii. 1) 198 togeribus *A* oneri *P, fort. recte*
200 ego te distringam] hodie stringam *P* 201 id *in fine v. prioris B*
profectus *A* Ps. Nimis... Atticam *Acidalius* (*A n. l.*) 204 hunc]
hinc *A* 205, 205ª sed *et* uah *propriis versibus, deinde* nimius stultus
nimis fui *A* : sed nimis sum stultus nimium fui *P* 205ᵇ inductus *A*
ne illi au. *P* 206 prohibent *A* nolunt *P* 207 uah *om. A*
208 morigerus male *om. A* (iii. 11) quo sermone huius obsọ —
A, unde sermoni huius *Ritschl* 209 tacere [te] *P* (iv. 2) 210
xittilis *P* : xyțilis (xittilis ?) *A* : Xystilis *Ital.* quouis *P*

δύναμιν domi habent maxumam.

si mihi non iam huc culleis

oleum deportatum erit,

te ipsam culleo ego cras faciam ut deportere in pergulam ;   85

215 ibi tibi adeo lectus dabitur ubi tu hau somnum capias, sed ubi

usque ad languorem—tenes

quo se haec tendant quae loquor.

ain, excetra tu? quae tibi amicos tot habes tam probe oleo

onustos,

num quoipiam est hodie tua tuorum ópera conseruorum   90

220 nitidiusculum caput? aút num ipse ego pulmento utor magis

unctiusculo? sed scio, tu óleum hau magni pendis, uino

te deuincis. sine modo,

reprehendam ego cuncta hercle una opera, nisi quidem tu

haec omnia

facis ecfecta quae loquor.   95

225 tu autem quae pro capite argentum mihi iam iamque semper

numeras,

ea pacisci modo scis, sed quod pacta es non scis soluere,

Phoenicium, tibi ego haec loquor, deliciae summatum

uirum :

nisi hodie mi ex fundis tuorum amicorum omne huc penus

adfertur,

cras Phoenicium poeniceo corio inuises pergulam.   100

CALIDORVS   PSEVDOLVS   BALLIO   iii

230   CALI. Pseudole, non audis quae hic loquitúr? Ps.

audio, ere, equidem atque animum aduorto.

211 domo *A*   212 huic cullius *P*   213 erit *om. P*   217
vix quose (*ut* quosum, quorsum)   218 ain] en *P*   excétra
displicet fort. ain (aĭn) *vel extra versum vel in fine v.* 224 *collocand.*
honestos *A*   219 cupiam *P*   hodie etua *P* (*pro* hodi&ua ?)   220
nitidissimum *P*   222 deungis *Acidalius*   223 rependam
Angelius   ego cuncta hercle *P* : ego hercle ego cuncta *A* : hercle
ego cuncta *Usener*   n. q. hodie tu omnia   Facis scelesta haec ut
loquor *P*   225 se.per *A* : sepe *P*   227 haec ego *P*   uerum
A   229 phoenici phoenicio *P*   inuisus *A*   230 *nulla
nova scaena A*   audi cere *P* (*corr. D*)

CALI. quid mihi es auctor huic ut mittam, ne amicam hic
meam prostituat?

Ps. nihil curassis, liquido es animó: ego pro me et pro te
curabo.

iam diu ego huic bene et hic mihi uolumús et amicitia est
antiqua:

5 mittam hodie huic suo die natali malam rem magnam et
maturam.

CALI. quid opust? Ps. potin aliam rem ut cures? CALI. 235
at—Ps. bat! CALI. crucior. Ps. cor dura.

CALI. non possum. Ps. fac possis. CALI. quonam uincere pacto possim animum?

Ps. in rem quod sit praeuortaris quam in re aduorsa animo
auscultes.

CALI. nugae istaec sunt: non iucundumst nisi amans facit 238
stulte. Ps. pergin?

10   CALI. o Pseudole mi, sine sim nihili,

       mitte me sis. Ps. ⟨sino:⟩ sine modo ego abeam. 239[a]

       CALI. mane, mane, iam ut uoles med esse ita ero. 240

       Ps. nunc tu sapis. BA. it dies: ego mihi ces-   240[a]

       -so: i prae, puere. CALI. heus, abit. quin reuocas?

15   Ps. quid properas? placide. CALI. at priu' quam 241[a]
abeat.

       BA. quid hoc, malum, tam placide is, puere?   242

Ps. hodie nate, heus, hodie nate, tibi ego dico, heus, hodie
nate,

       redi et respice ad nos. tametsi occupatu's,

232 nihil] bene *P* (? *pro* ne)   233 mihi hic *A*   234 m. ego
hodie *A*   natalio *P* (*vix pro* natali ego)   235-61 *deest A*   236
pacto possim uincere *cod.*: *trai. Spengel*   Ps. vince *Leo*   237 quam
Ussing: qua *cod.* (vii. 4)   239 oho *vel* o o *cod.*   239[a] *vel*
mitt'   sino *add. Ritschl*   240 ita ergo *cod.* (*corr. B²*)   240[a] tum
cod. (*corr. B²*) (vii. 4)   241 abit *Bothe*: abiit *cod.* (*i. e.* abit)   241[a]
Quod *B*   242 quod hoc malum *cod.*: quid malum *Ritschl*   placide
is *Camerarius*: placidis *cod.* (i. 7, p. 108)

245   moramur.   mane, em conloqui qui uolunt te.

      BA. quid hoc est? quis est qui moram mi occupato 20
      molestam optulit? Ps. qui tibi sospitalis

      fuit. BA. mortuost qui fuit : qui sit ussust.   ⇐

Ps. nimi' superbe. BA. nimi' molestus. CALI. reprehende
                hominem, adsequere. BA. i puere.

250   Ps. occedamus hac obuiam. BA. Iuppiter te

      perdat, quisquis es. Ps. te uolo. BA. hau uos ego 25
                      ambos.

    uorte nac puere, te. Ps. non licet conloqui te?

    BA. at mi non lubet. Ps. sin tuamst quippiam in
                          rem?

    BA. licetne, opsecro, bitere an non licet? Ps. uah!

255 manta. BA. omitte. CALI. Ballio, audi. BA. surdu' sum
                    prófecto inanilogistae.

    CALI. dedi dum fuit. BA. non peto quod dedisti. 30

    CALI. dabo quando erit. BA. ducito quando habebis.

      CALI. eheu, quam ego malis perdidi modis
      quod tibi detuli et quod dedi ! BA. mortua

260   uerba re nunc facis ; stultus es, rem actam agis.

      Ps. nosce saltem hunc quis est. BA. iam diu 35
                    scio

    qui fuit : nunc quis est ipsus ⟨se⟩ sciat.

    ambula tu. Ps. potín ut semel modo,
      Ballio, huc cum lucro respicias?

265 BA. respiciam istoc pretio ; nam si sacruficem summo Ioui

245 em *Usener* : est (ē) *cod.* (*vix Plautinum*)   uolunte *cod.* (*corr.*
CD²)   247 quid *cod.*   sospitali *cod.*   249 *vel* molestu's
250 occedamus, *cf. Festus* 181 : accedamus *cod.*   251 hau *scripsi* :
at *cod.* (*cf. ad Poen.* 1355)   perdát, quísqui's. Ps. té uólo ⟨ego⟩.
BA. at uós ⟨nólo⟩ ego ámbós *Koch*   252 te puere *cod.* : trai.
Mueller ⟨an⟩ non *Schoell*   254 bitere *Lipsius* : uiuere *cod.*, *vix*
recte 255 surdu' sŭm *displicet*   profĕcto] CALI. proh *Goetz* (*melius*
fort. oro)   inanilogista es *Ital.*   260 agis *Ital.* : magis *cod.*
261 dius *cod.*   262 *accedit* A   quis *Camerarius* : qui *codd.*   est
ipsus se *scripsi* : sịt ipsẹ A : estis ipsus P   264 hunc P ⟨*corr.* B²⟩

40 atque in manibus exta teneam ut poriciam, interea loci
  si lucri quid detur, potius rem diuinam deseram.
  non potest pietati opsisti huíc, utut res ceterae.
  Ps. deos quidem quos maxume aequom est metuere, eos
                                        minimi facit.
  BA. compellabo.   salue multum, serue Athenis pessume.   270
45 Ps. di te deaeque ament uel huiius arbitratu uel meo,
  uel, si dignu's alio pacto, neque ament nec faciant bene.
  BA. quid agitur, Calidore? CALI. amatur atque egetur
                                         acriter.
  BA. misereat, si familiam alere possim misericordia.
  Ps. heia! scimus nos quidem te qualis sis; ne praedices.   275
50 sed scin quid nos uolumus? BA. pol ego propemodum : ut
                                        male sit mihi.
  Ps. et id et hoc quod te reuocamus. quaeso animum ad-
                                    uorte. BA. audio.
  atque in pauca, ut occupatus nunc sum, confer quid uelis.
  Ps. hunc pudet, quod tibi promisit quaque id promisit die,
  quia tibi minas uiginti pró amica etiam non dedit.   280
55 BA. nimio id quod pudet facilius fertur quam illud quod
                                      piget.
  non dedisse istunc pudet : me quia non accepi piget.
  Ps. at dabit, parabit : aliquot hos dies manta modo.
  nám id hic metuit ne illam uendas ob simultatem suam.
  BA. fuit occasio, si uellet, iam pridem argentum ut daret.   285
60 CALI. quid si non habui? BA. si amabas, inuenires
                                       mutuom,

---

267 destram *P* (T *pro* E)   268 potes *P*   ut res sunt *P et*
schol. Aen. 1, 378   269 quos *schol. Verg.*: quod *P, A n. l.*   271
amente *P* (*corr. B²*)   huiius] (h)olus (*i. e.* hoius) *A*   274 po⟨ss⟩em
A   276 prope modo (modu *B²*) *P*   277 reuocamus] rogitaui
A   aduortite *A*   279 hunc] hun (hū?) *P*   quaque] quamquam (*pro* quáq., *i. e.* quaque?) *P*   282 dedissetis tum p. *P*   283
aliquos *Mueller* (*A incert.*) : aliquid *Dousa*   284 hic (id) *P*   285
pridet (di pridet *B*) *P* (*corr. D²*)   286 habuit *A*   si amabas]
iam abas *P*   tuum *P*

ad danistam deuenires, adderes faenusculum,
surruperes patri. Ps. surruperet hic patri, audacissume?
non periclumst ne quid recte monstres. Ba. non leno-
                                                    niumst.
290 Cali. egon patri surrupere possim quicquam, tam cauto seni?
atque adeo, si facere possem, pietas prohibet. Ba. audio. 65
pietatem ergo istam amplexator noctu pro Phoenicio.
sed quom pietatem ⟨te⟩ amori uideo tuo praeuortere,
omnes ⟨homines⟩ tibi patres sunt? nullus est tibi quem roges
295 mutuom argentum? Cali. quin nomen quoque iam interiit
                                            'mutuom.'

Ps. heus tu, postquam hercle isti a mensa surgunt sati' poti 70
                                                    uiri,

qui suom repetunt, alienum reddunt nato nemini,
postilla omnes cautiores sunt ne credant alteri.
Cali. nimi' miser sum, nummum nusquam reperire argenti
                                                    queo ;
300 ita miser et amore pereo et inopia argentaria.

Ba. eme die caeca hercle oliuom, id uendito oculata die : 75
iam hercle uel ducentae fieri possunt praesentes minae.
Cali. perii! annorum lex me perdit quinauicenaria. Lex Plaetoria
metuont credere omnes. Ba. eadem est mihi lex : metuo
                                                    credere.
305 Ps. credere autem! eho an paénitet te quanto hic fuerit
                                                    usui?

288 surruperis *A* : surripuisses *P*   Ba. audacissume (*adverb.*)
A ut vid.   290 [quam] tam *P* (*corr. B²*)   291 possim *C* (*A incert.*)
292 *post* 296 *A* ; *scilicet scriba, omissione vv.* 292-5 *animadversa,*
supplere decrevit, mox ab incepto destitit   293-5 *om. A*   293
pietatem te *Mueller* : pietate *cod.* (? *i. e.* pīetatem)   294 homines
add. Bentley   295 metuum *cod.*   quin *Ital.* : qui *cod.*   *versum*
intercidisse, quo ad danistas adulescentem leno relegarit, coniecit Kiess-
ling ; *si in* audio *desiit, omissio in A propter homoeotel. facta est*   296
saturi (*pro* sat uiri) p. *P* (*om.* uiri)   298 postilla omnes] ab alienis
P   nec reddant *P*   299 miser sum] miserum *A*   que oc *P*
(*corr. B²*)   301 eme] (emi)to *cod. Festi* 178   uenito *A*   302
possunt fie(ri) *A*   303 annortum *P*   perdet *A*   304 mihi
est *A*   305 huic *A*

80 Ba. non est iustus quisquam amator nisi qui perpetuat data;
det, det usque : quando nil sit, simul amare desinat.
Cali. nilne te miseret? Ba. inanis cedis, dicta non sonant.
atque ego te uiuom saluomque uellem. Ps.ého an iam
mortuost?

Ba. utut est, mihi quidem profecto cum istis dictis mortuost : 310
85 ilico uixit amator, ubi lenoni supplicat.
semper tu ad me cum argentata accedito querimonia ;
nam istuc quod nunc lamentare, non esse argentum tibi,
apud nouercam querere. Ps. eho an umquam tu huius
nupsisti patri?

Ba. di meliora faxint ! Ps. face quod te rogamus, Ballio, 315
90 mea fide, si isti formidas credere. ego in hoc triduo
aut terra aut marí alicunde euoluam id argentum tibi.
Ba. tibi ego credam? Ps. qur non? Ba. quia pol quá
opera credam tibi
una opera alligem fugitiuam cánem agnínis lactibus.

Cali. sicine mihi aps te bene merenti male refertur gratia? 320
95 Ba. quid nunc uis? Cali. ut opperiare hos sex dies aliquos modo
ne illam uendas neu me perdas hominem amantem. Ba.
animo bono es.
uel sex menses opperibor. Cali. eugae, homo lepidissume !
Ba. immo uein etiam te faciam ex laeto laetantem magis ?
Cali. quid iam ? Ba. quia enim non uenalem iám habeo 325
Phoenicium.

100 Cali. non habes? Ba. non hercle uero. Cali. Pseudole,
í accerse hostias,

306 iustus] usu (-ui) *Ital.*   quicquam *A*   307 det det] detque *P*
308 te] temet *P* (*i. e.* te mei ?)   cedes *P* (*1.e.* -is ?)   311 sup-
plicat] placet *P*   312 quom *P* (*forma antiqua*)   313 istunc *A*
clametare *P*   315 di melius faciant Ps. fac hoc quod *P*   316
vel istic   317 aliquonde *A* (*forma antiqua*)   id] in *A*   318
quor *A*   operas *P*   319 tactibus *A*   321 aliquos] saltem
P   323 fuge *A*   325 quid iam] quidam (quidum ?) *A*   iam]
am *P*   326 o pseudole *P*   i] ei *A : om. P* (*cf.* 330)   accersi
(arc-) *P* (? *pro* accerse i)

uictumas, lanios, ut ego huic sácruficem summo Ioui ;
nam hic mihi nunc est multo potior Iuppiter quam Iuppiter.

BA. nolo uictumas : agninis me extis placari uolo.

330 CALI. propera, quid stas ? í accerse agnos.   audin quid ait
Iuppiter ?

PS. iam hic ero ; uerum extra portam mi etiam currendumst 105
prius.

CALI. quid eo ? PS. lanios inde accersam duo cum tintinna-
bulis,

eadem duo greges uirgarum inde ulmearum adegero,
ut hodie ad litationem huic suppetat satias Ioui.

335 BA. í in malam crucem !   PS. istuc ibit Iuppiter lenonius.

BA. ex tua re est ut ego emoriar.   PS. quidum ?   BA. ego 110
dicam tibi :

quia edepol, dum ego uiuos uiuam, numquam eris frugi
bonae.

ex tua re non est ut ego emoriar.   PS. quidum ?   BA. sic,
quia

si ego emórtuos sim, Athenis te sit nemo nequior.

340 CALI. dic mihi, opsecro hercle, uerum serio hoc quod te
rogo.

non habes uenalem amicam tu meam Phoenicium ?   115

BA. non edepol habeo profecto, nam iam pridem uendidi.

CALI. quo modo ? BA. sine ornamentis, cum intestinis
omnibus.

CALI. meam tu amicam uendidisti ? BA. ualide, uiginti
minis.

345 CALI. uiginti minis ? BA. utrum uis, uel quater quinis
minis,

---

327 laniosus tego *P*   *vel* huĭc   328 potius *A*   queam *P*
(vii. 1)   329 uictumiṣ *A*   330 i] ei *A* : *om. P* (*cf.* 326)
335 *vel* In' (*i. e.* isne) m. (*ita P*)   istic *P*   336 [non] est *P* (*cf. v.* 338)
338 ex tua re ut ego emoriar non est e re (*vix pro* vere) *A*, *vix
conflat. ex illa versione quae supra est et altera* út ego émoriár non est
e ré tua quidum ? sic, quia   339 mortuus *A*   nequor *P* (*corr. D*)
340 rogo [est] *P* ('*pro* rogem' *Seyffert*) (rogem *corr. D*)   343
quom i. *A* (*antiqua forma*)
PLAVT. II   18

120 militi Macedonio, et iam quindecím habeo minas.

    CALI. quid ego ex te audió?   BA. amicam tuam esse factam

                                              argenteam.

    CALI. qur id ausu's facere?   BA. lubuit, mea fuit.   CALI.

                                              eho, Pseudole,

    i gladium adfer.   Ps. quid opus gladio?   CALI. qui hunc

                                         occidam—átque me.

    Ps. quin tu ted occidis potius?   nam hunc fames iam 350

                                              occiderit.

125 CALI. quid ais, quantum terra tetigit hominum peiiuris-

                                            sume?

    iurauistin te illam nulli uenditurum nisi mihi?

    BA. fateor.   CALI. nemp' conceptis uerbis?   BA. etiam

                                            consutis quoque.

    CALI. peiiurauisti, sceleste.   BA. at argentum intro condidi.

    ego scelestus nunc argentum promere po⟨ti⟩s sum domo :   355

130 tu qui pius, istoc es genere gnatus, nummum non habes.

    CALI. Pseudole, adsiste altrim secus atque onera hunc male-

                                         dictis.   Ps. licet.

    numquam ad praetorem aeque cursim curram, ut emittar

                                              manu.

    CALI. ingere mala multa.   Ps. iam ego te differam dictis

                                            meis.

    inpudice.   BA. itast.   CALI. sceleste.   BA. dicis uera.   Ps. 360

                                              uerbero.

135 BA. quippini?   CALI. bustirape.   BA. certo.   Ps. furcifer.

                                          BA. factum optume.

---

346 habeo ⟨ab eo⟩ *Brix*   348 eho Pseudole *continuat Ballioni*
A   349 ei *codd.*   opust *Ritschl*   hoc (*pro* honc?) *A*   *fort.*
qui ⟨ego⟩ hunc   351 tegit (*pro* tetegit?) *P*: terram tetigit
Geppert, Longworth (*Class. Rev.* 13, 272)   353 consulis *P* (L *pro*
T)   355 possum *codd., sed* promere *suspectum*   356 pius sistoc
(*om.* es) *P* (? *pro* pius es, istoc)   *vel* piu's   357 adsistera trinse-
cus *P* (*corr. in D*)   358 atque c. c. lite mittar manus *P*   360
dices *P* (*i. e.* -is?)   361 certe *P*   factam *P* (a *pro* u)

CALI. sociofraude. BA. sunt mea istaec. Ps. parricida.

BA. perge tu.

CALI. sacrilege. BA. fateor. Ps. peiiure. BA. uetera uati-

cinamini.

CALI. legerupa. BA. ualide. Ps. permities adulescentum. ←

BA. acerrume.

365 CALI. fur. BA. babae! Ps. fugitiue. BA. bombax!

CALI. fraus populi. BA. planissume.

Ps. fraudulente. CALI. inpure. Ps. leno. CALI. caenum. 140

BA. cantores probos!

CALI. uerberauisti patrem atque matrem. BA. atque occidi

quoque

potius quam cibum praehiberem : num peccaui quippiam?

Ps. in pertussum ingerimus dicta dolium, operam ludimus.

370 BA. numquid aliud etiam uoltis dicere? CALI. ecquid te

pudet?

BA. ten amatorem esse inuentum inanem quasi cassam 145

nucem?

uerum quamquam multa malaque [in me] dicta dixistis mihi,

nisi mihi hodie attulerit miles quinque quas debet minas,

sicut haec est praestituta summa ei argento dies,

375 si id non adfert, posse opinor facere me officium meum.

CALI. quid id est? BA. si tu argentum attuleris, cum illo 150

perdidero fidem :

hoc meum est officium. ego, operae si sit, plus tecum

loquar ;

362 sociufraude *A*   mea ec ista *P* (ec *e marg. aut superscr.*)
364 permittes *A* : permilies *P*   366 leno *Calidoro continuat P*
370 nunc quid alium *P*   ec quite p. *P* (*pro* ecquit te)   371 te
P   inuentum esse *P*   372 uerum q. m. mala quae in me dicta
dixistis tamen *A* : sed q. m. mala quae in me dicta dixistis mihi
P : *duas versiones conflatas,* uerum q. m. malaque dicta dixistis mihi
et sed q. m. malaque in me dicta dixistis, tamen, *credit Seyffert (Berl.
Phil. Woch.* 16, 284)   373 hodie *om. P*   mites *P* (T *pro* L)
374 summa ei] summae *P*   375 id non adfert] is non aderit *P*
vel opino   me *om. P*   376 quom *P* (*antiqua forma*)   perdi-
derim *P*   377 hoc officium meum est mihi opera si sit *A*
18*

sed sine argénto frustra es qui me tui misereri postulas.
haec meast sententia, ut tu hinc porro quid agas consulas.
CALI. iamne abis? BA. negoti nunc sum plenus.—Ps. 380
                                    paullo post magis.
155 illic homo meus est, nisi omnes di me atque homines dese-
                                                    runt.
exossabo ego illúm simulter itidem ut murenam coquos.
nunc, Calidore, te mihi operam dare uolo. CALI. ecquid
                                                imperas?
Ps. hoc ego oppidum admoenire ut hodie capiatur uolo;
ad eam rem usust hominem astutum, doctum, cautum et 385
                                            callidum,
160 qui imperata ecfecta reddat, non qui uigilans dormiat.
CALI. cedo mihi, quid es facturus? Ps. temperi ego faxo
                                                    scies.
nolo bis iterari, sat sic longae fiunt fabulae.
CALI. optumum atque aequissumum oras. Ps. propera,
                                    adduc hominem cito.
CALI. pauci ex multis sunt amici, hómini certi qui sient.   390
165 Ps. ego scio istuc.   ergo utrumque tibi nunc dilectum para
ex multis,[atque exquire] ex illis paucis unum qui certust cedo.
CALI. iam hic faxo aderit.—Ps. potin ut abeas? tibi moram
                                            dictis creas.

iv   PSEVDOLVS

Postquam illic hinc ábiit, tu astas solus, Pseudole.
    quid nunc acturu's, postquam erili filio   395

378 es qui] est quod P   miserere Spengel   379 sententia
meast A   consulas] postulas A (ex v. 378)   382 simulter
testatur Nonius 170: similiter codd.   sim. ego illum P   quoquos
(-qus) codd.   383 sed nunc calidore operam mihi te uolo dare P
quid P¹, ecquid P² ut vid.   385 cauto et callido A: scitum et
callidum P   387 est P   389 adhuc P   cito] celeriter
A   390 multi A   qui certi P: certe qui A vix recte   391
istunce ego utrumque A: istuc Ps. ergo utrimque P   dęlectum
A   392 ut supra A ut vid.: Ex multis exquire illis unum qui
certus siet P: 'conflatae sunt duae versiones' Seyffert (Berl. Phil. Woch.
16, 284)   393 aduerit A   dicis A   394 vel abît   pseudols P

largitu's dictis dapsilis ? ubi sunt ea ?
quoi neque paratast gutta certi consili
neque adeo argenti neque—nunc quid faciam scio.   5
neque exordiri primum unde occipias habes
400   neque ad détexundam telam certos terminos.
sed quasi poeta, tabulas quom cepit sibi,
quaerit quod nusquam gentiumst, reperit tamen,
facit illud ueri simile quod mendacium est,   10
nunc ego poeta fiam : uiginti minas,
405   quae nunc nusquam sunt gentium, inueniam tamen.
atque ego me iam pridem huic daturum dixeram
et uolui inicere tragulam in nostrum senem ;
uerum is nescioquo pacto praesensit prius.   15
sed comprimunda uox mihi atque oratiost :
410   erum eccum uideo | huc Simonem una simul
cum suo uicino Calliphone incedere.
ex hoc sepulcro uetere uiginti minas
ecfodiam ego hodie quas dem erili filio.   20
nunc huc concedam unde horum sermonem legam.

SIMO   PSEVDOLVS   CALLIPHO   V

415   SIMO. Si de damnoseis aut si de amatoribus
dictator fiat nunc Athenis Atticis,
nemo anteueniat filio, credo, meo :
ita nunc per urbem solus sermoni omnibust,
eum uélle amicam liberare et quaerere   5
420   argentum ad eam rem.   hoc alii mihi renuntiant ;

---

396 largius *A*   397 qui *P* (*pro* quoi)   neque parata
gutta *P* : nec paratust (*i. e.* -umst) quicquam *A*   398 *del.* Ussing ;
cf. Seyffert (*Berl. Phil. Woch.* 16, 284)   402 nusquam si (*i. e.* st)
gentium *P* (*cf. ad Merc.* 330)   recerit *A*   404 minae *P, fort.
recte*   405 nusquam nunc *P*   406-8 *eiecit* Ladewig   406
huic iam pridem me *P*   407 at *P*   incipere *P*   tragolam *A*
408 praesentiṣ *A*   409 conprimendast . . . oratio *P* (*cf. ad Merc.*
330)   410 uideo ⟨ipsum⟩ *Bach : fort.* uideo ⟨ego⟩   411 quom
P (*antiqua forma*)   414 unde] ut *P*   415 aut si] aut *P*   417
antecedat *P*   418 sermone (*vix recte*) est omnibus *P* (*cf. ad Merc.*
330)   420 ali *A*

atque id iam pridem sensi et subolebat mihi,
sed dissimulabam.   Ps. iam ille felat filius.
occisa est haec res, haeret hoc negotium.
10   quo in commeatum uolui—árgentarium
proficisci, ibi nunc oppido opsaeptast uia.   425
praesensit : nihil est praedae praedatoribus.
CALL. homines qui gestant quique auscultant crimina,
si meo arbitratu liceat, omnes pendeant,
15   gestores linguis, auditores auribus.
nam istaec quae tibi renuntiantur, filium   430
te uelle amantem argento circumducere,
fors fuat an istaec dicta sint mendacia ;
sed si sint ea uera, ut nunc mos est, maxume,
20   quid mirum fecit? quid nouom, adulescens homo
si amat, si amicam liberat ?   Ps. lepidum senem !   435
SIMO. uetu' nolo faciat.   CALL. at enim nequiquam
                               neuis;
uel tu ne faceres tale in adulescentia.
probum patrem esse oportet qui gnatum suom
25   esse probiorem quam ipsus fuerit postulet.
nam tu quod damni et quod fecisti flagiti   440
populo uiritim potuit dispertirier.
idne tu mirare, si patrissat filius ?
Ps. ὦ Ζεῦ, ⟨Ζεῦ⟩ quam pauci estis homines commodi! em,
30   illic est pater patrem esse ut aequomst filio.

---

421 id] hoc *A*   subolet *P*   422 *om. P (propter homoeotel.*
ut vid.)   illi (*vix* ille) *cod.*   felat *cod.* : foetet *Loewe*   424
quo in] quin *P*   uolueram *Ritschl*   425 uia] ula *P*   430
istae *P*   432 forsitan ea tibi d. *P*   433 sed si ea uera sunt
P   maxume [tibi renuntiant] *A* ; *aut confusae sunt in codd. duae*
versiones (sed sí ea uera sunt (sint?) quae (ut?) tibi renuntiant *et* sed
si sint ea uera, ut nunc mos est, maxume) *aut varia lectio* tibi renuntiant (*pro* mos est, maxume) *in margine exemplaris steterat unde A*
descriptus est   434 quod noum *A*   436 at enim nequiquam]
nequi at enim quam *A* (*an vera antiqua locutio?*)   442 *vel* idn'
mirari *P*   443 Ζεῦ *addidi*   commodem *A*   444 pater *om.*
P (iii. 1)

445   SIMO. quis hic lóquitur? meus hic est quidem séruos
                                        Pseudolus.

       hic mihi corrumpit filium, scelerum caput;
       hic dux, hic illist paedagogus, hunc ego
       cupio excruciari.   CALL. iam istaec insipientiast,
       iram in propromptu gerere.   quanto satius est   35
450   adire blandis uerbis atque exquirere
       sintne illa necne sint quae tibi renuntiant!
       bonus animus in mala re dimidiumst mali.
       SIMO. tibi auscultabo.   Ps. ítur ad te, Pseudole.
       orationem tibi para aduorsum senem.   40
455   erum saluto primum, ut aequomst; postea
       si quid superfit uicinos impertio.
       SIMO. salue.   quid agitur?   Ps. statur hic ad hunc
                                                   modum.
       SIMO. statum uide hominis, Callipho, quam basilicum!
       CALL. bene confidenterque astitisse intellego.   45
460   Ps. decet innocentem qui sit atque innoxium
       seruom superbum esse apud erum potissumum.
       CALL. sunt quae te uolumus percontari, quae quasi
       per nebulam nosmet scimus atque audiuimus.
       SIMO. conficiet iam te hic uerbis ut tu censeas   50
465   non Pseudolum, sed Socratem tecum loqui.
       Ps. itast, iam pridem tu me spernis, sentio.
       paruom esse apud te mihi fidem ipse intellego.
       cupi' me esse nequam : tamen ero frugi bonae.
       SIMO. fac sis uociuas, Pseudole, aedis aurium,   55
470   mea ut migrare dicta possint quo uolo.

445 quis] siquis P (iv. 5, p. 62)   est hicquidem Fleckeisen
446 scelerum cap(u)t hic corrupit m(ih)i filium A   447 illest P
449 (p)ro(pr)om(pt)u A : promptu (proptu B) P   451 sint illa
negnes iniquae P : sintne illa uera necne (i. e. necn'?) quae A   453
ad te] adie P   458 quiam P   460 innoxius P et ut uid. A :
corr. Bothe ex Capt. v. 665   467 paruam P : parum A (cf. ad Capt.
893)   470 quae A

Ps. age loquere quiduis, tam etsi tibi suscenseo.
Simo. mihin dómino seruos tu suscenses? Ps. tam tibi
mirum id uidetur? Simo. hercle qui, ut tu praedicas,
60   cauendumst mihi aps te irato; atque alio tu modo
me uerberare atque ego te soleo cogitas.   475
quid censes? Call. edepol merito esse iratum arbitror,
quom apud te paruomst ei fides. Simo. iam sic sino;
iratus sit: ego ne quid noceat cauero.
65   sed quid ais? quid hoc quod te rogo? Ps. sí quid uis
                                   roga.
quod scibo Delphis tibi responsum dicito.   480
Simo. aduorte ergo animum et fac sis promíssi memor.
quid ais? ecquam scis filium tibicinam
meum amare? Ps. ναὶ γάρ. Simo. liberare quam uelit?
70   Ps. καὶ τοῦτο ναὶ γάρ. Simo. ecquas uiginti minas
per sycophantiam atque per doctos dolos   485
paritas ut a me aúferas? Ps. aps ted ego auferam?
Simo. ita, quas meo gnáto des, qui amicam liberet?
fatere, dic καὶ τοῦτο ναί. Ps. καὶ τοῦτο ναί.
75   Call. fatetur. Simo. dixin, Callipho, dudum tibi?
Call. memini. Simo. qur haec, tu ubi resciuisti ilico, 490
celata me sunt? qur non resciui? Ps. eloquar.
quia nolebam ex me morem progigni malum,
erum ut ⟨suo'⟩ seruos criminaret apud erum.
80   Simo. iuberes hunc praecipitem in pistrinum trahi.

472 mihi *A*   tam] iam *P*   473 id *om. A*   477-551 *deest*
A   477 parum ste fides *cod.* (*cf. ad 467*)   sine *Brix*   479 si
del. Fleckeisen rhythmo consulens. fort. recte: *vix* sïquïd   481 auorte
e. a. et fæxis promissis memor *cod.*   483 ναὶ γάρ *Bentley*: nae gar
[mea est] *cod.*   484 cetuton kaito itone gras (gars *P*CD) *cod.*:
corr. Bentley (iv. 3, p. 61)   485 (*cf. 527*) *del. Ritschl*   486 a
*om. P*CD   auf. a me *Camerarius rhythmo consulens*   te *cod.*   487
meo gnato *Ital.*: ame cognato *cod.*   488 fateri di chaytoyna Ps.
chaitoyionai *cod.*: *corr. Bothe, qui tamen omnia graeca Pseudolo tribuit*
490-1 quor *cod.*   492 pregigni (que gigni *B*) *cod.*: *corr. Scaliger*
493 Erilem *Goetz*   suos *add. Mueller*   criminarit *P*   494
iuberen *Bothe*

495 CALL. numquid, Simo, peccatum est? SIMO. immo
                                              maxume.

Ps. desiste, recte ego meam rem sapio, Callipho;
peccata mea sunt. animum aduorte nunciam
quapropter te †expertem amoris nati habuerim :†
pistrinum in mundo scibam, si id faxem, mihi.   85
500 SIMO. non a me scibas pistrinum in mundo tibi,
quom ea mussitabas? Ps. scibam. SIMO. quin dic-
                                             tumst mihi?

Ps. quia illúd malum aderat, istuc aberat longius;
illud erat praesens, huic erant dieculae.

SIMO. quidnuncagetis? nam hincquidemamenonpotest 90
505 argentum auferri, qui praesertim senserim.
ne quisquam credat nummum iam edicam omnibus.

Ps. numquamedepol quoiquam supplicabo, dumquidem
tu ⟨uiuos⟩ uiues. tu mi hercle argentum dabis,
aps te equidem sumam. SIMO. tú a me sumes? Ps. 95
                                             strenue.

510 SIMO. excludito mi hercle oculum, si dedero. Ps. dabis.
iam dico ut a me caueas. CALL. certe edepol scio,
si apstuleris, mirum et magnum facinus feceris.

Ps. faciam. SIMO. si non apstuleris? Ps. uirgis caedito.
sed quid si apstulero? SIMO. do Iouem testem tibi   100
515 te aetatem inpune habiturum. Ps. facito ut memineris.

SIMO. egon ut cauere nequeam, quoi praedicitur?

Ps. praedico ut caueas. dico, inquam, ut caueas. caue.

495 peccatum est Simo cod. : trai. Bothe   497 peccatan ea
sunt? Bothe   498 nati amoris te expertem Bothe : nati expertem
amoris te (?) Leo : fort. nati delend. ut glossa   499 in mundo
testatur Charisius 201 (cf. v. 500) : inmundum cod.   si dixem Ritschl
quia sciebam in (mi Goetz) pistrinum in mundo fore cod. Charisii
(neglegens citatio, ut uid.)   501 quin Ritschl : cur non cod. (v. 1)
502 quia illud Acidalius : qui aliud cod. : vix quia alid   503 erant
Pylades : erat cod.   508 uiuos add. Ritschl   vix hercule   510
exlidito Ritschl   511 CALL.] SIMO. Ital. : Pseudolo continuat c. e. s.
Seyffert   516 post 517 collocat Bugge   516 praedicitur Ital. :
praeditur cod.

em istis mihi tu hodie manibus argentum dabis.

105 CALL. edepol mortalem graphicum, si seruat fidem ! 520

Ps. seruitum tibi me abducito, ni fecero.

SIMO. bene atque amice dicis.   nam nunc non meu's.

Ps. uin etiam dicam quod uos magi' miremini ?

CALL. studeo hercle audire, nam ted ausculto lubens.

110 [SIMO. agedum, nam sati' lubenter te ausculto loqui.] 523ᵃ

Ps. priu' quam istam pugnam pugnabo, ego etiam prius

dabo aliam pugnam claram et commemorabilem. 525

SIMO. quam pugnam ? Ps. em ab hoc lenone uicino tuo

per sycophantiam atque per doctos dolos

115 tibicinam illam tuo' quam gnatus deperit,

ea círcumducam lepide lenonem. SIMO. quid est ?

Ps. ecfectum hoc hodie reddam utrumque ad uesperum. 530

SIMO. siquidem istaec opera, ut praedicas, perfeceris,

uirtute regi | Ágathocli antecesseris.

120 sed si non faxis, numquid caussaest ilico

quin te in pistrinum condam ? Ps. non unum diem,

uerum hercle in omnis quantumst ; sed si ecfecero, 535

dabin mi argentum quod dem lenoni ilico

tua uoluntáte ? CALL. ius bonum orat Pseudolus ;

125 'dabo' inque. SIMO. at enim scin quid mihi in men-

tem uenit ?

quid si hisce inter se consenserunt, Callipho,

aut de compecto faciunt consutis dolis, 540

qui me †argento circumuortant ?†   Ps. quis me au-

dacior

---

518 tu *Pius* : ut *cod.*   521 CALL. *Bothe*   non meu's *Ritschl* (*vel*
non meu's ? *interrogative*) : nam meust *cod.*   522 *vel* mage   523
studie *cod.*   auscultu *cod.*   523ᵃ *a Plauto abiudicat Abraham* 'Stud.
Plaut.' p. 182   526 emᵉ (emabe B, eme ab Pᶜᴰ) *cod. ut vid.*   529
lepidele nomem *cod.*   lenonem, et quidem Effectum *Acidalius*
532 virtute ⟨tu⟩ *Ritschl*   rei *cod.* : regi ⟨ipsi⟩ *Mueller* (*Rhein. Mus.* 54,
529)   *vix* Agathocoli (-culi)   533 causa est *cod.*   534 n. u.
[quidem] diem [modo] *cod.* : corr. *Ritschl* (in diem), *Bothe* (iv. 1, p. 61)
541 arg.] aere *Seyffert*   interuortant *Fleckeisen*   auditior B (*pro* -atior)

sit, si istuc facinus audeam? immo sic, Simo:
si sumu' compecti seu consilium umquam iniimus 130
aut si de istac re umquam inter nos conuenimus,

544ᵃ quasi in libro quom scribuntur calamo litterae,
545 stilis me totum usque ulmeis conscribito.
SIMO. indice ludos nunciam, quando lubet.
Ps. da in hunc diem operam, Callipho, quaeso mihi 135
ne quo te ad aliud occupes negotium.
CALL. quin rus ut irem iám heri constitueram.

550 Ps. at nunc disturba quas statuisti machinas.
CALL. nunc non abire certum est istac gratia ;
lubidost ludos tuos spectare, Pseudole. 140
et si hunc uidebo non dare argentum tibi
quod dixit, potius quam id non fiat ego dabo.

555 SIMO. non demutabo. Ps. namque edepol, si non dabis,
clamore magno et multum flagitabere.
agite amolimini hinc uos intro nunciam 145
ac meis uicissim date locum fallaciis.
CALL. fiat, geratur mos tibi. Ps. sed te uolo

560 domiusque adesse. CALL. quin tibi hanc operam dico.—
SIMO. at ego ad forum ibo. iam hic ero.—Ps. actutum redi.

suspicio est mi nunc uos suspicarier, 150
me idcirco haec tanta facinora promittere,
qui uós oblectem, hanc fabulam dum transigam,

565 neque sim facturus quod facturum dixeram.

542 audeam *Pylades*: audeam *cum glossa* facere uel dicere *P* (audeam facere *B*, audeam dicere *P*ᶜᴰ) 543 conspecti *cod.* in. [de istac re] *cod.* (*marginalis emendatio ad v.* 544) 544 de ea re *cod.* (*sed cf. ad v.* 543) conueniamus *cod.* 544ᵃ *secl.* Ussing cum in libro *Guietus* (*sed cf. Lindsay praef. in Capt.* p. 39) *vix* librŏ *vix* l. conscr. 549 mecum statueram *Lorenz, cui* consi-tũeram *displicet* 552 *accedit A* [in] ludos *A* (iv. 3) 554 dixi *P* 556 multo *P*¹, multum *P*² *ut vid.* 559 giratur *A* mos] nos *P* (*corr. D*) 560 quid *A* 561 ero] adero *P* 563 ⟨his⟩ prom. *Ritschl, nam* facinorā suspectum : *fort.* ⟨ero⟩ prom. 564 qui *Ital.* : quo *A* (*cf. Kienitz ' de qui local.'* p. 551) : quin *P*

155   non demutabo. atque etiam certum, quod sciam,
           quo id sim facturus pacto nihil etiam scio,
           nisi quia futurumst. nam qui in scaenam prouenit,
           nouo módo nouom aliquid inuentum adferre addecet ;
           si id facere nequeat, det locum illi qui queat.   570
           concedere aliquantisper hinc mi intro lubet,
160   dum concenturio in corde sycophantias.
              *   * exibo, non ero uobis morae ;
           tibicen uos interibi hic delectauerit.——   573ᵃ

ACTVS II

II. i   P s e v d o l v s

Pro Iuppiter, ut mihi quidquid ago lepide omnia prospere-
                                  que eueniunt :
   neque quod dubitem neque quod timeam meo in pectore 575
                          conditumst consilium.
    nam ea stultitiast, facinus magnum timido cordi credere ; 576-7
                      nam omnes res perinde sunt
  ut agas, ut eas magni facias ; nam ego ín meo pectore príus
5   ita paraui copias,
  duplicis, triplicis dolos, perfidias, ut, ubiquomque hostibu' 580
                    congrediar
    (maiorum meum fretus uirtute dicam, mea industria et 581-2
                 malitia fraudulenta),
  facile ut uincam, facile ut spoliem meos perduellis meis
                      perfidiis.

    567 id *om. P*   570 id *om. A*   det] et *P*   571 inro *P*
572 dum] cum *ut vid. Nonius* 11 (*A n. l.*)   573 *om. P* (*propter
homoeoarch.* ?)   — x̣ibọ *A* : ⟨sed mox⟩ exibo *Leo*   573ᵃ interea (·ra
                                      cum
B) *P*   578 meo ego in *A*   580 ub. cum *P* (*pro* ubiquomque ?
v. 3)   581, 582 malorum meorum *P*   mea] me *P*   fraudulentia *codd.* : *corr. Bothe*   583 facilem ut sp. *A*

nunc inimicum ego hunc communem meum atque uo-
                              strorum omnium
585   Ballionem exballistabo lepide : date operam modo ;   10
585ᵃ   hoc ego oppidum admoenire ut hodie capiatur uolo.
      atque hoc meas legiones adducam ; si hoc expugno
                    facilem hanc rem meis cíuibu' faciam,
post ad oppidum hoc uetus continuo meum exercitum pro-
                              tinus obducam :
ind' mé et simul participes omnis meos praeda onerabo
                              atque opplebo,
      metum et fugam perduellibus meis me ut sciant natum. 15
590   eo sum genere gnatus : magna me facinora decet ecficere
      quae post mihi clara et diu clueant.
sed hunc quem uideo quis hic est qui oculis meis obuiam
                              ignobilis obicitur ?
lubet scire quid hic uenit cum macchaera et huic quam rem
                    agat hinc dabo ínsidias.

H A R P A X   P S E V D O L V S   ii

594-5 Hᴀ. Hi loci sunt atque hae regiones quae mi ab ero sunt
                              demonstratae,
ut ego oculis rationem capio quam mi ita dixit eru' meu'
                              miles,
septumas esse aedis a portá ubi ille habitet leno quoi iussit
      symbolum me ferre et hoc argentum.   nimis uelim
      certum qui id mihi faciat Ballio leno ubi hic habitat.   5
600 Ps. st !
600ᵃ   tace, tace, meus hic est homo, ni omnes di atque
                              homines deserunt.

584 uostrum *codd.*   585ᵃ *(cf.* 384*) secl. Ritschl*   hoc die *P*   586
vel adque   a. ut hoc *P*   si e. (*om.* hoc) *A*   f. [ego] hanc *P*   587
fort. postid ad (*anap. octonar.*)   mecum *P*: proti (*om.* nus obducam)
A   589 me [esse] ut *P*   592 *vel sic distingue* uideo ?   ignorabilis
P (v. 1, p. 78)   593 uénit *scripsi* : ueniat *A* (i. 9) : uelit *P*
de macchaera *cf. Harv. Stud.* 9, 126   596-600 *pauca servata A*   596
quom *Goetz*   597 habitat *P*   cuius sit *P*   599 certum *fort. om. A*
quid m. *codd.* (*corr. C*)   600-600ᵃ (*cf.* 381) *secl. Reiz*   st] si *P*

nouo consilio nunc mi opus est,

noua res haec subito mi obiectast :   601ᵃ

10 hoc praeuortar principio; íllaec omnia missa habeo quae

ante agere occepi.

iam pol ego hunc stratioticum nuntium aduenientem probe

percutiam.

HA. ostium pultabo atque intus euocabo aliquem foras.

PS. quisquis es, compendium ego te facere pultandi uolo ;   605

nam ego precator et patronus foribus processi foras.

15 HA. tune es Ballio ? PS. immo uero ego eius sum Subballio.

HA. quid istuc uerbist ? PS. condus, promus sum, procu-

rator peni.

HA. quasi te dicas atriensem. PS. immo atriensi ego impero.

HA. quid tu, seruosne es an liber ? PS. nunc quidem etiam 610

seruio.

HA. ita uidere, et non uidere dignus qui liber sies.

20 PS. non soles respicere te, quom dicis iniuste alteri ?

HA. hunc hominem malum esse oportet. PS. di me ser-

uant atque amant,

nam haec mihi incus est : procudam égo hodie hinc multos

dolos.

HA. quid illic solus secum loquitur ? PS. quid ais tu, adu- 615

lescens ? HA. quid est ?

PS. esne tu an non es ab illo militi Macedonio,

25 seruos eiius qui hinc a nobis est mercatus mulierem,

qui argenti meo ero lenoni quindecim dederat minas,

quinque debet ? HA. sum. sed ubi tu me nouisti gentium

aut uidisti aut conlocutu's ? nam equidem Athenas antidhac 620

numquam adueni neque te uidi ante hunc diem umquam

oculis meis.

---

601 *vel* mihi (*troch. dim.*)   601ᵃ subito mihi haec *P*   605
ego *om. A*   putandi *P*   607 e (*vel* ē, *i. e.* est, es) oballio *P*
(iv. 2)   610 quid] quin *A*   *vel* seruo'n   612 dicas *P* (i. 9)

614 dolos *an* bolos *incert. A*   615 secum solus *P*   616 militi *P*
(militite *B*, milite *P*ᶜᴰ)   618 meo eri *A* : ero meo *P*   620
equidem] idem *A*   athenis *P*   621 adueni] ueni *A*

Ps. quia uidere inde esse ; nam olim quom abiit, argento 30
haec dies
praestitutast, quoad referret nobis, neque dum rettulit.
624-5 Ha. immo adest. Ps. tun attulisti? Ha. égomet. Ps.
quid dubitas dare?
Ha. tibi ego dem? Ps. mihi hercle uero, qui res rationes-
que eri
†Ballionis curo, argentum accepto, expenso et quoi debet
dato†.
Ha. si quidem hercle etiam supremi promptas thensauros 35
Iouis,
tibi libellam argenti numquam credam. Ps. dum tu sternuas,
630 res erit soluta. Ha. uinctam potius sic seruauero.
Ps. uae tibi! tu inuentu's uero meam qui furcilles fidem.
quasi mi non sescenta tanta soli soleant credier.
Ha. potest ut alii ita arbitrentur et ego ut ne credam tibi.   40
Ps. quasi tu dicas me te uelle argento circumducere.
635 Ha. immo uero quasi tu dicas quasique ego autem id suspicer.
sed quid est tibi nomen? Ps. seruos est huic lenoni Surus,
eum esse me dicam. Surus sum. Ha. Surus? Ps. id est
nomen mihi.
Ha. uerba multa facimus. eru' si tuo' domi est, quin pro- 45
uocas,
ut id agam quod missus huc sum? Ps. quidquid est nomen
tibi,
640 si intus esset, euocarem. uerum si dare uis mihi,

---

622 hic *P*   624, 625 attulistin *A* (*i. e.* tun? attulistin?)   626
ego] hercle *A* (v. 4)   627 *fort. conflat. ex duplici lectione* (1)
accepto et quoi debet dato, (2) accepto, expenso et dato   *vix* Balli
(*cf.* Tranius *Most.* 560)   expenso *del. Bothe*   628 promptes
Acidalius et fort. A   629 dum tu st. *Harpagi tribuunt codd.*
strenuas *P*   630 uinciam *P*   631 ualẹ ibi *A*   uero meam]
ṣolus uerumẹam *A* (*pro* solus, *corr.* uer.)   forcilles *P*   633
alii] aui *P*   ut *om. A*   635 id *om. A*   637 mihi] meum *A*
639 quo *P*   hic *P*   q. e. n. tibi *Harpagi dat Acidalius, fort. recte*

magis erit solutum quasi ipsi dederis.   Hᴀ. at enim sciꞥ
           quid est?
reddere hoc, non perdere eru' me misit.   nam certo scio
50 hoc, febrim tibi esse, quia non licet hoc inicere ungulas.
ego nisi ipsi Ballioni nummum credam nemini.

Ps. at illic nunc negotiosust : res agitur apud iudicem.   645
Hᴀ. di bene uortant ! at ego quando eum esse censebo domi,
rediero.   tu epistulam hanc a me accipe atque illi dato.
55 nam istic sumbolust inter erum meum et tuom de muliere.

Ps. scio equidem : ut qui argentum adferret atque expressam
           imaginem
suam huc ád nos, cum eo aiébat uelle mitti mulierem.   650
nam hic quoque exemplum reliquit eiius.   Hᴀ. omnem rem
           tenes.

Ps. quid ego ni teneam?   Hᴀ. dato istunc sumbolum ergo
           illi.   Ps. licet.
60 sed quid est tibi nomen?   Hᴀ. Harpax.   Ps. apage te,
           Harpax, hau places ;
huc quidem hercle haud ibis intro, ni quid ἅρπαξ feceris.
Hᴀ. hostis uiuos rapere soleo ex acie : eo hoc nomen mihi est. 655
Ps. pol te multo magis opinor uasa ahena ex aedibus.
Hᴀ. non ita est.   sed scin quid te oro, Sure?   Ps. sciam
           si dixeris.
65 Hᴀ. ego deuortor extra portam huc in tabernam tertiam
apud anum illam doliarem, claudam, crassam, Chrysidem.
Ps. quid nunc uis?   Hᴀ. inde ut me arcessas, eru' tuos ubi 660
           uenerit.
Ps. tuo arbitratu, maxume.   Hᴀ. nam ut lassus ueni de uia,
me uolo curare.   Ps. sane sapis et consilium placet.

641 quasi] quam si *A* : quam *P*   642 me *om*. *P*   iussit *A*
(*vel* missit)   nam] non *P*   643 huc i. *A*   649 ut *del. Ritschl*
650 huc suam *Bothe*   quom *P* (*antiqua forma*)   *vel* aibat   652
ergo istum simbolum ergo *P* (iv. 3)   654 audibis *A*   655 facie *A*
eo *om*. *P*   mihi nomen *A*   656 muito *P*   *vel* opino
exscaedibus *P*   657 ista *A*   orem *P* (i. 9)   659 diobolia
reclaudam *P* (v. 8)   662 nolo *P*

sed uide sís ne in quaestione sis quando arcessam mihi.   70
Hᴀ. quin ubi prandero, dabo operam somno.   Ps. sane
                                              censeo.
665 Hᴀ. numquid uis? Ps. dormitum ut abeas. Hᴀ. abeo.—
                    Ps. atque audin, Harpage?
iube sis te operiri : beatus eri', si consudaueris.

PSEVDOLVS   iii

Di inmortales, conseruauit me illic homo aduentu suo.
suo uiatico redduxit me usque ex errore in uiam.
namque ipsa Opportunitas non potuit mi opportunius
670 aduenire quam haec allatast mi opportune epistula.
nam haec allata cornu copiaest, ubi inest quidquid uolo :   5
hic doli, hic fallaciae omnes, hic sunt sycophantiae,
hic argentum, híc amica amanti erili filio.
atque ego nunc me ut gloriosum faciam et copi pectore :
675 quo modo quídque agerem, ut lenoni surruperem mulier-
                                              culam,
iam instituta, ornata cuncta in ordine, animo ut uolueram, 10
certa, deformata habebam ; sed profecto hoc sic erit :
centum doctum hominum consilia sola haec deuincit dea,
Fortuna. atque hoc uerum est : proinde ut quisque Fortuna
                                              utitur,
680 ita praecellet atque exinde sapere eum omnes dicimus.
bene ubi quod scimus consilium áccidisse, hominem catum 15
eum esse declaramus, stultum autem illum quoi uortit male.
stulti hau scimus frustra ut simus, quom quod cupienter dari

669 nam i. mi (mihi) op. n. p. op. *P*   670 allatast] cauata est *P*
671 copiast *codd.*   672 doliri *P* (*corr. B²*)   [sunt] hic sunt *P*
(iv. 3)   673 argentumst (est) *Camerarius*   674 me g. f. ut
c. *P* (ii. 4)   675 quique *P*   lenonis *A*   676 institutam
(*om.* ornata) *A* (iii. 11)   678 certum *A*   680 praecellet *vel*
-it *A*   ducimus *A*   681 quo(d di)scimus *A* : quid discimus *P* :
quoi sc. *Acidalius fort. recte*   vix disscīmus   682 declaratur *A*
quo *P*   683 scimus *codd.*   quid *Lipsius* (*usitata forma*)

    petimus nobis, quasi quid in rem sit possimus noscere.

    certa mittimus dum incerta petimus; atque hoc euenit   685

20 in labore atque in dolore, ut mors obrepat interim.

    sed iam satis est philosophatum. nimi' diu et longum loquor.

    di inmortales! aurichalco contra non carum fuit

    meum mendacium, hic modo quod subito commentus fui,

    quia lenonis me esse dixi. nunc ego hac epistula   690

25 tris deludam, erum et lenonem et qui hanc dedit mi epi-
                               stulam.

    eugae! par pari aliud autem quod cupiebam contigit:

    uenit eccum Calidorus, ducit nescioquem secum simul.

iv   C A L I D O R V S   C H A R I N V S   P S E V D O L V S

  CALI. Dulcia atque amara apud te sum elocutus omnia:

    scis amorem, scis laborem, scis egestatem meam.   695

  CH. commemini omnia: id tu modo, me quid uis facere, fac
                                sciam.

  CALI. quom haec tibi alia sum elocutus, †uis scires si scis† 696ª
                            de symbolo.

5 CH. omnia, inquam. tu modo quid me facere uis fac ut 696ᵇ
                               sciam.

  CALI. Pseudolus mi ita imperauit, ut aliquem hominem
                             strenuom,

  beneuolentem adducerem ad se.   CH. seruas imperium
                               probe;

  nám et amicum et beneuolentem ducis. sed istic Pseudolus

  nouo' mihist.   CALI. nimium est mortalis graphicus, εὑρετής 700
                                mihist.

---

    685 hoc uenit *P* (*i. e.* hoc *pro* hoce; i. 7)   686 repat *ut uid. A*
691 ludam *A, fort. recte* (*cf. ad Amph. arg.* i. 7)   696ª ᵇ *om. A*
(*propter homoeotel.*?); *secl. Ritschl*   uix rem scis *Leo* : *fort.* scire scis?
(*interrogatiue*)   699 istinc *P*   700 nouus si mihi est *P* (*pro*
nouust mihi est; *cf. ad* 717)   graphicus] scitus *A*   εὑρήτης
Palmer (*Hermath.* 9, 71), *nam iambus* -ετης *ante iambum* mihist *displicet*

is mihi haec sese ecfecturum dixit quae dixi tibi.   10
Ps. magnufice hominem compellabo.   CALI. quoia uox
                                        resonat? Ps. io!
io te, te, turanne, te, te égo, qui imperitas Pseudolo,
quaero quoi ter trina triplicia, tribu' modis tria gaudia,
705 artibus tribu' tris demeritas dem laetitias, de tribus
705ᵃ fraude partas per malitiam, per dolum et fallacias ;   15
in libello hoc opsignato ad te attuli pauxillulo.
CALI. illic homost.   CH. ut paratragoedat carnufex ! Ps.
                                        confer gradum
contra pariter, porge audacter ad salutem bracchium.
CALI. dic utrum Spemne an Salutem te salutem, Pseudole?
710 Ps. immo utrumque.   CH. Vtrumque, salue.   sed quid ac- 20
                                        tumst? Ps. quid times?
CALI. attuli hunc.   Ps. quid, attulisti ? CALI. 'adduxi' uolui
                                        dicere.
Ps. quis istic est? CALI. Charinus.   Ps. eugae ! iam χάριν
                                        τούτῳ ποιῶ.
CH. quin tu si quid opust, mi audacter imperas? Ps. tam
                                        gratia.
bene sit tibi, Charine.   nolo tibi molestos esse nos.
715 CH. uos molestos? nihil molestumst mihi quidem.   Ps. 25
                                        tum igitur mane.
CALI. quid istuc est?   Ps. epistulam modo hanc íntercepi
                                        et sumbolum.

701 sese] esse P (*pro* sesse, *antiqua forma* ?)   702 sonat P,
contra metrum   703 iote tete tiranne te rogo P : te te turanne
(*corr.* tyr-) ṭ(e e)go A : *corr. Leo*   pseudole (*corr. ex* sp-) A : pseudoli P : *corr. Ital.*   704 per A   tria] me tria P (*vix pro* em tria)
705 tris] ter P   705ᵃ [et] per d. P   fallaciam P   706 ad te]
abs te hoc A : hoc *Ussing*   708 proge audacter A : por claudaciter
P (CL *pro* GE)   bacchium A   709 an Sal.] ans matrem P
711 hinc P   712 euge iam charytoi io πoιω P : eug — tuṭopoio
A : *corr. Scaliger*   713 si quid] quicquid P   graciam P *ut vid.* :
gratiast *Pareus*   714 tibi *prius om.* P   715 u. m. mihi molestum est quidem P (ii. 4) : u. m. mihi ? m. mi id quidem *Leo et* (*sine*
mi) *Pius*   tum tu B   716 modo *om.* A   hanc modo *Guietus*
                                        19*

CALI. sumbolum? quem sumbolum?   Ps. qui a milite al-
                                         latust modo.
eiius seruos qui hunc ferebat et quinque argenti minas,
tuam qui amicam hinc arcessebat, ei os subleui modo.
30 CALI. quo modo? Ps. horum caussa haec agitur specta- 720
                                         torum fabula:
hi sciunt qui hic adfuerunt; uobis post narrauero.
CALI. quid nunc agimus? Ps. liberam hodie tuam amicam
                                         amplexabere.
CALI. egone? Ps. tú istic ipsus, inquam, si quidem hoc
                                         uiuet caput;
si modo mihi hominem inuenietis propere. CH. qua facie?
                                         Ps. malum,
35 callidum, doctum, qui quando principium prehenderit,   725
porro sua uirtute teneat quid se facere oporteat;
atque qui hic non uisitatus saepe sit. CH. si seruos est,
numquid refert? Ps. immo multo mauolo quam liberum.
CH. posse opinor me dare hominem tibi malum et doctum,
                                         modo
40 qui a patre aduenit Carysto necdum exît ex aedibus   730
quoquam neque Athenas aduenit umquam ante hesternum
                                         diem.
Ps. bene iuuas. sed quinque inuentis opus est argenti minis
mutuis quas hodie reddam: nam huius mihi debet pater.
CH. ego dabo, ne quaere aliunde. Ps. o hominem oppor-
                                         tunum mihi!
45 etiam opust chlamyde et machaera et petaso. CH. possum 735
                                         a me dare.

717 militi *an* -te *incert. A*   aliatust modo est *P* (ii. 4)   718 cum
q. a. minis *P* (*cf. v.* 753)   719 arcessabat *P* (*corr. C*) : accersabat *A*,
vix recte   ei os] eius *A* (i. 7)   720 fabule *P*   723 tu istic] tute ego
P (*pro* tute ergo)   uiuit *A*: uiue *P*   724 propere *Calidoro dat A*
ut vid.   727 a. eum qui non hic usitatus *P*   si] uţ *A*   729
vel opino   730 *ab hoc versu usque ad finem fabulae praesto est T*
exit aedibus *A* (*pro* exîit aed.?)   733 nam] nam unam *P* (*vel* unam
P¹, nam *P²*)

Ps. di inmortales ! non Charinus mihi hicquidem, sed Copiast.

sed iste seruos ex Carysto qui hic adest ecquid sapit?
Ch. hircum ab alis.   Ps. manuleatam tunicam habere hominem addecet.

ecquid is homo habet aceti in pectore?   Ch. atque acidis-
sumi.

740 Ps. quid, si opu' sit ut dulce promat indidem, ecquid habet? 50
Ch. rogas?

murrinam, passum, defrutum, mellam, mel quoiuismodi ;
quin in corde instruere quondam coepit pantopolium.
Ps. eugepae ! lepide, Charine, meo me ludo lamberas.
sed quid nomen esse dicam ego isti seruo?   Ch. Simiae.

745 Ps. scitne in re aduorsa uorsari?   Ch. turbo non aeque 55
citust.

Ps. ecquid argutust?   Ch. malorum facinorum saepissume.
Ps. quid quom manufesto tenetur?   Ch. anguillast, elabitur.
Ps. ecquid is homo scitust?   Ch. plebi scitum non est
scitius.

Ps. probus homo est, ut praedicare te audio.   Ch. immo
si scias,

750 ubi te aspexerit, narrabit ultro quid sese uelis. 60
sed quid es acturus?   Ps. dicam. úbi hominem exornauero,
subditiuom fieri ego illum militis seruom uolo ;
sumbolum hunc ferat lenoni cum quinque argenti minis,
mulierem ab lenone abducat : em tibi omnem fabulam !

---

736 mihi quidem est sed copia *P*   737 isti *P* (*pro* istïc?)
qui hic adest ecquid] hic qui aduenit quid (qui *B*) *P*   738 aliis *P*
(? *pro* allis, *antiqua forma*)   decet *P*   739 ecquid habetis (*i. e.*
habet is) homo *P*: equidem homo habet *A* : *corr. Lorenz*   acidis-
sumum *A, fort. recte*   740 indidem] id est (*pro* ïdem) *codd. Plinii
N. H.* 14, 93 *qui sic versum citat*: quod si opus est . . . habeat   741
mellam] melinam (mell.) *P*   quouis *P*   modo *A*   742 hermopolium
P (*pro* thermopolium)   743 me meo *P*   744-815 *deest A*
748 scitius *Camerarius* : scitus *cod.*   750 sese *Camerarius* : esse
cod. (*cf. ad* 701)   751 quid *D*[1] : qui el (quis *P*CD) *cod.* (vi. 1)

6₅ ceterum quo quidque pacto faciat ipsi dixero.   755
   Cali. quid nunc igitur stamus? Ps. hominem cum orna-
                        mentis omnibus
   exornatum adducite ad me iam ad tarpezitam Aeschinum.
   sed properate. Cali. prius illi erimus quam tu.—Ps. abite
                        ergo ocius.
   quidquid incerti mi in animo prius aut ambiguom fuit,
70 nunc liquet, nunc defaecatumst cor mihi; nunc peruiamst: 760
   omnis ordine his sub signis ducam legiones meas
   aui sinist⟨e⟩ra, | auspicio liquido atque ex sententia;
   confidentia est inimicos meos me posse perdere.
   nunc ibo ad forum atque onerabo meis praeceptis Simiam,
75 quid agat, ne quid titubet, docte ut hanc ferat fallaciam.   765
   iam ego hoc ipsum oppidum expugnatum faxo erit lenonium.

ACTVS III

III. i   Pver

    Quoi seruitutem di danunt lenoniam
    puero, atque eidem si addunt turpitudinem,
    ne illi, quantum ego nunc corde conspicio meo,
    malam rem magnam multasque aerumnas danunt.   770
5   uelut haec mi euenit seruitus, ubi ego omnibus
    paruis magnisque miseriis praefulcior:
    neque ego amatorem mi inuenire ullum queo
    qui amet me, ut curer tandem nitidiuscule.

---

760 peruiamst *Spengel*: peruiast (*P*ᴮᶜ) *vel* prouiast (promast?) (*T*
cod.: peruiumst *Ital.*   *vix proba* uiast   761 ordine his
Mueller (*Rhein. Mus.* 54, 530): ordines *cod.* (? *pro* ordinis, *pro* ordine
is; i. 7, p. 108): ordine (*immo* -ni) *Scaliger*   762 ex ⟨mea⟩
Bothe   764 miis *cod.* (*antiqua forma*)   766 ipsum *del. Bothe, cui*
iám ego *magis placet*   772 ministeriis *Acidalius*   praefulgior
cod.   773 ullum inuenire *cod.*: *trai. Pylades*   774 curer
Gulielmius: curet *cod.*

775 nunc huïc lenoni hodiest natalis dies :
     interminatust a minimo | ad maxumum,   10
     si quis non hodie munus misisset sibi,
     eum crás cruciatu maxumo perbitere.
     nunc nescio hercle rebus quid faciam meis ;
780 neque ego illud possum quod illi qui possunt solent.
     nunc, nisi lenoni munus hodie misero,   15
     cras mihi potandus fructus est fullonius.
     eheu, quam illae rei ego etiam nunc sum paruolus ?
     atque edepol ut nunc male malum metuo miser,
785 si quispiam det qui manus grauior siet,
     quamquam illud aiunt magno gemitu fieri,   20
     comprimere dentes uideor posse aliquo modo.
     sed comprimenda est mihi uox atque oratio :
     erus eccum recipit se domum et ducit coquom.

         B A L L I O   C O C V S   P V E R   ii

790 BA. Forum coquinum qui uocant stulte uocant,
     nam non coquinum est, uerum furinum est forum.
     nam ego si iuratus peiorem hominem quaererem
     coquom, non potui quam hunc quem duco ducere,
     multiloquom, gloriosum, insulsum, inutilem.   5
795 quin ob eam rem Orcus recipere ad se hunc noluit,
     ut esset hic qui mortuis cenam coquat ;
     nam hic solus illis coquere quod placeat potest.
     Co. si me arbitrabare isto pacto ut praedicas,
     qur conducebas ? BA. inopia : alius non erat.   10
800 sed qur sedebas in foro, si eras coquos,

---

775 *fort.* huïc hodiest l. (*vel* lenonist hodie; *cf. ad Merc.* 330)
776 interminatus est *Ital.*: interminatust ⟨usque⟩ *Redslob*   778
eum *Ital.*: tum *cod.* (T *pro* E)   779 quid *Ital.*: quia *cod.* (*vix forma
antiqua*)   miis *cod.* (*forma antiqua*)   783 rei ego *Gruterus*: relego
cod.   784 malum *Ritschl*: eum *cod.*   785 quoi *Ital.*   788
cf. v. 409, *ubi* comprimunda .. oratiost, *ut vid.*   792 si ego P^{CD}
794 sin sulsum *cod.*   795 hunc ad se *cod.*: trai. *Guietus*   800
coquos (·qus)] probus (?) *Leo* (*cf.* 802)   *Post* co. *non distinguunt alii*

tu solus praeter alios?   Co. ego dicam tibi:
auaritia ego sum factus inprobior coquos,
non meopte ingenio. Ba. quá istuc ratione?   Co.
                             eloquar.

15   quia enim, quom extemplo ueniunt conductum coquom,
      nemo illum quaerit qui optumus et carissumust: 805
      illum conducunt potius qui uilissumust.
      hoc ego fui hodie solus opsessor fori.
      illi drachumissent miseri: me nemo potest
20   minoris quisquam nummo ut surgam subigere.
      non ego item cenam condio ut alii coqui,   810
      qui mihi condita prata in patinis proferunt,
      boues quí conuiuas faciunt herbasque oggerunt,
      eas hérbas herbis aliis porro condiunt:
25   indunt coriandrum, feniculum, alium, atrum holus,
      apponunt rumicem, brassicam, betam, blitum,   815
      eo láserpici libram pondo diluont,
      teritur sinapis scelera, quae illis qui terunt
      priu' quam triuerunt oculi ut exstillent facit.
30   ei homines cenas ubi coquont, quom condiunt,
      non condimentis condiunt, sed strigibus   820
      uiuis conuiuis intestina quae exedint.
      hoc hic quidem homines tam breuem uitam colunt,
      quom hasce herbas huius modi in suom aluom con-
                             gerunt,

     801 alius *cod.*   802 auaritia (*T ut uid.*) *uel* hominum auaritia
(*P*BC) *cod.*   804 exemplo *cod.*   805 nemo *Camerarius*: ne
cod.   808 drachmissant (*T ut uid.*) *uel* drahcmis sent (*i. e.* drach-
missent) (*P*BC) *cod.*   815 *ante* 814 *ponit Sauppe*   816 *accedit*
A   817 sinapis (sen-) scelera *Charisius* 144, *Servius ad Aen.* 9,
484 *Priscianus* 1, 205 (-ra *uel* -rata *codd.*) : senapis celera *P*: sinapim
scelera *A*   scelera *adj. fem. testatur Serv.*, sinapis *fem. casu*
nominat. testatur Prisc.   que i. *A* : cum i. *P, codd. Prisciani* : quod
cod. Charisii, fort. recte   illi qui terit *cod. Charisii*   818 triuerunt
(-ont *A*)] contriuit *cod. Charisii*   extilient *P*   819 ubi] libi *P*
821 uiuas *A*   822 qolunt *A*   823 aluum *Ital.* : saluom *P* :
maluum *A*

formidolosas dictu, non essu modo.   35

825   quas herbas pecudes non edunt homines edunt.

BA. quid tu? diuinis condimentis utere,

qui prorogare uitam possis hominibus,

qui ea culpes condimenta? Co. audacter dicito;

nam uel ducenos annos poterunt uiuere   40

830   meas qui éssitabunt escas quas condiuero.

nam ego cocilendrum quando in patinas indidi

aut cepolendrum aut maccidem aut saucaptidem,

eaepsae se patinae feruefaciunt ilico.

haec ad Neptuni pecudes condimenta sunt: 45

835   terrestris pecudes cicimandro condio aut

hapalopside aut cataractria. BA. at te Iuppiter

dique omnes perdant cum condimentis tuis

cumque tuis istis omnibus mendaciis!

Co. sine sis loqui me. BA. loquere atque í in malam 50

                                crucem.

840   Co. ubi omnes patinae feruont, omnis aperio·

is odos demissis pedibus in caelum uolat.

eum odorem cenat Iuppiter cottidie.

BA. odos demissis pedibus? Co. peccaui insciens.

BA. quidum? Co. 'demissis manibus' uolui dicere. 55

845   BA. si nusquam is coctum, quidnam cenat Iuppiter?

Co. it incenatus cubitum. BA. í in malam crucem.

istacine caussa tibi hodie nummum dabo?

Co. fateor equidem esse me coquom carissumum;

uerum pro pretio facio ut opera appareat   60

824 formidulosam *A*   esum *P*   830 qui] quis *P*   831 cicilendrum *P*   832 sęcaptidem *A*   833 eaepse se *A* (*pro* eaepsae se?) : eae ipsae sese *P* (*pro* eaeps' sese?)   835 ciomalindro *A* aut *in initio v.* 836 *codd.* : *del. Guietus*   836 hapalo̦sopide *A* (-cop-) 837 quom *P* (*antiqua forma*)   838 istis *om. P*   839 i *om. P* 841 (*item* 843, 844) dimissis *Ital.*   pedibus] manibus *A* (*item* 843) uolant *A*   842 *post* 844 *collocat Acidalius*   eum modo rem *P* 844 quidum] quidem (?*pro* quid est?) Co. quia (quiam *B*) *P*   pedibus *A*   845 is coctis *P* (*corr. D²*) : coctum is *A*   848 me (*pro* med ?) esse *P*

mea quo conductus uenio.   Ba. ad furandum quidem. 850
Co. an tu inuenire postulas quemquam coquom
nisi miluinis aut aquilinis ungulis?
Ba. an tu coquinatum te ire quoquam postulas
65   quin ibi constrictis ungulis cenam coquas?
nunc adeo tu, qui meus es, iam edico tibi   855
ut nostra properes amoliri * omnia,
tum ut huius oculos in oculis habeas tuis:
quoquo hic spectabit, eo tu spectato simul;
70   si quo hic gradietur, pariter progredimino;
manum sí protollet, pariter proferto manum: 860
suom sí quid sumet, id tu sinito sumere;
si nostrum sumet, tu teneto altrinsecus.
si iste ibit, ito, stabit, astato simul;
75   si conquiniscet istic, conquiniscito.
item his discipulis priuos custodes dabo.   865
Co. habe módo bonum animum.   Ba. quaeso qui
possum doce
bonum animum habere qui te ad me adducam domum?
Co. quia sorbitione faciam ego hodie te mea,
80   item ut Medea Peliam concoxit senem,
quem medicamento et suis uenenis dicitur   870
fecisse rusus ex sene adulescentulum,
item ego te faciam.   Ba. eho, an etiam ueneficu's?
Co. immo edepol uero hominum seruator magis.   Ba.
ehem!

850 ueni *P*   853 quoquinatum *A*   854 constictis *A*   quo-
quas *P*   855 est a medico *P* (T *pro* I)   856 . . u . ṭa *A* (de
uita?): *om. P* '*unde apparet duplex lectio*: amoliri omnia *et* amoliri
de uia' *Leo*   858 spectauit *P*   861 sinitos *A*   864 con-
quiniscito] ceueto simul *Nonius* 84: conquiniscito simul *P* (*pro*
conquiniscito
ceueto simul; v. 3)   865 prius *P*   866 possim *P*   doce
om. A   867 bonum *om. P*   869 Medea Peliam *Merula*:
medeapellame *P*(L *pro* I): meoeappellam *A*   872 es ueneficus *A*
873 u(er)os *A*[1] (*coeperat* seruator *scribere*), *unde* uero sum *Ritschl*
h. seruator ehem *A*: h. seruator magis | Ba. ehem mane (*P*BC) (mane

874-5   quanti istuc unum me coquinare perdoces?   85
            Co. quid? Ba. ut te seruem ne quid surrupias mihi.
            Co. si credis, nummo; si non, ne mina quidem.
            sed utrum tu amicis hodie an inimicis tuis
            daturu's cenam? Ba. pol ego amicis scilicet.

880   Co. quin tu illo inimicos potius quám amicos uocas?   90
            nam ego ita conuiuis cenam conditam dabo
            hodie atque ita suaui suauitate condiam:
            ut quisque quidque conditum gustauerit,
            ipsus sibi faciam ut digitos praerodat suos.

885   Ba. quaeso hercle, priu' quam quoiquam conuiuae 95
                                                         dabis,
            gustato tute prius et discipulis dato,
            ut praerodatis uostras furtificas manus.
            Co. fortasse haec tu nunc mihi non credis quae loquor.
            Ba. molestus ne sis; nimium iam tinnis; tace.

890   em illíc ego habito. íntro abi et cenam coque.   100
            propera. Pv. quin tu is accubitum et conuiuas cedo,
            corrumpitur iam cena.—Ba. em, subolem sis uide!
            iam hic quoque scelestus est coqui sublingulo.
            profecto quid nunc primum caueam nescio,

895   ita in aedibus sunt fures, praedo in proxumo est.   105
            nam mi hic uicinus apud forum paullo prius
            pater Calidori | opere edixit maxumo

---

altera explicatio notae mā, *i. e.* magis, *in margine apposita*?) *vel* h.
seruator magis. Ba. ehem (*om.* mane *ut vid.*) (*T*) *P*   *fort.* h.
magi' ser. Ba. ehem   874, 875 sụbdoces *A*   877 si non]
si non credis *A* : sinos *P*: *vix* sin' (*i. q.* si non) credis   mina *iambus*
ante iambum quidem *displicet*   minas *P*   878 tu *om. P*   880
tu illos *codd.*: *corr. Acidalius*: tuos *Lorenz*   uocas] tuas *A*   882
suaui *om. P*   condim *P*   884 ipse *A* : ipsos *P*   885 quicquam
(*om. B*) conuiui *P*   886 gusta *P*   888 credas *P*   889 ti.
non taces *P, conflat. ex duplici lectione* iam tinnis; tace *et* tinnis;
non taces? (*Seyffert*), *nisi quidem vera lectio est* iam tinnis; taces?
890 em *om. A*   quoque *P*   891 propera *P* (*contra morem Plautinum*)   quin] quit *A* (*i. e.* quid)   conuiuas] properas *A* (v. 4)   893
quoqui su. *A*   sublingio *P ut vid.*   896 iam *P*   mi hic] mihi *A*
897 ⟨hoc⟩ o. *Schoell*   o. edịxịṭ *A* : o. fecit *P* : edixit opere *Abraham*

ut mihi cauerem a Pseudolo seruo suo
ne fidem ei haberem. nam eum circum ire in hunc diem,
110   ut me, si posset, muliere interuorteret;   900
eum prómisisse fortiter dixit sibi
sese abducturum a me dolis Phoenicium.
nunc ibo intro atque edicam familiaribus
profecto ne quis quicquam credat Pseudolo.—

ACTVS IV

IV. i   Pseudolvs   Simia

Ps. Si umquam quemquam di inmortales uoluere esse 905
auxilio adiutum,
tum me et Calidorum seruatum uolunt esse et lenonem
exstinctum,
quom té adiutorem genuerunt mihi tam doctum hominem
atque astutum.
sed ubi illic est? sumne ego homo insipiens, qui haec
mecum egomet loquar solus?
5   dedit uerba mihi hercle, ut opinor:
malu' cum malo stulte caui.   909ª
tum pol ego interii, homo si ille abiit, neque hoc opu' quod 910
uolui hodie ecficiam.
sed eccum uideo uerbeream statuam: ut it, ut magnufice
infert sese!
ehem, te hercle ego circumspectabam, nimi' metuebam male
ne abiisses.
10   Simia. fuit meum officium ut facerem, fateor.

899 ne] neu *P*   iret *P*   901 firmiter *P*   905 u. quicquam *A*
dii mortales *P*   uoluerunt *A*   906 serutum (-uum *P*CD) *P*
908 qui] quid (Quid *B*) *P*   loquor *Camerarius fort. recte, nam*
loquár *suspectum* (*A n. l.*)   909 *vel* opino   910 uolui *Bothe* :
uoluit *A* : uoluit [ego] *P* (*seq.* ho- ; iv. 3)   911 ut it] uti *P*

913ᵃ   Ps. ubi restiteras? Simia. ubi mi lubitum est.
        Ps. istuc ego satis scio.   Simia. qur ergo quod scis me
                                                        rogas?
915 Ps. at hoc uolo monere te.   Simia. monendu's ne me
                                                        moneas.
        Ps. nimi' tandem ego aps te contemnor.
        Simia. quippe ego te ni contemnam,   15
        stratioticus homo qui cluear?   Ps. iam
    hoc uolo quod occeptumst agi.   Simia. numquid agere aliud
                                                    me uides?
920   Ps. ambula ergo cito.   Simia. immo otiose uolo.
        Ps. haec ea occasiost: dum ille dormit, uolo tu prior
                                                occupes adire.
        Simia. quid properas? placide, ne time.   20
        ita ille faxit Iuppiter,
        ut ille palam ibidem adsiet,
924ᵃ   quisquis illest qui adest a milite.
925 numquam edepol erit ill' potior Harpax quam ego.   habe
                                                animum bonum:
        pulchre ego hanc explicatam tibi rem dabo.   25
        sic ego illum dolis atque mendaciis
        in timorem dabo militarem aduenam,
        ipsus sese ut neget esse eum qui siet
930   meque ut esse autumet qui ipsus est.   Ps. qui potest?
        Simia. occidis me quom istuc rogitas.   Ps. o hominem 30
                                                        lepidum!
        Simia. te quoque etiam dolis atque mendaciis,
        qui magister mihi es, antidibo, ut scias.
        Ps. Iuppiter te mihi seruet!   Simia. immo mihi.

914 istud *A* : ipsuc *P* : *fort.* istuc ipsus (*iamb. octonar.*)   ergo
quod] ego quo *P*   915 *vel* monendus   moneat *P*   917 ni]
me *A*   918 stratiocus homo qui cluear *P* : stratioticus esse homo
cluear *A*   919 aliud agere *A*   921 [ut] oc. *P*ᴮᶜ, *A n. l.*
924 assiet *Camerarius* : atiet *P*, *A n. l.*   927 si *P*   929 eum
esse *P*   930 quid p. *P*   932 atque [etiam] me. *P*   933
om. P (*propter homoeotel.?*)

     sed uide, ornatus hic me satin condecet?   935

35   Ps. optume habet. Simia. esto.   935ᵃ

Ps. tantum tibi bóni di inmortales duint quantum tu tibi

                                   optes ;

nam si exoptem quantum dignu's tantum dent, minu'

                                    nihilo sit.

neque ego hoc homini quemquam uidi magi' malum et

                       maleficum. Simia. tun id mi?

Ps. taceo.   938ᵃ

40   sed ego quae tibi bona dabo et faciam,

         si hanc sobrie rem accurassis !   939ᵃ

Simia. potin ut taceas? memorem inmemorem facit qui 940

                    monet quod memor meminit.

teneo, omnia in pectore condita sunt, meditati sunt mihi doli

                                 docte.

Ps. probus est hic homo. Simia. neque hic est neque ego.

     Ps. at uide ne titubes. Simia. potin ut taceas?

45 Ps. ita me di amént—Simia. ita non facient: mera iam

                    mendacia fundes.

Ps. ut ego ob tuam, Simia, perfidiam te amo et metuo et

                    magni facio.

Simia. ego istuc aliis dare condidici : mihi optrudere non 945

                    potes palpum.

Ps. ut ego accipiam te hodie lepidé, ubi ecfeceris hoc opus.

                     Simia. hahahae !

Ps. lepido uictu, uino, unguentis et inter pocula pulpa-

                         mentis ;

935-8 *pauca servata A*   935 satis *P (A n. l.)*   936 diunt *P, A n. l.*   exoptes *Goetz, cui* tibi | optes *displicet*   937 st *an* sit *incert. A :* est *P*   938 *vel* mage   939 quae tibi *Ital. :* quantibi *P, A n. l.*   bona *Dousa :* dona *P, A n. l.*   940 qui] quoi *A (scripturus erat* quod)   941 in pectore omnia *A*   mihi *om. P*   942 pr. hic est *P*   at uide] attude *P* (atude *B*)   ut] um *P* 943 faciet *A*   mera iam] meram *A*   fundis *A*   944 simiam *P* amo] amo et amo *A* (iv. 3)   945-55 *media fere et extrema pleraque non servata A*   947 et *om. Fleckeisen, nam* et inter *displicet*

ibidem una aderit mulier lepida tibi sauia super sauia 50
quae det.

SIMIA. lepide accipi' me.   Ps. immo si ecfici', tum faxo
magi' dicas.

950   SIMIA. nisi écfecero, cruciabiliter carnufex me accipito.
sed propera mi monstrare ubi sit os lenonis aedium.

Ps. tertium hoc est.   SIMIA. st! tace, aedes hiscunt.   Ps.
credo, animo malest

aedibus.   SIMIA. quid iam?   Ps. quia edepol ipsum leno- 55
nem euomunt.

SIMIA. illicinest? Ps. illic'st.   SIMIA. mala mercist, ⟨Pseu-
dole⟩, illuc sis uide,

955 ut transuorsus, non prouorsus cedit, quasi cancer solet.

BALLIO   PSEVDOLVS   SIMIA   ii

BA. Minu' malum hunc hominem esse opinor quam esse
censebam coquom,

nam nihil etiam dum harpagauit praeter cyathum et cantharum.

Ps. heus tu, nunc occasio est et tempus.   SIMIA. tecum
sentio.

Ps. ingredere in uiam dolose : ego hic in insidiis ero.

960 SIMIA. habui numerum sedulo : hoc est sextum a porta 5
proxumum

angiportum, in id angiportum me deuorti iusserat ;

quotumas aedis dixerit, id ego admodum incerto scio.

948 aperit *P* (P *pro* D)   super seuia *ut vid.* P, *A n. l.*   949
effici *P ut vid.* (*i. e.* -cies?) (effici *B*, efficis *P*CD), *A n. l.* (*cf. ad* 1061)
tu *addidi* (*A n. l.*) (vii. 4)   *vel* mage   ⟨id⟩ dicas *Ritschl* (i. 4)
954 illic'st (illic est *codd.*) *suspectum*   mala mercist *P* : (malast)
me(rs) *A*   Pseudole *Bothe* : *nota personae Pseudoli codd.*   955
ita ap. Varr. de L. L. 7, 81 : non prorsus uerum ex transuerso cedit *P*
etiam *ut vid.* (non prosusue—)*A* (*cf.* extrauersus *glossarium Plautinum*)
956 *vel* opino   957 dum etiam *A*   959 dolos ego e (et *P*BC)
cum sign. transposit. ut vid. P   960 ad proxumum *A*   961
iusseras *P*   962 incerte *A*

Ba. quis hic homo chlamydatus est aut unde est aut quem
quaeritat?
peregrina facies uidetur hominis atque ignobilis.

10 Simia. sed eccum qui ex incerto faciet mihi quod quaero 965
certius.

Ba. ad me adit recta. unde ego hominem hunc esse dicam
gentium?

Simia. heus tu qui cum hirquina barba stas, responde quod
rogo.

Ba. eho, an non priu' salutas? Simia. nulla est mihi salus
dataria.

Ba. nam pol hinc tantumdem accipies. Ps. iam inde a 969-7c
principio probe.

15 Simia. ecquem in angiporto hoc hominem tu nouisti? te
rogo.

Ba. egomet me. Simia. pauci istuc faciunt homines quod
tu praedicas,

nam in foro uix decumus quisque est qui ipsus sese nouerit.

Ps. saluos sum, iam philosophatur. Simia. hominem ego
hic quaero malum,

legerupam, inpium, peiiurum atque inprobum. Ba. me 975
quaeritat,

2c nam illa mea sunt cognomenta; nomen si memoret modo.

quid est ei homini nomen? Simia. leno Ballio. Ba.
sciuin ego?

ipse ego is sum, adulescens, quem tu quaeritas. Simia. tún
es Ballio?

Ba. ego enim uero is sum. Simia. ut uestitu's, es perfossor 979-80
parietum.

Socrates joke [margin note]

---

967 stas barba *P*: astas b. *Camerarius*   968 an *om. A*   971
nonuisti *P*   973 quisquis est *P*   se *A*   975 legirupum
inpurum peiiurum atque impium *A* (ii. 4 ?)   976 mea *om. P*   977
(no)men homini *A*   978 is sum *Gruterus*: istum *P, A n. l.*
quaeris *A (cf. ad* 1132)   979, 980 es] est *P*   perforor *P* (r *pro* s)

BA. credo, in tenebris, conspicatus si sis me, apstineas
                                                        manum.
SIMIA. eru' meus tibi me salutem multam uoluit dicere.   25
hanc epistulam accipe a me, hanc me tibi iussit dare.
BA. quis is homost qui iussit? Ps. perii! nunc homo in
                                                    medio lutost;
985 nomen nescit, haeret haec res.   BA. quém hanc misisse ad
                                                    me autumas?
SIMIA. nosce imaginem : tute eiius nomen memorato mihi,
ut sciam te Ballionem esse ipsum. BA. cedo mi epistulam. 30
SIMIA. accipe et cognosce signum. BA. oh ! Polymachaero-
                                                    plagides
purus putus est ipsus. noui. heus ! Polymachaeroplagidi
990 nomen est. SIMIA. scio iám me recte tibi dedisse epistulam,
postquam Polymachaeroplagidem elocutus nomen es.
BA. quid agit is? SIMIA. quod homo edepol fortis atque 35
                                                    bellator probus.
sed propera hanc pellegere quaeso epistulam (ita negotiumst)
atque accipere argentum actutum mulieremque emittere.
995 nam necesse [est] hodie Sicyoni me esse aut cras mortem
                                                    exsequi,
ita eru' meus est imperiosus. BA. noui, notis praedicas.
    SIMIA. propera pellegere epistulam ergo. BA. íd ago, 40
                                                    si taceas modo.
      ' miles lenoni Ballioni epistulam
        conscriptam mittit Polymachaeroplagides,
1000   imagine opsignatam quae inter nos duo

      983 hasce *corr.* hanc *ut vid.* (hansce *T*, hanasc *B*) *P*   *vel* a med   han
    me *A*   984 periit *P*   tuto est *P*   988 et *om. P*   989 putus] nutus
    (*T*) *vel* mutus (*P*BC) *P*   Ps. (*ut vid.*) polymachaero placides *P*   990
    tibi me recte *P*   991 polymachero placide *P*   es] se *A*   992
    quid] sed quid *P*   994 mulieremque *Guietus* : mulieremque [mihi]
    P (?iv. 3): mulierem *A*   995 est *seclusi, nam* necésse est *vix ferendum*
    hodie Sicyoni necessest *Ritschl*   997 ergo epistulam *Bothe*, *ut
    versus trochaicus fiat*   si taceas modo] (t)acitus sis modo *A*   1000
    imagine *Gulielmius* : imaginem *codd.*

conuenit olim.'   Simia. sumbolust in epistula.

45   Ba. uideo et cognosco signum.   sed in epistula
nullam salutem mittere scriptam solet?

Simia. ita militaris disciplinast, Ballio :
manu salutem mittunt bene uolentibus ;   1005
eadem malam rem mittunt male uolentibus.

50   sed ut occepisti, perge opera experirier
quid epistula ista narret.   Ba. ausculta modo.

'Harpax calator meus est, ad te qui uenit—'
tun es is Harpax?   Simia. ego sum atque ipse ἅρπαξ 1010
                                    quidem.

Ba. 'qui epistulam istam fert ; ab eo argentum accipe ;
55   cum eo simitu mulierem mitti uolo.
salutem scriptam dignum est dignis mittere :
te si arbitrarem dignum, misissem tibi.'

Simia. quid nunc?   Ba. argentum des, abducas mu- 1015
                                    lierem.

Simia. uter remoratur?   Ba. quin sequere ergo intro.—
                                  Simia. sequor.—

iii   Psevdolvs

Peiorem ego hominem magi'que uorsute malum
numquam edepol quemquam uidi quám hic est Simia ;
nimisque ego illum hóminem metuo et formido male
ne malus item erga me sit ut erga illum fuit,   1020
5   ne in re secunda nunc mihi obuórtat cornua,
si occasionem capsit qui ⟨sic⟩ sit malus ;

1001 sumb. (simb.) in epist. *Ballioni continuat* P (iii. 3 ?)   1002 *post*
1003 *ponit* A (*prius om. propter homoeotel.* ; ii. 6)   1003 mitterē *suspectum*   inscriptam *Bothe* : is scriptam *Sauppe*   1004 baltio P
1006 mittit A   1007 operam P   1010 tunes saphax P (*pro*
ⵜΑΡΠ—, *om.* is ?)   ip. hapax A   1011 accipi et P^{BC} (*pro*
accipi ?), *unde* accipi (*del.* et) *Goetz, Schoell*   1012 Quom P (*antiqua
forma*)   1013-47 *deest* A   1016 ergo *Ital.* : rego *cod.*   1017 *vel*
mageque   1019 *vel* illunc   1022 capsit *Camerarius* : ceperit capsti *cod.*
(iv. 1)   ⟨sic⟩ *add.* Karsten (*Mnemos.* 31, 155)   ⟨mihi⟩ ma. *Ussing*

atque edepol equidem nolo, nam illi bene uolo.

1024, nunc in metu sum maxumo triplici modo:

1025 primum omnium iam hunc comparem metuo meum

ne deserat med atque ad hostis transeat;   10

metuo autem né erus redeat etiam dum a foro,

ne capta praeda capti praedones fuant.

1030 quom haec metuo, metuo ne ille huc Harpax aduenat

priu' quam hinc hic Harpax abierit cum muliere.

perii hercle! nimium tarde egrediuntur foras.   15

cor conligatis uasis exspectat meum,

1034, si non educat mulierem secum simul,

1035 ut exsolatum ex pectore aufugiat meo.

uictor sum, uici cautos custodes meos.

SIMIA   PSEVDOLVS   iv

SIMIA. Ne plora, nescis ut res sit, Phoenicium,

uerum hau multo post faxo scibis accubans.

1040 non ego te ad illum duco dentatum uirum

Macedoniensem, qui te nunc flentem facit:

quoiam esse te uis maxume, ad eum ducere: 5

Calidorum hau multo post faxo amplexabere.

Ps. quid tu intus quaeso desedisti quam diu?

1045 mihi cor retunsumst oppugnando pectore.

SIMIA. occasionem repperisti, uerbero,

ubi perconteris me, insidiis hostilibus?   10

quin hinc metimur gradibus militariis?

1049, Ps. atque edepol, quamquam nequam homo's, recte

1050   mones.

ite hac, triumphe! ad cantharum recta uia.—

1027 *vel* me (*ita cod.*)   transeant *cod.* (*corr. B*[1])   1031 quom m. *cod.*
(*antiqua forma*)   1033 expectat *Merula*: expectata *cod.* (A *pro* M; iv. 3)
1036 aut fugiat *cod.*   1041 te nunc *Camerarius*: lenunc *cod.* (L *pro* T)
1042 ducere *Ussing*: duco te *cod.* (i. 9?)   1044 *vel* desedisti? quam
diu   1047 percunctetis *cod.*   1048 *accedit A*   hi cometimur
(*ut vid.*) T (*pro* hīcm-, *i. e.* hinc m.): hii m. B: hic m. P[CD]   1049,
1050 nequa *codd.*   homo (*om.* es) A   1051 triumphi P
20*

v   Ballio

Hahae ! nunc demum mi animus in tuto locost,
postquam iste hinc abiit atque abduxit mulierem.
iube núnc uenire Pseudolum, scelerum caput,
et abdúcere a me mulierem fallaciis.   1055

5   conceptis hercle uerbis, sati' certo scio,
ego peiiurare me mauellem miliens
quam mihi illum uerba per deridiculum dare.
nunc deridebo hercle hominem, si conuenero ;
uerum in pistrino credo, ut conuenit, fore.   1060

10   nunc ego Simonem mi obuiam ueniat uelim,
ut mea laetitia laetus promiscam siet.

vi   Simo   Ballio

Simo. Visso quid rerum meus Vlixes egerit,
iamne habeat signum ex arce Ballionia.
Ba. o fortunate, cedo fortunatam manum,   1065
Simo. Simo. quíd est ?   Ba. iam—Simo. quid iam ?
         Ba. nihil est quod metuas.   Simo. quid est ?
5   uenitne homo ad te ?   Ba. non.   Simo. quid est igitur
                              boni ?

Ba. minae uiginti sanae et saluae sunt tibi,
hodie quas aps te est instipulatus Pseudolus.
Simo. uelim quidem hercle.   Ba. roga me uiginti minas, 1070
si ílle hodie illa sit potitus muliere
10   siue eam tuo gnato hodie, ut promisit, dabit.

roga, opsecro hercle ; gestio promittere,

1052 mihi demụ(m) *A*   est loco *P*   1054 iube] libet *P*
1057 mauellem me *P fort. recte*   1059 si] (cum) *vel similiter* (ubi
Goetz) *A*   1060 pristrinum *P*   1061 uenī (*i. e.* ueniat) *ut vid. P*
(uenitat *B*, uenire *P*CD)   1062 promisca *P*   1063 qui *P*   meum
corr. meus *ut vid. P*   1064 balliona *P*   1065 f. moḍo manum *A*
(iv. 3)   1066 Simo . . . metuas] (quid i)am quid (est quo)d metuas
A   Simo *del. Bentley* (*seq.* Simo)   1067 igitur est *A*   1069 est
instipulatus *Priscianus* 1, 388 : inde est instipulatus *P*: est stipulatus
A   1071 *vel* si illic   *vix* hōdie   *vel* siet   1073 (*cf.* 116) *secl.*
Lorenz   rogato *P* (*cf. ad Stich.* 256)

omnibu' modis tibi esse rem ut saluam scias;
1075   atque etiam habeto mulierem dono tibi.
Simo. nullumst periclum, quod sciam, stipularier,
ut concepisti uerba : uiginti minas   15
dabin? Ba. dabuntur. Simo. hoc quidem actumst
                                        hau male.
sed conuenistin hominem? Ba. ímmo ambo simul.
1080   Simo. quid ait? quid narrat? quaeso, quid dicit tibi?
Ba. nugas theatri, uerba quae in comoediis
solent lenoni dici, quae pueri sciunt :   20
malum et scelestum et peiiurum aibat esse me.
Simo. pol hau mentitust. Ba. ergo haud iratus fui :
1085   nam quanti refert te ei nec recte dicere
qui nihili faciat quique infitias non eat?
Simo. quid est? quid non metuam ab eo? id audire 25
                                        expeto.
Ba. quia numquam abducet mulierem iam, nec potest,
a me. meministin tibi me dudum dicere
1090   eam uéniisse militi Macedonio?
Simo. memini. Ba. ém illius seruos huc ad me argen-
                                        tum attulit
et opsignatum sumbolum—Simo. quid postea?   30
Ba. qui inter me atque illum militem conuenerat :
is secum abduxit mulierem hau multo prius.
1095   Simo. bonan fide istuc dicis? Ba. unde ea sit
                                        mihi?
Simo. uide módo ne illic sit contechnatus quippiam.
Ba. epistula atque imago me certum facit;   35

1076 nullum periclumst P (cf. ad Merc. 330)   1079-86 inter-
polatori ascribit Kiessling   1080 dixit Bothe (A n. l.)   1083
aiebant P   1085-1119 deest A   1085 refert te i (T) vel refert
ei (PBC) cod.   1086 nihil cod.   1087 quid est quod Camerarius
metuam Bothe : metuas cod.   1088 abducet Bentley : [a me] abducet cod. (cf. 1089)   1089 a me om. cod. (cf. 1088)   1090
vel uenîsse   1092 ebs- corr. obs- P ut vid. (eo obs. T : eboh s. B :
corr. PCD)   1095 bonam fidem cod. (corr. in B)   1096 vel conte-
chinatus

quin illam quidem iam in Sicyonem éx urbe adduxit
modo.

Simo. bene hercle factum ! quid ego cesso Pseudolum
facere ut det nomeᴐ ad Molas coloniam?   1100
sed quis hic homᴐ est chlamydatus?   Ba. non edepol
scio,

40   nisi ut opseruemus quó eat aut quam rem gerat.

vii   Harpax   Ballio   Simo

Ha. Malus et nequamst homo qui nihilí eri ímperium sui
seruo' facit,
nihilist autem suom qui officium facere inmemor est nisi est
admonitus.

nam qui liberos esse ilico se arbitrantur,   1105
ex conspectu eri si sui se abdiderunt,
5   luxantur, lustrantur, comedunt quod habent, i nomen diu
seruitutis ferunt.

nec boni ingeni quicquam in is inest,
nisi ut inprobis se artibu' teneant.   1110
cum his mihi nec locu' nec sermo
10   conuenit neque is [umquam] nobilis fui.
ego, ut mi imperatumst, etsi abest, hic adesse erum arbitror.
nunc ego illum metuo, quom hic non adest,
ne quom adsiet metuam.   ei rei operam dabo.   1115
nam in taberna usque adhuc, si ueniret Syrus,
15   quoi dedi sumbolum, mansi, uti iusserat
leno ubi esset domi, me aibat arcessere ;

1098 quin *Pylades* : qui *cod.*   quidem iam *del. Leo* (iv. 1), *ut
versus iambicus fiat*   1103 nihil *cod.*   eri sui ser. fac. imp.
Skutsch (*Litt. Centralbl.* 1899, p. 968)   1104 nihil est *cod.*
1105 ilicŏ *in versu bacchiaco vix ferendum*   se ilico esse *Ritschl*
esse *del. Guietus*   1107 luxantur *Nonius* 335 (*Paulus* 120 'luxantur a luxu dictum, i. e. luxuriantur') : luxantur *cum glossa* luxuriantur
vel luxuriantur *corr.* luxantur *cod.* (luxuriantur *P*CD, luxuriantur iantur
B)   1110 nisi ut improbis artibus eniteant (?) *Leo*   1112 neque
om. *P*CD   umquam *seclusi dubitanter metri causa* (iv. 2)   1115 *vel*
adsit (*dochmiorum par*)   1116 siuēret (*i. e.* si ueniret?) *ut vid. cod.*
(sineret *P*BC : si ueniret *T ex corr.*)

uerum ubi is non uenit nec uocat,

1120 uenio huc ultro, ut sciam quid rei si[e]t, ne illic homo me
ludificetur.

nec quicquamst melius quam ut hoc pultem atque aliquem
euócem hinc íntus.

leno argentum hoc   20

uolo a me accipiat atque amittat mulierem mecum simul.

Ba. heus tu ! Simo. quid uis? Ba. hic homo meus est.

Simo. quidum ? Ba. quia praeda haec meast :

1125 scortum quaerit, habet argentum. iam admordeɪe hunc
mihi lubet.

Simo. iamne illum comessurus esɪ̈ Ba. dum
recens est,

dum calet, dum datur, deuorari decet iam.   25

boni me uiri pauperant, inprobi augent ;

populo strenui, mi inprobi | usui sunt.

1130   Simo. malum quod tibi di dabunt ; sic scelestu's.

Ha. me nunc commoror, quom has fores non ferio, ut
sciam

1131ᵃ   sitne Ballio domi.   30

Ba. Venu' mihi haec bona datat, quom hos huc adigit

lucrifugas, damni cupidos, qui se suamque aetatem bene
curant,

edunt, bibunt, scortantur : illi sunt alio ingenio atque tu,

1135 qui neque tibi bene esse patere et illis quibus est
inuides.

1120 *accedit A*   quod (*B*) *vel* quid (*P*ᶜᴰ) *P, A n. l.*   1121 neque *P*
aliquem ⟨huc⟩ *Goetz*   1122 *A n. l.*   1123 a *om. P*   1124 Simo.
h. t. q. u. *ut vid. A*   meus est] meust *P* (? *idem metrum quod in v.*
1113)   1125 iam *Pius* : tam *corr.* iam *P, ut vid.* (tam *B,* tam etiam
*P*ᶜᴰ), *A n. l.*   1126 *vix* recenst, dum | Ca.   1127 dum datur dum
calet *P* : dator, dum calet *Leo* (*bacchiac.*)   tam (*vel* iam) *A* : tam *P*
1128 improbi augent *A* : improbi [alent] augent [rem meam mali] *P*
(iv. 1)   1129 populi *P* : *vel* poplo   *vel* mihi (*ita codd.*) (*bacch. dim.*
cat. cum iamb. dim. cat.)   *fort.* inp. mi   1130 sic *Ritschl* : sị *A* :
nisic *P* (*pro* ni *corr.* sic ?) (nisi *P*ᶜᴰ)   *vel* dabunt sic ; scelestu's
1132 dat *A* (*cf. ad* 978)   1133 lucrifucos (*in fine v.* 1132) *A* (*i. e.*
1132-3 *uno versu* ?)   *vel* damnicupidos (*troch.*)

35 Ha. heus ubi estis uos? Ba. hicquidem ad me recta habet
               rectam uiam.

Ha. heus ubi estís uos? Ba. heus adulescens, quid istic
              debetur tibi?

bene ego ab hoc praedatus ibo; noui, bona scaeuast mihi.

Ha. ecquis hoc áperit? Ba. heus chlamydate, quid istic
              debetur tibi?

Ha. aedium dominum lenonem Ballionem quaerito.   1140

40 Ba. quisquis es, adulescens, operam fac compendi quaerere.

Ha. quid iam? Ba. quia tute ipsus coram praesens prae-
              sentem uides.

Ha. tun is es? Simo. chlamydate, caue sis tibi a curuo
              infortunium

atque in hunc intende digitum : hic leno est, at hic est uir
              probus.

sed tu, bone uir, flagitare saepe clamore in foro,   1145

45 quom libella nusquamst, nisi quid leno hic subuenit tibi.

Ha. quin tu mecum fabulare? Ba. fabulor. quid uis tibi?

Ha. argentum accipias. Ba. iamdudum, si des, porrexi
              manum.

Ha. accipe : hic sunt quinque argenti lectae numeratae
              minae.

hoc tibi eru' me iussit ferre Polymachaeroplagides,   1150

50 quod deberet, atque ut mecum mitteres Phoenicium.

Ba. eru' tuos—Ha. ita dico. Ba. miles—Ha. ita loquor.
            Ba. Macedonius—

Ha. admodum, inquam. Ba. te ad me misit Polymachaero-
              plagides?

Ha. uera memoras. Ba. hoc argentum ut mihi dares?
            Ha. si tu quidem es

leno Ballio. Ba. atque ut a me mulierem tu abduceres? 1155

1137 *secl. Fleckeisen*   1142 tute *Umpfenbach (A n. l.)* : te *P*
ipsus coram] (ip)sus ipsum *A* 1143 curio *P* infortunio *P* 1144
Ba. at *P* probus] bonus *A (cf. v.* 1145) 1145 none *P* 1146
quid] quod *P* 1155 adduceres *P, A n. l.*

Ha. ita.   Ba. Phoenicium esse dixit?   Ha. recte memi- 55
nisti.   Ba. mane:

iam redeo ad te.   Ha. at maturate propera, nam propero:
uides

iam diem multum esse.   Ba. uideo: hunc aduocare etiam
uolo;

mane modo istic, iam reuortar ad te.   quid nunc fi[e]t, Simo?

1160 quid agimus? manufesto hunc hominem teneo, qui argentum
attulit.

Simo. quidum?   Ba. an nescis quae sit haec res?   Simo. 60
iuxta cum ignarissumis.

Ba. Pseudolus tuos adlegauit hunc, quasi a Macedonio
milite esset.   Simo. haben argentum ab homine?   Ba.
rogitas quod uides?

Simo. heus, memento ergo dimidium istinc mihi de praeda
dare:

1165 commune istuc esse oportet.   Ba. quid, malum? id totum
tuom est.

Ha. quam mox mi operam das?   Ba. tibi do equidem. 65
quid nunc mihi es auctor, Simo?

Simo. exploratorem hunc faciamus ludos suppositicium
adeo donicum ipsus sese ludos fieri senserit.

Ba. sequere.   quid ais? nemp' tu illius seruos es?   Ha.
planissume.

1170 Ba. quanti te emit?   Ha. suarum in pugna uirium uictoria.
nám ego eram domi imperator summus in patria mea.   70

Ba. an etiam umquam ille expugnauit carcerem, patriam
tuam?

1157 maturitate P   1158 die P   vel esse? (interrogative)
1159 vel isti   fiet P, A n. l.   1160 Ba. ante man. P (i. e. Simo.
quid agimus? Ba. man.)   1161 quidiam P   cum] quom ut vid.
P (antiqua forma)   post 1161 in P leguntur vv. 1205-7, qui suo loco
iterum apparent. Scilicet codicis P (i. e. Pᴬ) scriba paginas 2 (versus 42)
exemplaris sui praeterierat, mox errorem cognoverat (aliter rem ex-
plicat Leo)   1167 ludos Ital.: ludo codd. (iii. 3)   1168 senserim P   1169 illius seruos es]: ịll(iu)s (i. e. illiu's?) militis A,
fort. recte   1171 num P   1172 ille umquam P

Hᴀ. contumeliam si dices, audies.   Bᴀ. quotumo die
ex Sicyone huc peruenisti?   Hᴀ. áltero ad meridie.

Bᴀ. strenue mehercle iisti.   Sɪᴍo. quam uelis pernix ho-   1175
most:

75 ubi suram aspicias,scias pósse eum—gérere crassas compedis.

Bᴀ. quid ais? tune etiam cubitare solitu's in cunis puer?

Sɪᴍo. scilicet.   Bᴀ. etiamne—facere solitun es—scin quid
loquar?

Sɪᴍo. scilicet solitum esse.   Hᴀ. sanein estis?   Bᴀ. quid
hoc quod te rogo?

noctu in uigiliam quando ibat miles, quom tu ibas simul,   1180
80 conueniebatne in uaginam tuam machaera militis?

Hᴀ. in' malam crucem?   Bᴀ. ire licebit tibi tamen hódie
temperei.

Hᴀ. quin tu mulierem mi emittis? aut redde argentum.
Bᴀ. mane.

Hᴀ. quid maneam?   Bᴀ. chlamydem hanc commemora
quanti conductast.   Hᴀ. quid est?

Sɪᴍo. quid meret machaera?   Hᴀ. elleborum hisce homi-   1185
nibus opus est.   Bᴀ. eho—

85 Hᴀ. mitte.   Bᴀ. quid mercedis petasus hodie domino
demeret?

Hᴀ. quid 'domino'? quid somniatis? mea quidem haec
habeo omnia,

meo peculio empta.   Bᴀ. nemp' quod femina summa susti-
nent.

Hᴀ. uncti hi sunt senes, fricari sese ex antiquo uolunt.   1189,
1190

1174 meridiem *codd.*   1175 strenui *P, A n. l.*   mehercle (*B*)
vel mehercule (*P*ᶜᴰ) *P, A n. l.*   strenuissume hercle iuisti *Bergk*
quamuis pernix hic est homo *P*   1176 (asp)icas *A*   1178
e(ti)am *A*   solitum es *P* : (soli)tunst *A sequente pers. spatio*   1179
hoc *om. A*   1180 quom] tum *P* (t *pro* c)   1181 conueniebant ne *P*
1182 Ein *A* (*antiqua forma*) : I in *P* (*corr. C*)   ilicebit *Studemund*
tamen tibi *A*   1183 emistis *A*   reddis *P* (i. 9)   1184 commemores
P   1187 q. d. [quid socii] quid somniatis *P* (iv. 3)   equidem
*P*ᶜᴰ, *A n. l.*   1188 quid *B, A n. l.*   sustinet *P, A n. l.*

Ba. responde, opsecro hercle, hoc uero serio quod te rogo :
quid meres? quantillo argenti te conduxit Pseudolus?   90
Ha. quis istic Pseudolust? Ba. praeceptor tuo', qui te
                                  hanc fallaciam
docuit, ut fallaciis hinc mulierem a me abduceres.
1195 Ha. quem tu Pseudolum, quas tu mihi praedicas fallacias?
quem ego hominem nulli[u'] coloris noui. Ba. non tu
                                   istinc abis?
nihil est hodie hic sucophantis quaestus : proin tu Pseudolo 95
nunties abduxisse alium praedam, qui occurrit prior
Harpax. Ha. is quidem edepol Harpax ego sum. Ba.
                             immo edepol esse uis.
1200 purus putus hic sucophantast. Ha. ego tibi argentum
                                  dedi
et dudum adueniens extemplo sumbolum seruo tuo,
eri imágine opsignatam epistulam, hic ante ostium.   100
Ba. meo tu epistulam dedisti seruo? quoi seruo? Ha.
                               Suro.
Ba. non confidit sycophanta hic [nequam est] nugis : medi-
                                tatus malest.
1205 edepol hominem uerberonem Pseudolum, ut docte dolum
commentust! tantundem argenti quantum miles debuit
dedit huic atque hominem exornauit mulierem qui abduceret. 105
nam illam epistulam ipsus uerus Harpax huc ad me attulit.
1209, Ha. Harpax ego uocor, ego seruos sum Macedoni militis ;
1210 ego nec sycophantiose quicquam ago nec malefice

1191 uero *post* hercle *A ut uid.* (*i. e.* uero serio hoc?)   1192
argenti (*corr.* -to) te *P ut uid.* (argenti ote *B*, argenti te *P*CD), *A n. l.*
1193 quis i. *Ritschl* : quistic *ut uid.* *P* : quid i. *A*   1194 a *om.* *P*CD,
A n. l.   1197 hic *om.* *A*   pseudole *P*   1198 adduxisse *P*   1199
edepol *et* ego *om.* *A*   1202 ⟨mei⟩ eri *Ritschl* (*A n. l.*)   1203
tu ep. *Ital.* : tua ep. *P* (*A n. l.*) (*pro* tu aep., *i. e.* tu ep.?)   dedistis *P*
1204 — nugis meditatum malest (*ante* n *minus quam in* P *extitit*) *A*
meditatur male *P*   ‘ *altera lectio* (*cf.* P) *haec est* : non confidit sycophanta hic, nequamst, meditatust male ’ *Leo*   1205-7 *cf. ad* 1161
1207 abduceret *uel* arcesseret *P*   1209, 1210 Macedonis *uel* -nii
A : -nis *P* (*cf. Philol.* 51, 369)

neque istum Pseudolum mortalis qui sit noui neque scio.

110 SIMO. tu, nisi mirumst, leno, plane perdidisti mulierem.

BA. edepol ne istuc magi' magisque metuo quom uerba
audio.

mihi quoque edepol iamdudum ille Surus cor perfrigefacit, 1215

sumbolum qui ab hoc accepit. mira sunt ni Pseudolust.

eho tu, qua facie fuit dúdum quoi dedisti sumbolum?

115 HA. rufus quidam, uentriosus, crassis suris, subniger,

magno capite, acutis oculis, ore rubicundo, admodum

magnis pedibus. BA. perdidisti, postquam dixisti pedes. 1220

Pseudolus fuit ipsus. actumst de me. iam morior, Simo.

HA. hercle te hau sinam emoriri, nisi mi argentum redditur,

120 uiginti minae. SIMO. atque etiam mihi aliae uiginti minae.

BA. auferen tu id praemium a me quod promisi per iocum?

SIMO. de inprobis uiris auferri praemium et praedam decet. 1225

BA. saltem Pseudolum mihi dedas. SIMO. Pseudolum ego
dedam tibi?

quid deliquit? dixin ab eo tibi ut caueres centiens?

125 BA. perdidit me. SIMO. at me uiginti modicis multauit
minis.

BA. quid nunc faciam? HA. si mi argentum dederis, te
suspendito.

BA. di te perdant! sequere sis me ergo hac ad forum ut 1230
soluam. HA. sequor.

SIMO. quid ego? BA. peregrinos apsoluam, cras agam cum
ciuibus.

Pseudolus mihi centuriata habuit capitis comitia,

130 qui illum ad med hodie adlegauit mulierem qui abduceret.

1212 neque scio] nescio *A* (*pro* nec scio?)   1214 *vel* mage
1216 ab *om. P*   ni *om. P*   1217 dedistis *P* (*corr. D*)   1220
postquam dixisti] u(t no)miɲauisti *A*   1221-54 *pauca leguntur A*
1222 aut (*i. e.* haut) te *P, allitteratione fauente*   sina moriri *B*   mihi
argentum (*B*) *vel* argentum mihi (*P*^{CD}) *P, A n. l.*   1224 auferen-
tur *P*   1227 caueres centies *Ital.* : habere sentiens *P, A n. l.*
1230 hac sis me ergo *Ritschl* (*A n. l.*)   1233 *vel* me (*ita codd.*)

sequere tu.   nunc ne exspectetis dum hac domum redeam

uia ;

1235 ita res gestast : angiporta haec certum est consectarier.

HA. si graderere tantum quantum loquere, iam esses ad

forum.—

BA. certumst mihi hunc emortualem facere ex natali die.—

Bene ego illum tetigi, bene autem seruos inimicum suom.

nunc mi certum est alio pacto Pseudolo insidias dare

1240 quam in aliis comoediis fit, ubi cum stimulis aut flagris

insidiantur : at ego iam intus promam uiginti minas

quas promisi si ecfecisset ; obuiam ei ultro deferam.   5

nimis illic mortalis doctus, nimi' uorsutus, nimi' malus ;

superauit dolum Troianum átque Vlixem Pseudolus.

1245 nunc ibo intro, argentum promam, Pseudolo insidias dabo.—

ACTVS V

Quid hoc ? sicine hoc fit, pedes ? statin an non ?

an id uoltis ut me hinc iacentem aliquis tollat ?

nam hercle si cecidero, uostrum erit flagitium.

pergitin pergere ? ah ! saeuiendum mi hodie est ;

1250   magnum hoc uitium uino est :   5

pedes captat primum, luctator dolosust.

profecto edepol ego nunc probe habeo madulsam :

1234 tu] te *P*   *in* d(om)um *exit A* (? *i. e.* uia redeam domum)
1236 tantum quantum *A ut uid.* : tantum *P*   1240 quam] nam *A*
1241 intus] inultus (*P*BC) *uel* inuitus (*T*) *P*   1242 feram *A, unde*
offeram *Seyffert*   1243 doctust *Ritschl* (*A n. l.*)   nimis nimis
uorsutus — *A*   1245 ibo *Ital.* : ibi *P, A n. l.*   1246 *uel* fit ? pedes,
statin   1247 iacentem *Ital.* : tacentem *P, A n. l.*   1249 seruien-
dum *Hermann* (*A n. l.*)   *uix* hŏdie   1252 abeo (*A n. l.*) madulsa
Lipsius

    ita uictu excurato, ita magnis munditiis diuis dignis,
      itaque in loco féstiuo sumus festiue accepti.

10   quid opust me multas agere ambages? hoc est homini 1255
         quam ob rem uitam amet,
      hic omnes uoluptates, in hoc omnes uenustátes
        sunt : deis proxumum esse arbitror.
    nam ubi amans complexust amantem, úbi ad labra labella
                   adiungit, ubi

15   altera alterum bilingui manufesto inter se prehendunt,   1260
    ubi mammia mammicula opprimitúr aut si lubet corpora
                   conduplicant,
    manu candida cantharum dulciferum †propinare† amicissu-
                   mam amicitiam,
    neque [ibi] esse alium alii odió ibi nec molestum
    nec sermonibus morologis uti,

20   unguenta atque odores, lemniscos, corollas   1265
    dari dapsilis, non enim parce promi,
    uictum ceterum ne quis me roget :
    hoc ego modo átque erus minor hunc diem sumpsimus
                prothyme,
    postquam opus meum út uolui omne perpetraui hostibus 1269,
                           fugatis. 1270

25   illos accubantis, potantis, amantis
      cum scortis reliqui et meum scortum ibidem

1253, 1254 *ordine inverso A* (*v.* 1253 *propter homoeoarch. praetermisso?*
ii. 6)   1253 dis *A* (*vix vers. Eupolideus*) : *om. P* : ⟨et⟩ dis *Studemund*
dignas *corr.* -is *P, ut vid.* (digni as *T*, digni ah *P*BC)   1255 opus *P*
homine *A*   1256–81 *deest A*   1259 labra ad *Camerarius*   1260
Alter *P*CD   inter se *Camerarius* : inters *cod.*   1261 mammia mammicula *ut vid. cod., unde* mammiam (mammam *B*²) anicula *P*BC, mam-
milla (*pro* mammiia? *cf. v.* 180) nam amicula *T* : mamma (*abl.*) mammicula *Pontanus* : mammam mammicula (*cum* opprimit *et* conduplicantur)
Leo (*sed cf. ad Mil.* 24)   aut *Ritschl* : allant *cod.* (iv. 3) : alia aut *Camerarius*   1262 canpharum *cod.*   micissimam *cod.*   1263 ibi esse
alium alio odio ibi *cod.* : *corr. Leo* : *fort.* e. alium alii aiio o. i. *vel* id e.
aiio o. i.   1264 *fort.* ⟨more⟩ morol. *ut integer tetrameter fiat*   1267
uictu cetero *cod.* : *corr. Seyffert*   1268 prothyme *Camerarius* :
pothyme *cod.*   1269, 1270 ut uolui omne (*P*CD) *vel* omne ut uolui
(*B*) *cod.*

1272ᵃ   cordi atque animo suo opsequentis.   sed post
         quam exsurrexi, orant med ut saltem.
         ad hunc me modum íntuli illis sati' facete
1274ᵃ   nimis ex discipulina, quippe ego qui   30
1275   probe Ionica perdidici.   sed palliolatim amictus
1275ᵃ   sic haec incessi ludibundus.
         plaudunt, 'parum' clamitant mi uti reuortar.
            occepi denuo, hóc modo : nolui :
1277ᵃ   idem amicae dabam me meae,   35
         ut me amaret : ubi circumuortor, cado :
1278ᵃ   id fuit naenia ludo.
      itaque dum enitor, prox ! iam paene inquinaui pallium.
1280   nimiae tum uoluptati edepol fui
1280ᵃ   ob casum.   datur cantharus : bibi.   40
         commuto ilico pallium, illud posiui ;
         inde huc exii, crapulam dum amouerem.
      nunc ab ero ad erum meum maiorem uenio foedus com-
                                              memoratum.
      aperite, aperite, heus, Simoni mé adesse aliquis nuntiate.

                  SIMO   PSEVDOLVS   ii

1285   SIMO. Vox uiri pessumi me exciet foras.
         sed quid hoc ? quo modo ? quid uideo ego ?
         Ps. cum corona ebrium Pseudolum tuom.

      1272ᵃ suo cordi atque animo obs. s. postquam *Leo (bacch. tetr.)*
   corde *cod.*   1273 med *Camerarius* : me id *cod.*   1274, 1274ᵃ
   intulit *cod.* : -li ut *Camerarius*   satisfacerem me (*T*) *vel* satis facete
   nime (*P*ᴮᶜ) *cod.* : *corr. Leo* : *de* satisfacerem mea *cogitare uetat Pers.*
   806   1275 Ionicam *Spengel*   1275ᵃ haec *om.* *P*ᶜᴰ   1276
   plaudunt ⟨et⟩ *Goetz, ut tetram. bacch. fiat*   partim *P*ᶜᴰ : *fort.* πάλιν,
   ⟨πάλιν⟩   mi *Leo* : me *cod.*   ut *cod.*   1277, 1277ᵃ nolui idem ; ⟨et⟩
   a. (?) *Leo*   1278 ubi *Ital.* : tibi *cod.*   1279 prax *P*ᶜᴰ   1280,
   1280ᵃ *an* fui ⟨is⟩? (Nimiae . . . datur *versus Eupolideus*)   1281
   commutollico *cod.* (*corr. B²*)   1282 accedit *A*   1283 uenio]
   (adue)ni *A*   conprob(at)u(m) *A*   1284 heu *P*   aliquis] quis *P*
   1285 ne *P*   1286 q . . . . . deo *A* : quit (*corr.* quid) uideo *P ut vid.*
   (quid triduo *T* : quid tu uideo *P*ᴮᶜ) : *fort.* quidue u. e. ?   *post* ego
   aliquid scriptum fuisse videtur A   1287 Quom *P* (*antiqua forma*)

     Simo. libere hercle hoc quidem.   sed uide statum.

5   num mea gratia pertimescit magis ?

     cogito saeuiter, blanditerne adloquar.   1290

         sed me hoc uotat uim facere nunc quod fero, si qua

                       in hoc spes sitast mihi.

         Ps. uir malus uiro

         optumo obuiam it.

10   Simo. di te ament, Pseudole. Ps. hae ! Simo. i in

                       malam crucem.

  Ps. qur ego adflicter? Simo. quid tu, malum, in os igitur 1295

                     mi ebrius inructas ?

  Ps. molliter sis tene me, caue ne cadam : non uides me 1296,

                   ut madide madeam ? 1297

     Simo. quaé istaec audaciast te sic interdius

     cum corolla ebrium íngrediri ? Ps. lubet.

15   Simo. quid, lubet? pergin ructare in os mihi ?   1300

     Ps. suauis ructus mihi est. sic sine, Simo.

         Simo. credo equidem potís esse te, scelus,

     Massici montis uberrumos quattuor

     fructus ebibere in hora una. Ps. 'hiberna' addito.

20   Simo. sed dic tamén (hau male mones)   1305

     unde onustam celocem agere te praedicem ?

     Ps. cum tuo filio perpotaui modo.

         sed, Simo, ut probe

         tactu' Ballio est !   1308ᵃ

25   quae tibi dixi ut ecfecta reddidi !

    1289 pertimescet *P* ⟨*corr. D*¹⟩   1291 hoc me *P*   spesiṭ — *A*
1294 Ps. hae. Simo. i in] Ps. fui in (*T ut vid.*) (? *i. e.* Ps. fu ! i in)
vel pfui in (*B*) (? *i. e.* pfui ! in' ?) *P*   1295 ergo *B*   [me] adflictor
P : afflicter (*tamquam adverbium*) *glossar. Plaut.*   in os igitur] ergo
in os *P*   1296, 1297 ṣịc *A* : his *T* (?)   1299 ingrediri] incedere *P*
1300 in os ructare *ut vid. A*   1301 Simo] modo *P*   1302 potis
esse] potasse *P* (*pro* potesse ?)   1305 haud male mones sed dic
tamen *Acidalius*   dica *A*   hau male mones *Pseudolo dat P*   1306
honestam *codd.*   1307 quom *P* (*antiqua forma*)   filio *in*
marg. adscript. P ut vid. (*ante* tuo *T, om. P*ᶜᴰ)   1308ᵃ tactus est
ball — *A*

1310   SIMO. pessumu's homo.
1310ᵃ   Ps. mulier haec facit :
            cum tuo filio libera accubat.
            SIMO. omnia ut quidque egisti ordine scio.
      Ps. quid ergo dubitas dare mi argentum? SIMO. ius 30
                              petis, fateor. tene.
      Ps. at negabas daturum esse te mihi : tamen das.

1315 onera hunc hominem ac me consequere hac. SIMO. egone
                  istum onerém? Ps. onerabi', scio.
      SIMO. quid ego huic homini faciam? satin ultro et argentum
                            aufert et mé inridet?
            Ps. uae uictis! SIMO. uorte ergo umerum.
            Ps. em! SIMO. hóc ego numquam ratu' sum   35
            fore me ut tibi fierem supplex.
1320   heu heu heu! Ps. desine. SIMO. doleo. Ps. ni doleres
                              tu, ego dolerem.
      SIMO. quid? hoc auferen, Pseudole mi, aps tuo ero? Ps.
                        lubentissumo corde atque animo.
      SIMO. nonne audes, quaesso, aliquam partem mihi gratiam
                        facere hinc de argento?
      Ps. non me deices auidum esse hominem? nam hinc num- 40
                        quam eri' nummo diuitior,
      neque te mei tergi misereret, hoc sei non hodie ecfecissem.
1325 SIMO. erit ubi te ulciscar, sei uiuo. Ps. quid minitare?
                              habeo tergum.
      SIMO. age sane. Ps. igitur redi. SIMO. quid redeam?
                  Ps. redi modo : non eri' deceptus.

1310 derides (? *pro* deridens ; iv. 5) pessimus homo est *P*   1311
post 1308 *A* (? *propter homoeoarch. v.* 1307)   1312 omnia scio ut
quicque egisti ordine scio *A* (iv. 3)   quique (*P*ᴮᶜ) *vel* quoque (*T*) *P*
1314 tamen das *del. Spengel* (*A n. l.*), *ut tetrameter creticus fiat : fort.*
das *delend.*   1315 ego *P* (? *pro* egon) *A*   1316 sati(nne) *A*
(*i. e.* satin) : statim *P*   1318 *vel* eme (*antiqua forma*) '*fort.*
iamb.' *Leo*   1320 heu heu *A*   *metrum displicet*   *vix* dolĕres— tu :
an doleastu? (*A n. l.*)   1321 auferen] auferre non *P*   Pseudole
mi *Seyffert* : pseudolum mihi *A* : pseudole *P*   1322 non *P*   hic
argenti *P*   1323 *vel* non ; me deices   1324 sei hoc *P*   1326
igitur *Simoni continuat Brix*   redde *A*   reddam *P*
PLAVT. II   21

SIMO. redeo.   Ps. simul mecum ⟨i⟩ potatum.   SIMO. egone
                                eam?   Ps. fac quod te iubeo :
45 si is, aut dimidium aut plus etiam faxo hinc feres.   SIMO.
                                eo, duc me quo uis.
       Ps. quid nunc? numquid iratus es
       aut mihi aut filio propter has res, Simo?   1330
       SIMO. nil profectó.   Ps. i hác. te sequor.   SIMO.
                                quin uocas
       spectatores simúl?   Ps. hercle me isti hau solent
50   uocare, néque ergo ego istos ;
       uerum sei uoltis adplaudere atque adprobare hunc gregem
                    et fabulam in crastinum uos uocabo.

1327 i *add. Ital.* (*A n. l.*) (i. 4)   1328 pius *P*   1329 sqq.
sic disp. A, quid ... profecto (*v.* 1331), i ... istos (*v.* 1333)
1333 ergo *om. A*

RVDENS

ARGVMENTVM

Reti piscator de mari extraxit vidulum,
Vbi erant erilis filiae crepundia,
Dominum ad lenonem quae subrepta venerat
Ea in clientelam suipte inprudens patris
Naufragio eiecta devenit : cognoscitur
Suoque amico Plesidippo iungitur.

5

ab initio fabulae usque ad v. 790 *praesto est T*   4 suipte *Came-*
rarius : suspte *cod.*

PERSONAE

Arctvrvs Prologvs
Sceparnio Servvs
Plesidippvs Advlescens
Daemones Senex
Palaestra
Ampelisca } Mvlieres
Ptolemocratia Sacerdos Veneris
Piscatores
Trachalio Servvs
Labrax Leno
Charmides Senex
Lorarii
Gripvs Piscator

Scaena CYRENIS

Daem.] *vel* Demones (*K. Schmidt, Hermes* 37, 365)

PROLOGVS

Qui gentis omnis mariaque et terras mouet,
eiius sum ciuis ciuitate caelitum.
ita sum ut uidetis splendens stella candida,
signum quod semper tempore exoritur suo
5   hic atque in caelo : nomen Arcturo est mihi.   5
noctu sum in caelo clarus atque inter deos,
inter mortalis ambulo | interdius.
et alia signa de caelo ad terram accidunt :
qui est imperator diuom atque hominum Iuppiter,
10   is nos per gentis alios alia disparat   10
qui facta hominum moresque, pietatem et fidem
noscamus, ut quemque adiuuet opulentia.
qui falsas litis falsis testimoniis
petunt quique in iure abiurant pecuniam,
15   eorum referimus nomina exscripta ad Iouem ;   15
cottidie ille scit quis hic quaerat malum :
qui hic litem apisci postulant peiiurio
mali, res falsas qui impetrant apud iudicem,
iterum ille eam rem iudicatam iudicat ;
20   maiore multa multat quam litem auferunt.   20
bonos in aliis tabulis exscriptos habet.
atque hoc scelesti | in animum inducunt suom,
Iouem sé placare posse donis, hostiis :

---

2 ciuis (B) *vel* cuius (PCD) *cod.*   7 ⟨hic⟩ interdius *Spengel*
8 *secl. Dziatzko*   10 alius *cod.* (*i. e.* alios? i. 3) : aliud *Seyfferi*
11 que *om.* PBC   2c–37 *initia servata A*   22 ⟨si⟩ in a.
Mueller : si a. *Schoell* : qui a. *Leo* (*A n. l.*)   inducunt *Ital.* : indi-
cunt P, *A n. l.*

et operam et sumptum perdunt ; id eo fit quia
25   nihil ei acceptumst a peiiuris supplici ;   25
facilius si qui pius est a dis supplicans
quam qui scelestust inueniet ueniam sibi.
idcirco moneo uos ego haec, qui estis boni
quique aetatem agitis cum pietate et cum fide :

         *   *   *

30   retinete porro, post factum ut laetemini.   30
nunc huc qua caussa ueni argumentum eloquar.
    primumdum huic esse nomen urbi Diphilus
Cyrenas uoluit.   illic habitat Daemones
in agro atque uilla proxuma propter mare,
35   senex, quí huc Athenis exsul uenit, hau malus ;   35
neque is adeo propter malitiam patria caret,
sed dum alios seruat se impediuit interim,
rem bene paratam comitate perdidit.
huïc filiola uirgo periit paruola.
40   eam dé praedone uir mercatur pessumus,   40
is eam huc Cyrenas leno aduexit uirginem.
adulescens quidam ciuis huiius Atticus
eam uídit ire e ludo fidicinio domum,
amare occepit : ad lenonem deuenit,
45   minis triginta sibi puellam destinat   45
datque arrabonem et iure iurando alligat.
is leno, ut se aequom est, flocci non fecit fidem
neque quod iuratus adulescenti dixerat.
eí erat hospes par sui, Siculus senex
50   scelestus, Agrigentinus, urbis proditor ;   50
is illius laudare infit formam uirginis

---

24 perduunt *cod.*   25 periuriis *P, A n. l.*   26 pius *Merula* :
plus *P, A n. l.*   28 hoc *Fleckeisen*   qui estis *Merula* : questis
ut vid. P (que uestis *P*BC), *A n. l.*   *inter v.* 29 *et v.* 30 *alium habet A*
40–56 *nonnullorum versuum extrema servata A*   42 atticos *P*
49 ⟨namque⟩ ei erat *Ussing* : ei aderat *Schoell*   par sui *Fleckeisen* :
parui *P, A n. l.*

et aliarum itidem quae eius erant mulierculae.
infit lenoni suadere ut secum simul
eat in Siciliam : ibi esse homines uoluptários
55   dicit, potesse ibí eum fieri diuitem,   55
ibi esse quaestum maxumum meretricibus.
persuadet.   nauis clanculum conducitur,
quidquid erat noctu in nauem comportat domo
leno ; adulescenti qui puellam ab eo emerat
60   ait sése Veneri uelle uotum soluere   60
(id hic est Veneris fanum) ét eo ad prandium
uocauit adulescentem huc.   ipse hinc ilico
conscendit nauem, áuehit meretriculas.
adulescenti alii narrant ut res gesta sit,
65   lenonem abiisse.   ád portum adulescens uenit :   65
illorum nauis longe in altum apscesserat.
ego quóniam uideo uirginem asportarier,
tetuli et ei auxilium et lenoni exitium simul :
increpui hibernum et fluctus moui maritumos.
70   nam Arcturus signum sum omnium ⟨unum⟩ acerrumum : 70
uehemens sum exoriens, quom occido uehementior.
nunc ambo, leno atque hospes, in saxo simul
sedent eiecti : nauis confracta est eis.
illa autem uirgo atque altera itidem ancillula
75   de naui timidae desuluerunt in scapham.   75
nunc eas ab saxo fluctus ad terram ferunt
ad uillam illius, exsul ubi habitat senex,
quoius deturbauit uentus tectum et tegulas ;
et seruos illic est eius qui egreditur foras.
80   adulescens huc iam adueniet, quem uidebitis,   80

55 eum] demum *Schoell*   57–201 *deest A*   61 et leno *Mueller*
(*Rhein. Mus.* 54, 532)   63 nauem conscend:t *Camerarius*   auehit
Ital. : auenit *cod.* (N *pro* H)   65 *vel* abiuisse   portum ⟨quom⟩
                                       ei
Fleckeisen   68 et ei *an* et *an* et *incert. cod.*   70 unum *add.*
Seyffert   72 in sa. le. atq. hos. *cod.* : *trai. Reiz, allitteratione*
favente   77 ubi] qui ibi *Bothe*   79 Sed *Luchs*   *vel* illic'st eiius

qui illam mercatust de lenone uirginem.
ualete, ut hostes uostri diffidant sibi.—

ACTVS I

I. i

Pro di inmortales, tempestatem quoiusmodi
Neptunus nobis nocte hac misit proxuma!
detexit uentus uillam—quid uerbis opust?   85
non uentus fuit, uerum Alcumena Euripidi,
5   ita omnís de tecto deturbauit tegulas;
inlustriores fecit fenstrasque indidit.

ii PLESIDIPPVS   SCEPARNIO   DAEMONES

PL. Et uos a uostris abduxi negotiis
neque id processit qua uos duxi gratia   90
neque quiui ad portum lenonem prehendere.
sed mea desidia spem deserere nolui:
5   eo uós, amici, detinui diutius.
nunc huc ad Veneris fanum uenio uisere,
ubi rem diuinam se facturum dixerat.   95
Sc. si sapiam, hoc quod me mactat concinnem lutum.
PL. prope me hic nescioquis loquitur.   DA. heus,
                                         Sceparnio!
10   Sc. qui nominat me? DA. qui pro te argentum dedit.
Sc. quasi me tuom esse seruom dicas, Daemones.
DA. luto usust multo, multam terram confode.   100
uillam integundam intellego totam mihi,
nam nunc perlucet ea quam cribrum crebrius.

---

82 uestiri *cod.* (*corr. B*)   88 inlustriorem *Lambinus, Field* (*Class.
Rev.* 8, 99)   *vel* festrasque   96 *alludit, credo, ad* maccare
'*lutum concinnare.*'   *vix* quod me mactat ego maccem lutum   97
hic *Merula*: hinc *cod.*

Pl. pater salueto, ámboque adeo. Da. saluo' sis. 15

Sc. sed utrum tu masne an femina es, qui illum patrem

105 uoces? Pl. uir sum equidem. Sc. quaere uir porro

patrem.

Da. filiolam ego unam | habui, eam unam perdidi :

uirile sexus numquam ullum habui. Pl. at di dabunt.

Sc. tibi quidem hercle, quisquis es, magnum malum, 20

qui oratione hic occupatos occupes.

110 Pl. isticin uos habitatis? Sc. quid tu id quaeritas?

quon furatum mox uenias, uestigas loca?

Pl. peculiosum esse addecet seruom et probum,

quem ero praesente †praetereat† oratio 25

aut qui inclementer dicat homini libero.

115 Sc. et inpudicum et inpudentem hominem addecet

molestum ultro aduenire ad alienam domum,

quoi debeatur nihil. Da. tace, Sceparnio.

quid opust, adulescens ? Pl. istic infortunium, 30

qui praefestinet, ubi erus adsit, praeloqui.

120 sed nisi molestumst paucis percontarier

uolo ego ex te. Da. dabitur opera atque in negotio.

Sc. quin tu in paludem is exsicasque harundinem

qui pertegamus uillam, dum sudumst? Da. tace. 35

tu si quid opus est dice. Pl. dic quod te rogo,

125 ecquem tu hic hominem crispum, incanum uideris,

malum, peiiurum, palpatorem—Da. plurumos,

nam ego propter eiusmodi uiros uiuo miser.

Pl. hic dico, in fanum Veneris qui mulierculas 40

---

103 *fort.* ⟨Sc. salue⟩ Da. saluos *vel* Da., Sc. saluos 104 tu
masne *Camerarius* : tuasne *cod.* (*pro* tūasne, *i. e.* tumasne) 106
unam ⟨quam⟩ *Seyffert* : *fort.* unicam habebam *Leo* 107 sexus
'*neutro genere*' *testatur Priscianus* 1, 162 ; ' uirile *scriptum videtur pro
genetivo* uirilis' *Leo* 109 o. [nos] hic *cod.* (iv. 2) : nos *del.*
Guietus : *vix ante* occupes *collocand.* (occupătós nos) 111 quon
Leo : an quo *cod.* : *vix* an | Quo (*cum* quaeris ; *cf. ad Pseud.* 978)
nox *Dousa* 112 addecet *Bothe* : decet *cod.* 113 ⟨haud⟩ praetereat
                                                        a
Acidalius : praedeceat *Leo* : *fort.* praetrahat (praetat) 118 opus *cod.*

    duas sécum adduxit, quique adornaret sibi
    ut rém diuinam faciat, aut hodie aut heri.   130
    DA. non hercle, adulescens, iam hos dies complusculos
    quemquam istic uidi sacruficare neque potest
45   clam me esse si qui sacruficat : semper petunt
    aquam hinc aut ignem aut uascula aut cultrum aut ueru
    aut aulam extarem, aut aliquid—quid uerbis opust ?   135
    Veneri paraui uasa et puteum, non mihi.
    nunc interuallum iam hos dies multos fuit.
50   PL. ut uerba praehibes, me periisse praedicas.
    DA. mea quidem hercle caussa saluos sis licet.
    Sc. heus tu qui fana uentris caussa circumis,   140
    iubere meliust prandium ornari domi.
    DA. fortasse tu huc uocatus es ad prandium,
55   ill' qui uocauit nullus uenit ? PL. admodum.
    Sc. nullumst periclum te hinc ire inpransum domum :
    Cererem te melius⟨t⟩ quam Venerem sectarier :   145
    amori haec curat ; tritico curat Ceres.
    PL. deludificauit me ille homo indignis modis.
60   DA. pro di inmortales ! quid illuc est, Sceparnio,
    hominum secundum litus ? Sc. ut mea opiniost
    propter uiam illi sunt uocati ad prandium.   150
    DA. qui ? Sc. quia post cenam, credo, lauerunt heri.
    DA. confracta nauis in mari est illis. Sc. ita est.
65   at hercle nobis uilla in terra et tegulae. DA. hui !
    homunculi quanti estis ! eiecti ut natant !   154-5
    PL. ubi sunt ei homines, opsecro ? DA. hac ad dex-
                                   teram
    (uiden ?) secundum litus. PL. uideo.   sequimini.

132 *vel* isti   142 es uoc. huc *T ut vid.*   143 ille qui *Ital.* :
illu tui *cod.*   145 Cererem *Ital.* : prerem *cod.*   melius *cod.*
sectarier *Camerarius* : spectarier *cod.*   146 amori *Meursius* :
amorem *cod.* (i. 9)   147 illic h. *usitatum*   149 ut *Merula* : aut *cod.*
est opinio *cod.* : *trai. Reiz*   154, 155 natant *Priscianus* 1, 109 : natrant
(narrant *P*BC) *cod.*   156 ei] hi (? i) *cod. ut vid.* (*vix pro* hisce)

utinam is sit quém ego quaero, uir sacerrumus.

ualete.—Sc. si non moneas, nosmet meminimus.   70

160   sed, o Palaemo[n], sancte Neptuni comes,

qui | Herculei socius esse diceris,

quod facinus uideo!   DA. quid uides? Sc. mulier-
                                             culas

uideo sedentis in scapha solas duas.

ut adflictantur miserae! eugae eugae, perbene!   75

165   ab saxo auortit fluctus ad litus scapham

neque gubernator umquam potuit tam bene.

non uidisse undas me maiores censeo.

saluae sunt si illos fluctus deuitauerint.

nunc, nunc periclumst. ⟨unda⟩ eiecit alteram.   80

170   at in uadost, iam facile enabit. eugepae!

uiden alteram illam ut fluctus eiecit foras?

surrexit, horsum se capessit. salua res.

desiluit haec autem altera in terram e scapha.

ut prae timore in genua in undas concidit!   85

175   saluast, euasit ex aqua. iam in litore est.

sed dextrouorsum auorsa it in malam crucem.

hem! errabit illaec hodie. DA. quid id refert tua?

Sc. si ad saxum quo capessit ea deorsum cadet,

179-80   errationis fecerit compendium.   90

DA. si tu de illarum cenaturus uesperi es,

illis curandum censeo, Sceparnio;

si apud méd essuru's [es], mihi darí operam uolo.

Sc. bonum aequomque oras. DA. sequere me hac
                         ergo.—Sc. sequor.—

---

161 sociennus *Pareus*: *vix* consocius (c̄socius) ⟨tu⟩que, Hercules, ⟨qui eius⟩ socius *Leo*   168 deuitauerint *Pylades*: deuitauerunt *cod.* (?*forma antiqua*)   169 unda *add. Guietus*   170 eugepace *cod.*   171 *secl. Sonnenschein*   176 it⟩ est *codd. Prisciani* 2, 75   178 cadet (*T*) *vel* cadit (*P*BC) *cod.*   181 si *Merula*: sit *cod.*   uesperi es *Camerarius*: ueperies *cod.*   183 essurus es (*T*) *vel* essurus (*i.e.* -u's?) (*P*BC) *cod.*

iii   Palaestra

   Nimio hominum fortunae minus miserae memorantur   185
      quam in usu, experiundó is datur acerbum.
   ⟨satin⟩ hoc deo complacitumst, med hoc ornatu ornatam
      in incertas regiones timidam eiectam?
5   hancine ego ad rem natam miseramme memorabo? han-
      -cine ego partem capio ob pietatem praecipuam?   190
      nam hoc mi sat laborist laborem hunc potiri,
      si | erga parentem aut deos me inpiaui ;
      sed id si parate curaui ut cauerem,
10   tum | hoc mi indecoré, inique, inmodeste
      dati' di ; nam quid habebunt sibi signi inpii pósthac,   :95
      si ad hunc modum est innoxiis honor apud uos?
          nam me si sciam
        fecisse aut parentes sceleste, minus me miserer ;   197ª
15 sed erile scelus me sollicitat, eiius me inpietas male habet.
        is nauem atque omniá perdidit in mari :
      haec bonorum eiiu' sunt reliquiaé ; etiam quae simul   200
      uecta mecum in scaphast excidit. ego nunc sola sum.
        quae mihi si foret salua saltem, labor
20   lenior esset hic mi eiius opera.
      nunc quam spem aut opem aut consili quid capessam?
      ita hic sola solis locis compotita   2c5
        [sum]. hic saxa sunt, hic mare sonat,
        neque quisquam homo mi obuiam uenit.   206ª

186 usu *Seyffert* (*Berl. Phil. Woch.* 17, 796) : uisu *cod.*   188–9
vel eiec-|-tam hancine   191 sat *Mueller* (*Rhein. Mus.* 54, 533) :
aut *cod.*   192 ⟨ego⟩ erga *Mueller* (*Rhein. Mus.*
54, 533)   parentis *Fleckeisen*   me ante erga *colloc. Bothe*   194
mi hoc *Fleckeisen*   195 sibi signi *Leo* : sibigni *cod.*   197 sciam
⟨umquam⟩ *Schoell metri causa* : s. ⟨in uos⟩ *Leo*   197ª sceleste
parentis *B*   me miserer *Camerarius* : mei miserer *cod.*, *vix recte* :
mei misererer *Ital.*   198 *vel* eius med   202 *accedit A*, 202-6
paucissima in initiis servata, 207-10 *umbrae tantum*, 211-16 *item pau-*
cissima   204 numquam *P*   205 *aut versus longior fuit aut*
sequebatur alter in A (*cf. ad* 215) sola *om. P*   206 sum *del. Pylades*,
metro consulens (*A n. l.*)

*   *   *

hoc quod induta sum, summae opes oppido,   25
nec cibo nec loco tecta quo sim scio :
quae mihist spes qua me uiuere uelim ?
210   nec loci gnara sum nec †diu† hic fui.
saltem | aliquem uelim qui mihi ex his locis
    aut uiam aut semitam monstret, ita nunc   30
hac an illac eam incerta sum consili ;
nec prope usquam hic quidem cultum agrum conspi-
                                    cor.
215   algor, error, pauor, me omnia tenent.
haec parentes mei hau sciti' miseri
216ᵃ   me nunc miseram esse ita uti sum :   35
leibera ego prognata fui maxume, nequiquam fui.
nunc qui minu' seruio quasi serua forem nata ?
neque quicquam umquam illis profuit qui me sibi eduxerunt.

Aᴍᴘᴇʟɪsᴄᴀ   Pᴀʟᴀᴇsᴛʀᴀ   iv

220 Aᴍ. Quid mihi meliust, quid magis in remst, quam a cor-
                    pore uitam ut secludam ?
ita male uiuo atque ita mihi multae in pectore sunt curae
                    exanimales.
ita res se habént : uitae hau parco, perdidi spem qua me
                    oblectabam.
omnia iam circumcursaui atque omnibu' latebris perreptaui
quaerere conseruam, uoce, oculis, auribus ut peruestigarem. 5
225 neque eam usquam inuenio neque quo eám neque qua quae-
                    ram consultumst,

inter 206ᵃ *et* 207 (?) *intercedebant duo versus A*   208 freta (?) *Leo*
210 diu] uidi aut *Leo* : etiamdum *Seyffert*   211 al'quem saltem
Schoell, ut integer tetrameter fiat   213 incerta sum *Gruterus* :
(incerta)s — *A* : incerta (-tam Pᶜᴰ *cod.* (? *pro* incertaš, *i. e.* inc. sum)
215 *om. A, nisi quidem post* 205 *aut* 206ᵃ *stetit* (ii. 6)   216ᵃ *ita*
om. Pᶜᴰ, *A n. l.*   217 ego *om. A*   218 quam si *codd.* (*A incert.*)
219 illis] iis (his *B*) *P, unde* n. q. numquam is *Habich*   220 a *om. P*
vel uti : *om. P*   221 exanimabiles *A*   222 se] ipsae *P ut vid.*
223 omnibus in latebris *P*   224 querire *P*   oculisque *A*   225
Nequeam *P*

neque quem rogitem responsorem quemquam interea con-
uenio,

neque magi' solae terrae solae sunt quam haec loca atque
hae regiones ;

neque, si uiuit, eam uiua umquam quin inueniam desistam.

10

> PA. quoianam uox mihi
> prope hic sonat?   229ª
>
> AM. pertimui, quis hic loquitur prope?   230
>
> PA. Spes bona, opsecro,
> subuenta mihi,   231ª

15

> AM. eximes ex hoc miseram metu ?

PA. certo uox muliebrís auris tetigit meas.

AM. mulier est, muliebris uox mi ad auris uenit.

PA. num Ampelisca opsecrost? AM. ten, Palaestra, audio? 235

PA. quin uoco ut me audiat nomine illam suo?

20

Ampelisca ! AM. hem quis est? PA. ego Palaestra.

AM. dic ubi es? PA. pol ego nunc in malis plurumis.

AM. socia sum nec minor pars meast quam tua.

sed uidere expeto te. PA. mihi es aemula.   240

AM. consequamur gradu uocem. ubi es? PA. ecce me.

25

accede ad me atque adi contra. AM. fit sedulo.

PA. cedo manúm. AM. accipé. PA. dic, uiuisne?
opsecro.

AM. tu facis me quidem uiuere ut nunc uelim,

quom mihi te licet tangere. ut uix mihi   245

credo ego hoc, te tenere ! opsecro, amplectere,

30

spes mea. ut me omnium iam laborum leuas !

---

226 inuenio *P* (v. 4)   227 *vel* mage   sunt q. h. sunt l. *A*
228 uiuam numquam *P*   229ª-32 *nihil omnino legi potest, vv.*
233-45 *initia tantum A*   229 quianam *P*   232 exime *Pylades*
234 *inter* 231ª *et* 232 *P*   237 palaēst *P* (palam est *P*ᶜᴰ), *A n. l.*
(*i. e.* Palaestra)   *supplet* ⟨ecce me⟩ *Leo,* ⟨AM. opsecro⟩ *Seyffert,*
ut cretic. tetram. fiat (*A n. l.*)   244 ut uiuere *P, A n. l. : trai. Reiz,*
metri causa   245 quam *P*   247-60 *paucissima servata extremo-*
rum versuum (248-52 *nihil*) *A*

Pa. occupas praeloqui quae mea oratiost.
nunc abire hinc decet nos.   Am. quo, amabo, ibimus?
250 Pa. litus hoc persequamur.   Am. sequor quo lubet.
sicine hic cum uuida ueste grassabimur?
Pa. hoc quod est, id necessarium est perpeti.   35
   sed quid hoc, opsecro, est? Am. quid? Pa. uiden, amabo,
   fanum [uidesne] hoc? Am. ubi est? Pa. ad dexteram.
255   Am. uideo decorum dis locum uiderier.
Pa. hau longe abesse oportet homines hinc, ita hic lepidust
locus.

quisquis est deu', ueneror ut nos ex hac aerumna eximat, 40
miseras, inopes, aerumnosas ut aliquo auxilio adiuuet.

Ptolemocratia   Palaestra   Ampelisca v

Pt. Qui sunt qui a patrona preces mea expetessunt?
260 nam uox me precantum huc foras excitauit.
bonam atque opsequentem deam atque hau grauatam
patronam exsequontur benignamque multum.
Pa. iubemus te saluere, mater.   Pt. saluete,   5
   puellae.   sed und' uos
265   ire cum uuida ueste dicam, opsecro,
265a   tam maestiter uestitas?
Pa. ilico hinc imus, hau longule ex hoc loco;
uerum longe hinc abest unde aduectae huc sumus.   10
Pt. nempe equo ligneo per uias caerulas

248 mest oratio P, A n. l. (pro meast or.): corr. Pylades, Reiz (cf.
ad Merc. 230)   249 quo elisionem vocalis patiens displicet   251
hie cum uiuo aueste P, A n. l. : corr. Saracenus : hic in umida ueste
codd. Macrobii de verb. diff. G. L. 5, 652 K   254 uidesne del. Baier
(A n. l.) (cf. v. 253; iv. 1)   257 vel uti (iamb. octonar.)   exigat A
259 precés m(ea) éx. non omnino placet, multo minus precés mé(a) éx.
261–481 deest A   265a m. ueste uestitas codd. Nonii 511   266
aut longula ex cod   268 equo Ital.: et quo (et quod B) cod.
caeruleas cod., contra metrum

    estis uectae? Pa. admodum. Pt. ergo aequius uos

                                    erat

    candidatas uenire hostiatasque : ad hoc   270

    fanum ad istunc modum non ueniri solet.

15   Pa. quaene eiectae e mari simus ambae, opsecro,

      unde nos hostias agere uoluisti | huc?

      nunc tibi amplectimur genua egentes opum,

      quae in locis nesciis nescia spe sumus,   275

      ut tuo recipias tecto seruesque nos

20   miseriarumque te ambarum uti misereat,

    quibus nec locust ullus nec spes parata,

    neque hoc amplius [quam] quod uides nobis quicquamst.

    Pt. manus mi date, exsurgite a genibus ambae.   280

    misericordior nulla me est feminarum.

25   sed haec pauperes res sunt inopes[que], puellae :

   egomet uix uitam colo ; Veneri cibo meo séruio.

         Am. Veneris fanum, opsecro, hoc est?

    Pt. fateor. ego huius fani sacerdos clueo.   285

     uerum quidquid est comiter fiet a me,

30   quo nunc copiá ualebit.

    ite hac mecum. Pa. amice benigneque honorem,

    mater, nostrum habes.—Pt. oportet.—

ACTVS II

II. i   Piscatores

Omnibu' modis qui pauperes sunt homines miseri uiuont,   290

---

272 quae nec *cod.* (*corr. B²*)   simus *Bentley* : sumus *cod.*   273
uoluistis *Hermann*   huc *non addit cod.* *Charisii* 224   274 tibi
iam plectim'ur *cod.*   278 locus *et* parata est *cod.* : *corr. Reiz*
(*cf. ad Merc.* 330)   locus nullus n. s. parata est *Spengel*   279
quam *del. Reiz, nam* uidĕs *in versu bacchiaco displicet*   quot uidens
nobis qui quast *cod.*   282 inopes *Hermann* : *vix* inopesq' (*potius*
puĕllae)   283 egomet ⟨meam⟩ *Fleckeisen* ·*t metrum iambicum fiat*
ueniri *cod.*   seruiuo *cod.* (*corr. D¹*)

praesertim quibu' nec quaestus est neque didicere artem
ullam :
necessitate quidquid est domi id sat est habendum.
nos iam de ornatu propemodum ut locupletes simus scitis :
hisce hami atque haec harundines sunt nobis quaestu et 5
cultu.
295 cottidie ex urbe ad mare huc prodimus pabulatum :
pro exercitu gymnastico et palaestrico hoc habemus ;
echinos, lopadas, ostreas, balanos captamus, conchas,
marinam urticam, musculos, plagusias striatas ;
postid piscatum hamatilem et saxatilem adgredimur.   10
300 cibum captamus e mari : si euentus non euenit
neque quicquam captumst piscium, salsi lautique pure
domum redimus clanculum, dormimus incenati.
atque ut nunc ualide fluctuat mare, nulla nobis spes est :
nisi quid concharum capsimús, incenáti sumu' profecto.   15
305 nunc Venerem hanc ueneremur bonam, ut nos lepide
adiuerit hodie.

TRACHALIO   PISCATORES   ii

TR. Animum aduorsaui sedulo ne erum usquam praeter-
irem ;
nam quom modo exibat foras, ad portum se aibat ire,
me huc obuiam iussit sibi uenire ad Veneris fanum.
sed quos perconter commode eccos uideo astare. adibo.
310 saluete, fures maritumi, conchitae atque hamiotae,   5
famelica hominum natio. quid agitis ? ut peritis ?

---

291 neque] nec *cod.* edidicere *Marx* nullam *Spengel*   294 hae
(*pro* haec ? i. 9) har. (*P*ᴮᶜ) *vel* his har. (*T ut vid.*) *cod.*   295
cotidie *cod. ut vid.* ('*libri veteres*' *Lambini*) (*P*ᴮᶜ *n. l.*)   296 pale-
stricum *cod.*   297 balano *cod.*   299 aggredimur *Merula* : atgredi-
tur *cod. ut vid.* (i. e. adgr.), *vix recte*   300 euenit *Bothe* : uenit *cod.*
303 ut *om. B*   304 concharum *Ital.* : conclarum *cod.* (*vix Plauti-*
num ; *cf. Class. Rev.* 6, 88)   cenati *Reiz fort. recte* (*cf.* 302)   306
animum *Dissaldeus* : animo *cod.*   309 eccons (eccon ?) *ut vid. cod.*
(eccons *P*ᶜᴰ : ecconis *T* : eccon si *B*) (*cf. ad Pers.* 471)   adibo *Ital.* :
adito *cod.*

Pɪ. ut piscatorem aequomst, fame sitique speque falsa.

Tʀ. ecquem | adulescentem huc, dum | hic astatis, expe-
dite,

uidistis ire strenua facie, rubicundum, fortem,

10 qui tris semihomines duceret chlamydatos cum machaeris? 315

Pɪ. nullum istac facie ut praedicas uenisse huc scimus. Tʀ.
ecquem

recaluom ad Silanum senem, statutum, uentriosum,

tortis superciliis, contracta fronte, fraudulentum,

deorum odium atque hominum, malum, mali uiti probrique
plenum,

15 qui duceret mulierculas duas sécum sati' uenustas?   320

Pɪ. cum istiusmodi uirtutibus operisque natus qui sit,

eum quídem ad carnuficem est aequius quam ad Venerem
commeare.

Tʀ. at si uidistis, dicite. Pɪ. huc profecto nullus uenit.

uale.—Tʀ. ualete. credidi: factum est quod suspicabar,

20 data uerba ero sunt, leno abît scelestus exsulatum,   325

in nauem ascendit, mulieres auexit: hariolus sum.

is huc erum etiam ad prandium uocauit, sceleris semen.

nunc quid mi meliust quam ilico hic opperiar erum dum
ueniat?

eadem, sacerdos Veneriá haec si quid amplius scit,

25 si uidero, exquisiuero: faciet me certiorem.   330

iii   Aᴍᴘᴇʟɪꜱᴄᴀ   Tʀᴀᴄʜᴀʟɪᴏ

Aᴍ. Intellego: hanc quae proxumast ⟨tu⟩ uillam Veneris
fano

313 *vix* ecquis   314 uidistis eire *Seyffert*: uidisti seni (-tis
uenientem *T*) *post* machaeris *cod.*: traieci (ii. 5)   315 secum
homines *Mitscherlich* (sēi- *pro* sēc-)   macheriis *cod.*   317 ac (at *cod.*)
silanum *Leo post Ital.*: ut S. *Pradel de praepos.* p. 482   318 *vel*
contracto (i. 9)   319 male malum *Schoell*   321 siet *cod.* (*vix
disyll., unde fiat octonarius*)   324 quo *cod.*   329 hanc sacerdos
Veneria *cod.*: *corr. Leo*   331 ⟨tu⟩ uillam *Schoell* (iii. 3): ⟨me⟩
uillam *post Camerarium Bentley*

pulsare iussisti atque aquam rogare. TR. quoia ad auris
uox mi aduolauit? AM. opsecro, quis hic lóquitur? TR.
quém ego uideo?
estne Ampelisca haec quae foras e fano egreditur? AM.
estne hic
335 Trachalio quem conspicor, calator Plesidippi? 5
TR. east. AM. is est. Trachalio, salue. TR. salue, Ampelisca.
quid agis tu? AM. aétatem hau malam male. TR. mélius
ominare.
AM. uerum omnis sapientis decet conferre et fabulari.
sed Plesidippus tuos erus ubi, amabo, est? TR. heia uero,
340 quasi non sit intus! AM. neque pol est neque huc quidem 10
ullus uenit.
TR. non uenit? AM. uera praedicas. TR. non est meum,
Ampelisca.
sed quam mox coctum est prandium? AM. quod prandium,
opsecro te?
TR. nemp' rem diuinam facitis hic. AM. quid somnias,
amabo?
TR. certe huc Labrax ad prandium uocauit Plesidippum
345 erum meum eru' uoster. AM. pol hau miranda facta dicis: 15
si deos decepit et homines, lenonum more fecit.
TR. non rem diuinam facitis hic uos neque erus? AM.
hariolare.
TR. quid tu agis hic igitur? AM. ex malis multis metuque
summo
capitalique ex periculo orbas auxilique opumque huc
350 recepit ad se Veneria haec sacerdos me et Palaestram. 20
TR. an hic Palaestrast, opsecró, eri mei amica? AM. certo.

332 atquaquam *cod.*   cuia *Merula* : cui *cod.*   333 q. e. u.
Ampeliscae continuant alii   337 tu agis *Bothe*   mala male *B*
338 conferre] ⟨et⟩ colere *Lange*   344 plesidippum uocauit ad
prandium *ut uid. cod.* : *trai. Reiz*   348 hic *om. B*   350 recipit
cod.   351 ameica *B*

22*

TR. inest lepos in nuntio tuo mágnus, mea Ampelisca.
sed istúc periclum perlubet quod fuerit uobis scire.
AM. confracta est, mi Trachalió, hac nocte nauis nobis.
25 TR. quid, nauis? quaé istaec fabulast? AM. non audiuisti, 355
                                                            amabo,
quo pacto leno clanculum nos hinc auferre uoluit
in Siciliam et quidquid domi fuit ín nauem imposiuit?
ea nunc perierunt omnia.   TR. oh, Neptune lepide, salue!
nec te aleator nullus est sapientior; profecto
30 nimi' lepide iecisti bolum: periurum perdidisti.   360
sed nunc ubi est leno Labrax? AM. periit potando, opinor:
Neptunus magnis poculis hac nocte eum inuitauit.
TR. credo hercle anancaeo datum quod biberet.   ut ego
                                                       amo te,
mea Ampelisca, ut dulcis es, ut mulsa dicta dicis!
35 sed tu et Palaestra quomodo saluae estis? AM. scibis faxo. 365
⟨de⟩ naui timidae ambae in scapham insiluimus, quia uide-
                                                            mus
ad saxa nauem ferrier; properans exsolui restim,
dum illi timent; nos cum scapha tempestas dextrouorsum
differt ab illis.   itaque nos uentisque fluctibusque
40 iactatae exemplis plurumis miserae perpetuam noctem;   370
uix hodie ad litus pertulit nos uentus exanimatas.
TR. noui, Neptunus ita solet, quamuis fastidiosus
aedilis est: si quae inprobae sunt merces, iactat omnis.
AM. uae capiti atque aetati tuae! TR. tuo, mea Ampe- 374-5
                                                    lisca,—
45 sciui lenonem facere ⟨ego⟩ hoc quod fecit; saepe dixi;
capillum promittam optumumst occipiamque hariolari.
AM. cauistis ergo tú atque erus ne abiret, quom scibatis?

   359 ne te *Fleckeisen*   361 *fort.* ubi nunc   *vel* opino   362
Neptuneus *B*   365 Scitu (-ta *B*) *cod* (*corr. C²*)   366 de
naui *Fleckeisen* : nauis *cod.*   371 nos *om. B*   376 faxere
Sonnenschein   ego *add. Pylades* : ero *Schoell*

Tr. quid faceret? Am. sí amabat, rogas, quid faceret?
adseruaret

380 dies nóctesque, in custodia esset semper. uerum ecastor
ut multi fecit ita probe curauit Plesidippus.   50
Tr. qur tu istuc dicis? Am. res palam est. Tr. scin tu?
etiam qui it lauatum
in balineas, quom ibi sedulo sua uestimenta seruat,
tamen súrrupiuntur, quippe qui quem illorum opseruet
falsust ;

385 fur facile quem opseruat uidet : custos qui fur sit nescit.
sed duce me ad illam ubi est. Am. i sane in Veneris fanum 55
huc intro,
sedentem flentemque opprimes. Tr. ut iám istuc mihi
molestumst !
sed quid flet? Am. ego dicam tibí : hoc sese excruciat
animi,
quia leno ademit cistulam ei quam habebat ubique habebat

390 qui suos parentes nosceré posset : eam ueretur
ne perierit. Tr. ubinam ea fuit cistellula? Am. ibidem 60
in naui.
conclusit ipse in uidulum, ne copia esset eiius
qui suos parentes nosceret. Tr. o facinus inpudicum,
quam liberam esse oporteat seruire postulare !

395 Am. nunc eam cum naui scilicet abiisse pessum in altum.
et aurum et argentum fuit lenonis omne ibidem.   65
Tr. credo aliquem immersisse atque eum excepisse. Am.
id misera maestast
sibi eorum euenisse inopiam. Tr. iam istoc magis usus
factost
ut eam intro consolerque eam, ne sic se excruciet animi ;

400 nam multa praeter spem scio multis bona euenisse.

384 obseruatur (? -at) B (cf. 385)   385 qui obs. Goetz   386
illam. Am. i sane — Tr. ubist? Am. in (?) Leo   392 ei Luchs
395 eum Bentley   399 ut Camerarius : ne cod.   se sic cod. :
trai. Guietus

70 Am. at ego étiam, qui sperauerint spem decepisse multos.
   Tr. ergo animus aequos optumum est aerumnae condi-
                                              mentum.
   ego eo intro, nisi quid uis.—Am. eas.   ego quod mihi
                                              imperauit
   sacerdos, id faciam atque aquam hinc de proxumo rogabo;
   nam extemplo, si uerbis suis peterem, daturos dixit.   405
75 neque digniorem censeo uidisse anum me quemquam
   quoi deos atque homines censeam bene facere magi' de-
                                              cere.

   ut lepide, ut liberaliter, ut honeste atque hau grauate
   timidas, egentis, uuidas, eiectas, exanimatas
   accepit ad sese, hau secus quam si ex se simus natae !   410
80 ut eapse ⟨sic⟩ succincta aquam calefactat, ut lauemus !
   nunc, ne morae illi sim, petam hinc aquam unde mi
                                              imperauit.
   heus ecquis in uíllast ? ecquis hoc recludit ? ecquis prodit?

iv   Sceparnio   Ampelisca

   Sc. Quis est qui nostris tam proterue foribus facit iniuriam ?
   Am. ego sum.   Sc. hem ! quid hoc boni est ? eu edepol 415
                                       specie lepida mulierem !
   Am. salue, adulescens.   Sc. et tu multum salueto, adule-
                                              scentula.
   Am. ad uos uenio.   Sc. accipiam hospitio, si mox uenies
                                              uesperi,
 5 item ut adfectam ; nam nunc nihil est qui te mane munerem.
   sed quid ais, mea lepida, hilara ? Am. aha ! nimium fami-
                                              liariter

405 exemplo siue uer. *cod. ut vid.* : *corr. Ital.*   407 *vel* mage
410 accipit *cod.*   411 ea spe *cod.*   sic *add. Camerarius*   412
mora *P*BC, *unde* ⟨in⟩ mora *Mueller* (*Rhein. Mus.* 54, 400)   *vel*
und' mihi   415 mulierem *Dousa* : mulier *cod.*   418 mane
munerem *Hildebrand* : mane mulierem *cod. ut vid.* : inanem munerem
Ellis   419 hilara lepida *Fleckeisen*, *nam* meá lepida *vix placet*

420 me attrectas. Sc. pro di inmortales! Veneris effigia haec
                                            quidem est.

ut in ocellis hilaritudo est, heia, corpus quoiusmodi,
subuolturium—illud quidem, 'subaquilum' uolui dicere—,
uel papillae quoiusmodi, tum quae indoles in sauiost!   10
Am. non ego sum pollucta pago. potin ut me apstineas
                                            manum?

425 Sc. non licet †te sic placide bellam† belle tangere?
Am. otium ubi erit, tum tibi operam ludo et deliciae dabo;
nunc quam ob rem huc sum missa, amabo, uel tu mi aias
                                            uel neges.

Sc. quid nunc uis?   Am. sapienti ornatus quid uelim 15
                                            indicium facit.

Sc. meu' quoque hic sapienti ornatus quid uelim indicium
                                            facit.

43⌐ Am. haec sacerdos Veneris hinc me petere aquam iussit
                                            ⟨sibi⟩.

Sc. at ego basilicus sum: quem nisi oras guttam non feres.
nostro illum puteum periclo et ferramentis fodimus.
nisi multis blanditiis a me gutta non ferri potest.   20
Am. qur tu aquam grauare, amabo, quam hostis hosti com-
                                            modat?

435 Sc. qur tu operam grauare mihi quam ciuis ciui commodat?
Am. immo etiam tibi, mea uoluptas, quae uoles faciam
                                            omnia.

Sc. eugepae! saluos sum, haec iam me suam uoluptatem
                                            uocat.

dabitur tibi aqua, ne nequiquam mé ames. cedo mi urnam. 25
                                            Am. cape.

propera, amabo, ecferre. Sc. manta, iam hic ero, uoluptas
                                            mea.—

---

425 te] saltem *Leo*   placidule *Fleckeisen*   *fort.* belliatam belle
430 sibi (?) *Leo* : a uobis *cod.* (*marg. gloss. in* hinc?)   a uobis iussit
petere aquam *Ussing*   432 nostro *Ital.* : nos pro *cod.*

AM. quid sacerdoti me dicam hic demoratam tam diu?   440
ut etiam nunc misera timeo ubi oculis intueor mare!

    sed quid ego misera uideo procul in litore?   442-5(
30   meum erum lenonem Siciliensemque hospitem,
    quos periisse ambos misera censebam in mari.
    iam illud mali plus nobis uiuit quam ratae.
    sed quid ego cesso fugere in fanum ac dicere haec
    Palaestrae, in aram ut confugiamus priu' quam huc   455
35   scelestus leno ueniat nosque hic opprimat?
    confugiam huc, ita res suppetit, subita uia.

V   S C E P A R N I O

Pro di inmortales! in aqua numquam credidi
uoluptátem inesse tantam.   ut hanc traxi lubens!
nimio minus altus puteus uisust quam prius.   460
ut sine labore hanc extraxi! praefiscine!
5   sati' nequam sum, utpote qui hodie amare inceperim.
    em tibi aquam, mea tu belliata.   em sic uolo
    te ferre honeste ut ego fero, ut placeas mihi.
    sed ubi tu es, delicata? cape aquam hanc sis. ubi es? 465
    amat hercle me, ut ego opinor.   delituit mala.
10   ubi tu es? etiamne hanc urnam acceptura's? ubi es?
    commodule meliust.   tandem uero serio,
    etiam acceptura es urnam hanc? ubi tu es gentium?
    nusquam hercle equidem illam uideo.   ludos me facit. 470
    adponam hercle urnam iám ego hanc in media uia.
15   sed autem, quid si hanc hinc apstulerit quispiam,
    sacram urnam Veneris? mi exhibeat negotium.
    metuo hercle ne illa mulier mi insidias locet,

   440 demoratum *Mueller*   453 *vel* illuc   plus mali *cod.*: *trai.*
Camerarius   455 prius *ante* in *collocat Schoell, nam neque* prīu'
qu(am) *nec* quam | huc *satis placent* (*cf.* 494)   457 res (*P*BC) *vel*
me (mi?) (*T*) *cod.*   subita uia *scripsi dubitanter*: subita ueniam *ut
vid. cod.*: subitaria *Ussing*   461 praeficiscine *cod.*   462 satin
Bothe   utprote *cod.*   inceperim amare *cod.*: *trai. Pylades
fort.* hodie ut póte qui   466 *vel* opino   468 melius *cod.*

475   ut comprehendar cum sacra urna Veneria.
       nempe optumo ⟨me⟩ iure in uinclis enicet
       magistrátus si quis me hanc habere uiderit.   20
       nam haec litteratast, eapse cantat quoia sit.
       iam hercle euocabo hinc hanc sacerdotem foras,
480   ut hanc accipiat urnam.   accedam huc ad fores.
       heus, Agasi Ptolemocratia, cápe hanc urnam tibi :
       muliercula hanc nescioquae huc ad me detulit.   25
       intro ferundast.   repperi negotium,
       siquidem mihi his ultro adgerunda etiam est aqua.—

              LABRAX   CHARMIDES   vi

485   LA. †Qui homo sese miserum et mendicum uolet†,
       Neptuno credat sese atque aetatem suam :
       nam si quis cúm eo quid rei commiscuit,
       ad hoc exemplum amittit ornatum domum.
       edepol, Libertas, lepida es quae numquam pedem   5
490   uoluisti in nauem cum Hercule una imponere.
       sed úbi ille meus est hospes qui me perdidit ?
       atque eccum incedit ! CH. quo malum properas,
                                                       Labrax ?
       nam equidem te nequeo consequi tam strenue.
       LA. utinam te priu' quam oculis uidissem meis   10
495   malo cruciatu in Sicilia perbiteres,
       quem propter hoc mihi optigit misero mali.
       CH. utinam, quom in aedis me ad te adduxisti ⟨domum⟩,
       in carcere illo potius cubuissem die.
       deosque inmortalis quaeso, dum uiuas, uti   15

       476 me *add. Camerarius*   481 Agasi] exi *Seyffert*   482
accedit A ; 482-98 *paucissima in initiis servata*   484 his mihi *P,
A n. l.* : *trai. Reiz* (*sed cf. Kaempf* '*pron. pers.*' p. 28)   485 sesse
P (*pro* se esse *vel* sese esse ?), *A n. l.* : ⟨hominem⟩ sese *Bothe*
490 unam *B* (vii. 4), *A n. l.*   494 ⟨hisce⟩ oculis *Marx, nam
neque* prîus *neque* quam | oculis *satis placent* (*cf.* 455)   495 siciliam
P, A n. l. : *corr. Camerarius*   497 domum *add. Mueller* (*Rhein.
Mus.* 54, 533) (*A n. l.*) : ⟨tuas⟩ *Camerarius*   499-516 *paucissima
in extremis versibus servata A*

omnis tui símilis hospites habeas tibi.   500

LA. Malam Fortunam in aedis te adduxi meas.

quid mihi scelesto tibi erat auscultatio?

quidue hinc abitio? quidue in nauem inscensio?

20   ubi perdidi etiam plus boni quam mihi fuit.

CH. pol minime miror nauis si fractast tibi,   505

scelu' té et sceleste parta quae uexit bona.

LA. pessum dedisti me blandimentis tuis.

CH. scelestiorem cenam cenaui tuam

25   quam quae Thyestae quondam aut posita est Tereo.

LA. perii! animo male fit.   contine quaeso caput.   510

CH. pulmoneum edepol nimi' uelim uomitum uomas.

LA. eheu! Palaestra atque Ampelisca, ubi esti' nunc?

CH. piscibus in alto, credo, praebent pabulum.

30   LA. mendicitatem mi optulisti opera tua,

dum tuis ausculto magnidicis mendaciis.   515

CH. bonam est quod habeas gratiam merito mihi,

qui te ex insulso salsum feci opera mea.

LA. quin tu hinc is a me in maxumam malam

                                 crucem?

35   CH. eas.   easque res agebam commodum.

LA. eheu! quis uiuit me mortalis miserior?   520

CH. ego multo tanta miserior quam tu, Labrax.

LA. qui?   CH. quia ego indignus sum, tu dignus qui

                                   sies.

LA. o scirpe, scirpe, laudo fortunas tuas,

40   qui semper seruas gloriam aritudinis.

CH. equidem me ad uelitationem exerceo,   525

nam omnia corusca prae tremore fabulor.

LA. edepol, Neptune, es balineator frigidus:

---

500 tui *Ital.* : lui *P, A n. l.*   503 abito *P, A n. l.*   505
tibi *Ital.* : ibi *P, A n. l.*   509 aut posita *Nettleship* : anteposita
P, A n. l. (*vix* ant'posita)   518 eis *A* (*antiqua forma*)   521
tanto *B²* (*sed cf. ad Men.* 680)   526 teremore *A, vix recte* (*cf.*
ad v. 528)

cum uestimentis postquam aps te abii, algeo.

CH. ne thermopolium quidem ullum | instruit,   45

530   ita salsam praehibet potionem et frigidam.

LA. ut fortunati sunt fabri ferrarii

qui apud carbones adsident! semper calent.

CH. utinam fortuna nunc anetina | uterer,

ut quom exiissem | ex aqua, arerem tamen.   50

535   LA. quid si aliquo ad ludos me pro manduco locem?

CH. quapropter? LA. quia pol clare crepito dentibus.

CH. iure optumo me †lauisse† arbitror.

LA. qui? CH. quia ¡ auderem tecum in nauem
                                    ascendere,

qui a fundamento mi usque mouisti mare.   55

540   LA. tibi auscultaui, tu promittebas mihi

illi esse quaestum maxumum meretricibus,

ibi me conruere posse aiebas ditias.

CH. iam postulabas te, inpurata belua,

totam Siciliam deuoraturum insulam?   60

545   LA. quaenam ballaena méum uorauit uidulum,

aurum atque argentum ubi omne compactum fuit?

CH. eadem illa, credo, quae meum marsuppium,

quod plenum argenti fuit in sacciperio.

LA. eheu! redactus sum usque ad unam hanc tuniculam 65

550   et ad hoc misellum pallium.   perii oppido!

CH. uel consociare mihi quidem tecum licet:

aequas habemus partis. LA. saltem si mihi

mulierculae essent saluae, spes aliquae forent.

---

528 Quom *A* (*antiqua forma*)   al-algeo *Seyffert, qui passim hic dentes crepitantes syllabas explevisse suspicatur.   sed* aps té abii *satis placet* 529 *vel* nullum   *vel* in-instruit (*cf. ad v.* 528)   533 *vix* anātina *vel* ut-uterer (*cf. ad v.* 528)   534 *vel* uti quom exiuissem   *vel* ut quom exissem (*ita codd.*) ex aqu-aqu-aqua ar-arerem t. (*cf. ad v.* 528) 535 *vel dele* LA.   536 CH.] *vel* LA.   LA.] *vel* CH.   537 la-la-lauisse *Seyffert* (*cf. ad v.* 528): elauisse *Fleckeisen*   538 quia] qui *A* : *vel* qui-quia (*cf. ad v.* 528)   *vel* auiderem (*cf. Skutsch in Satura Via-drina*, p. 24)   544 deuortaturum *P* (*corr. B*²)   551 consciare *P*

70   nunc si me adulescens Plesidippus uiderit,
        quo ab arrabonem pro Palaestra acceperam,   555
        iam is exhibebit hic mihi negotium.
        Cн. quid, stulte, ploras? tibi quidem edepol copiast,
        dum lingua uiuet, qui rem soluas omnibus.

vii   Sceparnio   Labrax   Charmides

      Sc. Quid illuc, opsecro, negoti quod duae mulierculae
      hic in fano Veneris signum flentes amplexae tenent,   560
      nescioquem metuentes miserae? nocte hac aiunt proxuma
      se iactatas atque eiectas hodie esse aiunt e mari.
   5 La. opsecro hercle, adulescens, ubi istaec sunt quas memoras
                                 mulieres?
      Sc. hic in fano Veneris. La. quot sunt? Sc. totidem
                            quot ego et tu sumus.
      La. nemp' meae? Sc. nemp' nescio istuc. La. qua sunt 565
                            facie? Sc. scitula.
      uel ego amare utramuis possum, si probe adpotus siem.
      La. nemp' puellae? Sc. nemp' molestus es. i uise, si lubet.
  10 La. meas oportet intus esse hic mulieres, mi Charmides.
      Cн. Iuppiter te perdat, et si sunt et si non sunt tamen.
      La. intro rumpam iam huc in Veneris fanum.—Cн. in 570
                        barathrum mauelim.
      opsecro, hospes, da mihi aliquid ubi condormiscam loci.
      Sc. istic ubi uis condormisce; nemo prohibet, puplicum est.
  15 Cн. at uides me ornatus ut sim uestimentis uuidis:
      recipe me in tectum, da mihi uestimenti aliquid aridi
      dum arescunt mea; in aliquo tibi gratiam referam loco.   575

---

    555 a quo *P*   arrabone *A*   556 iam sexhibebit *P*   559
illuc est (*i. e.* illuc'st?) obsecro negotii *P*: illuc opsecro negotist
Fleckeisen   561 aiuxt] nunc *P* (N *pro* AI)   562 iectas *P*   566
potis sum ' *cum lusu verborum* ' *Leo*   567 Nepuellae *ut vid. A*   es i]
est *P*   ueisse *A* (*antiqua forma*)   568 me *P*   573 ut
ornatus *A*   574 uestī aliquid *P* (*i. e.* uestimenti, vii, p. 106):
aliquid uestimenti *A*

Sc. tegillum eccillud, mihi unum id aret; id si uis dabo:
eodem amictus, eodem tectus esse soleo, si pluit.
tu istaec mihi dato: exarescent faxo. Ch. eho an te paenitet, 20
in mari quod elaui, ni híc in terra iterum eluam?
580 Sc. eluas tu anne exunguare ciccum non interduim.
tibi ego numquam quicquam credam nisi si accepto pignore.
tu uel suda uel peri algu uel tu aegrota uel uale.
barbarum hospitem mi in aedis nil moror.   sat litiumst.—   25
Ch. iamne abeis?   uenalis illic ductitauit, quisquis est;
585 non est misericors.   sed quid ego hic asto infelix uuidus?
quin abeo huc in Veneris fanum, ut edormiscam hanc
                                                    crapulam,
quam potaui praeter animi quam lubuit sententiam?
quasi uinis Graecis Neptunus nobis suffudit mare,   30
itaque aluom prodi sperauit nobis salsis poculis;
590 quid opust uerbis? si inuitare nos paullisper pergeret,
ibidem obdormissemus: nunc uix uiuos amisit domum.
nunc lenonem quid agit intus uisam, conuiuam meum.—

ACTVS III

DAEMONES   III. i

Miris modis di ludos faciunt hominibus,
mirisque exemplis somnia in somnis danunt:
595   ne dormientis quidem sinunt quiescere.
        uelut ego hac nocte quae processit proxuma

576 tegillum (ti- ?) ęcillum *A* : tigillum (tix- *T*) ecillud *P*   id
prius om. P, codd. Pauli 366   577 si] u — *A* (*an* ubi?)   pluuit
P, A n. l.   579 ne *codd.*   580 tu anne *ut uid. P* (tu an *B*, tua
ne *P*CD), *A n. l.*   interdum *P*   581 *Charmidi dat* (?) *Leo*
si *om. A*   583 aedeis *P*   584 uenalis *bis P*   iillic *A*   586
huc] hinc *P*   587 quom p. (?) *Leo*   588-602 *initia fere seruata*
A   592 agat *Camerarius*   593, 594 (*cf. Merc.* 225, 226) *alterum*
secl. Ritschl   593 m(ei)r(is) *A*   594 somnia *Merc.* 226 : omnia
(*B*) *vel* nam omnia (*P*CD) *P, A n.l.*   596 praecessit *Leo* (*A n. l.*),
sed cf. Marx (*Sitzber. Wien Akad.* 1899)

5   mirum atque inscitum somniaui somnium.
       ad hirundininum nidum uisa est simia
       ascensionem ut faceret admolirier :
       ut in omnibus * * * * *   599ᵃ
       neque eas eripere quibat inde.   postibi   600
10   uidetur ad me simia adgredirier,
       rogare scalas ut darem utendas sibi.
       ego ad hoc exemplum simiae respondeo,
               *   *   *   603ᵃ
       natas ex Philomela ac [ex] Progne esse hirundines.
15   ago cúm illa ne quid noceat meis popularibus.   605
       atque illa nimio iam fieri ferocior ;
       uidetur ultro mihi malum minitarier.
       in ius uocat me.   íbi ego nescioquo modo
       iratus uideor mediam arripere simiam ;
20   concludo in uincla bestiam nequissumam.   610
       nunc quám ad rem dicam hoc attinere somnium
       numquam hodie quiui ad coniecturam euadere.
       sed quid hic in Veneris fano meae uiciniae
       clamoris oritur ? animus miratur ⟨meus⟩.

ii   TRACHALIO   DAEMONES

TR. Pro Cyrenenses populares ! uostram ego imploro fidem, 615
agricolae, accolae propinqui qui estis his regionibus,
ferte opem inopiae atque exemplum pessumum pessum date.
uindicate, ne inpiorum potior sit pollentia
5 quam innocentum, qui se scelere fieri nolunt nobilis.
statuite exemplum inpudenti, date pudori praemium,   620

    599 adoririer *codd. Prisciani* i, p. 79 H.   599ᵃ u�废t (in om)ṇịbụṣ
ṛu(ca)ṣị̣t — — ṇ(is) ṣ̣uị̣ṣ (*plurima incertissima*) A : *om.* P   601
uidebatur P (*i. e.* uidĕbatur ?)   603ᵃ *om.* P : *nihil legi potest in* A
604-19 *paucissima servata* A   604 atque ex progne esse P (A
n *l., sed versus brevior fuit*) : ex *del. Bothe* : Attica esse *Schoell* : esse
del. Hermann   606 illa nimio *Acidalius* : illa animo P, A *n. l.* :
illaec a. *Pylades*   608 *vel* med   611 Nunquam (-mq-) ad P
614 meus *suppl. Camerarius* (A *n. l.*)   620-91 *deest* A

facite hic lege potius liceat quam ui uicto uiuere.
currite huc in Veneris fanum, uostram iterum imploro fidem,
qui prope hic adestis quique auditis clamorem meum,
ferte suppetias qui Veneri Veneriaeque antistitae   10
625 more antiquo in custodelam suom commiserunt caput,
praetorquete iniuriae priu' collum quam ad uos peruenat.
DA. quid istuc est negoti? TR. per ego haec genua te
                                optestor, senex,
quisquis es—DA. quin tu ergo omitte genua et quid sit
                                 mi expedi
quod tumultues. TR. teque oro et quaeso, si speras tibi   15
630 hoc anno multum futurum sirpe et laserpicium
eamque euenturam exagogam Capuam saluam et sospitem,
atque—ab lippitudine usque siccitas ut sit tibi,—
DA. sanun es? TR. seu tibi confidis fore multam magy-
                                 darim,
ut te ne pigeat dare operam mihi quod te orabo, senex.   20
635 DA. at ego te per crura et talos tergumque optestor tuom,
ut tibi ulmeam uberem esse speres uirgidemiam
et tibi euenturam hoc anno úberem messem mali.
ut mi istuc dicas negoti quid sit quod tumultues.
TR. qui lubet maledicere? equidem tibi bona exoptaui omnia. 25
640 DA. bene equidem tibi dico, qui te digna ut eueniant precor.
TR. opsecro, hoc praeuortere ergo. DA. quid negotist?
                                 TR. mulieres
duae innocentes intus hic sunt, tui indigentes auxili,
quibus aduorsum ius legesque ínsignite iniuria hic
facta est fitque in Veneris fano; tum sacerdos Veneria   30
645 indigne adflictatur. DA. quis homo est tanta confidentia

625 custodiam *cod.* (*cf. ad Merc.* 233)   626 perueniat *cod.*
629 quid *cod. ut uid.*   636 ulmeam *Ital.*: uimeam (*sed* umerum
ut uid. T) *cod.*   ubi rem *ut uid. cod.* (*corr. P*CD)   speras *Aci-
aalius*   637 euenturam hoc anno (*B*) *uel* hoc anno euenturam
(*P*CD) *cod.*   639 optaui *Guietus, cui* tíbi bona ĕxóptaui *displicet*

qui sacerdotem uiolare aúdeat? séd eae mulieres
quae sunt? aut quid is iniqui fit? TR. si das operam,
                      eloquar.
Veneris signum sunt amplexae. nunc ⟨homo audacissumus⟩
35 eas deripere uolt. eas ámbas esse oportet ⟨liberas⟩.
  DA. quis istic est qui deos tam parui pendit? TR. uis 650
                    ⟨dicam tibi?⟩
fraudis, sceleris, parricidi, peiiuri plenissumus,
legerupa inpudens, inpurus, inuerecundissumus,
uno uerbo apsoluam, lenost: quid illum porro praedicem?
40 DA. edepol infortunio hominem praedicas donabilem.
  TR. qui sacerdoti scelestus faucis interpresserit.   655
  DA. at malo cum magno suo fecit hercle. ite istinc foras,
Turbalio, Sparax. ubi estis? TR. í opsecro intro, subueni
illis. DA. iterum haud imperabo. sequimini hac. TR.
                  age nunciam,
45 iube oculos elidere, itidem ut sepiis faciunt coqui.
  DA. proripite hominem pedibus huc itidem quasi occisam 660
                  suem.—
  TR. audio tumultum. opinor, leno pugnis pectitur.
nimi' uelim inprobissumo homini malas edentauerint.
sed eccas ipsae huc egrediuntur timidae e fano mulieres.

iii PALAESTRA   TRACHALIO   AMPELISCA

  PA. Nunc id est quom omnium copiarum atque opum,
  auxili, praesidi uiduitas nos tenet.   665
    ⟨nec salust⟩ nec uiast quae salutem adferat,
      ⟨nec quam in partem⟩ ingredi persequamur

646 *an* auideat?   648 sqq. *fines mutilati in cod.* (*cf. ad* 666 sqq.)
648 h. a. *suppl. Lambinus e 'libris veteribus'* (*i. e. T*?)   649 lib.
suppl. Camerarius   650 dicam tibi *supplevi*   pendit ⟨paucis ex-
pedi⟩ *Lambinus e 'libris veteribus'* (*i. e. T*?)   656 hercle *post* malo
Brix, rhythmo consulens: *vix* hercule   660 porrigite *B*[1]   661
vel opino   663 eccas *Bentley*: ecce *cod.*   e fano *Merula*: efandae
(aef.) *cod.*   666 sqq. *initia mutilata in cod.* (*cf. ad* 648 sqq.)   666
nec salust (*vel* salus) *supplevi*: se *cod.* (*pro* s?)   667 nec quam
in partem *suppl. Leo post alios*: -rtem (artem *B*) *cod.*

scimus : tanto in metu nunc sumus ambae,

⟨tanta⟩ inportunitas tantaque iniuria

670   orta in nos est modo hic intus ab nostro ero,

quin scelestus sacerdotem anum praecipes

reppulit, propulit perquam indignis modis

nosque ab signo intumo ui deripuit sua.   10

sed nunc sese ut ferunt res fortunaeque nostrae,

675   par moriri est.   neque est melius morte in malis

rebus miseris.   Tʀ. quid est? quaé illaec oratiost?

cesso ego has consolari. heus Palaestra ! Pᴀ. qui uocat?

Tʀ. Ampelisca. Aᴍ. opsecro, quis est qui uocat?   15

Pᴀ. quis is est qui nominat? Tʀ. si respexis, scies.

680   Pᴀ. o salutis meae spes.   Tʀ. tace ac bono animo es.

680ᵃ   me uide. Pᴀ. si modo id liceat, uis ne opprimat,

quae uis uim mi adferam ipsa adigit. Tʀ. ah ! desine,

681ᵃ   nimis inepta es.   20

Pᴀ. desiste dictis nunciam miseram me consolari ;

nisi quid re praesidium apparas, Trachalio, acta haec res est.

Aᴍ. certumst moriri quam hunc pati ⟨saeuire⟩ lenonem in me.

685 sed muliebri animo sum tamen : miserae ⟨quom uenit⟩ in
                                       mentem

mihi mortis, metu' membra occupat. edepol diem hunc 25
                                       acerbum !

Tʀ. bonum animum habete. Pᴀ. nam, opsecro, unde
                                iste animus mi inuenitur?

---

668 scimus *scripsi* : sciamus *cod.*   669 tanta *suppl. Valla*   671
qui *Saracenus* (*cf.* 760)   673 *vix* uid er.   674 sese] se *Guietus*
(*bacch. tetram.*)   nostrae] nos (?) *Leo*   675 est moriri *cod.* : *trai.*
Reiz : *vel* moririst   676 miseris *Pylades* : meiseriis *cod.*   678
vix ⟨oh⟩ quis est, *ut integer tetrameter fiat* : quis ⟨is⟩ est (?) *Leo*
679 respexes *cod.*   682 dictis *Pylades* : dictus *cod.*   683 praesidi
Fleckeisen   684 sqq. *medii versus mutilati; lacuna in cod.*   684
moreirei *cod.* (*antiqua forma*)   saeuire *suppl. Schoell*   685 quom
uenit *suppl. Fleckeisen post Camerarium*   686 *vel* Tʀ. edepol
687 istec *cod. ut vid.* (*cf. v.* 688) (*nisi quidem* unde animus *sine pro-*
nomine exhibuit cod.)   *vix* nam opsecro ŭnde ístic a.

Tr. ne, inquam, timete; adsidite hic in ara.   Am. quid
istaec ara
prodesse nobis ⟨plus⟩ potest quam signum in fano hic intus
Veneris, quod amplexae modo, unde abreptae per uim 690
miserae?

30 Tr. sedete hic modo, ego hinc uos tamen tutabor.   aram
habete hanc
uobis pro castris, moeniá hinc ego uos defensabo;
praesidio Veneris malitiae lenonis contra incedam.

Pa. tibi auscultamus et, Venús alma, ambae te opsecramus,
aram amplexantes hanc tuam lacrumantes, genibus nixae,   695
35 in custodelam nos tuam ut recipias et tutere;
illos scelestos qui tuom fecerunt fanum parui
fac ut ulciscare nosque ut hanc tua páce aram opsidere
patiare: lautae ambae sumus opera Neptuni noctu,
ne indignum id habeas neue idcirco nobis uitio uortas,   700
40 si quippiamst minu' quod bene esse lautum tu arbitrare.

Tr. Venus, aequom has petere intellego: decet aps te id
impetrari;
ignoscere his te conuenit: metus has id ut fáciant subigit.
te ex concha natam esse autumant, caue tu hárum conchas
spernas.
sed optume eccum exît senex patronus mihique et uobis.   705

iv Daemones   Trachalio   Labrax   Lorarii

Da. Exi e fano, natum quantum est hominum sacrilegissume.
uos in aram abite sessum. sed ubi sunt?   Tr. huc respice.

---

688 adsidete *coá*.   689 plus *suppl. Camerarius*   690 abreptae
Merula: arreptae *coá*.   692 *accedit A*; *usque ad* 727 *paucissima
servata*   692 ⟨haec⟩, hinc *Lambinus*   hinc *fort.* om. *A*   696
custodiam *P, A n. l.* (*cf ad Merc.* 233)   697 illo *vel* eos *ut vid. A*
698 sqq. *initia mutilata in P* (*cf. ad* 648 sqq.)   698 fac ut ulciscare
A: -scare *P*   699 pot(iare)]lau— *A*: — aut ae *P*   neptunei *P*,
A n. l.   700 ne— *A*: Indignum *P*   701 lautum tu *Camerarius*: lautu *P, A n. l.*   702 Venus *Schoell*: ut— (*fort.* ue—) *A*:
spat. *P*

Da. optume, istuc uolueramus.   iube modo accedat prope.

tun legerupionem hic nobis cum dis facere postulas?

710 pugnum in os impinge.   La. iniqua haec patior cum 5
                                              pretio tuo.

Da. at etiam minitatur audax?   La. ius meum ereptum
                                                est mihi,

meas mihi ancillas inuito me eripis.   Tr. habe iudicem

de senatu Cyrenensi quemuis opulentum uirum,

si tuas ésse oportet niue eas ésse oportet liberas

715 neu te in carcerem compingi aéquom est aetatemque ibi   10

te usque habitare, donec totum carcerem contriueris.

La. non hodie isti rei auspicaui, ut cum furcifero fabuler.

té ego appello.   Da. cum istoc primum qui te nouit disputa.

La. tecum ago.   Tr. atqui mecum agendumst.   suntne
                                      illae ancillae tuae?

720 La. sunt.   Tr. agedum ergo, tange utramuis digitulo 15
                                          minimo modo.

La. quid si attigero?   Tr. extemplo hercle ego te follem
                                        pugilatorium

faciam et pendentem incursabo pugnis, peiiurissume.

La. mihi non liceat meas ancillas Veneris de ara abducere?

Da. non   licet : ita   est   lex   apud   nos — La. mihi cum
                                          uostris legibus

725 nihil est commercí.   equidem istas iam ambas educam foras. 20

tu, senex, si istas amas, huc arido argentost opus ;

si autem Veneri complacuerunt, habeat, si argentum dabit.

Da. di tibi argentum ! nunc adeo meam ut scias sententiam,

occipito modo illís adferre uim ioculo pauxillulum,

708-12 *A n. l.*   709 tun *Camerarius*: tunc *cod.*   nobisque et
dis (?) *Leo*   714 eas esse oportet *Merula*: eas oportet esse *P*,
A n. l. (*cf. ad v.* 736)   715 est aequom *cod.* (*ordo non Plautinus*):
trai. Gimm: *vel* aequomst   *post* ibi *spat. in* P^CD, *unde* ibi ⟨tuam⟩
Schoell   720 agendum *cod.*   723 adducere *P*   724 non licet
vel non licet ita *P, A n. l.*   725 *vix* * nihil est (*ut puta* ⟨senex⟩,
nihil est) (*A n. l.*)   726 amabas P^CD (*pro* -bis?)   728 dei
an det *incert.* *A* : do *P*   ut scias meam *P*

25 ita ego te hinc ornatum amittam tu ipsus te ut non noueris. 730
   uos adeo, ubi ego innuero uobis, ni ei caput exoculassitis,
   quasi murteta iunci, item ego uos uirgis circumuinciam.
   LA. uí agis [mecum].   TR. etiam uim proportas, flagiti fla-
                                                  grantia?
   LA. tun, trifurcifer, mihi audes inclementer dicere?
30 TR. fateor, ego trifurcifer sum, tú es homo adprime probus: 735
   numqui minus hasce esse oportet liberas? LA. quid, liberas?
   TR. atque eras tuas quidem hercle atque ex germana
                                                  Graecia;
   nam altera haec est nata Athenis ingenuis parentibus.
   DA. quid ego ex te audio?   TR. hanc Athenis esse natam
                                                  liberam.
35 DA. mea popularis, opsecro, haec est?   TR. non tu Cyre- 740
                                                  nensis es?
   DA. immo Athenis natus altusque educatusque Atticis.
   TR. opsecro, defende ciuis tuas, senex.   DA. o filia
   mea, quom hanc uideo, mearum me apsens miseriarum
                                                  commones;
   trima quae periit mi iam tanta esset, si uiuit, scio.
40 LA. argentum ego pro istisce ambabus quoiae erant domino 745
                                                  dedi;
   quid mea refert Athenis natae haec an Thebis sient,
   dum mihi recte seruitutem seruiant?   TR. itane, inpudens?
   tune hic, feles uirginalis, liberos parentibus
   sublectos habebis atque indigno quaestu conteres?
45 nam huïc alterae quae patria sit profecto nescio,   750

   730 ita hinc ego te ornatum te amittam *P*   ut tu ipsu—uerit *A*
                         si
   731 ni] ni (*i. e.* ni *corr.* nisi) *P, ut uid.* (si *T,* sine *P*BC; v. 3), *A n. l.*
   732 iunci *Leo* : luncis *P. A n.l.*   circum uinclam *P, A n. l.*   733
   vi.x uid   mecum *om. A*   probrŏ das (?) *Leo*   736 oportet esse *P*
   (*cf. ad v.* 714)   738 nam(que haec alt)e—*fort. A*   740 opsecro *om. A*
   741 edu(ca)tisque *A*   attigis *P* (G *pro* C)   743 cum [ego] h.
   P   mearum me (me *om. P*CD) *P* : memet *A*   746 hae athenis
   natae *P, A n. l.* : *trai. Schoell, nam* natae | an *displicet*   748 feles
   T1. rnebus : fallis *P, A n. l.* (L *pro* E)   750 patria quae *P*

nisi scio probiorem hanc esse quam te, inpuratissume.

LA. túae istaé sunt? TR. contende ergo uter sit tergo—
                                               uerior:

ni offerrumentas habebis pluris in tergo tuo

quam ulla nauis longa clauos, tum ego ero mendacissumus:

755 postea aspicito meum, quando ego tuom inspectauero :   50

ní erit tam sincerum ut quiuis dicat ampullarius

optumum esse operi faciundo corium et sincerissumum,

quid caussaest quin uirgis te usque ad saturitatem sauciem?

quid illas spectas? quas si attigeris, oculos eripiam tibi.

760 LA. atqui, quia uotas, utramque iam mecum abducam semul. 55

DA. quid facies? LA. Volcanum adducam, is Venerist ad-
                                               uorsarius.

TR. quó illic it? LA. heus, ecquis hic est? heus ! DA. si
                                               attigeris ostium,

iam hercle tibi messis in ore fiet mergis pugneis.

LO. nullum habemus ignem, ficis uictitamus aridis.

765 DA. ego dabo ignem, siquidem in capite tuo conflandi 60
                                               copiast.

LA. ibo hercle aliquo quaeritatum ígnem. DA. quid quom
                                               inueneris?

LA. ignem magnum hic faciam. DA. quin inhumanum
                                               exuras tibi?

LA. immo hasce ambas hic in ara ut uiuas comburam, id
                                               uolo.

DA. iam hercle ego te continuo barba arripiam, in ignem
                                               coniciam

770 teque ambustulatum obiciam magnis auibus pabulum.   65

752 tua enim istaec sunt *Seyffert*: nugae i. s. *Bentley*: tricae i. s.
Leo   uerior *Camerarius*: —or *A* : ueri— *P* : purior *Seyffert*   755
poste aspicito ⟨tu⟩ *Mueller* (*A n. l.*)   757 opere *P, A n. l.*
760 atquin *P, A n. l.*   763 messīs (-ēs?) *suspectum* (*vix* hercule)
fiet in ore messis *Sonnenschein*   mergeis *A* (*antiqua forma*)   764
ficis] olficis *A*   arideis *ut vid. A* (*antiqua forma*)   766 lignum
Schoell   767 inhumanum] ut humanum *P* (*cf. Class. Rev.* 18, 402)
exurias *P*   768 comburem *A*   769 nam *P*   barba continuo *P*
[et] in *P*

quom coniecturam egomet mecum facio, haec illast simia
quae has hirundines ex nido uolt eripere ingratieis,
quod ego in somnis somniaui. Tr. scin quid tecum oro,
                                                        senex?
ut illas serues, uim defendas, dúm ego erum adduco meum.
70 Da. quaere erum atque adduce. Tr. at hic ne—Da. 775
                                maxumo malo suo
si attigerit siue occeptassit. Tr. cura. Da. curatumst, abi.
Tr. hunc quoque adserua ipsum ne quo abitat; nam pro-
                                missimus
carnufici aut talentum magnum aút hunc hodie sistere.
Da. abi modo, ego dum hoc ⟨curabo⟩ recte. Tr. iam ego
                                reuenero.

v   Daemones   Labrax   Lorarii

Da. Vtrum tu, leno, cum malo lubentius   780
quiescis an sic sine malo, si copiast?
La. ego quae tu loquere flocci non facio, senex.
meas quidem té inuito et Venere et summo Ioue
5 de ara capillo iam deripiam. Da. tangedum.
La. tangam hercle uero. Da. ágedum ergo, accede huc 785
                                modo.
La. iubedúm recedere istos ambo illuc modo.
Da. immo ad te accedent. La. non hercle equidem
                                censeo.
Da. quid ages si accedent propius? La. ego recessero.
10 uerum, senex, si te umquam in urbe offendero,
numquam hercle quisquam me lenonem dixerit   790
si te non ludos pessumos dimissero.

772 e nudo *A*   774 erum] ero *A*   776 occeptassis *A*
777 quo *om. A*   nam] aut *A*   779 *om.* P   hoçç . . ṭabo *cod.* :
abes curabo *Fleckeisen, Studemund*   781 copia est *an* copiaest
incert. A   787 equidem] egomet *P*   789 *repetit A post* 791
(? *propter homoeotel. vv.* 791, 788)   791 non te *P*   dimiserio *P*

Da. facito istuc quod minitare ; sed nunc interim,
si illas attigeris, dabitur tibi magnum malum.
    La. quam magnum uero ? Da. quantum lenoni sat est.   15
795 La. minacias ego flocci non faciam tuas,
    equidem has te inuito iam ambas rapiam. Da. tangedum.
    La. tangam hercle uero. Da. tanges, at scin quo modo ?
    i dum, Turbalio, curriculo, adfert⟨o domo⟩
    duas cláuas. La. clauas ? Da. sed probas. propera cito.   20
800 ego te hodie faxo recte acceptum ut dignus es.
    La. eheu ! scelestus galeam in naui perdidi ;
    nunc mi opportuna hic esset, salua si foret.
    licet saltem istas mi appellare ? Da. non licet.
804-5 ehem ! optume edepol eccum clauator aduenit.   25
    La. illud quidem edepol tinnimentum est auribus.
    Da. age accipe illinc alteram clauam, Sparax.
    age, alter istinc, alter hinc adsistite.
    adsistite ambo. sic. audite nunciam :
810 si hercle illic illas hodie digito tetigerit   30
    inuitas, neí istunc istis inuitassitis
    usque adeo donec qua domum abeat nesciat,
    periistis ambo. si appellabit quempiam,
    uos respondetote istinc istarum uicem ;
815 sin ipse abitere hinc uolet, quantum potest   35
    extemplo amplectitote crura fustibus.
    La. etiam me abire hinc non sinent ? Da. dixi satis.
    et ubi ille cúm ero seruos huc aduenerit,
    qui erum accersiuit, itote extemplo domum.

---

792 minitares *P*   795 m. ego istas fl. non facio *P* (*pro* minas
ego istas, *versus retractatione, Seyffert*)   796 eas *P*   797 *vel*
tanges ? (*interrogative*)   798–844 *deest A*   798 *lacuna in fine
versus, cod.* : *suppl. Leo* : affer ⟨huc domo⟩ *Reiz*   802 fortet *cod.*
805 uenit *Bentley*, nam neque édepol éccum *neque* claŭator *disyll. placet*
808 accedite (?) *Leo*   815 sine ipse (sine dpse *B*) *cod.*   abitere
Acidalius : abire *cod.* (abile *B¹*)   817 sinent *Pylades* : desinent
cod.   818 seruos cum ero *cod.* : *trai. Seyffert*   ero ⟨suo⟩ *Pylades*
ad ⟨uos⟩ uenerit *Schoell*

40 curate haec sultis magna diligentia.—   820
　　La. heu hercle ! né istic fana mutantur cito :
　　iam hoc Herculei est, Veneris fanum quod fuit,
　　ita duo destituit signa hic cum clauis senex.
　　non hercle quó hinc nunc gentium aufugiam scio,
45 ita nunc mi utrumque saeuit, et terra et mare.   825
　　Palaestra ! Lo. quid uis ? La. apage, controuorsia est,
　　haec quidem Palaestra quae respondit non mea est.
　　heus, Ampelisca ! Lo. Alter. caue sis infortunio.
　　La. †ut potest, ignaui† homines sati' recte monent.
50 sed uobis dico, heús uos ! num molestiaest   830
　　me adire ad illas propius ? Lo. nihil—nobis quidem.
　　La. numquid molestum mihi erit ? Lo. nihil, si caueris.
　　La. quid est quod caueam ? Lo. ém ! a crasso infortunio.
　　La. quaeso hercle abire ut liceat. Lo. abeas, si uelis.
55 La. bene hercle factum.   hábeo uobis gratiam.   835
　　non cedam potius. Lo. illic astato ilico.
　　La. edepol proueni nequiter multis modis.
　　certumst hasce hodie usque opsidione uincere.

vi   Plesidippvs   Trachalio   Labrax
　　　　　　Charmides   Lorarii

　　Pl. Meamne ílle amicam leno ui, uiolentia
　　de ara deripere Veneris uoluit ? Tr. admodum.   840
　　Pl. quin occidisti extemplo ? Tr. gladius non erat.

820 stultis *cod.*   dil- *an* deil- *incert. cod.*   821 eheu *cod.*
822 fit *Palmer* : est *cod.*   ⟨modo⟩ Veneris *Acidalius*   827 quidem
Acidalius : equidem *cod.*   829 potis est *Bothe*   ultro te ! signa
ut h. *Leo* : *fort.* utpote si ⟨*vix* utrose⟩ signa ut h.   830 ⟨ego⟩ dico
(?) *Leo*   833 crasso *Ital.* : craeso *cod.*   834 adire *cod.*
habeas *cod.*   835 b. ergo hercle *P*CD   factum ⟨et⟩ *Acidalius*
836 non cedam *Seyffert* : non accedam *cod.* : accedam (*del.* non) *Reiz*
astato *Gruterus* : astate *cod.*   *fort.* Hac (*pro quo* N, *i. e.* 'non,' ac
cod.) cedam potius. Lo. Al. illic astato ilico   841 claudius *cod.*
(*pro* clad-)

PL. caperes aut fustem aut lapidem.   TR. quid? ego
                                        quasi canem
hominem insectarer lapidibus nequissumum?   5
LA. nunc pol ego perii, Plesidippus eccum adest.
845 conuorret iam hic me totum cum puluisculo.
PL. etiamne in ara tunc sedebant mulieres,
quom ad me profectu's ire? TR. ibidem nunc sedent.
PL. quis illás nunc illic seruat? TR. nescioquis senex,   10
uicinus Veneris; is dedit operam optumam.
850 is nunc cum seruis seruat. ego mandaueram.
PL. duc me ad lenonem recta. úbi illic est homo?
LA. salue. PL. salutem nil moror. opta ocius:
rapi te optorto collo mauis an trahi?   15
utrumuis opta dum licet. LA. neutrum uolo.
855 PL. abi sáne ad litus curriculo, Trachalio,
iube illós in urbem ire obuiam ad portum mihi,
quos mecum duxi, hunc qui ad carnuficem traderent.
post huc redito atque agitato hic custodiam.   20
ego hunc scelestum | in ius rapiam | exsulem.
860 age, ambula in ius. LA. quid ego deliqui? PL. rogas?
quin arrabonem a me accepisti ob mulierem
et eam hinc abduxti? LA. non auexi. PL. qur negas?
LA. quia pol prouexi: auehere non quiui miser.   25
equidem tibi me dixeram praesto fore
865 apud Véneris fanum: ⟨num⟩ quid muto? sumne ibi?
PL. in iure caussam dicito, hic uerbum sat est:
sequere. LA. opsecro te, subueni mi, Charmides.
rapior optorto collo. CH. quis me nominat?   30

843 insectarer *Ital.*: inspectarer *cod.*   845-72 *paucissima
servata* A (*nihil* 849-58 *praeter* 853 *in.*, 857 *ext.*)   846 tunc *Ital.*:
nunc *P*, *A n. l.*   857 qui hunc *cod.*: trai. *Camerarius*   -ent
⟨*vix* traderent⟩ A, *unde* darent *Seyffert, Pradel* ' *de praep.*' p. 474,
trahent *alii*   859 ⟨iam hinc⟩ in ius (?) *Leo*   — m exilem *A*:
⟨exigam⟩ exulem *Schoell*   861-2 mulierem est (et *Ital.*) | Iam *P*
862 et eam *Merula post Pyladem*: iam *P*, *A n. l.*   abduxisti *P*, *A
n. l.*: auexti *Acidalius*   865 num *add. Bentley* (*A n. l.*)   multo
P   867 mei (*i. e.* mi *vocat. casu?*) *P*, *A n. l.*

LA. uiden me ut rapior? CH. uideo atque inspecto
lubens.

LA. non subuenire mi audes? CH. quis homo te rapit? 870
LA. adulescens Plesidippus. CH. ut nanctu's habe.
bono animo meliust te in neruom conrepere.

35 tibi optigit quod plurumi exoptant sibi.

LA. quid id est? CH. ut id quod quaerant inueniant
sibi.

LA. sequere, opsecro, me. CH. pariter suades qualis es : 875
tu in neruom rapere, eo me opsecras ut te sequar.
etiam retentas? LA. perii! PL. uerum sit uelim.

40 tu, mea Palaestra et Ampelisca, ibidem ilico
manete dúm ego huc redeo. LO. équidem suadeo
ut ad nos abeant potius, dum recipis. PL. placet, 880
bene facitis. LA. fures mi estis. LO. quid, fures? rape.
LA. oro, opsecro, Palaestra. PL. sequere, carnufex.

45 LA. hospes—CH. non sum hospes, repudio hospitium
tuom.

LA. sicine me spernis? CH. sic ago. semel bibo.
LA. di te infelicent!—CH. isti capiti dicito. 885
credo alium in aliam beluam hominem uortier :
illic in columbum, credo, leno uortitur,

50 nam | in columbari collus hau múlto post erit ;
in neruom ille hodie nidamenta congeret.
uerum tamen ibo ei aduocatus ut siem, 890
si qui mea opera citius – addici potest.—

---

869 uinden *P, A n. l.*   872 melius *ut uid. A*   873-1004
deest A   875 obsecro me *Camerarius* : obsecrom *cod.*   877
PL. etiam *P*CD   884 semel bibo ⟨tuom⟩ *Niemeyer, nam diiambus
in fine uersus uix ferendus* : *fort.* si me! b. *(i. e.* 'quasi gargarizans
spuo')   887 columbam *Schoell*   888 collus *testatur Priscianus* 1, 150 : collum *cod.*   coll. in col. *Fleckeisen post Osbernum
rhythmi causa (cf. Class. Rev.* 10, 333)

ACTVS IV

Bene factum et uolup est mé hodie his mulierculis
tetulisse auxilium.   iam clientas repperi,
atque ambas forma scitula atque aetatula.
895 sed uxór scelesta me omnibus seruat modis,
ne quid significem quippiam mulierculis.   5
sed Gripus seruos noster quid rerum gerat
miror, de nocte qui abiit piscatum ad mare.
pol magi' sapisset si dormiuisset domi,
900 nam nunc et operam ludos facit et retiam,
ut tempestas est nunc atque ut noctu fuit.   10
in digitis hodie percoquam quod ceperit,
ita fluctuare uideo uehementer mare.
sed ad prándium uxor me uocat.   redeo domum.
905 iam meas opplebit auris uaniloquentia.—

GRIPVS   ii

Neptuno has ago gratias meo patrono,
qui salsis locis incolit pisculentis,
quom me ex suis locis pulchre ornatum expediuit,
templis redducem, pluruma praeda onustum,
910 salute horiae, quae in mari fluctuoso   5
piscatu nouo me uberi compotiuit

892 *vel* med   896 ne qui *Acidalius*   899 *vel* mage   *vel*
sapiisset : *Priscianus* 1, 500 *ex Capro* sapuisset *testari videtur*   900
facit *codd. Prisciani* 1, 332 : dat *cod.* (*pro* făt, *i. e.* facit ?) *fort. recte* (*cf.*
Arch. Lat. Lexicogr. 11, 128)   retiam *testatur Priscianus* : retia *cod.*
905 meas *post* auris *Sonnenschein*   [sua] uan. *cod.* (iv. 3) : sua *del.*
Guietus   906 meo patrono gratias *cod.* : *trai. Reiz*   908 locis
del. Reiz   909 templisque reducem (*ita cod.*) *Fleckeisen, cui* redducem *forma displicet*   honestum *cod.* (*corr. B²*)   910 horiae
Pylades : horeia *cod.* : horia *codd. Nonii* 533

miroque modo atque incredibili hic piscatus mihi lepide
                euenit,

neque piscium ullam unciam hodie pondo cepi, nisi hoc
                quod fero hic in rete.

     nam ut de nocte multa inpigreque exsurrexi,   914-15

10   lucrum praeposiui sopori et quieti :

     tempestate saeua experiri expetiui

     paupertatem eri qui et meam seruitutem

         tolerarem, opera hau fui parcu' mea.

nimis homo nihilist quist piger nimisque id genus odi ego 920
                male.

15 uigilare decet hominem qui uolt sua temperi conficere
                officia.

non enim illum exspectare ⟨id⟩ oportet, dum eru' se ad suom
                suscitet officium.

nam qui dormiunt lubenter sine lucro et cum malo
                quiescunt.

       nám ego nunc mihi, qui inpiger fui,

       repperi ut piger si uelim siem :   925

20   hoc ego in mari quidquid hic inest   925ᵃ

    repperi.   quídquid inest, graue quidemst ; aurum hic
      ego inesse reor; nec mihi conscius est ullus homo. 926ᵃ

†nunc haec tibi occasio, Gripe, optigit ut liberes ex populo
                praeter te†.

nunc sic faciam, sic consilium est : ad erum ueniam docte
                atque astu[te].

25 pauxillatim pollicitabor pro capite argentum ut sim liber.

    913 *an quattuor cola Reiziana*?   pondo hodie *Pylades* (*anap.*)
sed piscium üllam *displicet*   hic *om. PCD*   918 seruitutem *Came-*
rarius : sententiam *cod.* : sentilentam *Schoell*   920 quis est piger *B* :
quis piger est *PCD*   922 id *add. Seyffert*   *fort. delend.* officium
ut versus trochaicus fiat   925ᵃ hic *om. B*   926 quidemst
Camerarius : quidem inst *cod.*   927 *vix* poplŏ   praeter *per com-*
pend. script. in cod., post populo *littera* s *in B* (*de qua cf. ad Truc.* 102)
fort. nunc tĭbi ŏccasio haĕc, Gripe, óptigit ut libéret extemplo praétor
te   928 sicut cons. *PCD*   ueniam ad erum (?) *Leo*   astu *Reiz*
(*cf. Most.* 1069)

930 iam ubí liber ero, igitur demum instruam agrum atque aedis,
                                                    mancupia,
    nauibu' magnis mercaturam faciam, apud reges rex perhibebor.
    post animi caussa mihi nauem faciam atque imitabor
                                            Stratonicum,
            oppida circumuectabor.
933ª   ubi nobilitas mea erit clara,   30
            oppidum magnum communibo ;
934ª   ei ego urbi Gripo indam nomen,
935   monumentum meae famae et factis,
935ª   ibi qui regnum magnum instituam.
            magnas res hic agito in mentem   35
936ª   instruere. hunc nunc uidulum condam.
            sed hic rex cum acéto pransurust
937ª   et sale sine bono pulmento.

            T R A C H A L I O   G R I P V S   iii

    Tr. Heus, mane.   Gr. quid maneam ?   Tr. dum hanc
                        tibi quam trahi' rudentem complico.
    Gr. mitte modo.   Tr. at pol ego te adiuuo nam bonis quod
                                        bene fit hau perit.
940   Gr. turbida tempestas heri fuit,
    nil habeo, adulescens, piscium, ne tu mihi esse postules ;
    non uides referre me uuidum retem sine squamoso pecu ?   5
    Tr. non edepol piscis expeto quam tui sermonis sum in-
                                                digens.
    Gr. enicas iam me odio, quisquis es.   Tr. non sinam ego
                                        abire hinc te.   mane.
945 Gr. caue sis malo.   quid tu, malum, nam me retrahis ?
                                                    Tr. audi.

---

930 ero igitur *Camerarius*: erigitur *cod.*   ⟨tum⟩ igitur *Spengel*
atque] ad *P*CD   934ª ei ego *Merula*: elego *cod.*   935ª ibi qui
Buecheler : ibique *cod.* (*vix* ibiq') : ibi (*del.* que) *Sonnenschein*   936ª
nunc hunc *cod.* : *trai. Reiz*   939 adiuuo *Mueller* : adiuuabo *cod.*
942 retem *testatur Priscianus* 1, 332 : rete *cod.*   943 *cf. Buecheler*
(*Rhein. Mus.* 56, 323)

Gr. non audio. Tr. at pol qui audies post. Gr. quin
loquere quid uis.

10   Tr. eho modo est operae pretium quod tibi ego narrare
uolo.

     Gr. eloqueren quid id est?   Tr. uide num quispiam
consequitur prope nos.

     Gr. ecquid est quod mea referat?   Tr. scilicet.

     sed boni consilí ecquid in te mihi est?   950

     Gr. quid negoti est modo dice.   Tr. dicam, tace,

15   si fidem modo das mihi te non fore infidum.   952-3

     Gr. do fidem tibi, fidus ero, quisquis es.   Tr. audi.   954-5

     furtum ego uidi qui faciebat;

     noueram dominum, id quoi fiebat,   956[a]

     post ad furem egomet deuenio

20   feroque ei condicionem hoc pacto :   957[a]

     'ego istuc furtum scio quoi factum est;

     nunc mihi si uis dare dimidium,   958[a]

     indicium domino non faciam.'

     is mihi nihil etiam respondit.   959[a]

25   quid inde aequom est dari mihi? dimidium   960

     uolo ut dicas.   Gr. immo hercle etiam plus,

     nam nisi dat, domino dicundum   961[a]

     censeo.   Tr. tuo consilio faciam.

     nunc aduorte animum; namque hoc om-   962[a]

30   ne attinet ad te.   Gr. quid factumst?   962[b]

   Tr. uidulum istum quoius est noui ego hominem iam
pridem. Gr. quid est?

   Tr. et quo pacto periit.   Gr. at ego quo pacto inuentust
scio

et qui inuenit hominem noui et dominus qui nunc est scio. 965

947 modo *suspectum* : mane dum *Leo* : *an* numero ?   948 elo-
queren (?) *Leo metri causa* : eloquere *cod.*   num quispiam *Camerarius* : nuspiam *cod.*   950 consiliis *cod.* : corr. *Camerarius*   956[a]
vel noram   961 plus] amplius *Seyffert*   963 cuius est *Ital.* :
cuiusnest (·mest) *cod.* : *fort.* quoiusnam est (cuiusnãest *vel* cuiusn̄est)

nihilo pol pluris tua hoc quam quanti illud refert mea :
ego illum noui quoius nunc est, tu illum quoius antehac fuit. 35
hunc homo feret a me nemo, ne tu te speres potis.

TR. non ferat si dominus ueniat?   GR. dominus huic, ne
                                         frustra sis,
970 nisi ego nemo natust, hunc qui cepi in uenatu meo.

TR. itane uero?   GR. ecquem esse dices in mari piscem
                                              meum?

quos quom capio, siquidem cepi, mei sunt; habeo pro 40
                                                   meis,

nec manu adseruntur neque illinc partem quisquam postulat.
in foro palam omnis uendo pro meis uenalibus.
975 mare quidem commune certost omnibús.   TR. adsentio :
qui minus hunc communem quaeso mihi esse oportet
                                            uidulum?

in mari inuentust communi.   GR. esne inpudenter in- 45
                                              pudens?

nam si istuc ius sit quod memoras, piscatores perierint.
quippe quom extemplo in macellum pisces prolati sient,
980 nemo emat, suam quísque partem piscium poscant sibi,
dicant in mari communi captos.   TR. quid ais, inpudens?
ausu's etiam comparare uidulum cum piscibus?   50
eadem tandem res uidetur?   GR. in manu non est mea :
ubi demisi retem atque hamum, quidquid haesit extraho.
985 meum quod rete atque hami nancti sunt meum potis-
                                              sumumst.

TR. immo hercle haud est, siquidem quod uas excepisti.
                                         GR. philosophe !

TR. sed tu enumquam piscatorem uidisti, uenefice,   55
uidulum piscem cepisse aut protulisse ullum in forum?

968 potis *Benoist* : potius *cod.*   969 ne *Reiz* : [nemo] ne *cod.*
(iv. 3)   frustra sis (sies) *Camerarius* : frustrases *cod.*   977 commune
est GR. ne *cod.* : *corr. Leo*   980 poscant *codd. Prisciani* 1, 332 :
poscat *cod.*   981 mare *testatur Priscianus*   984 retem *cod.*
(re+e B) ; *idem testatur Priscianus* 1, 332

non enim tu hic quidem occupabis omnis quaestus quos
uoles :
et uitorem et piscatorem te esse, inpure, postulas.   990
uel te mihi monstrare oportet piscis qui sit uidulus,
60 uel quod in mari non natum est neque habet squamas ne
feras.
GR. quid, tu numquam audisti esse antehac uidulum piscem?
TR. scelus,
nullus est.   GR. immo est profecto ; ego qui sum piscator
scio ;
uerum rare capitur, nullus minu' saepe ad terram uenit.   995
TR. nil agis, dare uerba speras mihi te posse, furcifer.
65 GR. quo colore est, hoc colore capiuntur pauxilluli ;
sunt alii puniceo corio, magni item ; atque atri. TR. scio.
tu hercle, opino, in uidulum te bis conuortes, nisi caues :
fiet tibi puniceum corium, postea atrum denuo.   1000
GR. quod scelus hodie hoc inueni ! TR. uerba facimus,
it dies.
70 uide sis quoiius arbitratu nos uis facere. GR. uiduli
arbitratu. ⟨TR. itane? GR.⟩ ita enim uero. TR. stultus es.
GR. salue, Thales.
TR. tu istunc hodie non feres, nisi das sequestrum aut
arbitrum
quoiius haec res arbitratu fiat. GR. quaeso, sanun es ?   1005
TR. elleborosus sum. GR. [at] ego cerritus, hunc non
amittam tamen.
75 TR. uerbum etiam adde unum, iam in cerebro colaphos
apstrudam tuo ;

993 qui tu *cod.* (*pro* quit tu)   995 uerum rare *Charisius* 217 (*qui
testatur* rare) ; uero raro *cod.*   997 quo c. est ? *Trachalioni dat
cod.*   999 opinor *cod.*   *vix* uidlum   bis *Leo* : piscem *cod.*
1002 facere uis *cod.* : *trai. Gruterus*   facere nos uis *Brix*   1003
TR. itane ? GR. *add. Seyffert*   1005 *accedit A ; usque ad* 1010
paucissima leguntur, 1011–20 *paulo plura*   1005 —e ęs (*i. e.* sanusne
es ?) *A* : sanus es *P*   1006 at *del. Guietus* (*A n. l.*)   *vix* elle-
borosu's (-sus). GR. ac cerritus   emittam *A*   1007 adde etiam
*P*CD, *A n. l.*

iam ego te hic, itidem quasi peniculus nouos exurgeri solet,
ni hunc amittis, exurgebo quidquid umoris tibist.

1010 GR. tange : adfligam ad terram te itidem ut piscem soleo
                                                    polypum.

uis pugnare? TR. quid opust? quin tu potius praedam
                                                    diuide.

GR. hinc tu nisei malum fruniscei nihil potes, ne postules. 80
abeo ego hinc. TR. at ego hinc offlectam nauem, ne quo
                                                    abeas. mane.

GR. sei tu proreta isti naui es, ego gubernator ero.

1015 mitte rudentem, sceleste. TR. mittam : omitte uidulum.

GR. numquam hercle hinc hodie ramenta fies fortunatior.

TR. non probare pernegando mihi potes, nisi pars datur   85
aut ad arbitrum redeitur aut sequestro ponitur.

GR. quemne ego excepi in mari—TR. at ego ínspectaui e
                                                    litore.

1020 GR. mea opera, labore et rete et horia? TR. numqui minus,
si ueniat nunc dominus quoiiust, ego qui inspectaui procul
te hunc habere, fur sum quam tu? GR. nihilo. TR. mane, 90
                                                    mastigia :

quo argumento socius non sum et fur sum? facdum ex te sciam.

GR. nescio neque ego istas uostras leges urbanas scio,

1025 nisi quia hunc meum esse dico. TR. et ego item esse aio
                                                    meum.

GR. mane, iam repperi quo pacto nec fur nec socius sies.

TR. quo pacto? GR. sine me hinc abire, tú abi tacitus 95
                                                    tuam uiam ;

nec tu me quoiquam indicassis neque ego tibi quicquam
                                                    dabo ;

1008 iam— *A* : ego iam *P*   peniculus *Guietus* : penicillus *P, A
n. l.*   exurgere *P* (*pro* -rei ?)   1010 te adterram *P*CD, *A n. l.*
1011 uin *Morris* (*cf. ad Bacch.* 873)   1020 horreia (horrea) *codd.
Prisciani* 1, 332   1021–38 *paucae litterae in primis et extremis versibus
A*   1022 fur sum *Ital.* : furtum *P, A n. l.*   1026 repperi
Fleckeisen : reperi rem *P, A n. l.*

tu taceto, ego mussitabo : hoc optumum atque aequis-
                                            sumum est.

TR. ecquid condicionis audes ferre? GR. iam dudum fero : 1030
ut abeas, rudentem amittas, mihi molestus ne sies.

100 TR. mane dum refero condicionem.   GR. te, opsecro hercle,
                                            aufer modo.

TR. ecquem in heis locis nouisti? GR. oportet uicinos meos.

TR. ubi tu hic habitas? GR. porro illic longe usque in
                                            campis ultumis.

TR. uin qui in hac uilla habitat, eiius arbitratu fieri?   1035

GR. paullisper remitte restem dum concedo et consulo.

10; TR. fiat. GR. eugae! salua res est, praeda haec perpetua
                                            est mea ;

ad meum erum arbitrum uocat me hic intra praesepis meas :
numquam hercle hodie abiudicabit ab suo triobolum.

né iste hau scit quam condicionem tetulerit. íbo ad 1040
                                            arbitrum.

TR. quid igitur? GR. quamquam istuc esse ius meum
                                            certo scio,

110 fiat istuc potius quam nunc pugnem tecum.   TR. nunc
                                            places.

GR. quamquam ad ignotum arbitrum me appellis, si adhi-
                                            bebit fidem,

etsi ignotust, notus : si non, notus ignotissumust.

iv   D A E M O N E   G R I P V S   T R A C H A L I O
            P A L A E S T R A .   A M P E L I S C A

DA. Serio edepol, quamquam uobis ⟨uolo⟩ quae uoltis, 1045
                                            mulieres,

metuo propter uos ne uxor mea me extrúdat aedibus,

1038 huc *Bothe*   1039 *deficit A*   1042 istac *Seyffert*   1044
etsi ignotust *Acidalius* : etsist ignotus *cod. (cf. ad Merc.* 330)   1045
uobis ⟨uolo⟩ *Gruterus* : uolo ego uos *Mueller (Rhein. Mus.* 54, 534)
1046 uxor ne *Brix*   *vel* med

quae me paelices adduxe dicet ante oculos suos.

uos confugite in aram potius quám ego.   PA., AM. miserae
                                                          periimus.

DA. ego uos saluas sistam, ne timete.   sed quid uos 5
                                                          foras

1050 prosequimini?   quoniam ego adsum, faciet nemo iniuriam;

ite, inquam, domum ambo nunciam ex praesidio praesides.

GR. o ere, salue.   DA. salue, Gripe.   quid fit?   TR. tuo'ne
                                                       hic seruos est?

GR. hau pudet.   TR. níl ago tecum.   GR. ergo abi hinc
                           sis.   TR. quaeso responde, senex:

tuos hic seruost?   DA. meus est.   TR. em istuc optume, 10
                                                quando tuost.

1055 iterum te saluto.   DA. et ego te.   tune es qui hau multo
                                                          prius

abiisti hinc erum accersitum?   TR. ego is sum.   DA. quid
                                                nunc uis tibi?

TR. nempe hic tuos est?   DA. meus est.   TR. istuc optume,
                                                quando tuost.

DA. quid negotist?   TR. uir scelestus illic est.   DA. quíd
                                                fecit tibi

uir scelestus?   TR. homini ego isti talos subfringi uolo.   15

1060 DA. quid est?   qua de re litigatis nunc inter uos?   TR.
                                                          eloquar.

GR. immo ego eloquar.   TR. ego, opinor, rem facesso.
                                          GR. si quidem

sis pudicus, hinc facessas.   DA. Gripe, animum aduorte ac
                                                          tace.

GR. utin istic priu' dicat?   DA. audi.   loquere tu.   GR.
                                                alienon prius

quam tuo dábis orationem?   TR. út nequitur comprimi!   20

1047 adduxisse *cod.* : obduxe *Mueller* (*Rhein. Mus.* 54, 534)   1052
ere *Camerarius*: pre *cod.*   1053 abi hinc sis ergo *Brix*   1060
nunc litigatis *cod.* : *trai. Camerarius*   n. i. u. l. *Schoell*   1061 *vel*
opino   1063 dica *cod.*

ita ut occepi dicere, illum quem dudum ⟨e fano foras⟩   1065
lenonem extrusisti, hic eiius uidulum eccillum ⟨tenet⟩.
GR. non habeo. TR. negas quod oculis uideo? GR. at
                                                   ne uideas uelim.
 habeo, non habeo : quid tu me curas quid rerum geram ?
25 TR. quo modó habeas, id refert, iurene anne iniuria.
GR. ni istum cepi, nulla caussa est quin me condones 1070
                                                   cruci ;
 si in mari rétia prehendi, qui tuom pótiust quam meum ?
TR. uerba dat. hoc modo res gesta est ut ego dico. GR.
                                                   quid tu ais ?
TR. quod primarius uir dicat : comprime hunc sis, si tuost.
30 GR. quid ? tu idem mihi uis fieri quod erus consueuit tibi ?
 si ille te comprimere solitust, hic noster nos non solet.   1075
DA. uerbo illo modo ille uicit. quid nunc tu uis ? dic mihi.
TR. equidem ego neque partem posco mihi istinc de istoc
                                                   uidulo
 neque meum esse hodie umquam dixi ; sed isti inest
                                                   cistellula
35 huiius mulieris, quam dudum dixi fuisse liberam.
DA. nemp' tu hanc dicis quam esse aiebas dudum popula- 1080
                                                   rem meam ?
TR. admodum ; et ea quae olim parua gestauit crepundia
 istic in ista cistula insunt, quae istic inest in uidulo.
 hoc neque isti usust et illi miserae suppetias feret,
40 si id dederit qui suos parentes quaerat. DA. faciam ut det.
                                                   tace.
GR. nihil hercle ego sum isti daturus. TR. nihil peto nisi 1085
                                                   cistulam
 et crepundiá. GR. quid si ea sunt aurea? TR. quid
                                                   istuc tua ?

    1065 sq. *fines mutilati in cod.*   1065 e fano foras *suppl. Lambinus,
Schoell*   1066 tenet *suppl. Guietus*   1069 id] illud *Camerarius*
1071 reti apprehendi *Ital.* : reti prehendi *edd.* (*cf. ad v. 900*)   1075
solitus *cod.*   1082 *vel* Isti   *vel* istac   *vel* isti

aurum auro expendetur, argentum argento exaequabimus.

GR. fac sis aurum ut uideam, post ego faciam ut uideas
                                                    cistulam.

DA. caue malo ac tace tú. tu perge ut occepisti dicere.   45

1090 TR. unum te opsecro ut ted huiius commiserescat mulieris
si quidem hic lenonis eius est uidulus, quem suspicor ;
hic nisi de opinione certum nihil dico tibi.

GR. uiden? scelestus aucupatur. TR. sine me ut occepi
                                                    loqui.

si scelesti illius est hic quoiius dico uidulus,   50
1095 haec poterunt nouisse: ostendere his iube.   GR. ain?
                                                ostendere?

DA. haud iniquom dicit, Gripe, ut ostendatur uidulus.

GR. immo hercle insignite inique. DA. quidum? GR. quia,
                                            si ostendero,

continuo hunc nouisse dicent scilicet. TR. scelerum caput,
ut tute es item omnis censes esse, peiiuri caput?   55

1100 GR. omnia istaéc ego facile patior, dúm hic hinc a me
                                                    sentiat.

TR. atqui nunc aps te stat, uerum hinc cibit testimonium.

DA. Gripe, aduorte animum. tu paucis expedi quid postulas.

TR. dixi equidem, sed si parum intellexti, dicam denuo.
hasce ambas, ut dudum dixi, ita esse oportet liberas :   60
1105 haec Athenis parua fuit uirgo surrupta. GR. dic mihi,
quid id ad uid[u]lum pertinet, seruae sint istae an liberae ?

TR. omnia iterum uis memorari, scelus, ut defiat dies.

DA. apstine maledictis et mihi quod rogaui dilue.

TR. cistellam isti inesse oportet caudeam in isto uidulo,   65

1087 exaequabimus (*P*CD) *vel* exaequabitur (*B*) *cod.*   1088 fac sis
Rittershusius: facis *cod.*   1091 *vel* eiiust . 1093 scelestus [us] (is *P*CD)
cod. : *corr. Seyffert*   1095 his *Pylades* : hic *cod.*   1097 iniquom
(?) *Leo*   quasi o. *B*   1100 ego istaec *Bothe*   1101 cibit *Acidalius* :
ibi *cod.*   1105 surpta *Hermann* (*sed cf. Journ. Phil.* 26, 296)
·1106 id *Bothe* : ita (*B*) *vel* ista (*P*CD) *cod.*   pertinet] istum
Schoell : attinet *Fleckeisen*   *fort.* quíd id ad uidulúm seruae siént
istaec an líberae ?   1109 gaudeam *cod.* (*cf.* 1133)   in *om. B*

ubi sunt signa qui parentes noscere haec possit suos,   1110
quibu'cum periit parua Athenis, sicuti dixi prius.

GR. Iuppiter te dique perdant! quid ais, uir uenefice?
quid, istae mutae sunt, quae pro se fabulari non queant?

70 TR. eo tacent quia tacita bonast mulier semper quam
                                   loquens.

GR. tum pol tu pro portione nec uir nec mulier mihi es.   1115
TR. quidum?   GR. quia enim neque loquens es neque
                            tacens umquam bonus.

quaeso, enumquam hodie licebit mihi loqui? DA. si
                              praeterhac
⟨unum⟩ uerbum faxis hodie, ego tibi comminuam caput.

75 TR. ut id occepi dicere, senex, eam te quaeso cistulam
ut iubeas hunc reddere illis; ob eam si quid postulat   1120
sibi mercedis, dabitur: aliud quidquid ibi est habeat sibi.

GR. nunc demum istuc dicis, quoniam ius meum esse in-
                            tellegis:
dudum dimidiam petebas partem. TR. immo etiam nunc
                            peto.

80 GR. uidi petere miluom, etiam quom nihil auferret tamen.
DA. non ego te comprimere possum sine malo? GR. si 1125
                           istic tacet,
ego tacebo; si iste loquitur, sine me pro parti loqui.

DA. cedo modo mihi istum uid[u]lum, Gripe. GR. con-
                            credam tibi:
ac si istorum nihil sit, ut mihi reddas. DA. reddetur. GR.
                            tene.

85 DA. audi nunciam, Palaestra atque Ampelisca, hoc quod
                            loquor.

1111 parua periit *cod.* : *trai. Sonnenschein*   1114 tacitast bona
alii, quibus -tá bonäst *displicet*   1115 pro oratione *Gulielmius*   1118
unum *suppl. Camerarius* (*spatium in cod.*)   1119 ita ut occepi
Schoell   1120 postulas *cod.*   1124 auferet (*P*CD) *vel* aufert (*B*)
cod.   1126 mea *P*CD   pro parte *Leo* : pro re mea parte *cod.* ' *scil.*
coniuncta duplici scriptura pro re mea (*sic Camerarius*) *et* pro parte'
Leo   1127 uidulum istum *Pylades*   concedam *B*

1130 estne hic uid[u]lus ubi cistellam tuam inesse aiebas? PA.
                                                    is est.

GR. perii hercle ego misér! ut priu' quam plane aspexit ilico
    eum esse dixit! PA. faciam ego hanc rem ⟨ex procliui
                                             pla⟩nam tibi.

cistellam isti inesse oportet caudeam in isto uidulo.

ibi ego dicam quidquid inerit nominatim: tu mihi   90
1135 nullum ostenderis; si falsa dicam frustra dixero,
    uos tamen istaec quidquid isti inerit uobis habebitis;
    sed si erunt uéra, tum opsecro te ut mea mihi réddantur.
                                                    DA. placet.

ius merum oras meo quidem animo. GR. át meo hercle
                                            ⟨iniuriam⟩.

quid si ista aut superstitiosa aut hariolast atque omnia   95
1140 quidquid insit uera dicet? idne habebit hariola?
    DA. non feret nisi uera dicet: nequiquam hariolabitur.
    solue uidulum ergo, ut quid sit uerum quam primum sciam.
    GR. hoc habet, solutust. DA. aperi. uideo cistellam.
                                                    haecinest?

PA. istaec est. o mei parentes, hic uos conclusos gero,   100
1145 huc opesque spesque uostrum cognoscendum condidi.
    GR. tum tibi hercle deos iratos esse oportet, quisquis es,
    quae parentes tám in angustum tuos locum compegeris.
    DA. Gripe, accede huc; tua res agitur. tu, puella, istinc
                                                    procul

dicito quid insit et qua facie, memorato omnia.   105
1150 si hercle tantillum peccassis, quod posterius postules

1130 *vel* aibas: aiebat *Fleckeisen*   1131 *vel* uti   aspexi *B* (*pro*
-xti?)   1132 dixi *B* (*pro* -xti?)   *lacunam in cod. suppl. post Came-*
rarium Gulielmius   1133 isticine esse *cod*. (*cf.*
1109)   1136 uos tamen istic quidquid inerit uobis ⟨omne⟩ habebitis
Seyffert   1137 sed *del. Mueller, rhythmo consulens*   meam *cod*.
1138 iniuriam *suppl. Camerarius*   1140 inerit *Mueller*   idne
scripsi: in me *cod*. (*pro* inne, *i. e.* idne): anne *Valla*   1141 ariolatur
cod.: *corr. Pylades*   1142 quid *Camerarius*: qui quid (*B*) *vel* quic
quid (*P*CD) *cod*.   1143 solutum est *cod*.   1144 mi *cod*.   1150
posteris *cod*.

te ad uerum conuorti, nugas, mulier, magnas egeris.

Gr. ius bonum oras.   Tr. edepol hau te órat, nam tu
                                    iniuriu's.

Da. loquere nunciam, puella.   Gripe, animum aduorte ac tace.

110 Pa. sunt crepundia.   Da. ecca uideo.   Gr. perii in primo
                                       proelio.

mane, ne ostenderis.   Da. qua facie sunt? responde ex ordine. 1155

Pa. ensiculust aureolus primum litteratus.   Da. dice dum,

in eo ensiculo litterarum quid est?   Pa. mei nomen patris.

post altrinsecust securicula ancipes, itidem aurea,

115 litterata : ibi matris nomen in securiculast.   Da. mane.

dic, in ensiculo quid nomen est paternum?   Pa. Daemones. 1160

Da. di inmortales, ubi loci sunt spes meae?   Gr. immo
                                     edepol meae?

Tr. pergite, opsecro, continuo.   Gr. placide, aut ite in
                                     malam crucem.

Da. loquere matris nomen hic quid in securicula siet.

120 Pa. Daedalis.   Da. di me seruatum cupiunt.   Gr. at me
                                     perditum.

Da. filiam meam esse hánc oportet, Gripe.   Gr. sit per me 1165
                                     quidem.

qui te di omnes perdant, qui me hodie oculis uidisti tuis,

meque adeo scelestum, qui non circumspexi centiens,

priu' me ne quis inspectaret quam rete extraxi ex aqua !

125 Pa. post sicilicula argenteola et duae conexae maniculae et

sucula—Gr. quin tu i dierecta cum sucula et cum porculis. 1170

Pa. et bulla aurea est pater quam dedit mi natali die.

Da. ea est profecto.   contineri quin complectar non queo.

1152 *vel* ted   iniuria's *Schoell* (*cf. Isid. Etymol.* 5, 26, 10)
1157 litteratum *B*   1158 itidem *codd. Prisciani* 1, 281 : item *cod.*
1160 *vel* dice   1162 i *Guietus*   1163 in securicula quid *cod.* :
trai. Bentley   1167, 1168 *vel sic distingue* centiens Priu' me, ne quis
inspectaret,   1169 post in sicilicula *cod.* (postin sicula *P*CD)
('*scil. var. lect.* ensicula *in archetypo ascripta*' *Leo, qui huc refert illud*
ensicula *Charisii* 155, *Prisciani* 1, 115, *all.* ; *vel cf.* v. 9, 8)   et *alt.*]
cf. ad Mil. 1132

filia mea, salue.   ego is sum qui te produxi pater,

ego sum Daemones et mater tua eccam hic intus Daedalis.   130

1175 Pa. salue, mi pater insperate.   Da. salue.   ut te amplector

lubens!

Tr. uolup est quom istuc ex pietate uostra uobis contigit.

Da. capedum, hunc si potes fer intro uidulum, age, Trachalio.

Tr. ecce Gripi scelera! quom istaec res male euenit tibi,

Gripe, gratulor. Da. age eamus, mea gnata, ad matrem tuam, 135

1180 quae ex te poterit argumentis hanc rem magis exquirere,

quae te magi' tractauit magi'que signa pernouit tua.—

Pa. intro eamus omnes, quando óperam promiscam damus.

sequere me, Ampelisca.—Am. quom te dí amant uoluptati

est mihi.—

Gr. sumne ego scelestus qui illunc hodie excepi uidulum?   140

1185 aut quom excepi, qui non alicubi in solo apstrusi loco?

credebam edepol turbulentam praedam euenturam mihi,

quia illa mihi tam turbulenta tempestate euenerat.

credo edepol ego illic inesse argenti et auri largiter.

quid meliust quam ut hinc intro abeam et me suspendam 145

clanculum,

1190 saltem tantisper dum apscedat haec a me aegrimonia?

DAEMONES   V

Pro di inmortales! quis me est fortunatior,

qui ex inprouiso filiam inueni meam?

satin sí quoii homini dí esse bene factum uolunt,

aliquo illud pacto optingit optatum piis?

1195   ego | hodie neque speraui neque credidi: 5

1173 salue mea P^{CD} 1174 ecca cod.: corr. Fleckeisen   intust Langen   1177 uidum P^{CD} 1181 vel mage... mageque 1182 vel Tr.   eamus intro cod.: trai. Reiz   quando ⟨omnes⟩ Acidalius ante operam 4 litterae (damu?) et post damus 3 litterae erasae B   1184 ego ⟨homo⟩ Fleckeisen   illuc cod.   1187 tam om. P^{CD} 1188 auri et argenti P^{CD} 1193 dei esse Ital.: delesse cod.   uolo cod.: corr. Valla   1195 vix hŏdie   ⟨nil⟩ neque Seyffert: ⟨qui⟩ neque Sonnenschein: vix me qui   ⟨illud⟩ credidi Bothe

　　　is inprouiso filiam inueni tamen ;
　　　et eam de genere summo adulescenti dabo
　　　ingenuo, Atheniensi et cognato meo.
　　　ego eum adeo arcessi huc ad me quam primum uolo
10　　iussique exire huc eiius seruom, ut ad forum　　　　　　1200
　　　iret ; nondum egressum esse eum, id miror tamen.
　　　accedam, opinor, ad fores.　quid conspicor ?
　　　uxor complexa collo retinet filiam.
　　　nimi' paene inepta atque odiosa eius amatiost.

vi　　　　　　Daemones　　Trachalio

Da. Aliquando osculando meliust, uxor, pausam fieri ;　　1205
　　atque adorna, ut rem diuinam faciam, quom intro aduenero,
　　Laribus familiaribus, quom auxerunt nostram familiam.
　　sunt domi agni et porci sacres.　sed quid istúm remora-
　　　　　　　　　　　　　　　　　　　　　　　　　mini,
5 mulieres, Trachalionem ? atque optume eccum exit foras !
Tr. ubi ubi erit, iam inuestigabo et mecum ad te adducam 1210
　　　　　　　　　　　　　　　　　　　　　　　　　simul
　　Plesidippum.　Da. eloquere ut haec res optigit de filia ;
　　eum roga ut relinquat alias res et huc ueniat.　Tr. licet.
　Da. dicito daturum meam illi filiam uxorem.　Tr. licet.
10 Da. et patrem eiius me nouisse et mihi esse cognatum.　Tr.
　　　　　　　　　　　　　　　　　　　　　　　　　licet.
　Da. sed propera.　Tr. licet.　Da. iam hic fac sit, cena ut 1215
　　　　　　　　　　　　　　　　　　　　curetur.　Tr. licet.
　Da. omnian licet ?　Tr. licet.　sed scin quid est quod te
　　　　　　　　　　　　　　　　　　　　　　　　　uolo ?
　　quod promisisti ut memineris, hodie ut liber sim.　Da. licet.

1199 eum ego *Bothe*　　1200 seruom eius *cod.* : *trai. Acidalius* :
s. eius ⟨intus⟩ *Mueller* (*Rhein. Mus.* 54, 535)　　ut ⟨ad erum⟩ ad forum
Serruys (*Rev. Philol.* 24, 155)　　1202 *vix* opino　　1208 *vel* istunc
1210 tamen *corr.* iam *ut vid. cod.* (tamen iam *B* : tamen *P*CD)　　1212
roga *Bentley* : rogat (rogato *P*CD) *cod.*　　1215 sit *Acidalius* : sis
cod.　　1216 omnia inlicet *cod.* : *corr. Camerarius*

Tr. fac ut exores Plesidippum ut me ⟨manu⟩ emittat. Da.
                                            licet.

Tr. et tua filia facito oret : facile exorabit. Da. licet.   15

1220 Tr. atque ut mi Ampelisca nubat, ubi ego sim liber. Da.
                                            licet.

Tr. atque ut gratum mi beneficium factis experiar. Da.
                                            licet.

Tr. omnian licet? Da. licet : tibi rusum refero gratiam.
sed propera ire in urbem actutum et recipe te huc rusum.
                                          Tr. licet.

iam hic ero. tu interibi adorna ceterum quod opust.—Da. 20
                                          licet.

1225 Hercules istum infelicet cum sua licentia !
ita meas repleuit auris quidquid memorabam 'licet.'

Gripvs   Daemones   vii

Gr. Quam mox licet te compellare, Daemones ?
Da. quid est negoti, Gripe? Gr. de illo uidulo :
si sapias, sapias ; habeas quod di danunt boni.

1230 Da. aequom uidetur tibi, ut ego alienum quod est
meum esse dicam? Gr. quodne ego inueni in mari? 5
Da. tanto illi melius optigit qui perdidit ;
tuom esse nihilo magis oportet uidulum.
Gr. isto tu pauper es quom nimi' sancte piu's.

1235 Da. o Gripe, Gripe, in aetate hominum plurumae
fiunt trasennae, ubi decipiuntur dolis.   10
atque edepol in eas plerumque esca imponitur :
quam si quis auidus poscit escam auariter,
decipitur in trasenna auaritia sua.

1240 ill' qui consulte, docte atque astute cauet,
diutine uti bene licet partum bene.   15

1218 me *om. B*   manu *add. Fleckeisen post Camerarium*   1222
omnia *cod. : corr. Camerarius*   1229 danunt (*cum suprascr. gloss.*
dant) *cod. ut uid.* (*aliter Leo* ' *scriptura duplex*, di dant boni *et* diui
danunt')   1232 melius illi *cod. :* trai. *Bentley*

    mihi istaéc uidetur praeda praedatum irier,

    ut cum maiore dote abeat quam aduenerit.

    egone ut quod ad me adlatum esse alienum sciam

    celem? minime istuc faciet noster Daemones.   1245

20 semper cauere hoc sapientis aequissumumst

    ne conscii sint ipsi malefici suis.

    ego mihi conlusim nil moror ullum lucrum.

    GR. spectaui ego pridem comicos ad istúnc modum

    sapienter dicta dicere, atque is plaudier,   1250

25 quom illos sapientis mores monstrabant poplo :

    sed quom inde suam quisque ibant diuorsi domum,

    nullus erat illo pacto ut illi iusserant.

    DA. abi intro, ne molestu's, linguae tempera.

    ego tibi daturus nihil sum, ne tu frustra sis.   1255

30 GR. at ego deos quaéso ut, quidquid in illo uidulost,

    si aurum, si argentum est, omne id ut fiat cinis.—

    DA. illuc est quod nos nequam seruis utimur.

    nam illic cum seruo si quo congressus foret,

    et ipsum sese et illum furti astringeret ;   1260

35 dum praedam habere se censeret, interim

    praeda ipsus esset, praeda praedam duceret.

    nunc hinc intro ibo et sacruficabo, postibi

    iubebo nobis cenam continuo coqui.—

viii   P L E S I D I P P V S   T R A C H A L I O

    PL. Iterum mihi istaec omnia itera, mi anime, mi Trachalio, 1265

    mi liberte, mi patrone potius, immo mi pater.

    repperit patrem Palaestra suom atque matrem? TR. rep-

                            perit.

    1242, 1243 ire, uti ⟨Hinc⟩ cum (?) *Leo*   1247 malefici *Pylades* :
maleficiis *cod.*   1248 mihi conlusim *Exon* : mihi cum lusi *cod.* :
cogitaveram de nihil conlusi   1251 monstrabat *cod.* : *corr. Pylades*
poplo (populo) *Ital.* : potio *cod.*   1252 *vel* ind'   1254 molestus
(*sc.* sis) *alii*   1259 *an* conseruo?   1260 forti *cod.*   1266
immo potius *cod.* : *trai. Reiz, Specht ' de immo particula'* p. 49

Pl. et popularis est? Tr. opino. Pl. et nuptura est mi?
Tr. suspicor.

Pl. censen hodie despondebit eam mi, quaeso? Tr. 5
censeo.

1270 Pl. quid? patri etiam gratulabor quom illam inuenit? Tr.
censeo.

Pl. quid matri eiius? Tr. censeo. Pl. quid ergo censes?
Tr. quod rogas

censeo. Pl. dic ergo quanti censes? Tr. egone? censeo.

Pl. adsum equidem, ne censionem semper facias. Tr.
censeo.

Pl. quid si curram? Tr. censeo. Pl. an sic potius 10
placide? Tr. censeo.

1275 Pl. etiamne eam adueniéns salutem? Tr. censeó. Pl.
etiam patrem?

Tr. censeo. Pl. post eiius matrem? Tr. censeo. Pl.
quid postea?

etiamne adueniens complectar eius patrem? Tr. non
censeo.

Pl. quid matrem? Tr. non censeo. Pl. quid eampse
illam? Tr. non censeo.

Pl. perii! dilectum dimisit. nunc non censet quom uolo. 15

1280 Tr. sanus non es. sequere.—Pl. duc me, mi patrone, quo
lubet.—

ACTVS V

Labrax

V. i

Quis me est mortalis miserior qui uiuat alter hodie,
quem ad recuperatores modo damnauit Plesidippus?
abiudicata a me modo est Palaestra. perditus sum.
nam lenones ex Gaudio credo esse procreatos,

1268 opinor *cod.* mi nuptura est *P*CD 1276 quid postea?
Trachalioni continuat Seyffert 1281 mortalium *cod.* : *corr. Bentley,*
nam mortálium míserior *displicet*

5 ita omnés mortales, si quid est mali lenoni, gaudent.   1285
  nunc alteram illam quae mea est uisam huc in Veneris
                                  fanum,
  saltem ut eam abducam, de bonis quod restat reliquiarum.

ii   G R I P V S   L A B R A X

GR. Numquam edepol hodie ad uesperum Gripum inspicietis
                                    uiuom
  nisi uidulus mihi redditur.   LA. perii quom mentionem
  fieri audio usquam uiduli : ⟨est⟩ quasi palo pectus tundat.   1290
GR. istic scelestus liber est : ego qui in mari prehendi
5 rete atque excepi uidulum, ei darei negatis quicquam.
LA. pro di inmortales ! suo mihi hic sermone arrexit auris.
GR. cubitum hercle longis litteris signabo iam usquequaque,
  si quis perdiderit uidulum cum auro atque argento multo,   1295
  ad Gripum ut ueniat.   non feretis istum, ut postulatis.
10 LA. meum hercle illic homo uidulum scit quí habet, ut ego
                               opinor.
  adeundus mihi illic est homo.   di, quaeso, subuenite.
GR. quid me intro reuocas ? hoc uolo hic ante ostium
                              extergere.
  nam hoc quidem pol e robiginé, non est e ferro factum,   1300
  ita quanto magis extergeo rutilum, atque tenuius fit.
15 nam quidem hoc uenenatumst uerúm : ita in manibus con-
                              senescit.
LA. adulescens, salue.   GR. di te ament cum inraso capite.
                              LA. quid fit ?
GR. uerum extergetur.   LA. ut uales ? GR. quid tu ? num
                          medicus, quaeso, es ?

1290 est *addidi*   palus pectus tundit *Ussing* : *lacunam sign.*
Seyffert (*scil.* ' *cor tam vehementer salit* ')   1292 dare *Ital.*   1296
agripum *cod.* (*pro* aggr-, *i. e.* ad Gr. ; i. 4)   1297 *vel* opino
1300 non efero factum est *cod.* : *trai. Bothe*   1301 quanti *cod.* :
corr. Pius   *vel sic distingue* extergeo, rutilum atque t. f.   1302
nam hoc idem *B²* : nam hoc quidem *Bothe* : num quid hoc *Francken*,
fort. recte   1304 LA. ut *Ital.* : aut *cod.*

1305 LA. immo edepol una littera plus sum quam medicus. GR.

tum tu

mendicus es? LA. tetigisti acu. GR. uidetur digna forma.

sed quid tibi est? LA. hac proxuma nocte in mari ⟨mi⟩ et 20

alii

confracta est nauis, perdidi quidquid erat miser ibi omne.

GR. quid perdidisti? LA. uidulum cum auro atque argento

multo.

1310 GR. ecquid meministi in uidulo qui periit quid ibi infuerit?

LA. quid refert, qui periit? GR. tamen—LA. sine hoc,

áliud fabulemur.

GR. quid si ego sciam qui inuenerit? uolo ex te scire 25

signa.

LA. nummi octingenti | aurei in marsuppio infuerunt,

praeterea centum minaria Philippea in pascéolo sorsus.

1315 GR. magna hercle praedast, largiter mercedis indipiscar;

di hómines respiciunt: bené ego hinc praedatus ibo.

profecto est huius uidulus. perge alia tu expedire.   30

LA. talentum argenti commodum magnum inerit in cru-

mina,

praeterea sinus, cantharús, epichysis, gaulus, cyathus.

1320 GR. papae! diuitias tu quidém habuisti luculentas.

LA. miserum istuc uerbum et pessumum est, 'habuisse' et

nihil habere.

GR. quid dare uelis qui istaec tibi inuestiget indicetque?   35

eloquere propere celeriter. LA. nummos trecentos. GR.

tricas.

1307 mi *add. Camerarius*   elaui *Pius*   1308 confracta *Pylades* :
contra facta *cod.* (iv. 3)   1310 ibi infuerit *Bentley* : infuere
tibi *cod.*   1311 sine *Spengel* (*qui totum versum Labraci dat.*) : si
non *cod.* : *fort.* sino   1313 oct. nummi *Benoist*   auri in (aurii *B*)
cod. : auri ⟨probi⟩ in *Seyffert*   1314 minaria *Leo* : mna *cod.* :
denaria *codd. Nonii* 151   Philippa *Seyffert*   1316 *vel* dei *vel* diui
di me omnes *Weise*   ergo *B*   1317 huius est *cod.* : *trai. Pylades*
1318 inerat *Ital.*   1319 epichisis cantharus *cod.* : *trai. Bothe*
1320 parae *cod.* (R *pro* P)   1321 miserum [quidem] istuc *B*   *vel*
'hab. e. n. hab

LA. quadrigentos. GR. tramas putidas. LA. quingentos.
GR. cassam glandem.
LA. sescentos. GR. curculiunculos minutos fabulare.   1325
LA. dabo séptingentos. GR. os calet tibi, nunc id frigefactas.
4c LA. mille dabo nummum. GR. somnias. LA. nihil addo.
GR. abi igitur. LA. audi :
si hercle abiero hinc, hic non ero. uin centum et mille?
GR. dormis.
LA. eloquere quantum postules. GR. quo nihil inuitus
addas :
talentum magnum. non potest triobolum hinc abesse.   1330
proin tu uel aias uel neges. LA. quid istíc ? necessum est,
uideo :
4; dabitur talentum. GR. accede dum huc : Venus haec uolo
adroget te.
LA. quod tibi lubet id mi impera. GR. tange aram hanc
Veneris. LA. tango.
GR. per Venerem hanc iurandum est tibi. LA. quid iurem?
GR. quod iubebo.
LA. praei uérbis quiduis. [id] quod domi est, numquam 1335
ulli supplicabo.
GR. tene aram hanc. LA. teneo. GR. deiera te mi argentum daturum
5o eodem die, ⟨tui⟩ uídulí ubi sis potitus. LA. fiat.
GR. Venu' Cyrenensis, testem te testor mihi,
si uidulum illum quém ego in naui perdidi
cum auro atque argento saluom inuestigauero   1340
isque in potestatem meam peruenerit,

1326 nunc id frigefactas *Camerarius et Valla* : nungit frigide (frigede
sequente ras. 4–5 *litt. B*) factas *cod.*   1327, 1328 *vel* LA. nihil . . .
igitur. GR. audi . . . ero   1333 impera *Ital.* : imperat *cod.*   1335
praei *Merula* : prae *cod.*   id *del. Bentley metri causa*   numqui *B*
uili *cod.*   1337 tui *add. Seyffert*   1338 sqq *Labraci continuant alii*
1340 cum *Ital.* : quam *cod.* (*pro* quom, *i. e.* cum ?)

tum ego huïc Gripo, ínquito et me tangito—   55
LA. tum ego huïc Gripo (dico, Venus, ut tu audias)
talentum argenti magnum continuo dabo.

1345   GR. †si† fraudassis, dic ut te in quaestu tuo
Venus eradicet, caput atque aetatem tuam.
tecum hoc habeto tamen, ubi iuraueris.   60
LA. illaec aduorsum si quid peccasso, Venus,
ueneror te ut omnes miseri lenones sient.

1350   GR. tamen fíet, etsi tu fidem seruaueris.
tu hic opperire, iam ego faxo exibit senex;
eum tú continuo uidulum reposcito.—   65
LA. si maxume mi illum reddiderit uidulum,
non ego illic hodie debeo triobolum.

1355   meus arbitratust lingua quod iuret mea.
sed conticiscam : eccum exit et ducit senem.

GRIPVS   DAEMONES   LABRAX   iii

GR. Sequere hac. DA. ubi istic lenost ? GR. heus tu, ém
                         tibi ! hic habet uidulum.
DA. habeo et fateor esse apud me, et, si tuos est, habeas tibi.
omnia, ut quidquid †infuere†, ita salua sistentur tibi.
1360 tene, si tuost. LA. o di inmortales ! meus est. salue,
                                uidule.
DA. tuo'ne est ? LA. rogitas ? si quidem hercle Ioui' fuit, 5
                          meus est tamen.
DA. omnia insunt salua; una istinc cistella excepta est
                              modo
cum crepundiis, quibu'cum hodie filiam inueni meam.

1342 ⟨tum ego huic—⟩ GR. tum ego huic *Schoell*   [dico] inquito
P^{CD} (*cf. v.* 1343 ; iv. 3)   1343 *vel sic distingue* huïc (Gripo dico. *etc.*)
1345 ⟨sed⟩ si *Bothe* : si ⟨quid⟩ *Seyffert*: *fort.* ⟨si—⟩ GR. si   *vix* ted
quaesitu *Fay*   1347 ubi] utut *Mueller* (*Rhein. Mus.* 54, 535)   1348
illa egat uorsum *cod.*   1355 lingua *Ital.* : ungua *cod.*   1357 leno
et *cod.* : *corr. Camerarius*   1359 quicque *Reiz*   infuit *Fleckeisen*
1363 quibus (*del.* cum) *Fleckeisen*

LA. quam? DA. tua quae fuit Palaestra, ea filia inuentast

                        mea.

LA. bene mehercle factum est. quom istaec res tibi ex 1365

                        sententia

10 pulchre euenit, gaudeo. DA. istuc facile non credo tibi.

LA. immo hercle, ut scias gaudere me, mihi triobolum

ob eam ne duis, condono te. DA. benigne edepol facis.

LA. immo tu quidem hercle uero. GR. heús tu! iám

                        habes uidulum.

LA. habeo. GR. propera. LA. quid properabo? GR. 1370

                     reddere argentum mihi.

15 LA. neque edepol tibi do neque quicquam debeo. GR.

                     quae haec factio est?

non debes? LA. non hercle uero. GR. non tu iuratus

                     mihi es?

LA. iuratus sum et nunc iurabo, si quid uoluptati est

                     mihi:

ius iurandum rei seruandae, non perdendae conditum est.

GR. cedo sis mihi talentum magnum argenti, peiiurissume. 1375

20 DA. Gripe, quod tu istum talentum poscis? GR. iuratust

                     mihi

dare. LA. lubet iurare. tun meo póntifex peiiurio es?

DA. qua pro re argentum promisit hic tibi? GR. si uidulum

hunc redegissem in potestatem eiius, iuratust dare

mihi talentum magnum argenti. LA. cedo quicum habeam 1380

                     iudicem,

25 ni dolo malo instipulatus sis siue etiamdum siem

quinque et uiginti annos natus. GR. habe cum hóc. LA.

                     aliost opus.

1365 hercle *B*   1369 habes *Pylades* : habeas *cod.*   1371
es *cod.*   1374 rei reseruandae *P*CD   1375 periurissime *Ital.* :
periturissime *cod.* ('*i. e.* peiiurissime *sup. scr.* r' *Leo*)   1377 tum *cod.*
1379 iuratus *cod.*   1381 siue *codd. Prisciani* 1, 388 : niue *cod*
⟨haud⟩ siem *Acidalius*   1382 annos natus *codd. Prisciani* : natus
annos *cod.*   alienost *Brix*

Da. iám ab istoc auferre haud ausim, si istunc con-
                                        demnauero.

promisistin huic argentum? La. fateor. Da. quod seruo
                                        ⟨meo⟩

1385 promisisti meum esse oportet, ne tu, leno, postules
te hic fide lenonia uti : non potes. Gr. iam te ratu's   30
nactum hominem quem defrudares? dandum huc argen-
                                        tum est probum :
id ego continuo huic dabo adeo mé ut hic emittat manu.

Da. quando ergo erga te benignus ⟨ego⟩ fuí atque opera
                                        mea

1390 haec tibi sunt seruata—Gr. immo hercle mea, ne tu dicas
                                        tua.

Da. (si sapies, tacebis) tum te mihi benigne itidem addecet 35
bene merenti bene referre gratiam. La. nemp' pro meo
iure oras? Da. mirum quin tuom ius meo periclo aps te
                                        expetam.

Gr. saluos sum, leno labascit, libertas portenditur.

1395 Da. uidulum istunc ille inuenit, illud mancupium meum
                                        est;

ego tibi hunc porro seruaui cum magna pecunia.   40

La. gratiam habeo et de talento nulla caussa est quin feras,
quod isti sum iuratus. Gr. heus tu! mihi dato ergo, si
                                        sapis.

Da. tacen an non? Gr. tu meam rem simulas agere, tibi
                                        mu⟨nis uiam⟩.

1400 non hercle istoc me interuortes, si aliam praedam perdidi.

1383 haud (haut) ausim *scripsi dubitanter* : aut sim *cod.* : haut potis
sim *Leo*   1384 promisisti *cod.* : corr. *Reiz*   fateor *Ital.* : inteor *cod.*
meo *add. Pylades*   1385 promisti *P*CD   1386 fidelenon lauti *cod.*
1387 defraudandum *corr.* -dares *cod. ut uid*   huic *P*CD (*cf. ad* 1409)
1388 *vel* med   1389 te benignus *Camerarius* : tibenignus *cod. ut uid.*
ego *Guietus* : om. *cod.* (*perperam script.* ergo, *tum deletum* ?)   1391
benione itidem addem *cod.* : corr. *Ital.*   1392 referre *Lambinus* :
ferre *cod.*   1395 istunc *Dousa* : istic *cod.*   1399 tum meam
re *cod.* : corr. *Fleckeisen*   mu⟨nis uiam⟩ *Koch* (*cf.* ii. 5)

                                                    25*

45 Da. uapulabis uerbum si addes isto unum. Gr. uel hercle
énica,
non tacebo umquam alio pacto nisi talento comprimor.
La. tibi operam hicquidem dat. tace. Da. concede hoc
tu, leno. La. licet.
Gr. palam age, nolo ego murmurillum neque susurrum
fieri.
Da. dic mihi quanti illam emisti tuam alteram mulierculam, 1405
50 Ampeliscam? La. mille nummum denumeraui. Da. uin
tibi
condicionem luculentam ferre me? La. sane uolo.
Da. diuiduom talentum faciam. La. bene facis. Da. pro
illa altera,
libera ut sit, dimidium tibi sume, dimidium huc cedo.
La. maxume. Da. pro illo dimidio ego Gripum emittam 1410
manu,
55 quem propter tu uidulum et ego gnatam inueni. La. bene
facis,
gratiam habeo magnam. Gr. quam mox mi argentum ergo
redditur?
Da. res soluta est, Gripe. ego habeo. Gr. át ego mé
hercle mauolo.
Da. nihil hercle hic tibi est, né tu speres. iuris iurandi
uolo
gratiam facias. Gr. perii hercle! nisi me suspendo occidi. 1415
60 numquam hercle iterum defrudabis me quidem post hunc
diem.
Da. hic hodie cenato, leno. La. fiat, condicio placet.
Da. sequimini intro. spectatores, uos quoque ad cenam
uocem,

1401 addes *Ital.*: adde *cod.* : addis *Leo*   unum istuc (-tuc *cod.*)
Reiz   1403 tace *Guietus* : tacebo *codd.* (*fort.* pro Gr. taceo;
v, p. 78)   1404 ego *codd. Nonii* 142 : om. *cod.*   1408 facis *Ital.*:
facias *cod.*   1409 huic P^CD (*cf. ad* 1387)   1413 hercle at
ego me *cod.*: trai. *Studemund*   1415 facias *Ital.*: faciam *cod.*

ni daturus nihil sim neque sit quicquam pollucti domi,
1420 niue adeo uocatos credam uos esse ad cenam foras.
uerum si uoletis plausum fabulae huic clarum dare,   65
comissatum omnes uenitote ad me ad annos sedecim.
uos hic hodie cenatote ambo.   LA. GR. fiat.   DA. plausum
                                                    date.

1419 nihil sum *P*CD   1423 *secl. Weise*
                        FRAGMENTA
    Diomedes p. 380 Plautus . . in Rudente : aullas abstulas   *Rufinus*
p. 561 Sisenna in Rudente — ' latronem producit metri causa '

STICHVS

⟨T. MACCI PLAVTI STICHVS⟩
GRAECA   ADELPHOE   MENANDRV
ACTA   LVDIS   PLEBEIS
CN. BAEBIO   C. TERENTIO   AED. PL.
5   ⟨EGIT⟩
T. PVBLILIVS PELLIO
⟨MODOS FECIT⟩
MARCIPOR OPPII
TIBIIS   SARRANIS   TOTAM
10   *   *
C. SVLPICIO   C. AVRELIO   COS.

*Didascaliam om. P : quae interciderunt (minio scripta, ut vid.) in A,
suppl. Ritschl*

ARGVMENTVM I

Duas sorores   *   *
duo f⟨ratres⟩   *   *
rem quaer⟨unt⟩   *   *
        *   *   *   *
soror⟨es⟩   *   *   5
pa⟨ter⟩   *   *
        *   *   *   *
        *   *   *   *
        *   *   *   *

ARGVMENTVM II

Senex castigat filias quod eae viros
Tam perseverent peregrinantis pauperes
Ita sustinere fratres neque relinquere ;
Contraque verbis delenitur commodis
Habere ut sineret quos semel nactae forent.   5
Viri reveniunt opibus aucti trans mare ;
Suam quisque retinet ac Sticho ludus datur.

Arg. I habet A, non P   Arg. II habet P, non A   7 retinat^e
cod. ut vid. : retinent *Opitz*

PERSONAE

PANEGYRIS (PHILVMENA) VXOR EPIGNOMI
PAMPHILA VXOR PAMPHILIPPI
ANTIPHO SENEX
GELASIMVS PARASITVS
CROCOTIVM ANCILLA
PINACIVM PVER
EPIGNOMVS ⎱ FRATRES
PAMPHILIPPVS ⎰
STICHVS ⎱ SERVI
SA[N]GARINVS ⎰
STEPHANIVM ANCILLA

SCAENA ATHENIS

PANEGYRIS *in tit. scaenae* II. ii *in A et in textu* (*vv.* 247, 331) *in codd.* :
PHILVMENA (*quod retractatoris esse potest*) *in tit. scaenae* I. i *in A*
   PAMPHILA *in tit. scaenarum in A. Illud* PINACIVM (DIN.) *quod
in ceteris MSS. occurrit ex v.* 284 *et fortasse aliis versibus prave intellectis
ortum videtur*
   SANGARINVS] *vid. ad v.* 644 (*cf. K. Schmidt, Herm.* 37, 205)

ACTVS I

PANEGYRIS   PAMPHILA   I. i

PAN. Credo ego miseram
1ᵃ   fuisse Penelopam,
         soror, suo ex animo,
2ᵃ   quae tam diu uidua
         uiro suo caruit;   5
3ᵃ   nam nos eius animum
  de nostris factis noscimus, quarum uiri hinc ápsunt,
  5 quorumque nos negotiis apsentum, ita ut aequom est,
  sollicitae noctes et dies, soror, sumu' semper.
                  PAM. nostrum officium   10
7ᵃ   nos facere aequomst
         neque id magi' facimus
8ᵃ   quam nos monet píetas.
  sed hic, soror, adsidedum: multa uolo tecum
  10   loqui de re uiri.   15
  10ᵃ   PAN. saluene, amabo?
  PAM. spero quidem et uolo; sed hoc, soror, crúcior
  patrem tuom meumque adeo, unice qui únus
  ciuibus ex omnibus probus perhibetur,
  eum nunc inprobi uiri officio uti,   20
  15   uiris qui tantas apsentibu' nostris
         facit iniurias inmerito
         nosque ab eis abducere uolt.
         haec res uitae me, soror, saturant,

---

  5 eorumque *Seyffert, Ussing*   ut est aequm (*om.* ita) *P*   8 *vel*
  mage   9 s. h. mea soror adsidum *P*   11 equidem *A*

25   haec mi diuidiae et senio sunt.
                PAN. ne lacruma, soror, neu tuo id animo   20
                fac quod tibi tuos pater facere minatur :
                spes est eum melius facturum.
                noui ego illum : ioculo istaec dicit,
30   neque ille sibi mereat Persarum
                montis, qui esse aurei perhibentur,   25
                ut istuc faciat quod tu metuis.
                tamen si faciat, minime irasci
                    decet neque id inmerito eueniet.
35   nam uiri nostri domo ut abierunt
                hic tertius annus—PAM. ita ut memoras.   30
                PAN. quom ipsi interea uiuant, ualeant,
                    ubi sint, quid agant, ecquid agant
                neque participant nos neque redeunt.
40   PAM. an id doles, soror, quia illi suom officium   34·5
                non colunt, quom tu tuom facis? PAN. ita pol.
                PAM. tace sis, caue sis audiam ego istuc
                    posthac ex te. PAN. nam quid iam?
                PAM. quia pol meo animo omnis sapientis
45   suom officium aequom est colere et facere.   40
                quam ob rem ego te hoc, soror, tam etsi es maior,
                moneo ut tuom memineris officium :
                etsi illi inprobi sint atque aliter
                    nos faciant quam aequomst, tam pol,
50   ne quid magi' sit, omnibus obnixe opibus   45
                nostrum officium meminisse decet.
                    PAN. placet : taceo. PAM. at memineris facito.
            [PAN. nolo ego, soror, me credi esse inmemorem uiri,

20 ne] neu P   21 tuos del. Bothe, ut dimeter anapaest. fiat
vix minat   27 tametsi A   30 tertiust Ritschl   36
coeunt A   tu om. P   37, 38 inverso ordine A   38 [caue]
posthac P (ii. 2)   qui P (corr. D)   41 soror ego hoc te A   44
tamen P   45 vel mage   sit] simus P   supplet simus
(in culpa illis, nos hic) Leo   47 placet? PAN. taceo A, ut vid.
48-57 om. A ; ad scaenam quae cantico substitueretur rettulit Ritschl

neque ille éos honores mihi quos habuit perdidit ;
50   nam pol mihi grata acceptaque huiust benignitas.   55
et me quidem haec condicio nunc non paenitet
neque est qur studeam has nuptias mutarier ;
uerum postremo in patri' potestate est situm :
faciendum id nobis quod parentes imperant.
55 PAM. scio atque in cogitando maerore augeor,   60
nam propemodum iam ostendit suam sententiam.
PAN. igitur quaeramus nobis quid facto usu' sit.]

ANTIPHO   PANEGYRIS   PAMPHILA   ii

AN. Qui manet ut moneatur semper seruos homo officium
                                         suom
nec uoluntáte id facere meminit, seruos is habitu hau pro-
                                         bust.
60 uos meministis quotcalendis petere demensum cibum :
qui minu' meministis quod opus sit facto facere in aedibus ?
iam quidem in súo quicque loco nisi erit mihi situm supel- 5
                                        léctilis,
quom ego reuortar, uos monumentis commonefáciam bu-
                                        bulis.
non homines habitare mecum mi hic uidentur, sed sues.
65 facite sultis nitidae ut aedes meae sint, quom redeam domum.
iam ego domi adero : ad meam maiorem filiam inuiso modo ;
  si quis me quaeret, ind' uocatote aliqui ; aut iam egomet 10
                                        hic ero.
PAM. quid agimus, soror, si óffirmabit pater aduorsum nos ?
                                       PAN. pati
nos oportet quod ille faciat, quoius potestas plus potest.

50 mihi pol *B*   eiust *Bach*   52 cur non studeam *cod.* : non
del. Guietus : cur nunc st. *Ital.*   57 facio *cod.* (*corr. D*)   58
manet] moneat *A*   62 quique *P*CD   64 mi hic] mihi *A*   66
modo] domum *P*   67 *vix troch.* (*cum* síqui')   68 offirmauit
A

exorando, haud aduorsando sumendam operam censeo :   70

gratiam per si petimus, spero ab eo ímpetrassere ;

15 aduorsari sine dedecore et scelere summo hau possumus,

neque equidem id factura neque tu ut facias consilium

                           dabo,

uerum ut exoremus. noui ego nostros : exorabilest.

AN. principium ego quo pacto cum illis occipiam, id ratio- 75

                           cinor :

utrum ego perplexim lacessam oratione ad hunc modum,

20 quasi numquam quicquam adeo adsimulem, an quasi quid

                         indaudiuerim

eas in se meruisse culpam : an potius temptem leniter

an minaciter. scio litis fore (ego meas noui optume)

si manere hic sese malint potius quam alio nubere.   80

non faciam. quid mihi opust decurso aetatis spatio cum eis

25 gerere bellum, quom nil quam ob rem id faciam meruisse

                         arbitror ?

minime, nolo turbas, sed hoc mihi optumum factu arbitror :

sic faciam : adsimulabo quasi quam culpam in sese admi-

                         serint.

perplexabiliter earum hodie perpauefáciam pectora ;   85

postid agam igitur deinde ut animus meus erit, faciam

                         palam

30 multa scio faciunda uerba. ibo intro. sed apertast foris.

PAM. certo enim mihi paternae uocis sonitus auris

                         accidit.

70–83 *sic collocat* P, 80–3, 75–9, 70–4   71 per] a patre P (vii, p. 99) : per *postpositum* (*cf.* parumper) *tuetur Leo* (*Nachr. Gott. Ges.* 1895, p. 418)   petimus *an* petemus *incert.* A   72 aduorsari sine] aduersariis in P   73 equidem id factura *Brix* : equidem is (? es) factura A : eg⟩ factura sum P (? *pro* e. f. ⟨id⟩ sum)   tu] te A 75 cum illis] illi A (*pro* illic ?) : cum is illi *Hav:t* (*Rev. Phil.* 28, 271) 76 orationem *cod. Charisii* 213, *codd. Nonii* 515   77 q. in eas simulem P   an quasi quid] quasi nihil P   79 litus (? litiis) A 81 *vel* mi   meis *Loman*   82 quom] quam A   id *om.* P   84 adsemulabo B   quam *Ritschl* : quom A : aliquam P   se A 86 *versus vix ferendus* post id i. (*del.* agam) *Ritschl* : postidea i. *Bergk an* ⟨ut⟩ f. ?   patam P   87 mulpa A

Pan. is est ecastor.   ferre aduorsum homini occupemus
osculum.

90 Pam. salue, mi pater.   An. et uos ambae.   ilico agite adsidite.

Pam. osculum—An. sat est ósculi mihi uostri.   Pan. quí,
amabo, pater?

An. quia ita meae animae salsura euenit.   Pam. adside 35
hic, pater.

An. non sedeo isti, uos sedete; ego sedero in subsellio.

Pan. mane, puluinum—An. bene procuras.   mihi sati' sic
fultumst.   sede.

95 Pam. sine, pater.   An. quid opust?   Pan. opust.   An.
mórem tibi geram.   atque hoc est satis.

Pam. numquam enim nimi' curare possunt suom parentem
filiae.

quem aequiust nós potiorem habere quam te?   postidea, 40
pater,

uiros nostros, quibus tu uoluisti esse nos mátres familias.

An. bonas ut aequomst facere facitis, quom tamen apsentis
uiros

100 perinde habetis quasi praesentes sient.   Pam. pudicitiast,
pater,

eos nos magnuficare qui nos socias sumpserunt sibi.

An. num quis hic ést alienus nostris dictis auceps auribus? 45

Pan. nullus praeter nosque teque.   An. uostrum animum
adhiberi uolo ;

nám ego ad uos nunc inperitus rerum et morum mulierum

105 discipulus uenio ad magistras : quibu' matronas moribus

89 hominem P   90 ilico agite [istic] A (? iv. 2)   91 qui
am⟨a⟩bo mi pater cod. Festi 197   93 vel istic (ita codd.)
sedero] sedere A   94 vel sic distingue mane puluinum   vel sat
Pan. (vel Pam.) sede A : mihi P   95 atqui alii   hic A   97
quem] qum P   98 vel ess'   tu nos uoluisti esse Ritschl
100 proinde A : de perinde cf. Journ. Phil. 21, 210   quas P (corr.
D²)   101 eos nos] enos P   quis P (corr. D)   103 te qui P

quae optumae sunt esse oportet? sed utraque ut dicat mihi.
50 PAM. quid istuc est quod huc éxquisitum mulierum mores
uenis?
AN. pol ego uxorem quaero, postquam uostra mater mor-
tuast.
PAM. facile inuenies et peiorem et peius moratam, pater,
quam illa fuit: meliorem neque tu reperies neque sol uidet. 110
AN. at ego ex te exquiro atque ex istac tua sorore. PAM.
edepol, pater,
55 scio ut oportet esse: si sint—ita ut ego aequom censeo.
AN. uolo scire ergo ut aequom censes. PAM. ut, per urbem
quom ambulent,
omnibus os opturent, ne quis merito male dicat sibi.
AN. dic uicissim nunciam tu. PAN. quid uis tibi dicam, 115
pater?
AN. ubi facillime spectatur mulier quae ingenio est bono?
60 PAN. quoi male faciundi est potestas, quae ne id faciat
temperat.
AN. hau male istúc! agetu altera, utra siet condicio pensior
uirginemne an uiduam habere? PAM. quanta mea sa-
pientiast,
ex malis multis malum quod minimumst, id minimest 120
malum.
AN. qui potis est mulier uitare uitiis? PAM. ut cottidie
65 pridie caueat ne faciat quod pigeat postridie.
AN. quae tibi mulier uidetur multo sapientissuma?
PAN. quae tamen, quom res secundae sunt, se poterit gno-
scere,
et illa quae aequo animo patietur sibi esse peius quam fuit. 125

106 oporteto A   vix sēdutraque (ut Umbrice seipodruhpei 'utro
que')   110 uidet sol P   117 faciat id P   118 age tu dic
alt(e)ra utrast (sit codd.) Mueller   condicior P   119 uirginem an P:
uirginemne (om. an) A   meas P   120 minimest] minimum
est P   121 potest P: potus ręst A   124 vel PAM.   cognoscere A

AN. edepol uos lepide temptaui uostrumque ingenium
ingeni.

sed hoc est quod ad uos uenio quodque esse ambas con- 70
uentas uolo :

mi auctores ita sunt amici, ut uos hinc abducam domum.

PAM. at enim nos quarum res agitur aliter auctores sumus.

130 nam aut olim, nisi tibi placebant, non datas oportuit

aut nunc non aequomst abduci, pater, illisce apsentibus.

AN. uosne ego patiar cum mendicis nuptas me uiuo uiris ? 75

PAM. placet ille meus mihi mendicus : suo' rex reginae
placet.

idem animust in paupertate qui olim in diuitiis fuit :

135 AN. uosne latrones et mendicos homines magni penditis ?

PAM. non tu me argento dedisti, opinor, nuptum, sed uiro.

AN. quid illos exspectatis qui abhinc iam abierunt triennium ? 80

quin uos capitis condicionem ex pessuma primariam ?

PAN. stultitiast, pater, uenatum ducere inuitas canes.

140 hostis est uxor inuita quae ad uirum nuptum datur.

AN. certumne est neutram uostrarum persequi imperium
patris ?

PAN. persequimur, nam quo dedisti nuptum abire nolumus. 85

AN. bene ualete.   ibo atque amicis uostra consilia eloquar.

PAN. probiores credo arbitrabunt, si probis narraueris.

145 AN. curate igitur familiarem rem ut potestis optume.

PAN. nunc places, quom recte monstras ; nunc tibi ausculta-
bimus.

nunc, soror, abeamus intro.   PAM. ímmo interuisam domum. 90

si a uiro tibi forte ueniet nuntius, facito ut sciam.—

PAN. neque ego te celabo neque tu me celassis quod scias.

133 mihi meus *A*   mendicis *P* (*cf. v.* 132)   136 me tu *P   vel* opino
140 ad uirum] uiro *A* (*quod retractatoris esse credo*, ad uirum *Plauti*)
144 credo] uero *Nonius* 470 (*citatio neglegens*)   145 qurate *B*
PAN. opt. *Lange*   146 placet *P*   auscultauimus *A*   149
scies *P*

eho, Crocotium, i, parasitum Gelasimum huc arcessito,   150
tecum adduce ; nam illum ecastor mittere ad portum uolo,
9ᔱ si quae forte ex Asia nauis héri aut hódie uenerit.
nam dies totos apud portum seruos unus adsidet ;
sed tamen uolo interuisi.   propera atque actutum redi.—

iii   GELASIMVS   CROCOTIVM

GE. Famem ego fuisse suspicor matrem mihi,   155
     nam postquam natus sum satur numquam fui.
     neque quisquam melius referet matri gratiam
     quam ego meae matri refero—ínuitissumus.   157ª
5   [neque rettulit quam ego refero meae matri Fami.]
     nam illa me in áluo menses gestauit decem,
     at ego illam in aluo gesto plus annos decem.   160
     atque illa puerum me gestauit paruolum,
     quo minu' laboris cepisse illam existumo :
10   ego non pauxillulam in utero gesto famem,
     uerum hercle multo maxumam et grauissumam ;
     uteri dolores mi oboriunt cottidie,   165
     sed matrem parere nequeo nec quid agam scio.
     †auditaui saepe hoc uolgo dicier†
15   solere elephantum grauidam perpetuos decem
     esse annos ; eius ex semine haec certost fames,

150 i *om. A*   hic *A*   152 heri aut] noctu hoc *Mueller (Rhein.
Mus.* 54, 536)   154 atque *om. P*   155 ego *om. P*   suspicor fuisse *A*
156–7ª neque quisquam melius referet matri gratiam | Quam ego
meae matri refero inuitissumus *A* : quam ego matri meae refero
inuitissumus. | Neque rettulit quam ego refero meae matri fami *P*
(*scil. varia lectio versus* 158 *marginalis versum* 157 *eiecit*) (*cf. Charisius* 55 'Plautus in Sticho fami datiuo casu')   159 *vel*
illaec   me illa *Pylades*   162 illam cepisst *P* (T *pro* E)   163
[at] ego *P* (iv. 2)   non] nunc *A*   gestor amem *P*   165, 166
inter v. 160 *et* 161 *positi A*   165 ut teri didolores *P*   oboriuntur
codd, *sed* dolóres mi *displicet*   quot dies *Goetz*   166 nec quid
agam scio] nescio quomodo *P*   167 auditaui *A* : audiui (*P*CD) *vel*
aut diui (*B*) *cod.* : ⟨atque⟩ aud. *Leo* : *fort.* auditauine (*i. e.* nonne aud.),
sed vide ne ex glossa audiui saepe *pro* auditaui *error ortus sit*   169 hac *P*

170   nam iam compluris annos utero haeret meo.
        nunc si ridiculum | hominem quaerat quispiam,
        uenalis ego sum cum ornamentis omnibus ;
        inanimentis explementum quaerito.   20
        Gelasimo nomen mi indidit paruo pater,
175   (propter pauperiem hoc adeo nomen repperi)
        quia ind' iám a pusillo puero ridiculus fui,
        eo quía paupertas fecit ridiculus forem ;
        nam illa artis omnis perdocet, ubi quem attigit.   25
        per annónam caram dixit me natum pater :
180   propterea, credo, nunc essurio | acrius.
        sed generi nostro haec redditast benignitas :
        nulli negare soleo, siqui' me essum uocat.
        oratio una interiit hominum pessume,   30
        atque optuma hercle meo animo et scitissuma,
185   qua ante utebantur : 'ueni illo ad cenam, sic face,
        promitte uero, ne grauare.   est commodum ?
        uolo inquam fieri, non amittam quin eas.'
        nunc reppererunt iam ei uerbo uicarium   35
        (nihili quidem hercle uerbumst ac uilissumum) :
190   'uocem te ad cenam nisi egomet cenem foris.'
        ei hercle ego uerbo lumbos diffractos uelim,
        ni uere perierit, si cenassit domi.
        haec uerba subigunt med ut mores barbaros   40
        discam atque ut faciam praeconis compendium
195   itaque auctionem praedicem ipse ut uenditem.

171 h. queret *P* : quaeret hominem *Bentley*   173 exiplementum
i. sup
⟨*B*⟩ *vel* explementum (exi sup. *P*ᶜᴰ) *P*   175-6 *inverso ordine
Acidalius*   175 *retractatoris esse potest, neque in v. sequenti illud* inde
iam a *Plautum redolet*   paupertem *P*   repperit *A*   176 pausi illo
P (*pro* pausillo) (*cf. ad Truc.* 940)   178 omnis artes *P*   180 essurio
⟨eo⟩ *Mueller*   182 nullis *A*   essum me *P* : essum(*del.* me) *Bothe*
(*cum* si qui), *nam* sïquï' *displicet*   186 promitto *P*   188 iam *om. P*
189 nihil *P*   uerbumet *A* : uerbum *P*   aculissimum *P*   191 ego
om. A   defr. *codd.*   192 ni *an* ne *incert. A*   domo *P*   193 me
(*ita codd.*) uti *Bothe*   194 praecones *P*   195 uenditem] me ueni item *P*
PLAVT. II   26

CR. hic illést parasitus quem arcessitum missa sum.
quae loquitur auscultabo priu' quam conloquar.

45   GE. sed curiosi sunt hic complures mali,
alienas res qui curant studio maxumo,
quibus ipsis nullast res quam procurent sua :   200
i quando quem auctionem facturum sciunt,
adeunt, perquirunt quid siet caussae ilico :

50   alienum aes cogat an pararit praedium,
uxorin sit reddenda dos diuortio.

eos ómnis tam etsi hercle haud indignos iudico   205
qui multum miseri sint, laborent, nil moror :
dicam auctionis caussam, ut damno gaudeant ;

55   nam curiosus nemo est quin sit maliuolus.

ipsus egomet quam ob rem auctionem praedicem,   208ᵃ
damna euenerunt maxuma misero mihi,
ita me mancupia miserum adfecerunt male,   210
potationes plurumae demortuae ;

60   quot adeo cenae quas defleui mortuae,
quot potiones mulsi, quae autem prandia,
quae inter continuom perdidi triennium !
prae maerore adeo miser atque aegritudine   215
consenui ; paene sum famé—emortuos.

65   CR. ridiculus aeque nullus est, quando essurit.
GE. nunc auctionem facere decretumst mihi :
foras necessumst quidquid habeo uendere.
adeste sultis, praeda erit praesentium.   220

---

197 conloquar] loquor *A*   198 complures] qui amplures *P*
(? *pro* quompl., *forma antiqua*)   200 qua *P*   201 i] si *A*
202 quicquid *P*   *vel* caussai   203 pararait *A*   prandium *P*
205 eo *P*   iudicio *P*   206 sunt *A*   207 am no *P*   208
quin] qui non *P*   208ᵃ om. *A, qui eius loco habet vv.* 232, 233 *suo*
loco redeuntes (*indicium fortasse vv.* 208ᵃ–31 *omissos esse in altera re-*
censione ; vel cf. ii. 6)   ipse *cod.*   213 quae] quod *P* (*i. e.* quot)
quot aũtem *tuetur Skutsch* (*Satura Viadrina p.* 127)   215 adeo
*A*¹ : maceo *A*² (*vix varia lectio* maerore maceo, *om.* prae) : deo *P*
216 prene *P*   demortuos *Lindemann* : ⟨iam⟩ em *Mueller* (*Rhein.*
Mus. 54, 537)   219 necessust *A*   220 ad sese ultis *P* (? *pro*
adesse sultis, *fort. recte*)

logos ridiculos uendo.   áge licemini.
qui cena poscit? ecqui poscit prandio?   70
(Hercules te amabit)—prandio, cena tibi.
ehem, adnuistin? nemo meliores dabit,
225   nulli meliores esse parasito sinam.
uel unctiones Graecas sudatorias
uendo uel alias malacas, crapularias;   75
cauillátiones, adsentatiunculas
ac peiieratiunculas parasiticas;
230   robiginosam strigilim, ampullam rubidam,
parasitum inanem quo recondas reliquias.
haec ueniisse iám opus est quantum potest,   80
uti decumam partem Herculi polluceam.
234-5   CR. ecastor auctionem | hau magni preti!
adhaesit homini ad infumum uentrem fames.
adibo ad hominem.   GE. quis haec est quae aduorsum
                                        it mihi?

Epignomi ancilla haec quidem est Crocotium.   85
CR. Gelasime, salue.   GE. non id est nomen mihi.
240   CR. certo mecastor id fuit nomen tibi.
GE. fuit disertim, uerum id usu perdidi:
nunc Miccotrogus nomine e uero uocor.
CR. eu ecastor!   90
risi ted hodie multum.   GE. quando aut quó in loco?
245   CR. hic quom auctionem praedicabas—GE. pessuma,
eho an audiuisti?   CR. te quidem dignissumam.

221 locos *codd.*   age ⟨age⟩ *Mueller*   222 Quis *A*   223
herculeịsteamaui *A* : hercle aestimaui *Bergk* (*sed cf. Amer. Journ.
Phil.* 21, 37)   225 *retractatori ascribit Guietus*   nullis *P*   parasitos *codd.* : corr. *Dousa*   226 iunctiones *A*   227 uendo *om.*
P   lalias *Bergk*   229 ad *A*   232, 233 *cf. ad* 208ᵃ   232 haec
euenisse *vel* haec ueniisse *A*   opus *vel* pus *A* (tempus *A²* ; *vix uaria
lectio* tempus, *om.* iam)   234, 235 ecṃaior *A*   ⟨hanc⟩ haud
Ritschl   237 mihi aduorsum uenit *A* (*vix pro* adibo hominem
(*sic* Pᶜᴰ) . . . mi a. u.?)   238 Epïgnomi ancillast h. q. *Ritschl* :
fort. Epïgnomi ancillula h. q. e.   241 disertum *P*   244 *vel* te (*ita
codd.*)   245 praedicabas pessumam *Ritschl*   246 eho an] ehon *P*
26*

Ge. quo nunc is? Cr. ad te. Ge. quid uenis? Cr.
                                            Panegyris
95 rogare iussit ted ut opere maxumo
    mecum simitu ut ires ad sese domum.
    Ge. ego illo mehercle uero eo quantum potest.   250
    iamne exta cocta sunt? quot agnis fecerat?
    Cr. illa quidem nullum sacruficauit.   Ge. quo
                                            modo?
100 quid igitur me uolt? Cr. tritici modios decem
    rogare, opinor, te uolt. Ge. mene, ut ab sé[se] petam?
    Cr. immo | ut a uobis mutuom nobis dares.   255
    Ge. nega esse quod dem nec mihi nec mutuom
    neque aliud quicquam nisi hoc quod habeo pallium ;
105 linguam quoque etiam uendidi datariam.
    Cr. au !
    nullan tibi lingua est? Ge. quae quidem dicat 'dabo' ; 260
    uentri reliqui éccam quae dicat ' cedo.'
    Cr. malum quidem sí uis—Ge. haec eadem dicit tibi.
110 Cr. quid nunc? ituru's an non? Ge. abi sane domum,
    iam illo uenturum dicito.   propera atque abi.—   264-5
    demiror quid illaec me ad se arcessi iusserit,
    quae numquam iussit me ad se arcessi ante hunc diem
    postquam uir abiit eiius.   miror quid siet :
115 nisi ut periclum fiat uisam quid uelit.
    sed eccum Pinacium eiius puerum.   hóc uide,   270

248 ut] hoc *Bugge*   249 ad sese domum] eo quantum potest *A*
(v. 4)   250 illuc *A* (*pro* illoc ?)   251 quod tacnis *P* (*pro* quod
corr. quot)   252 sacrificabit *P*CD   253, 254 Quid igitur me
uolt mene ut a sese petam Tritici modios decem rogare opinor te
uọlt *A* (ii, p. 38)   254 *vel* opino   te uolt *del. Gruterus*   se *Bothe*,
sed vide ne duplex lectio fuerit, te uolt *et* mene   255 *vel* uti   a
uobis] abs te *P* (v. 1 ?): ⟨tu⟩ a uobis *Goetz*   256 negato
P (*pro* negat? *cf. ad Rud.* 1212, 1333)   258 uendidit ariam *P*
259 *vel in fine v. prioris colloca*   260 nullam *A* : nulla *P*   261
uentri] ueterem *P*   eccam illam *P* (*i. e.* eccillam) : eccam aliam *Leo*
262 quidem si uis] tibi di dent *P*, *duplex lectio, nisi excidit unus versus
propter homoeoarch.*   270 hoc sis uide *Fleckeisen*

satin ut facete, átque ex pictura astitit?
ne iste edepol uinum poculo pauxillulo
saepe exanclauit submerum scitissume.

ACTVS II

PI. Mercurius, Ioui' qui nuntius perhibetur, numquam
           aeque patri
275 suo núntium lepidum attulit quam ego nunc meae erae
           nuntiabo :
  itaque onustum pectus porto laetitia lubentiaque
  neque lubet nisi gloriosse quicquam proloqui profecto.
  amoenitates omnium uenerum et uenustatum adfero   5
  ripisque superat mi atque abundat pectus laetitia meum.
280 propera, Pinacium, pedes hortare, honesta dicta factis—
  nunc tibi potestas adipiscendist gloriam, laudem, decus—
  eraeque egenti subueni—benefacta maiorum tuom—
  quae misera in exspectatione est Epignomi aduentum uiri. 10
  proinde ut decet amat uírum suom, cupide expetit. nunc,
           Pinacium,
285 age ut placet, curre ut lubet, caue quémquam flocci feceris,
  cubitis depulsa de uia, tranquillam concinna uiam ;
  si rex opstabit obuiam, regem ipsum priu' peruortito.
      GE. quidnam dicam Pinacium   15
288ª   lasciuibundum tam lubentem currere?

---

271 satin] stat *A* ⟨aeque⟩ atque *Fleckeisen* ex] ut *A* (*pro* uti ex?)
275 erae meae *Hermann* 277 iubet *A* 278 uenustatem *A*
280 propera] propterea *P* 281 adipiscendast *A* 282 egenti
Merula : genti *codd.* malorum *A* benef. . . . tuom *secl. Ritschl,*
Seyffert (*Berl. Phil. Woch.* 16. 284) (*cf. v.* 303) *vide ne propter homoeo-*
teleuton duo hemistichia exciderint ex codd. 283 in *om. P* 284
uirum amat *Guietus* expetit nunc] nunc expedi *P* 285 currere *P* 287 obstabitor uiam *P* 288 dicam *om. A* (iii. 11)
288ª lubenter *P*

harundinem fert sportulamque et hamulum piscarium.

Pɪ. sed tandem, opinor, aequiust eram mihi esse sup- 290
             plicem

atque oratores mittere ad me donaque ex auro et quadrigas

20   qui uehar, nam pedibus ire non queo. ergo †nam†
             reuortar.

ad me adiri et supplicari egomet mihi aequom censeo.

an uero nugas censeas, nihil esse quod ego nunc scio ?

tantum a portu adporto bonum, tam gaudium grande 295
             adfero,

uix ipsa domina hoc, nisi sciat, exoptare ab dis audeat.

25   nunc ultro id deportem ? hau placet neque id uiri offi-
             cium arbitror.

sic hoc uidetur mihi magis meo cónuenire huic nuntio :

aduorsum ueniat, opsecret se ut nuntio hoc impertiam ;

     secundas fortunas decent superbiae.   300

sed tandem quom recogito, qui potuit scire haec scire me?

30   non enim possum quin reuortar, quin loquar, quin
             edissertem

eramque ex maerore eximam, bene facta maiorum meum

exaugeam atque illam augeam insperato, opportuno modo:

contundam facta Talthubi contemnamque omnis nuntios ; 305

simulque ad cursuram meditabor me ad ludos Olympios.

35   sed spatium hoc occidit : breuest curriculo ; quam me
             paenitet !

quid hoc ? occlusam ianuam uideo. ibo et pultabo fores.

aperite atque adproperate, fores facite ut pateant, remouete
             moram ;

---

289 hamum *A* P^{CD}   290 *vix* opino   291 donamque *A*   292 ergo iam *Ital.* : *fort.* ergon iam (*interrogative*) *vel* ergo num (nam *A*) 293 me adire *A* : me iri *P* (*pro* med iri ?)   supplicarę (*vel* -ri) *A* *vel* mi   censeo aecum *P*   295 a *om. P*   adfero grande *P* 296 nesi sc. *B* (*forma antiqua*) : niscias (-at ?) *A*   dist *P*   297 id] hoc *P*   uiri] uero *P*   298 sic] hic *P*   huic] huc *P*   299 ueniat] ut ueniat *P*   302 qui me disser te *P*   304 ex inspe- rato *P*   modo] domo *A* : bono *Gulielmius* (*cf.* 338 domi *pro* boni *A*) 306 *vel troch. septenar.*   ad *et* me *del. Ritschl*   olimpiae *P*

₃10 nimis haec res sine cura geritur.   uide quam dudum hic
                                                asto et pulto.

   somnon operam datis? experiar fores an cubiti an pedes
                                                plus ualeant.

   nimi' uellem hae fores erum fugissent, ea caussa ut haberent 40
                                                †manum† ;

                    defessus sum pultando.

                    hoc postremumst.   uae uobis !

315   GE. ibo atque hunc compellabo.

                    saluos sis.   PI. et tu salue.

                    GE. iam tu piscator factu's?   45

                    PI. quam pridem non edisti?

319-20 GE. unde is? quid fers? quid festinas?   PI. tua quod nihil
                                                refert, ne cures.

       GE. quid istic inest?   PI. quas tu edés colubras.   GE.
                    quid tam iracundu's?   PI. si in te

                    pudor adsit, non me appelles.

                    GE. possum scire ex te uerum ?   50

324-5   PI. potes : hodie non cenabis.

       PANEGYRIS   GELASIMVS   PINACIVM   ii

              PAN. Quisnam, opsecro, hás frangit fores? ubist?

326ᵃ   tun haec faci'? tun mihi huc hosti' uenis?

       GE. salue, tuo arcessitu uenio huc.   PAN. ean gratia fores
                                                ecfringis ?

       GE. tuos inclama, tui delinquont : ego quid me uelles
                                                uisebam ;

       nam me quidem hárum miserebat.   PI. ergo auxilium pro- 5
                                                pere latumst.

---

    310 et pulto *Pareus* : es pulto *P* : et repulto *A*   311 an *alt.*]
ac *Loman*   312 mānum] malum magnum *Hermann*   314 uae
om. *P*   315 compello *P*   318 dedisti *P*   321 istinc est
P   tui des *P*   in om. *A*   324, 325 potest *P*   326ᵃ tu
mihi *A*   327 huc om. *A*   329 *vel septenarius*   me quidem]
equidem *P*: med equidem *Ribbeck*   miserabant *A*

PAN. quisnam hic loquitur tam prope nos? PI. Pina- 330
                                    cium. PAN. ubi is (e)st?
PI. respice ad mé et relinque egentem parasitum, Pane-
                                                gyris.
PAN. Pinacium. PI. istuc indiderunt nomen maiores
                                                mihi.
PAN. quid agis? PI. quid agam rogitas? PAN. quidni
                        rogitem? PI. quid mecum est tibi?
10 PAN. mihin fastidis, propudiose? eloquere propere, Pina-
                                                cium.
PI. iube me omittere igitur hos qui retinent. PAN. qui 335
                        retinent? PI. rogas?
omnia membra lassitudo mihi tenet—PAN. linguam quidem
sat scio tibi non tenere. PI. ita celeri curriculo fui
propere a portu tui honoris caussa. PAN. ecquid adportas
                                                boni?
15 PI. nimio †inparti† multo tanta plus quam speras. PAN.
                                                salua sum.
PI. at ego perii, quoi medullas lassitudo perbibit.   340
GE. quid ego, quoi misero medullas uentris percepit fames?
PAN. ecquem conuenisti? PI. multos. PAN. at uirum? PI.
                        equidem plurumos:
uerum ex multis nequiorem nullum quám hic est. GE. quo
                                                modo?
20 iam dudum | ego ístum patior dicere iniuste mihi.
praeterhac si me inritassis—PI. edepol essuries male.   345
GE. animum inducam ut istuc uerum te elocutum esse
                                                arbitrer.

331 ad *om. P*   334 mihi in *P* : mein *Lipsius (secundum morem*
Plautinum)   337, 338 *inverso ordine A*   338 prope *A*   domi *A*
339 nimio inparti] nimiam (*vel* pa) res *A, unde* nimio id certe *Goetz,*
Schoell   tanto *Pius (sed cf. ad Men.* 680)   340 medullam *P*   341
misero cui medullam *P, allitteratione non favente*   percipit *A, contra*
metrum   uirum ecquem PI. plurimos *P*   343 *vel* quam hīc est
(*adverb.*)   344 *fort.* iamdudumne *indignantis*   patior ego istum
Bothe   *fort.* ⟨iniustum⟩ iniuste   345 praeter haec *A*

Pɪ. munditias uolo fieri. ecferte huc scopas simulque harundinem,
ut operam omnem araneorum perdam et texturam inprobem
deiciamque eorum ómnis telas. ⟨Gᴇ.⟩ miseri algebunt postea. 25
350 Pɪ. quid? illos itidemne esse censes quasi te cum ueste
unica?
cape illas scopas. Gᴇ. capiam. Pɪ. hoc egomet, tu hoc
conuorre. Gᴇ. ego fecero.
Pɪ. ecquis huc écfert nassiternam cúm aqua? Gᴇ. sine
suffragio
populi tamen aedilitatem hicquidem gerit. Pɪ. age tu ocius
pinge humum, consperge ante aedis. Gᴇ. faciam. Pɪ. 30
factum oportuit.
355 ego hinc araneas de foribus deiciam et de pariete.
Gᴇ. edepol rem negotiossam! Pᴀɴ. quid sit nil etiam scio,
nisi forte hospites uenturi ⟨si⟩ sunt. Pɪ. lectos sternite.
Gᴇ. principium placet de lectis. Pɪ. alii ligna caedite,
alii piscis depurgate quos piscator attulit, 35
360 pernam et glandium deicite. Gᴇ. hic hercle homo nimium
sapit.
Pᴀɴ. non ecastor, ut ego opinor, satis erae morem geris.
Pɪ. immo res omnis relictas habeo præ quod tu uelis.
Pᴀɴ. tum tu igitur, qua caussa missus es ad portum, id
expedi.
Pɪ. dicam. postquam me misisti ad portum cum luci semul, 40
365 commodum radiossus sese sol superabat ex mari.

348 operam omnem] operas *codd. Nonii* 192, *fort. recte* perdam]
tergam *codd. Nonii* 349 earum *P* omneis *A* misera falge-
bunt *P* (*pro* miserae alg.), *unde* misere a. *quidam* (-ri *vix* -re *A*)
350 illas *P* itidem esse censes *P*: ęademne censes esse *A* 351
capellas *A* ego *om. P* 354 *vel sic distingue* pinge, humum
consp. finge *Bugge*: *an* pinse? 355 araneas *an* -os *incert. A*
357 si *add. Bothe* ⟨uos⟩ l. *Weise* *vix* insternite (v. 9, 8) 359
quos (*PCD*) *vel* quod (*B*) *P* (*A. n. l.*) piscatu (-o) rettuli *Lipsius*:
piscator attuli *Seyffert* 361 ut *om. A* *vel* opino 363 id *om. P*
364 sęmęl *A* 365 sesse *A*: esse *P* (*pro* sesse, *antiqua forma*?)

   dum percontor portitores, ecquae nauis uenerit
   ex Asia, negant uenisse, conspicatus sum interim
   cercurum, quo ego me maiorem non uidisse censeo.
45 in portum uento secundo, uelo passo peruenit.
   alius alium percontamur : 'quoiast nauis ? quid uehit ?'   370
   interibi Epignomum conspicio tuom uirum et seruom
                                Stichum.
PAN. hem quid? Epignomum elocutu's ? PI. tuom uirum.
                           GE. et uitam meam.
PI. uenit inquam. PAN. tutin ipsus ipsum uidisti? PI.
                                lubens.
50 argenti | aurique aduexit nimium. GE. nimi' factum bene !
   hercle uero capiam scopas atque hoc conuorram lubens.   375
PI. lanam purpuramque multam. GE. ést qui uentrem
                                uestiam.
PI. lectos eburatos, auratos. GE. accubabo regie.
PI. tum Babylonica et peristroma tonsilia et tappetia
55 aduexit, nimium bonae rei. GE. hercle rem gestam bene !
PI. poste, ut occepi narrare, fidicinas, tibicinas,   380
   sambucas aduexit secum forma eximia. GE. eúgepae !
   quando adbibero, adludiabo : tum sum ridiculissumus.
PI. poste unguenta multigenerum multa. GE. non uendo
                                logos.
60 iam ⟨iam⟩ non facio auctionem, mi optigit hereditas :
   maliuoli, perquisitores auctionum, perierint.   385
   Hercules, decumam esse adauctam tibi quam uoui gratulor.
   spes est tandem aliquando inportunam exigere ex utero
                                famem.

   371 interim *P*   372 delocutus *A*   et u. m. *Pinacio continuat*
A   373 tun eum ipsum uidisti? PI. ita ego libens *P*   374
⟨atque⟩ argenti *Mueller* : argenti⟨que⟩ *Guietus* : *an* ⟨lubens⟩ a. ?
nimium] multum *P*   376 est (ē) *vel* em (ē) *P*   377 accu-
babor egle *P*   378 Tam *P*   peristromaton silla *P*   379
hercle *om. A*   381 exumia *P* (*vix antiqua forma*)   383 multi-
genera *Guietus*   locos *A*   384 iam ⟨iam⟩ *Bothe* : iam ⟨ego⟩
Ritschl   385 perierunt *A*   386 Hercoleles *P*   387 *om. P*

Pɪ. poste autem aduexit parasitos secum—Gᴇ. eí, perii
miser!
Pɪ. ridiculissumos. Gᴇ. reuorram hercle hoc quod con- 65
uorri modo.
390 Pᴀɴ. uidistin uirum sororis Pamphilum? Pɪ. non. Pᴀɴ.
non adest?
Pɪ. immo uenisse eum simitu aiebat ille: ego huc citus
praecucurri, ut nuntiarem nuntium exoptabilem.
Gᴇ. uenales logi sunt illi quos negabam uendere.
ilicet, iam meo malost quod maleuolentes gaudeant.   70
395 Hercules, qui deu' sis, sane discessisti non bene.
Pᴀɴ. í intro, Pinacium, iube fámulos rem diuinam mi apparent.
bene uale. Gᴇ. uin administrem? Pᴀɴ. sat seruorum habeo
domi.—
Gᴇ. enim uero, Gelasime, opinor prouenisti futtile,
si neque ille adest neque hic qui uenit quicquam subuenit. 75
400 ibo intro ad libros et discam de dictis melioribus;
nam ni illos homines expello, ego occidi planissume.—

ACTVS III

Eᴘɪɢɴᴏᴍᴠs   Sᴛɪᴄʜᴠs   III. i

Eᴘ. Quom bene re gesta saluos conuortor domum,
Neptuno gratis habeo et Tempestatibus;
simul Mercurio, qui me in mercimoniis
405   iuuit lucrisque quadruplicauit rem meam.
olim quos abiens adfeci aegrimonia,   5

388 secum parasitos P   389 ridiculosissimos codd.   390
pamphilippum. Pɪ. non. Pᴀɴ. adest P (? pro Pamphilippum? non
adest?)   391 immo alebant uenisse eum simul (pro simitu) sed
ego huc citus P   vel aibat   392 obtabilem P   393 loci
P   394 ilicet iam] ilico et P   audeant P   395 sane ante
qui P   discessisses P   396 i i P   famulis A (recte?)   398
vel opino   399 ueni A   400 dicam A   406 adfect P

　　　eos nunc laetantis faciam aduentu meo.
　　　nam iam Antiphonem conueni adfinem meum
　　　cumque eo reueni ex inimicitia in gratiam.
　　　uidete, quaeso, quid potest pecunia :　　　　　　　　　　410
10　　quoniam bene gesta re rediisse me uidet
　　　magnasque adportauisse diuitias domum,
　　　sine aduocatis ibidem in cercuro in stega
　　　in amicitiam atque in gratiam conuortimus.
　　　et is hodie apud me cenat et frater meus ;　　　　　　　415
15　　nam heri ambo in uno portu fuimus, sed mea
　　　hodie solutast nauis aliquanto prius.
　　　age abdúce hasce intro quas mecum adduxi, Stiche.
　　　STI. ere, sí ego taceam seu loquar, scio scíre te
　　　quam multas tecum miserias mulcauerim.　　　　　　420
20　　nunc hunc diem unum ex illis multis miseriis
　　　uolo mé eleutheria capere aduenientem domum.
　　　EP. et ius et aequom postulas : sumas, Stiche.
　　　in hunc diem te nil moror ; abi quó lubet.
　　　cadum tibi ueteris uini propino.　STI. papae !　　　425
25　　ducam hodie amicam.　EP. uel decem, dum de tuo.
　　　STI. quid ? hoc etiam unum ?　EP. quid id autem
　　　　　　　　　　　　　　　　　　　　　unumst ? expedi.
　　　STI. ad cenam ibone ?　EP. ⟨si uo⟩catu's, censeo.
　　　STI. sic hoc placet ; roga⟨tu necne⟩ nil moror.
　　　EP. ubi cenas hodie ?　STI. sic hanc rationem institi : 430
30　　amicam ego habeo Stephanium hinc ex proxumo,
　　　tui frátris ancillam : eo condixi in symbolam
　　　ad cenam ad eius conseruom Sangarinum Syrum.

---

　　407 a. f. l. *Spengel* : l. faciam ⟨iam⟩ a. *Mueller, rhythmo consulentes*
409 qumque *A*　　　inimicitiam *P*(*corr. D*)　　411 re gesta redisse *P*
415 is] si *P*　　416 hieri *P*　　porto *ut uid. A*　　418 abduc *codd.*
422 *uel* med　　eleutheriam *P*　　423 accum *P* (*pro* aecum)　　425
propeino *A*　　427–9 *om. P*　　427 quid ? *Goets* : quod *cod.*　　428
sęç(la)ạtus (*uel* si uocatus) *cod.* : nisi cenatu's *Schoell*　　429 roga(tu
necn)ę *cod.*　　430 sic] si *P*　　institi (-ei) *Ritschl* : instite *A* : instit *P*
432 ancillulam *A*　　condixi *Camerarius* : conduxi *A* : condici *P*

eademst amica ambobus, riuales sumus.

435 EP. age abduce hasce intro.   hunc tibi dedo diem.

STI. meam cúlpam habeto, nisi probe excruciauero.   35
iam hercle ego per hortum ad amicam transibo meam
mi hanc occupatum noctem ; eadem symbolam
dabo et iubebo ad Sangarinum cenam coqui.

440 aut egomet ibo atque opsonabo opsonium.

Sangarinus scio iam hic aderit cum domino suo.   40
seruos homo qui nisi temperi ad cenam meat,
aduorsitores pol cum uerberibus decet
dari, uti eum uerberabundi adducant domum.

445 parata res faciam ut sit.   egomet me moror.

atque id ne uos miremini, homines seruolos   45
potare, amare atque ad cenam condicere :
licet haec Athenis nobis.   sed quom cogito,
potius quam inuidiam inueniam, est etiam hic ostium

450 aliud posticum nostrarum harunc aedium :

450ᵃ (posticam partem magis utuntur aedium)   50
ea ibo opsonatum, eadem referam opsonium :
per hortum utroque commeatus continet.
ite hac secundum uos me.   ego hunc lacero diem.—

GELASIMVS   EPIGNOMVS   ii

GE. Libros inspexi ; tam confido quam potis

455 me meum optenturum regem ridiculis logis.

nunc interuiso iamne a portu aduenerit,

---

435 abduc eas P (*pro* abduce has)   436 me in culpa *Salmasius*
probe *compendiose script. in* P (*pro* B, *per* PᶜᴰD)   437 ad *om.* P
441-5 *om.* P   441, 442 *vel sic distingue* suo, seruos homo, qui
442 qui (ni)s(i te)m(p)er(i a)d cenam meat *cod.*   443 pọl (*vel* duo)
cod.   dẹc— A (decet *vel* decem)   ḍẹc— A (decet *vel* decem)
uerberabundum abducant *cod.* : *corr. Bugge*   446 seruoli A   449
indiuidiam P   450ᵃ *om.* A (*propter homoeotel.* ?)   451 Ibo
obsonatum atque eadem A   452 conụerịṭ (*vel* conuehit) A : conuenit D¹   453 ita P   uos me] uosmet A   454 potist P (*pro*
-est corr.* -is ?)   455 logis] meis P

ut eum aduenientem meis dictis deleniam.

5   Ep. hicquidem Gelasimus est parasitus qui uenit.

Ge. auspicio | hodie | optumo exiui foras:

mustela murem | apstulit praeter pedes;   460

quom strena | opscaeuauit, spectatum hoc mihist.

nam ut illa uitam repperit hodie sibi,

10 item me spero facturum: augurium hac facit.

Epignomus hicquidemst qui astat. ibo atque adloquar.

Epignome, ut ego nunc te conspicio lubens!   465

ut prae laetitia lacrumae prosiliunt mihi!

ualuistin usque? Ep. sustentatumst sedulo.

15 Ge. propino tibi salutem plenis faucibus.

Ep. bene atque amice dicis. di dent quae uelis.

Ge. cenem illi apud te, quoniam saluos aduenis.   470-1

Ep. locatast opera nunc quidem; tam gratiast.

Ge. promitte. Ep. certumst. Ge. sic face inquam.

                                    Ep. certa res⟨t⟩.

20 Ge. lubente †hercle me⊢ facies. Ep. idem ego istuc

                                                    scio.

quando usus ueniet, fiet. Ge. nunc ergo usus est.   475

Ep. non edepol possum. Ge. quid grauare? censeas.

nescioquid uero | habeo in mundo. ⟨Ep.⟩ í modo,

alium conuiuam quaerito tibi in hunc diem.

25 Ge. quin tu promittis? Ep. non grauer si possiem.

Ge. unum quidem hercle certo promitto tibi: 480

lubens accipiam certo, si promiseris.

459 *fort.* ⟨Gelasime!⟩ Ge. ⟨ego⟩ optumo *Pylades : fort.* ⟨optume⟩ optumo   460 murem ⟨mi⟩ *Bentley*   461 cum *P* strenua *Guietus* hic *P*   465 ⟨o⟩ Epĭgnome *Fleckeisen, cui neque* Epĭgnome ut *neque* Epīgnome | ut *placet* te nunc *P*   466 praesillunt *P*   467 seduo *P*   468, 469 *inverso ordine P*   470, 471 Ep. c. i. a. te? Ge. q. s. a. *Ritschl, qui excidisse (propter homoeotel.) credit huiusmodi versum* Ge. cenabis apud me quonam saluos aduenis   472 uocata est *P*   473 facies *A (cf. v. 474)* res *A, fort. recte (sed cf. ad 472)*: res est *P*   474 libenter *A²* me hercle *Camerarius*   476 grauari *A*   477 habea *A² (i. e.* habeam? *vel cf. ad v. 478)* vix ⟨Epignome⟩. Ep.   478 quaeritato *ut vid. (vix* quaerita) *A²* tibi *om. P*   480 certum *P*

Ep. ualeas. Ge. certumnest? Ep. certum. cenabo
domi.

Ge. quando quidem tu ad me non uis promittere —
sed—quoniam nihil processi sat ego hac, iuero   30
485   apertiore magi' uia; ita plane loquar:
uin ad te ad cenam ueniam? Ep. si possim uelim;
uerum hic apud me cenant alieni nouem.

Ge. hau postulo equidem med in lecto accumbere:
scis tu med esse | unisubselli uirum.   35
490   Ep. at ei oratores sunt populi, summi uiri;
Ambracia ueniunt huc legati publice.

Ge. ergo oratores populi, summates uiri,
summi accubent, ego infumatis infumus.

Ep. haud aequomst té inter oratores accipi.   40
495   Ge. equidem hercle orator sum, sed procedit parum.
cras de reliquiis nos uolo—Ep. multum uale.—

Ge. periei hercle uero plane, nihil obnoxie.
uno Gelasimo minus est quam dudum fuit.

certumst mustelae posthac numquam credere,   45
500   nam incertiorem nullam noui bestiam;
quaen eapse deciens in die mutat locum,
ea ego auspicauin in re capitali mea?
certumst amicos conuocare, ut consulam
qua lege nunc med—essurire oporteat.—   50

---

482 certumnest] certum est *P*   483 *retractatori ascribit Leo*
tu ad me] tuam *P* (*pro* tu amme? i. 4)   484, 485 *om. P*   484
processit at (*vel* processi sat) ego *cod.*: processit hac, ego (?) *Goetz*
485 *vel* mage   488 quidem *A*   489 *fort.* tutĕ med *vel* ⟨unum⟩ unis.
490 *vel* popli   493 accubent *codd. Prisciani* 1, 338 *et* 587: accumbent
P: incubabunt *A*¹: accubabunt *ut vid. A*²   496 *totum versum Epi-*
gnomo dat P   497 nunc ego hercle perii plane, non obnoxie *Gell.*
6, 17, 4   501 quaen eapse *Ritschl*: quaeneaţest (*vel* quaen eaepse)
A: qua enet ipsa *P*   502 eam *P*ᶜᴰ (*pro* ean?): *om. A*   auspicauin *scripsi*: auspicaui *codd., item codd. Nonii* 468   capitati *A*

ACTVS IV

IV.i   Antipho   Pamphilippvs   Epignomvs

An. Ita me di bene ament measqué mihi bene seruassint 505
                                                    filias,
ut mihi uolup est, Pamphilippe, quia uos in patriam domum
rediisse uideo bene gesta re ambos, té et fratrem tuom.
Pam. satis aps te accipiam, nisi uideam mihi te amicum esse,
                                                    Antipho;
5 nunc quia té amicum mi experior esse, credetur tibi.
An. uocem ego te ad me ad cenam, frater tuo' ni dixisset 510
                                                    mihi
te apud se cenaturum esse hodie, quom me ad se ad cenam
                                                    uocat.
et magi' par fuerat me uobis dare cenam aduenientibus
quam me ad illúm promittere, nisi nollem ei aduorsarier.
10 nunc me gratiam aps te inire uerbis nihil desidero :
cras apud me éritis et tu et ille cum uostris uxoribus.   515
Pam. at apud me perendie. nam ille heri me iam uocauerat
in hunc diem. sed satin ego técum pacificatus sum,
                                                    Antipho ?
An. quando ita rem gessistis uti uos uelle amicosque
                                                    addecet,
15 pax commersque est uobis mecum. nam hoc tu facito ut
                                                    cogites :
ut quoique homini res paratast, perinde amicis utitur :   520
si res firma, ⟨item⟩ fírmi amici sunt ; sin res laxe labat,

---

505 *vix* measq' mi   bene *del. Ritschl rhythmi causa*   509 quia te
amicum mi] quoniam ex te mihi cum *A* (*pro* quoniam té amicum ?)
creditur *P* (*fort.* cum *A*)   511 te] se *A*   ad se] ad ee (*vel* ēē,
i. e. esse) *P*   512 *vel* mage   dare uobis *P*   513 illum] iliit
B : illud *P*CD   516 At] Eat *P* (E *pro personae nota* ?)   518
uellem amicos atque *P*   519 commercique *P*   nam *om. A*   ut
om. P   520, 521 perinde . . . item *om. P* (iii. 11)   521 firma
item *Studemund* (*ex A, qui vix legitur*) : *fort.* (si) firmatast, *quo facilius
omissio in P intellegatur*   sin] si *P*

itidem amici conlabascunt : res amicos inuenit.

Ep. iam redeo. nimiast uoluptas, ubi diu afueris domo,
   domum ubi redíeris, si tibi nullast aegritudo animo obuiam. 20
525 nam ita me apsente familiarem rem uxor curauit meam,
   omnium me éxilem atque inanem fecit aegritudinum.
   sed eccum fratrem Pamphilippum, incedit cum socero suo.
Pam. quid agitur, Epignome ?   Ep. quid tu ? quam dudum
                                 in portum uenis ?
Pam. huc longissume postilla.   Ep. iam iste est tranquillus 25
                                 tibi ?
530 An. magi' quam mare quo ambo estis uecti.   Ep. facis ut
                                 alias res soles.
   hodien exoneramus nauem, frater ?   Pam. clementer uolo.
   nos potius oneremus nosmet uicissatim uoluptátibus.
   quam mox coctast cena ? inpransus ego sum.   Ep. abi intro
                                 ad me et laua.
Pam. deos salutatum atque uxorem modo intro deuortor 30
                                 domum ;
535 haec si ita ut uolo conficio, continuo ad te transeo.
Ep. apud nos eccillam festinat cum sorore uxor tua.
Pam. optumest, iam istoc morai minus erit.   iam ego apud
                                 te ero.
An. priu' quam abis, praesente ted huic apologum agere
                                 unum uolo.
Pam. maxume.   An. fuit olim, quasi ego sum, senex ; ei 35
                                 filiae
540 duae erant, quasi nunc meae sunt ; eae erant duobus nuptae
                                 fratribus,

523 nimia est uoluptast *P* (*cf. ad Merc.* 330)   ubi] si *P*   [a]
domo *P*   524 ubi] si *P*   tibi] ibi *Acidalius* (*A n. l.*)   525
absentem *P*   526 exulem *Pius*   aegritudinem *A*   527 quom s.
P (*antiqua forma*)   529 hau *Guietus*   postilla *Epignomo dant*
(*cum P*?) *alii*   530 *vel* mage   quo a. *Ital.* : quod a. *A* : quambo
ut vid. P   531 hodie *A*   532 nos] nosmet *P*   533 coactaes *P*
535 *om. P*   536 se(*vel* i)ccillam *A* : ecilla *ut vid. P*   537
optumum est *P*   538 praesente ted huic (*vel* te huïc) *Guietus* :
presentet huic *P*, *A n. l.* (iii. 3)

quasi nunc meae sunt uobis.   Ep. miror quo euasurust
                                                    apologus.
An. erant minori illi adulescenti fidicina et tibicina,
peregre aduexerat, quasi nunc tu ; sed ille erat caeleps senex,
40 quasi ego nunc sum.   Ep. perge porro. praesens hicquidem
                                                est apologus.
An. deinde senex ille illi dixit, quoius erat tibicina,   545
quasi ego nunc tibi dico — Ep. ausculto atque animum ad-
                                                uorto sedulo.
An. ' ego tibi meam filiam bene quicum cubitares dedi :
nunc mihi reddi ego aequom esse aps te quicum cubitem
                                                censeo.'
45 Ep. quis istuc dicit ? án ille quasi tu ?   An. quasi ego nunc
                                                dico tibi.
' immo duas dabo ' inquit ille adulescens ' una si parumst ;   550
et si duarum paenitebit ' inquit ' addentur duae.'
Ep. quis istuc quaeso ? an ille quasi ego ?   An. is ipse
                                                quasi tu.   ⟨tum⟩ senex
ille quasi ego ' si uis,' inquit ' quattuor sane dato,
50 dúm equidem hercle quod edint addas, meum ne contrun-
                                                cent cibum.'
Ep. uidelicet parcum fuisse illum senem, qui ⟨id⟩ dixerit,   555
quoniam ille illi pollicetur, quí eum cibum poposcerit.
An. uidelicet non fuisse illum nequam adulescentem, qui
                                                ilico
ubi ille poscit denegauit dare se granum tritici.
55 hercle qui aequom postulabat ille senex, quando quidem
filiae illae dederat dotem, accipere pro tibicina.   560
Ep. hercle illequidem certo adulescens docte uorsutus fuit,

542 Erant] Aere (*pro* A. *i. e.* An., ere?) *P*   illi] ei *A*   548
aps te *om. A*   552-82 *deficit A*   552 tum *add. Acidalius*   554
quidem *alii* (*cf. ad Men.* 309, *Mil.* 158, *Stich.* 11)   contrucent *cod.*
555 ⟨non⟩ p. *Thulin* ' *de coniunctivo* ' p. 24   illum fuisse *cod.* : *trai.*
Guietus   id *add. Loman*   556 quom ille illi qui pollicetur *Ritschl*
557 aequom *Seyffert, fort. recte*   adulescentem *Ital.* : adulescentiam
cod.   558 denegarit *Acidalius*   561 ille quidem hercle *Brix*

qui seni illi concubinam dare dotatam noluit.
AN. senex quidem uoluit, si posset, indipisci de cibo;
quia nequit, qua lege licuit uelle dixit fieri. 60
565 'fiat' ille inquit adulescens. 'faci' benigne' inquit senex.
'habeon rem pactam?' inquit. 'faciam ita' inquit 'ut fieri
uoles.'
sed ego ibo intro et gratulabor uostrum aduentum filiis.
poste ibo lautum in pyelum, ibi fouebo senectutem meam.
post ubi lauero, otiosus uos opperiar accubans.— 65
570 PAM. graphicum mortalem Antiphonem! ut apologum fecit
quam fabre!
etiam nunc scelestus sese ducit pro adulescentulo.
dabitur homini amica, noctu quae in lecto accentet senem;
namque edepol aliud quidem illi quid amica opu' sit nescio.
sed quid agit parasitus noster Gelasimus? etiam ualet? 70
575 EP. uidi edepol hominem hau perdudum. PAM. quid agit?
EP. quod famelicus.
PAM. quin uocauisti hominem ad cenam? EP. ne quid
aduéniens perderem.
atque eccum tibi lupum in sermone: praesens essuriens
adest.
PAM. ludificemur hominem. EP. capti consili memorem
mones.

GELASIMVS PAMPHILIPPVS EPIGNOMVS ii

GE. Sed ita ut occepi narrare uobis: quom hic non adfui,
580 cúm amicis deliberaui iam et cum cognatis meis.
ita mi auctores fuere, ut egomet me hodie iugularem—fame.

566 pactam *Acidalius*: factam *cod.* 568 postea ibo lauatum *cod.*:
corr. Fleckeisen pilum *cod.*: *corr. Lambinus* 569 accumbans
cod. 571-3 (570-3 *alii*) *Epignomo dant alii* 571 etiam *Bothe*:
it iam *cod.* sese *Dousa*: esse *cod.*: ⟨se⟩ esse *Acidalius (cf. ad 365)*
572 accendet *P*CD: occentet *Pistoris, fort. recte* 573 opos *cod.*
(*antiqua forma*?) 576 uocasti (*ita cod.*) h. ⟨ad te⟩ ad cenam *Ritschl*
577 lupum In s. *non omnino placet* 578 *vel* ludificemus 579 ut
Lambinus: quod *cod.*

sed uideone ego Pamphilippum cum fratre Epignomo?
atque is est.

5 adgrediar hominem.   sperate Pamphilippe, o spes mea,
o mea uita, o mea uoluptas, salue.   saluom gaudeo
peregre te in patriam rediisse.   PAM. saluo salue, Gelasime. 585
GE. ualuistin bene?   PAM. sustentatumst sedulo.   GE. edepol gaudeo.
edepol ne egonunc mihi medimnum mille esse argenti uelim.
10 EP. quid eo tibi opust?   GE. hunc hercle ad cenam ut
uocem, te non uocem.
EP. aduorsum te fabulare.   GE. illud quidem, ambos ut
uocem ;
et simitu equidem hau maligne uos inuitassem domum   590
ad me, sed mihi ipsi domi meae níhil est.   atque hoc sciti'
uos.

EP. edepol te uocem lubenter, si superfiat locus.
15 GE. quin tum stans opstrusero aliquid strenue.   EP. immo
unum hoc potest.
GE. quid?   EP. ubi conuiuae abierint, tum uenias.   GE.
uae aetati tuae!
EP. uasa lautum, non ad cenam dico.   GE. di te perduint! 595
quid ais, Pamphilippe?   PAM. ad cenam hercle alio promisi foras.
GE. quid, foras?   PAM. foras hércle uero.   GE. qui malum
tíbi lasso lubet
20 foris cenare?   PAM. utrum tu censes?   GE. iuben domi
cenam coqui

583 ⟨o⟩ sperate *Loman, Ferger ' de vocat.'* p. 28 *accedit A*   o *om.*
A[1]   585 saluo salue *A ut uid.* : saluum. PAM. salue *P*   586
sustentaui *P*   587 egomet mihi mediam (mediediam *B*) nunc
mille *P*   meille *A ut uid. (antiqua forma)*   588 ad cenam
hercle *P*   590, 591 *om. P (propter homoeoarch.* ?)   590 eq.
simi(tu) hau *cod.* : *traieci* : eq. simul hau *Leo*   591 (mi)hi nst
do(mi me)ae *cod.* : *suppl. Studemund, Seyffert*   593 tum *Scaliger* :
tu *codd.* (*del. A*[2]) (*i.e.* quin tu? stans)   594 abirent *P*   tum]
ut tum *A (unde* tum ut *Ritschl,* ut *Seyffert)*   595 uasa] una *P*
perdunt *P*   596 agis *codd.* (*i.e.* ais ?)   promissi *ut uid. P (antiqua
forma)*   597 qui malum tibi] quid malum *A*

atque ad illúm renuntiari? Pam. solus cenabo domi?

600 Ge. non enim sólus: me uocato. Pam. at ille ne su
scenseat,

mea qui caussa sumptum fecit. Ge. facile excusari potest.

mihi modo ausculta, iube cénam domi coqui. Ep. non me
quidem

faciet auctore hodie ut illum decipiat. Ge. non tu hinc 25
abis?

nisi me non perspicere censes quid agas. caue sis tu tibi,

605 nam illic homó tuam heréditatem inhiat quasi essuriens
lupus.

non tu scis quam—écflictentur homines noctu hic in uia?

Pam. tanto pluris qui defendant ire aduorsum iussero.

Ep. non it, non it, quia tanto opere suades ne ebitat. ⟨Ge.⟩ 30
iube

domi mihi tíbique tuaeque uxori celeriter cenam coqui.

610 si hercle faxis, non opinor dices deceptum fore.

Pam. per hanc tibi cenam incenato, Gelasime, esse hodie
licet.

Ge. ibisne ad cenam foras? Pam. apud fratrem ceno in
proxumo.

Ge. certumnest? Pam. certum. Ge. edepol te hodie lapide 35
percussum uelim.

Pam. non metuo: per hortúm transibo, non prodibo in
puplicum.

615 Ep. quid ais, Gelasime? Ge. oratores tu accipis, habeas
tibi.

Ep. tua pol refert. Ge. enim, siquidem meá refert, opera
utere.

Ep. posse edepol tibi opinor etiam uni locum condi p * um
40 ubi accubes. Pam. sane faciundum censeo. Ge. o lux
               oppidi !
Ep. si arte poteris accubare. Ge. uel inter cuneos ferreos ;
tantillum loculi ubi catellus cubet, id mi sat e rést loci.   620
Ep. exorabo aliquo modo. ueni. Ge. hucine ? Ep. immo
             in carcerem ;
nam hic quidem genium meliorem tuom non facies. eamu', tu.
45 Pam. deos salutabo modo, poste ad te continuo transeo.—
Ge. quid igitur ? Ep. dixi equidem in carcerem ires. Ge.
            quin si iusseris,
eo quoque ibo. Ep. di inmortales ! hicquidem pol summam 625
             in crucem
cena aut prandio perduci potest. Ge. ita ingenium meumst :
quicumuis depugno multo facilius quam cum fame.
50 Ep. dum parasitus mihi atque fratri fuisti, rem confregimus.
Ge. non ego isti ápud te— ? Ep. sati' spectatast mihi iam
            tua felicitas ;
nunc ego nolo ex Gelasimo mi fieri te Catagelasimum.—   630-1
Ge. iamne abierunt ? Gelasime, uide, nunc consilio capto
            opust.
egone ? tune. mihine ? tibine. uides ut annonast grauis. 633-5
55 uiden ? benignitates hominum periere et prothymiae.
uiden ridiculos nihili fieri atque ipsos parasitarier ?

---

617 *vel* opino condi p...... um *A*: conspicor *P*: c. propemodum (?)
Schoell 618 ubi cubes *Ritschl, nam* úbi áccubes *displicet : fort.*
ubi *in fine v. prioris collocand.* 620 loculi] loci *P* saęeris est *A* :
sat erit *Bothe* 622 meliorem genium *P* 623 domo *A* 624
dixis *corr.* dixti (*sine nota personae*) *A* si *om. P* 625 pol
summam] iu (ui *P*CD) summa *P* 626 aut] ut *A* 628, 629
inverso ordine P 629 ego ista *A* : nego ista *Leo* (*vix Plautinum*)
(*cf.* i, p. 28) 630, 631 fieri *om. P* 632 abisti *P* nunc con-
sil(io) caro (*vel* capto) opust *A* : quid es capturus consilii (*i. e.*
-li) *P*. *vix sic reficiendus locus* (*cf. ad Merc.* 319): Iamne abierunt ?
Gelasime, uide, nunc consilio capto (*vel* caro) opust. Iam abierunt.
Gelasime, uide quid es capturus consili 633-5 uiden *Fleckeisen*
636 uides *P* ut perierint *A*¹ (ut *del. A*²), *unde* ut periere *edd.*
637 uides *P*

numquam edepol me uiuom quisquam in crastinum inspiciet
                                                    diem ;
  nam mihi iam intus potione iuncea onerabo gulam
640 neque ego hoc committam ut me esse homines mortuom
                                        dicant fame.—

ACTVS V

More hoc fit atque stulte mea sententia :
si quem hominem exspectant, eum solent prouisere ;
qui | hercle illa caussa ocius nihilo uenit.
idem ego nunc facio, qui prouiso Sagarinum,
645 qui nihilo citius ueniet tamen hac gratia.   5
iam hercle ego decumbam solus, si ille huc non uenit.
cadum modo hinc a me huc cum uino transferam,
postidea accumbam.   quasi nix tabescit dies.—

SA. Saluete, Athenae, quae nutrices Graeciae,
650 ⟨te⟩, terra erilis patria, te uideo lubens.
sed amica mea et conserua quid agat Stephanium
curaest, ut ualeat.   nam Sticho mandaueram
salutem ut nuntiaret atque ei ut diceret   5
me hodie uenturum, ut cenam coqueret temperi.
655 sed Stichus est hicquidem.   STI. fecisti, ere, facetias,
quom hoc donauisti dono tuom seruom Stichum.
pro di inmortales ! quot ego uoluptates fero,

---

639 uincea (*ita BD*) *D'Ovidio*   onerado *A*   640 me esse
omnes mortuum *A* : homines mortuum me *P*   641 stutte (*B*)
vel stuite (est uitae *P*CD) *P*   643 nihilotius *P*   644 Sangarinum *codd. (corr. D)* : *an* Sangarum ?   648–81 *deficit A*   648
postidea *Ritschl* : postea *cod.*   quasi nix *Bothe* : quasenex *cod.*
650 te *addidi* : ⟨o⟩ terra *Lambinus*

10   quot risiones, quot iocos, quot sauia,
      saltationes, blanditias, prothymias!
      Sa. Stiche. Sti. hem! Sa. quíd fit? Sti. eugae! San- 660
                                              garine lepidissume.
      fero conuiuam Dionysum mihique et tibi.
      namque edepol cena cocta est, locu' liber datust
15   mihi et tibi apud uos (nam apud nos est conuiuium,
      ibi uoster cenat cum uxore adeo et Antipho,
      ibidem erus est noster), hoc mihi dono datumst.   665
      Sa. quis somniauit aurum? Sti. quid id ad te attinet?
      proin tu lauare propera. Sa. lautus sum. Sti. optume,
20   sequere ergo hac me intro, ⟨Sangarine.⟩ Sa. ego uero
                                              sequor.

      Sti. uolo eluamus hodie, peregrina omnia
      relinque, Athenas nunc colamus. sequere me.—   670
      Sa. sequor et domum redeundi principium placet.
      bona scaeua strenaque obuiam occessit mihi.—

iii   S T E P H A N I V M

      Mirum uideri nemini uostrum uolo, spéctatores,
      quid ego hinc quae illic habito exeam : faciam uos cer- 674-5
                                              tiores.
      domo dúdum huc arcessita sum, ⟨nam⟩ quoniam nuntia-
                                              tum est
      istarum uenturos uiros, ibi festinamus omnes ;
5   lectis sternendis studuimus munditiisque apparandis.
      inter illud tamen negotium meis curaui amicis
      Sticho et conseruo Sagarino meo céna cocta ut esset.   680

      662 coctast *Ritschl* : dicta est *cod.*   663 *an* conuiuiumst?
      666 somniauit] homo donauit ⟨omōnauit⟩ *Seyffert, sed cf. Leo ad loc.*
      668 Sagarine *add. Ritschl* (iii. 2)   671 et *del. Goetz*   redeunti
      Acidalius   672 obuiam *Camerarius* : obulam *cod.*   676 nam
      add. Ritschl   677 ipsarum (iss-) *Ewald*   680 sangarino *cod.*
      (*corr. D¹*) : *an* Sangaro? (*cf. ad* 644)

Stichus opsonatust, ceterum ego curam do : id adlegauit.

nunc ibo hinc et amicos meos curabo hic aduenientis.—

SANGARINVS   STICHVS   **iv**

Sa. Agite ite foras : ferte pompam.   cado te praeficio,
Stiche.

omnibu' módis temptare certumst nostrum hodie conuiuium.

685 ita me di ament, lepide accipimur quom hoc recipimur in
loco.

quisqui' praetéreat, comissatum uolo uocari.   Sti. conuenit,

dum quidem hercle quisque ueniet ueniat cum uino suo.   5

nam hinc quidem hodie polluctura praeter nos datur nemini.

nosmet inter nos ministrémus monotropi.   Sa. hoc conuiuiumst

690 pro opibus nostris sati' commodule nucibus, fabulis, ficulis,

oleae †intripillo†, lupillo, comminuto crustulo.

Sti. sat est seruo | homini modeste [melius] facere sumptum 10
quam ampliter.

suom quoique decet : quibu' diuitiae domi sunt, scaphio et
cantharis,

batiocis bibunt, át nos nostro Samiolo poterio :

695 tamen bibimús nos, tamen ecficimus pro opibus nostra
moenia.

---

681 *fort.* curam ego   curando *cod.*   id] is *Leo* : *fort.* ut   adle-
gaui *cod.* : *corr. Goetz*   682 *accedit A*   hinc *om. A*   adue-
nienteis *A*   684 omnimodis *Scaliger, fort. recte* (*cf. Class. Rev.* 8,
159)   685 accipiamur *P, A n. l.* : *corr. Guietus*   quoniam hoc
recipiamur *P* : *om. A* (iii. 11) : *corr. Guietus   fort.* in *delend.*   687
ueniet *om. P* (*non A ut uid.*)   *vel* ueniat ueniat (*A n. l.*)   688
nos [iactura] *P, A n. l.*   dabitur *P, A n. l.* : *correxi, nam* polluctúra
praéter *vix ferendum*   689 monotropi. Sa. hoc *Ritschl* : mono-
trophe hoc *P, A n. l.*   691 ole(ae) i̱ṉ(tripi)ll(o) *A* : oleae interi-
plio (intriplio ?) *P* : olea in tryblio *Turnebus   vel sic distingue* lupillo
comminuto, crustulo   692 melius *om. codd. Nonii* 511 (*A n. l.*) (i. 9 ;
cf. ad Cas. 253)   modĕste melius *vix ferend.*   693 quique *A* :
quemque *P*   694 uiunt *A* (*i. e.* uiuunt)   695 uiuimus *codd.*
(? *disyllab.*)

Sa. mica utér utrubi accumbamus.   Sti. abi tu sane
superior.

15 atque adeo ut tu scire possis, pacto ego hoc técum diuido :
uide, utram tibi lubet etiam nunc capere, cape prouinciam.

Sa. quid istuc est prouinciaé?   Sti. utrum Fontine an
Libero

imperium te inhibere mauis?   Sa. nimio liquido Libero.   700

sed amica mea et tua dum †cenat† dumque se exórnat, nos
uolo

20 tamen ludere inter nos.   strategum te facio huic conuiuio.

Sti. nimium lepide in mentem uenit quam potius in
subsellio

cynice [hic] accipimur quam †in lecticis†!   Sa. immo enim
nimio hic magis est dulcius.

sed interim, stratege noster, qur hic cessat cantharus?   705

uide quot cyathos bibimus.   Sti. tot quot digiti tibi sunt
in manu.

25 cantio Graecast : ἢ πέντ' ἢ τρία πῖν' ἢ μὴ τέτταρα.

Sa. tibi propino.   decumum a fonte tibi tute inde, si sapis.

bene uos, bene nos, bene te, bene me, bene nostram etiam
Stephanium !

Sti. bibe si bibi'.   Sa. non mora erit apud me.   Sti. 710
édepol conuiui sat est,

modo nostra huc amica accedat : id abest, aliud nihil abest.

---

696 mĭca *scripsi* (*sc.* digitis) (v, p. 81) : amica *P* : m . . . çem *A* (? an
micem)   uter *om. A ut uid.* (iii. 1)   697 facto *P*   tecum hoc *B*
698 cape *om. A*   699 *vel* prouinciai   fontale *P*   701 cessat
Goetz, Schoell (*A n. l.*) : *fort.* cenam   *vel* dumq'   702-5 *fort. troch.*
systema   702 ludere inter nos tamen (?) *Leo*   huc *P*   703
mente *P*   p. q. *codd.* : *traieci*   704 hic *om. P*   in lectis *Pius* :
fort. inlectīce (*ut* 'accubuo' *Truc.* 422)   nimium (*pro* -io ?) hic *A* :
hic magis est (*i. e.* magest?) *P* : *conflaui*   707 est greca *P*   *graeca*
aut rubro colore aut omnino non scripsit A : cepente pine et trispine
emet et tara *P*   708 decumam *P*   tibi tuteꞁ tibite *A*   *in hoc*
versu deficit A   710, 711 *retractatori ascribit* Langen ('*scriptos*
ut in uicem concederent uersuum 712-35' *Leo*)   710 bibe *Scutarius* :
bibes *cod.*   *vel* med

STI. lepide hoc actum est. tibi propino cantharum. uinum 30
                                              tu habes.

SA. nimi' uellem aliquid pulpamenti. STI. si horum quae
                                         adsunt paenitet,

nihil est. tene aquam. SA. melius dicis ; nil moror cup-
                                                   pedia.

715 bibe, tibicen. age siquid ági', bibendum hercle hoc est, ne
                                                   nega.

quid hic fastidis quod faciundum uides esse tibi ? quin bibis ?

age si quid agis, accipe inquám. non hoc impendet publi- 35
                                              cum ?

haud tuom istúc est te uereri. éripe ex óre tibias.

STI. ubi illic biberit, uel seruato meum modum uel tu dato.

720 nolo ego nos †prosumo† bibere. nulli rei erimus postea ;

namque edepol quam uis desubito uel cadus uorti potest.

SA. quid igitur? quamquam grauatus fuisti, nón nocuit tamen. 40
age,

723ᵃ tibicen, quando bibisti, refer ad labeas tibias.

suffla celeriter tibi buccas quasi proserpens bestia.

725 agedum, Stiche, uter demutassit, poculo multabitur.

STI. bonum ius dicis. impetrare oportet qui aequom po- 45
                                              stulat.

SA. age ergo opserua. si peccassis, multam hic retinebo ilico.

STI. optumum atque aequissumum oras. em tibi hoc pri-
                                              mum omnium.

713 pulpulmenti *cod.*   714 tene *Ital.* : teni *cod.*   715 sïquid
non omnino placet   *fort.* agis *delend.* (*cf. Class. Rev.* 8, 151), *nisi
quidem vv.* 714-5 *troch. systema sunt*   717 hoc non *Acidalius*
718 ⟨ei⟩ tibias *Mueller* (*Rhein. Mus.* 54, 539)   719 dato *Ital.* :
dabo *cod.*   720 prosum hoc ebibere *Mueller*   721 uis *Ital.* :
ui *cod.*   722 *post v.* 765 *iterum apparet* (*i. e. post intervallum
44 versuum*). *scilicet scriba exemplaris. cum ad finem folii nesciocuius
in codice* Pᴬ *venisset, praecedens folium prave repetierat*   agitur *vel*
icitur *cod.*   nun *cod.* (*i. e.* num *vel* non)   723 age *extra versum
posui, nam nec* quandŏ *nec* bibïsti *placet* (*cf. ad v.* 715)   723ᵃ refer
codd. Nonii 210 : refers *cod.*   724 proserrens *cod.* (R *pro* P)
725 proculo mutabitur *cod.* : *corr. Pius*   728 em . . , omnium *San-
garino dant alii*

haec facetiast, amare inter se riualis duos,
uno cantharo potare, únum scortum ducere.   730
50 hoc memorabilest : ego tu sum, tu es ego, unianimi sumus,
unam amicam amamus ambo, mecum ubi est, tecum est
                                                    tamen ;
tecum ubi autem est, mecum ibi autemst : neuter †utri†
                                                    inuidet.
SA. ohe, iam sati'! nolo optaedescat ; alium ludum nunc
                                                    uolo.
STI. uin amicam huc euocemus ? ea saltabit. SA. censeo. 735
55 STI. mea suauis, amabilis, amoena Stephanium, ad amores
                                                    tuos
foras egredere, sati' mihi pulchra es. SA. at enim pulcher-
                                                    ruma.
STI. fac nos hilaros hilariores opera atque aduentu tuo.
SA. peregre aduenientes te expetimus, Stephaniscidium, mel 739-40
                                                    meum,
sí amabilitas tibi nostra placet, si tibi ambo áccepti sumus.

v   STEPHANIVM   STICHVS   SANGARINVS

STE. Morigerabor, meae deliciae.   nam ita me Venus
                                                    amoena amet,
ut ego huc iam dudum simitu exissem uobiscum foras,
nisi me uobis exornarem.   nám ita ingenium muliebrest :
bene cum lauta est, terta, ornata, ficta est, infecta est tamen ; 745
5 nimioque sibi mulier meretrix repperit odium ocius
sua inmunditia quam in perpetuom ut placeat munditia sua.
STI. nimium lepide fabulata est. SA. Veneris mera est oratio,

---

733 tecum autem ubi est mecum autem ibi est *P*^{CD}   n. neutri
Guietus : n. alteri *Camerarius*   734 obtaedes catali ut ludum
cod. : *corr. Ritschl*   736 suauís amabílis *displicet*   737 enim
⟨mihi⟩ *Acidalius*   742 morigerabor *Ritschl* : morem uobis geram
cod. (v. 1 ?)   743 huc *Scaliger* : hic *cod.*   744 ita est i. muliebrem
(-re ?) *cod.*   745 *primum* est *del. Scaliger*   746 reperiet *Fuhrmann*

STI. Sangarine.   SA. quid est?   STI. totus doleo.   SA.
                              potus? tanto miserior.

750 STE. utrubi accumbo?   SA. utrubi tu uis?   STE. cum am-
                         bobus uolo, nam ambos amo.

STI. uapulat peculium, actum est.   SA. fugit hoc libertas 10
                               caput.

STE. date mi locum ubi accumbam, amabo, siquidem placeo.
                             STI. tun mihi?

STE. cupio cúm utroque.   STI. ei mihí! bene dispereo.   quid
                         ais?   SA. quid est?

STI. ita me di ament, numquam enim fiet hodie haec quin
                         saltet tamen.

755 age, mulsa mea suauitudo, salta: saltabo ego simul.

SA. numquam edepol med istoc uinces quin ego ibidem 15
                         pruriam.

STE. siquidem mihi saltandum est, tum uos date bibat tibi-
                         cini.

STI. et quidem nóbis.   SA. tene, tibicen, primum; postidea loci
si hoc eduxeris, proinde ut consuetu's antehac, celeriter
760 lepidam et suauem cantionem aliquam occupito cinaedicam,
ubi perpruriscamus usque ex unguiculis.   inde huc aquam. 20

      SANGARINVS   STICHVS   **vi**

SA. Tene tu hóc, educe.   dudum placuit potio:
nunc minu' grauate iam accipit.   tene tu.   ínterim,
meus oculus, da mihi sauium, dum illic bibit.

765   STI. prostibilest tandem?   stantem stanti sauium

---

749 totus? tanto *Saracenus*   750 utrubi . . . utrubi *Camerarius*:
utrumubi . . . utrumubi *cod.*   753 est *Weise*: ego *cod.*   754
flet *cod.*   quin saltet *Camerarius*: qui non saltent *cod.*   759
eduxerit *cod.*: *corr. Camerarius*   antidhac (*cum* postidea, *cf.* 758)
gloss. Plaut., contra metrum, unde si hoc eduxis cel. p. ut co. antidhac
Redslob   760 cantionem *codd. Nonii* 5: cantationem *cod.*   occupito *codd. Nonii*: occipio *cod.*   762-8 '*scilicet tibicen ut bibat
canere desinit' Leo*   762 dudum ⟨haud⟩ *Pistoris, sed cf. Leo ad loc.*
765 prostibiles *cod.*: *corr. Leo*   stanti sauium *Saracenus*: stantis
autum *cod.*   *cf. ad v.* 722

5   dare amicum amicae ? eugae eugae, sic furi datur !

       SA. age, iam infla buccas, nunciam aliquid suauiter.

       redd' cantionem ueteri pro uino nouam.

vii   S A N G A R I N V S   S T I C H V S

     SA. Qui Ionicus aut cinaedicus⟨t⟩, qui hoc tale facere pos-

                                                   siet ?

     STI. si istoc me uorsu uiceris, alio me prouocato.   770

     SA. fac tu hoc modó.   STI. at tu hoc modo.   SA. babae !

                     STI. tatae !   SA. papae !   STI. pax !

     SA. nunc pariter ambo.   omnis uoco cinaedos contra.

5   satis esse nobis non magis poti' quam fungo imber.

     STI. intro hinc abeamus nunciam : saltatum sati' pro

                                                 uinost.

     uos, spectatores, plaudite atque ite ad uos comissatum.   775

---

768 cedo *Ritschl*   pro uino n. *Saracenus* : proui nouam *cod.*   769
vix possit, *ut fiat versus septenarius*   771 'versus Reizianus' *Leo*
at ⟨fac⟩ *Mueller* (*Rhein. Mus.* 54, 539)   772 cinaedus *cod.*   773
potis *Leo* (*vel* pote) : potis [est] *cod.* (*pro* potist *vel* potest ?)   775
ad uos *Palmerius* : ad nos *cod.*

TRINVMMVS

ARGVMENTVM

Thensaurum abstrusum abiens peregre Charmides
Remque omnem amico Callicli mandat suo.
Istoc absente male rem perdit filius ;
Nam et aedis vendit : has mercatur Callicles.
Virgo indotata soror istius poscitur ;   5
Minus quo cum invidia ei det dotem Callicles,
Mandat qui dicat aurum ferre se[se] a patre.
Vt venit ad aedis, hunc deludit Charmides
Senex, ut rediit ; quoius nubunt liberi.

Argumentum om. A   7 se *Camerarius*   9 nubunt liberi
Valla : nubuntur eri *cod.*

PERSONAE

Lvxvria cvm Inopia Prologvs
Megaronides Senex
Callicles Senex
Lysiteles Advlescens
Philto Senex
Lesbonicvs Advlescens
Stasimvs Servvs
Charmides Senex
Sycophanta

Scaena ATHENIS

PROLOGVS

Lvxvria   Inopia

Lv. Sequere hac me, gnata, ut munus fungaris tuom.
In. sequor, sed finem fore quem dicam nescio.
Lv. adest.   em illae sunt aedes, í intro nunciam.—
nunc, ne quis erret uostrum, paucis in uiam
5   deducam, si quidem operam dare promittitis.   5
nunc igitur primum quaé ego sim et quae illaec siet
huc quae abiit intro dicam, si animum aduortitis.
primum mihi Plautus nomen Luxuriae indidit;
tum | hanc mihi gnatam esse uoluit Inopiam.
10 sed ea huc quid introierit impulsu meo   10
accipite et date uociuas auris dum eloquor.
adulescens quidam est quí in hisce habitat aedibus;
is rem paternam me adiutrice perdidit.
quoniam ei qui me aleret nil uideo esse relicui,
15 dedi ei meam gnatam quicum aetatem exigat.   15
sed de argumento ne exspectetis fabulae :
senes qui huc uenient, i rem uobis aperient.
huic Graece nomen est Thensauro fabulae :
Philemo scripsit, Plautus uortit barbare,
20 nomen Trinummo fecit, nunc hoc uos rogat   20
ut liceat possidere hanc nomen fabulam.
tantum est.   ualete, adeste cum silentio.—

1 hac me] me mea *P*   fungas *codd. Nonii* 497, *unde* fungas ⟨tu⟩
(?) *Schoell*   8, 9 (*omissis* Plautus—mihi *propter homoeotel.*) *post v.*
10 *collocat* *A* (ii. 6)   8 mi *P*CD   9 hanc ⟨autem⟩ *Spengel* (*A n. l.*)
mihi hanc gnatam [gnatam] *P*CD   15 ei] e *P*   quicum ⟨una⟩ *Vollbehr,*
nam (meám) gnatám *displicet*   17 [uo]uobis *A*   18 nomen
grece *P*   20 uos hoc *A, non usitatus ordo*   22 adesse *A*

ACTVS I

MEGARONIDES

Amicum castigare ob meritam noxiam
inmoene est facinus, uerum in aetate utile
et conducibile. nám ego amicum hodie meum   25
concastigabo pro commerita noxia,
5 inuitus, ni id me inuitet ut faciam fides.
nam hic nimium morbus mores inuasit bonos ;
ita plerique omnes iam sunt intermortui.
sed dum illi aegrotant, interim mores mali   30
quasi herba inrigua succreuere uberrume ;
10 neque quicquam hic nunc est uile nisi mores mali ;
eorum licet iam metere messem maxumam :
nimioque hic pluris pauciorum gratiam
faciunt pars hominum quam id quod prosint pluribus. 35
ita uincunt illud conducibile gratiae,
15 quae in rebus multis opstant odiossaeque sunt
remoramque faciunt rei priuatae et publicae.

ii   CALLICLES   MEGARONIDES

CA. Larem corona nostrum decorari uolo.
uxor, uenerare ut nobis haec habitatio   40
bona, fausta, felix fortunataque euenat—
teque ut quam primum possim uideam emortuam.
5 ME. hic ille ést senecta aetate qui factust puer,
qui admisit in se culpam castigabilem.

---

23 me (*i. e.* ME.) amicum *P*   [non mala] noxiam *P* (? iv. 3 ; M
pro X, L *pro* I)   25 hodie amicum *A*   27 me id *P*   faciat *A*
29 plerique '*libri uet.*' *Lambini* : prerique *A* : plerumque *P*   homines *A*   31 succreuerunt *P* (*i. e.* succrerunt ?)   33 *ante* 32
collocat Buecheler   32 uile nunc est *P*   36 conductibile *P*   40
uobis *A*   42 possit *Lambinus*

45   adgrediar hominem.   CA. quoia hic uox prope me sonat?
  ME. tui béneuolentis, sí ita es ut ego te uolo,
  sin aliter es, inimici atque irati tibi.
    CA. o amice, salue, | atque aequalis. ut uales,   10
    Megaronides?   ME. et tu edepol salue, Callicles.
50   CA. ualen? ualuistin?   ME. ualeo et ualui rectius.
    CA. quid agit tua uxor? ut ualet?   ME. plus quam ego
                                         uolo.
    CA. bene hercle est illam tibi ualere et uiuere.
    ME. credo hercle te gaudere si quid mihi mali est.   15
    CA. omnibus amicis quod mihi est cupio esse idem.
55   ME. eho tu, tua uxor quid agit?   CA. inmortalis est,
    uiuit uicturaque est.   ME. bene hercle nuntias,
    deosque óro ut uitae tuae superstes suppetat.
    CA. dum quidem hercle tecum nupta sit, sane uelim.   20
    ME. uin commutemus, tuam ego ducam et tu meam?
60   faxo hau tantillum dederis uerborum mihi.
    CA. namque enim tu, credo, me inprudentem obrepseris.
    ME. ne tu hercle faxo hau nescias quam rem egeris.
    CA. habeas ut nanctu's : nota mala res optumast.   25
    nam ego nunc si ignotam capiam, quid agam nesciam.
65   ME. edepol proinde ut bene uiuitur, diu uiuitur.
    sed hoc ánimum aduorte atque aufer ridicularia ;
    nam ego dedita opera huc ad te [ad]uenio.   CA. quid
                                     uenis?
    ME. malis te ut uerbis multis multum obiurigem.   30
    CA. men?   ME. numquis est hic alius praeter mé atque te?
70   CA. nemost.   ME. quid tu igitur rogitas tene obiurigem?

45 quia *A*   hic *om. P*   46 si *om. A*   te *om. P*   47 esṭ *A*
50, 51 *inverso ordine A*   51 tua agit *A*   52 [bene] ualere *P*
53 mihi] me *A*   54 fidem *A*   55 tu *om. P*   61 tu] te *A*
mihi inprudenti *P*   62 h. scias *P*   65 prome *A*   diu uiuitur
bene uiu. *Acidalius*   67 uenio *A*   68 obiurgem *P* : obiurgitem *A*   70 tu *om. P*   obiurgitem *P*

nisi tu me mihimet censes dicturum male.

nam si in te aegrotant artes antiquae tuae,

35   [sin immutare uis ingenium moribus]   72ᵃ

aut si demutant mores ingenium tuom

neque eos antiquos seruas, ast captas nouos,

omnibus amicis morbum tu incuties grauem,   75

ut te uidere audireque aegroti sient.

40   CA. qui in mentem uenit tibi istaec dicta dicere?

ME. quia omnis bonos bonasque adcurare addecet

suspicionem et culpam ut ab se segregent.

CA. non potest utrumque fieri.   ME. quapropter?   CA. 80

rogas?

ne admittam culpam, ego meo sum promus pectori:

45   suspicio est in pectore alieno sita.

nam nunc ego si te surrupuisse suspicer

Ioui coronam de capite ex Capitolio

quod in cólumine astat summo: si id non feceris   85

atque id tamen mihi lubeat suspicarier,

50   qui tu id prohibere me potes ne suspicer?

sed istúc negoti cupio scire quid siet.

ME. haben tu amicum aut familiarem quempiam

quoi pectus sapiat?   CA. edepol hau dicam dolo: 90

sunt quos scio esse amicos, sunt quos suspicor,

55   sunt quorum ingenia atque animos nequeo noscere

ad amici partem an ad inimici peruenant;

sed tú ex amicis certis mihi es certissumus.

si quid scis me fecisse inscite aut inprobe,   95

si id non me accusas, tute ipse obiurgandus es.

71 tute mihi me *P*   72 anii que *P*   72ᵃ *om. A*   73, 74
secl. Ritschl   74 seruos *A*   75 inculties *A*   79 apse *P*
(*antiqua orthographia*)   85 Qui *Scaliger*   87 quid tu id *A*
88 scire cupio quicquid est *P*   89 aut] ut *A*   91 amicos
esse *A*   92 nequeo *Acidalius*: queo *A*: non possum *P* (v. 1)
93 peruenat *P*   94 mihi es certis *A, fort. recte*   96–171
deficit A   96 *troch. septenarium exhibet cod.*, sí id me non accú. t. i.
óbiurgandus és. ME. scio: si id nón me (*Reiz*) acc. tú. obiurgandú's
(*del.* ipse). ME. scio *Bothe*   *vix* tupte o.

Me. scio et, si ália huc caussa ad te adueni, aequom 60
postulas.
Ca. exspecto si quid dicas. Me. primumdum omnium,
male dictitatur tibi uolgo in sermonibus :
100 turpilucricupidum te uocant ciues tui ;
tum autem sunt alii qui te uolturium uocant :
hostisne an ciuis comedis parui pendere. 65
haec quom audio in te †dicis† excrucior miser.
Ca. est atque non est mihi in manu, Megaronides :
105 quin dicant, non est ; merito ut ne dicant, id est.
Me. fuitne híc tibi amicus Charmides ? Ca. est et fuit.
id ita esse ut credas, rem tibi auctorem dabo. 70
nam postquam hic eiius rem confregit filius
uidetque ípse ad paupertatem protractum esse se
110 suamque filiam esse adultam uirginem,
simul eius matrem suamque uxorem mortuam,
quoniam hinc iturust ipsus in Seleuciam, 75
mihi commendauit uirginem gnatam suam
et rem suam omnem et illúm corruptum filium.
115 haec, si mi inimicus esset, credo hau crederet.
Me. quid tu, adulescentem, quem esse corruptum uides,
qui tuae mandatus est fide et fiduciae, 80
quin eum restituis, quin ad frugem corrigis ?
ei rei óperam dare te fuerat aliquanto aequius,
120 si qui probiorem facere posses, non uti
in eandem tute accederes infamiam
malumque ut eiius cum tuo mísceres malo. 85
Ca. quid feci ? Me. quod homo nequam. Ca. non
istuc meumst.

97 Me. scio *in fine v.* 96 *cod.* huc alia *cod.* : *trai. Camerarius*
101 tum *Ital.* : tu *cod.* (vii. 4) 103 dici is excrucior *Vahlen* :
dici discrucior *Ritschl* 109 prostractum *B, unde* prostratum *Bergk*
115 hic si in. (*om.* mi) P^CD 116 corruitum *cod.* 120 possis
cod. (*pro* -es ? i. 3)

ME. emistin de adulescente has aedis (quid taces ?)
ubi nunc tute habitas ?   CA. emi atque argentum dedi,   125
minas quadraginta, adulescenti ipsi in manum.

90   ME. dedistín argentum ?   CA. factum neque facti piget.
ME. edepol fide adulescentem mandatum malae !
dedistíne hoc facto ei gladium qui se occideret ?
quid secus est aut quid interest dare te in manus   130
argentum amanti homini adulescenti, animi inpoti,

95   qui exaedificaret suam incohatam ignauiam ?
CA. non ego illi argentum redderem ?   ME. non redderes
neque de illo quicquam neque emeres neque uenderes,
nec qui deterior esset faceres copiam.   135
inconciliastin eum qui mandatust tibi,

100   ill' qui mandauit, eum exturbasti ex aedibus ?
edepol mandatum pulchre et curatum probe !
crede huic tutelam : suam melius rem gesserit.
CA. subigis maledictis me tuis, Megaronides,   140
nouo modo adeo, ut quod meae concreditumst

105   taciturnitati clam, fide et fiduciae,
ne enuntiarem quoiquam neu facerem palam,
ut mihi necesse sit iam id tibi concredere.
ME. mihi quod credideris sumes ubi posiueris.   145
CA. circumspicedum te ne quis adsit arbiter

110   nobis, et quaeso identidem circumspice.
ME. ausculto si quid dicas.   CA. si taceas, loquar.
quoniam hinc est profecturus peregre Charmides,
thensaurum demonstrauit mihi in hisce aedibus,   150
hic in conclaui quodam—sed circumspice.

130 secus *Ital.* : secutus *cod.* (v. 8)   131 ampoti *ut vid. cod.*
132 ignauium *cod.*   139 tute iam *vel* tutelam *cod.*   rem melius
Hermann   141 quomeae *cod.* (? *pro* quommeae, *i. e.* quod meae ;
i. 4)   concreditum sim *cod.* (i. 7, 2)   149 profecturus *Scaliger* :
profectus *cod.* (t *pro* tur ? vii. 1)   150 mihi demonstrauit *P*CD

Me. nemost.   Ca. nummorum Philippeum ad tria milia. 115
id solus solum per amicitiam et per fidem
flens me opsecrauit suo ne gnato crederem
155 neu quoiquam unde ad eum id posset permanascere.
nunc si ille huc saluos reuenit, reddam suom sibi ;
si quid eo fuerit, certe illius filiae,   120
quae mihi mandatast, habeo dotem | unde dem,
ut eam in se dignam condicionem conlocem.
160 Me. pro di inmortales, uerbis paucis quam cito
alium fecisti me, alius ad te ueneram !
sed ut occepisti, perge porro proloqui.   125
Ca. quid tibi ego dicam qui illius sapientiam
et meam fidelitatem et celata omnia
165 paene ille ignauos funditus pessum dedit ?
Me. quidum ?   Ca. quia, ruri dum sum ego unos sex
                                            dies,
me apsente atque insciente, inconsultu meo,   130
aedis uenalis hasce inscribit litteris.
Me. adessuriuit magis, [et] inhiauit acrius
170 lupus, opseruauit dum dormitarent canes :
gregem uniuorsum uoluit totum auortere.
Ca. fecisset edepol, ni haec praesensisset canes.   135
sed nunc rogare ego uicissim te uolo :
quid fuit officium meum me facere ? face sciam ;
175 utrum indicare me ei thensaurum aequom fuit,
aduorsum quam eius me opsecrauisset pater,
an ego alium dominum paterer fieri hisce aedibus ?   140
qui emisset, eiius essetne ea pecunia ?
emi egomet potius aedis, argentum dedi
180 thensauri caussa, ut saluom amico traderem.

157 certe *Bothe* : certo *cod.*, *contra morem Plautinum* 158 habuero
Mueller (*Rhein. Mus.* 54, 539)   ab eo, dotem ⟨habeo⟩ *vel* habeo,
dotis *Schoell*   168 inscripsit *codd. Nonii* 525 (*neglegens citatio, ut vid.*)
169 mage *Hermann* : del. *Ritschl*   et *del. Hermann*   inebriauit *P*CD
(*pro* inbiauit ; b *pro* h, vi. 1)   170 dormitaret *Lambinus*   172
accedit A

neque adeo hasce emi mihi nec ussurae meae :
145 illi redemi rusum, a me argentum dedi.
haec sunt : si recte seu peruorse facta sunt,
ego me fecisse confiteor, Megaronides.
em mea malefacta, em meam auáritiam tibi !   185
hasce mihi propter res malas famas ferunt.
150 ME. παῦσαι : uicisti castigatorem tuom :
occlusti linguam, nihil est qui respondeam.
CA. nunc ego te quaeso ut me opera et consilio iuues
communicesque hanc mecum meam prouinciam.   190
ME. polliceor operam.   CA. ergo ubi eris paullo post ?
                         ME. domi.
155 CA. numquid uis ?   ME. cures tuam fidem.   CA. fi[e]t
                         sedulo.
ME. sed quid ais ?   CA. quid uis ?   ME. ubi nunc adu-
                         lescens habet ?
CA. posticulum hoc recepit, quom aedis uendidit.
ME. istuc uolebam scire.   i sane nunciam.   195
sed quid ais ? quid nunc uirgo ? nempe apud tést ?   CA.
                         itast,
160 iuxtaque eam cúro cum mea.   ME. recte facis.
CA. numquid priu' quam abeo me rogaturu's ?—ME. uale.
nihil est profecto stultius neque stolidius
neque mendaciloquius neque [adeo] argutum magis,   200
neque confidentiloquius neque peiiurius
165 quam urbani adsidui ciues quos scurras uocant.
atque egomet me adeo cum illis una ibidem traho,

183 si] seu *P*   184 egomet f. *P*   185 em meam auari-
meam *A* : eme m. au. *Skutsch* (*Philolog.* 59, 500)   186 hascine
me *P* : hascine *Pareus*   opter *Bergk*   maledictas *P* : maledicas
Salmasius   *fort. duplex lectio* hasc' mihi . . . . maledicas *et*
hascine mi . . . malas   187 pausa *P*   188 quod *A* (i. 9 ?)
192 cur est *P*   fit *P*   194 recipit *A*   196 ita es *P*   198
num pr. *P*   199 stolidus *A*   200 adeo *om. P*   *vix prius*
neque *delend.* (*cf. ad Mil.* 752)   202 quoscurras *A*

qui illorum uerbis falsis acceptor fui,
205   qui omnia se simulant scire neque quicquam sciunt.
quod quisque in animo habet aut habiturust sciunt,
sciunt íd quod in aurem rex reginae dixerit,   170
sciunt quod Iuno fabulatast cum Ioue ;
quae neque futura neque sunt, tamen illi sciunt.
210   falson an uero laudent, culpent quem uelint,
non flocci faciunt, dum illud quod lubeant sciant.
omnes mortales hunc aiebant Calliclem   175
indignum ciuitate hac esse et uiuere,
bonis qui hunc adulescentem euortisset suis.
215   ego de eórum uerbis famigeratorum insciens
prosilui amicum castigatum innoxium.
quod si exquiratur usque ab stirpe auctoritas,   180
und' quicquid audítum dicant, nisi id appareat,
famigeratori res sit cum damno et malo,
220   hoc ita si fiat, publico fiat bono,
pauci sint faxim qui sciant quod nesciunt,
occlusioremque habeant stultiloquentiam.—   185

ACTVS II

Lysiteles   II. i

Multas res simitu in meo corde uorso,
multum in cogitando dolorem indipiscor :
225   egomet me coquo et macero et defetigo,
magister mihi exercitor animu' nunc est.
sed hoc non liquet nec satis cogitatumst   5

---

208 item sciunt id quod *A* (? iv. 2)   209 [facta] sunt *P* (iv. 2)
211 lubeat *P*   213 hac esse et *Taubmann* : hac esset *P* : hae-
çesçiet *A* : ac sese *Gulielmius* : *an* uesci et ?   214 suis] omnibus
A   215 de e.] deorum *A*   inscius *P*   217 exequiratur *A*
apstirpe *P* (*antiqua orthographia*)   218 quicque *Acidalius*   219
re *P*   221 sint] sini *P*   223 corde meo *A*   224 multa
A   indispicor *A*   225 coquo [quo] *P*   226 hunc *P*

  utram potius harum mihi artem expetessam,
  utram aetati agundae arbitrer firmiorem :
  amorin med an rei opsequi potiu' par sit,   230
  utra in parte plus sit uoluptati' uitae
10   ad aetatem agundam.
 de hac re mihi satis hau liquet ; nisi hoc sic faciam, opinor,
 ut utramque rem simul exputem, iudex sim reu'que ad
            eam rem.
  ita faciam, ita placet ; omnium primum   235
  Amoris artis eloquar quem ad modum [se] expediant.
15 numquam Amor quemquam nisi cupidum hominem postulat
       se in plagas conicere :
      eos petit,
  eos sectatur ; subdole blanditur, ab re consulit, 238ᵃ
  blandiloquentulus, harpago, mendax, cuppes, auarus,
      elegans, despol[i]ator,
  latebricolarum hominum corruptor blandus, inops celatum 240-1
        indagator.
20 nam quí amat quod amat quom extemplo sauiis sagittatis
       perculsust,
  ilico res foras labitur, liquitur. 'da mihi hoc, mel meum, si 243-4
      me amas, si audes.'
  ibi ille cuculus : 'ocelle mi, fiat : et istuc et si amplius uis 245-6
      dari, dabitur.'
  ibi illa pendentem ferit : iam amplius orat ; non satis 247-8
  id est mali, ni etiam amplius,
25 quod ebibit, quod comest, quod facit sumpti. nox datur : 250-1
      ducitur familia tota,

  230 sq. *disp.* Amorin — parte | Plus—agundam *A* (*bacch. systema*)
230 *vel* me (*ita codd.*) siet *P* 231 uoluptati sit *P* 233 sic] si *P*
vel opino 234 ut *om. P* 236 se *om. P* 238, 238ᵃ *coniung. A*
eos cupit eos consectatur *P* (*anap. dim. catal.*) 239 despoliator *P*
240, 241 *vel sic distingue* corruptor, blandus inops, *vix* inopis (*ut
bacchii fiant*) 242 nam quam ad quod damat *P* quom *Bothe* :
quam *codd.* sagittatis *om. A* percussust *P* 243-4 si me audes
si amas *A* *an* si auides ? (*ut cretici fiant*) 245-6 Abi *A* occelle
P (? *pro* o ocelle) 247-8 illam *A* sat *P* 249 amplius
etiam *P* 250-1 quod ĕbíbit *vix ferendum* sumptui *A*

uestipica, unctor, auri custos, flabelliferae, sandaligerulae,
cantrices, cistellatrices, nuntii, renuntii, rap-
            -tores panis et peni ;
255   fit ipse, dum illis comis est, inops amator.
            haec ego quom cum animo meo reputo,   30
            ubi quí eget, quam preti sit parui :
            apage te, Amor, non places, nil te utor ;
            quamquam illud est dulce, esse et bibere,
260   Amor amara dat tamen, sati' quod aegre sit :
261-2 fugit forum, fug⟨it⟩at suos cognatos, fugat ipsus se ab suo 35
                                            contutu
263-4 neque eum sibi amicum uolunt dici.   mille modis, Amor,
                                            ignorandust,
265 procul abhibendust atque apstandust ; nam qui in amorem
                                            praecipitauit
      peius perit quasi saxo saliat : apage te, Amor, tuas res tibi
                                            habeto,
267-8 Amor, mihi amicus ne fuas umquam ; sunt tamen quos
                                      miseros maleque habeas,
            quos tibi obnoxios fecisti.   40
270   certast res ad frugem adplicare animum,
271-2 quamquam ibi [animo] labos grandis capitur. boni sibi haec
                                      expetunt, rem, fidem, honorem,
273-4   gloriam et grátiam : hoc probis pretiumst. eo mihi magi'
                                            lubet
275   cum probis pótius quam cum inprobis uiuere uanidicis.

252 uestipica *formam usitatam esse docuit Leo* (*Mélanges Boissier*, p.
355) : uestispica *A* (*forma etymologica*) : uestispic—*testatur Nonius* 12 (-ci
codd.) : uestiplice *P* (? *pro* -plica, *forma recentiore*)   sandaliogerulae *A*
255 sq. *disp. A* : Fit — ego (*iamb. octonar.*) | Quum — eget | Quam
— places | Nihil — bibere   256 haec ego cum ago cum meo animo
et recolo (rectilo *B*) *P*   258 places] palages *P*   260 tamen]
tibi *P*   261-2 fugitat *Spengel* : fugit (*vel* -at) *A* : fugat *P*   suos]
uos *P*   şem *A*   265 adhib. *codd.* (-us *A*)   atque aptinendus
P (v. 1)   amore *P*   266 te] sis *P*   habe *P*   267-8
amicus mihi *A*   umquam *om. A*   269, 270 *coniung. A*   certunst
P : certa est res *A*   271-2 animo *om. A*   bonis *P*   273-4
vel mage

ii   Philto   Lysiteles

Ph. Quo illic homo foras se penetrauit ex aedibus ?   Ly.
                              pater, adsum, impera quiduis,
neque tibi ero in mora neque latebrose me aps tuo con- 277–8
                              spectu occultabo.
      Ph. feceris par tuis ceteris factis,
      patrem tuom si perœoles per pietatem.   280
5   nolo ego cum inprobis te uiris, gnate mi,
      neque in uia neque in foro necullum sermonem exsequi.
      noui ego hoc saeculum moribus quibu' siet :
      malus bonum malum esse uolt, ut sit sui símilis ;
      turbant, miscent mores mali : rapax, auarus, inuidus   285
10   sacrum profanum, publicum priuatum habent, hiulca gens.
      haec ego doleo, haec sunt quae me excruciant, haec dies
                              noctes[que] canto tibi ut caueas.
      quod manu non queunt tangere tantum fas habent quo
                              manus apstineant,
      cetera : rape, trahe, fuge, late—lacrumas haec mihi quom 289–90
                              uideo eliciunt,
      quia ego ad hoc genus hominum duraui.   quin priu' me ad
                              pluris penetraui ?
15 nam hi mores maiorum laudant, eosdem lutitant quos con-
                              laudant.
      hisce ego de artibu' gratiam facio, ne[u] colas neue imbuas 293–4
                              ingenium.
      meo modo et moribu' uiuito antiquis, quae ego tibi praecipio, 295–6
                              ea facito.

---

276 ex *om. codd. Nonii* 374, *unde fit anapaest, octonar.* (? *citatio neglegens*)   quod uis *P*   277–8 conspectus *P*   279, 280 *coniung. A*
280 pīetatem *suspectum*   282 neque ullum *A* (? *i. e.* neque—ullum) :
ullum *P*   283 siet] et *A*   286 hiutca *A*   287 quae me] quem *P*
que *om. A*   292 lutitant *Ritschl* : latitant *codd.*   293–4 de
Bothe : te *codd.*   ne *Hermann* (*cf. ad* 183)   295–6 praecipito
et f. *F*

297-8   nil ego istos moror faeceos mores, turbidos, quibu' boni
                                        dedecorant se.
299-
300   haec tibi si mea imperia capesses, multa bona in pectore
                                        consident.

Ly. semper ego usque ad hanc aetatem ab ineunte adu- 20
                                        lescentia
tuis seruiui seruitutem imperiis, [et] praeceptis, pater.
pro ingenio ego me liberum esse ratu' sum, pro imperio
                                        tuo
meum animum tibi seruitutem seruire aequom censui.
305 Ph. quí homo cum animo inde ab ineunte aetate depugnat
                                        suo,
utrum itane esse mauelit ut eum animus aequom censeat,   25
an ita potius ut parentes eum esse et cognati uelint :
si animus hominem pepulit, actumst : animo seruit, non
                                        sibi ;
si ipse animum pepulit, dum uiuit uictor uictorum cluet.
310 tu si animum uicisti potius quam animus te, est quod gau-
                                        deas.
nimio satiust ut opust ted ita esse quam ut animo lubet :   30
qui animum uincunt quam quos animus semper probiores
                                        cluent.
Ly. istaec ego mi semper habui aetati integumentum meae ;
ne penetrarem me usquam ubi esset damni conciliabulum
315 neu noctu irem obambulatum neu suom adimerem alteri
neu tibi aegritudinem, pater, párerem, parsi sedulo :   35
sarta tecta tua praecepta usque habui mea modestia.
Ph. quíd exprobrás ? bene quod fecisti tibi fecisti, non mihi ;
mihi quidem aetas actast ferme : tua istuc refert maxume.

297-8 fac eos *P*   [et] turbidos *P*   bonis *A*   302 tui *P*
et *del. Bothe*   306 [id] itane *P* (iv. 3)   308 perpulit *P*   seruauit
P   309 uictorum] uirtutum *A*   311 satius tui o. *P* (I *pro* T)
lubet *Ital.* : iubet *codd.*   312 quam qui animos *A*   ciuent *A* :
cluentis *P*   313 tegumentum *P*   314 conciliitabulum *A*   315
Nei (*B*) *vel* Ne (*P*CD) *P*   318 *vix iamb. octonar.*   319 ferme]
fert me *P* (*pro* ferime *forma antiqua* ?)

is probus est quem paenitet quam probu' sit et frugi bonae ; 320
40 qui ipsus sibi satis placet nec probus est nec frugi bonae :
   qui ipsus se contemnit, in eost indoles industriae.
   benefacta benefactis aliis pertegito, ne perpluant.
Ly. ob eam rem haec, pater, autumaui, quia res quaedamst
                            quam uolo
   ego me aps te exorare. Ph. quid id est ? dare iam ueniam 325
                                gestio.
45 Ly. adulescenti huic genere summo, amico atque aequali
                                  meo,
   minu' qui caute et cogitate suam rem tractauit, pater,
   bene uolo ego illi facere, si tu non neuis. Ph. nemp' de
                                    tuo ?
Ly. de meo : nam quod tuomst meumst, ómne meumst
                               autem tuom.
Ph. quid is ? egetne ? Ly. eget. Ph. habuitne rem ? Ly. 330
                habuit. Ph. quí eam perdidit ?
50 publicisne adfinis fuit an maritumis negotiis ?
   mercaturan, an uenalis habuit ubi rem perdidit ?
Ly. nihil istorum. Ph. quid igitur ? Ly. per comitatem
                             edepol, pater ;
   praeterea aliquantum animi caussa in deliciis disperdidit.
Ph. edepol hominem praemandatum ferme familiariter,   335
55 qui quidem núsquam per uirtutem rem confregit atque eget !
   nil moror eum tíbi esse amicum cum eiusmodi uirtutibus.
Ly. quia sine omni malitiast, tolerare eius egestatem uolo.
Ph. de mendico male meretur qui ei dat quod edit aut bibat ;
   nam et illud quod dat pérdit et illi prodit uitam ad miseriam. 340

    320 ⌈non⌉ penitet P (i. 9)   324 quaedant P   325 ueniam
dare iam (B) *vel* ueniam iam dare (Pᶜᴰ) P   326 hinc *Vollbehr*
328 ego *om.* A   nisi tu non uis A (*vix pro* noenu uis ; *cf. ad*
361)   332 mercaturamne an P   335 praedicatum P   f. et fam.
A   336 Quid P   338 est] es A   egestatem eius P (*non* D)
339 aut [quod] P   340 prodit] producit P (v. 1)

non eo haec díco, quin quae tu uis ego uelim et faciam 60
                                                    lubens :
sed ego hoc uerbum quom illi quoidam dico, praemostro
                                                      tibi,
ut ita te aliorum miserescat, ne tis alios misereat.

LY. deserere illum et deiuuare in rebus aduorsis pudet.

345 PH. pol pudere quam pigere praestat totidem litteris.

LY. edepol, deum uirtute dicam, pater, et maiorum et tua   65
multa bona bene parta habemus, bene si amico feceris
ne pigeat fecisse, ut potius pudeat si non feceris.

PH. de magnis diuitiis si quid demas, plus fit an minus ?

350 LY. minu', pater ; sed ciui inmuni scin quid cantari solet ?
'quod habes né habeas et illúc quod non habes habeas, 70
                                                    malum,
quandoquidem nec tibi bene esse pote pati neque alteri.'

PH. scio equidem istuc ita solere fieri ; uerum, gnate mi,
is est inmunis quoi nihil est qui munus fungatur suom.

355 LY. deum uirtute habemus et qui nosmet utamur, pater,
et aliis qui comitati simus beneuolentibus.   75

PH. non edepol tibi pernegare possum quicquam quod uelis.
quoius egestatem tolerare uis ? [e]loquere audacter patri.

LY. Lesbonico huic adulescenti, Charmidei filio,

360 qui illic habitat. PH. quin comedit quod fuit, quod non
                                                        fuit ?

LY. ne opprobra, pater ; múlta eueniunt homini quae uolt, 80
                                                    quae neuolt.

343 miseres cane tui alius P   346 uirtutem P   347 paria
habeamus P   349 animinus P   350 inmuni ⌈inmunifico⌉s
scis P (iv. 1)   351 quod nunc non P   hab. uelim malum A
352 quando equidem A   potes P   354 minus P   357
quod om. A   358 tolerari Leo   loquere P   patri audacter A
359 vel Charmideï (-di A : -de P)   360 quia A   quin] qui P
non fui P   361 exprobra A   ⌈mala⌉ multa A (iv. 3)   qui u. P
qui n. B   non uolt A   secuntur in P vv. 369, 368, in A v. 369
(omissis, ut vid. in antiqua nescioqua recensione vv. 362-8) : corr.
Muretus, Acidalius

Pʜ. mentire edepol, gnate, atque id nunc facis hau consuetudine.

nam sapiens quidem pol ipsus fingit fortunam sibi :
eo non multa quae neuolt eueniunt, nisi fictor malust.

Lʏ. multa illi opera opust ficturae, qui se fictorem probum   365
85 uitae agundae esse expetit : sed hic admodum adulescen-
tulust.

Pʜ. non aetate, uerum ingenio apiscitur sapientia ;
sapienti aetas condimentumst, sapiens aetati cibust.

agedum eloquere, quid dare illi nunc uis ? Lʏ. nihil quicquam, pater ;

tu modo ne me prohibeas accipere si quid det mihi.   370
90 Pʜ. an eo egestatem ei tolerabis, si quid ab illo acceperis ?

Lʏ. eo, pater. Pʜ. pol ego istam uolo me rationem edo-
ceas. Lʏ. licet.

scin tu illum quo genere natus sit ? Pʜ. scio, adprime probo.

Lʏ. soror illi est adulta uirgo grandis : eam cupio, pater,
ducere uxorem sine dote. Pʜ. sine dote uxorém ? Lʏ. ita ; 375
95 tua re salua hoc pacto ab illo summam inibis gratiam
neque commodius ullo pacto ei poteris auxiliarier.

Pʜ. egone indotatam te uxorem ut patiar ? Lʏ. patiun-
dumst, pater ;

et eo pacto addideris nostrae lepidam famam familiae.

Pʜ. multa ego possum docta dicta et quamuis facunde loqui, 380
100 historiam ueterem atque antiquam haec mea senectus sustinet ;

e t

    364 eo nemulta *P*   m. siet *P* (? *pro* si, *i. e.* si *corr.* est)   365
multa i̲l̲l̲i̲ opera multust fi. *A* (*siglo erroris, ut uid., super* multust *scripto*):
multas (*pro* multast ?) opera opus fi. *P*   366 expetis *P*   adu-
lescentulus *P*   367 aetatem *P*   adipiscitur *P*   368, 369 *cf. ad*
v. 361   368 condimentum *A*   369 quod *A*   nihili quiquam *P*   371 ei *Bothe* : et *P* : e *A*   tolerabilis *A* (*cum* *P*ᶜᴰ)
373 aprimeo probo *A*   374 aduita *A* (I *pro* L)   375 uxoremne ?
Reiz   376 inibis summam *P*   377 auxiliarer *A*   378 ego *P*
(? *pro* egon)   te *om. A*   te indotatam *Kaempf*   379 nostra *P*
380 docte *A*   et *del. Fritzsche*

uerum ego quando te et amicitiam et gratiam in nostram
                                                    domum
uideo adlicere, etsi aduorsatus tibi fui, istac iudico :
tibi permitto; posce, duce.   Ly. di te seruassint mihi !
385 sed adde ad istam gratiam unum.   Ph. quid id est autem
                                  unum ? Ly. eloquar.
tute ad eum ádeas, tute concilies, tute poscas.   Ph. eccere ! 105
Ly. nimio citius transiges : firmum omne erit quod tu egeris.
grauius tuom erit unum uerbum ad eam rem quam centum
                                                    mea.
Ph. ecce autem in benignitate hoc repperi, negotium !
390 dabitur opera.   Ly. lepidus uiuis.   haec sunt aedes, hic habet ;
Lesbonico est nomen.   age, rem cura.   ego te opperiam 110
                                          domi.—

PHILTO   iii

Non optuma haec sunt neque ut ego aequom censeo ;
uerum meliora sunt quam quae deterruma.
sed hoc únum consolatur mé atque animum meum,
395   quia qui nihil aliud nisi quod sibi soli placet
consulit aduorsum filium, nugas agit :   5
miser ex animo fit, factius nihilo facit.
suae senectúti is acriorem hiemem parat,
quom illam inportunam tempestatem conciet.
400   sed aperiuntur aedes quo ibam : commodum
ipse exit Lesbonicus cum seruo foras.   10

LESBONICVS   STASIMVS   PHILTO   iv

Le. Minu' quindecim dies sunt quom pro hisce aedibus
minas quadraginta accepisti a Callicle.

---

383 adu. [si] tibi P (iv. 3)   385 ad istam adde *Reiz, nam* sed
ädde *displicet*   id *om. A*   386 *vel* tut' conc.   387 omnem
P   388 erit tuum P   391 curam A   394 hoc me unum
consolatur A : hoc unum consulaturu me P   398 is *om. A*   400
commode P   402 quam A

estne hoc quod dico, Stasime? ST. quom considero,
meminisse uideor fieri. LE. quid factumst eo?   405
5 ST. comessum, expotum ; exussum : elotum in balineis,
piscator, pistor apstulit, lanii, coqui,
holitores, myropolae, aucupes : confit cito ;
non hercle minu' diuorse distrahitur cito
quam si tu obicias formicis papauerem.   410
10 LE. minus hercle in istis rebus sumptumst sex minis.
ST. quid quod dedisti scortis ? LE. ibidem una traho.
ST. [quid] quod ego defrudaui? LE. em, istaec ratio
                                            maxumast.
ST. non tibi illud apparere, si sumas, potest ;
nisi tu inmortale rere esse argentum tibi.   415
15 PH. sero atque stulte, priu' quod cautum oportuit,
postquam comedit rem, post rationem putat.
LE. nequaquam argenti ratio comparet tamen.
ST. ratio quidem hercle apparet : argentum οἴχεται.
minas quadraginta accepisti a Callicle,   420
20 et ille aédis mancupio aps te accepit? LE. admodum.
PH. pol opino adfinis noster aedis uendidit ;
pater quom peregre ueniet, in portast locus,
nisi forte in uentrem filio conrepserit.
ST. tarpezitae mille drachumarum Olympico,   425
25 quas de ratione dehibuisti, redditae,
qua sponsione pronuper tu exactus es ?   426ª
LE. nemp' quas spopondi. ST. immo 'quas dependi'
                                            inquito
pro illo adulescente quem tu esse aibas diuitem.

404 qum *A*   406 exusum] exutum *P, unde* exunctum *Gulielmius*
409 *om. P* (iii. 11)   410 an si (*pro* ac si ?) f. o. p. *codd. Nonii* 220
(*neglegens citatio*)   412 unam *A*   413 quid *del. Fritzsche* (*cf.*
v. 412), *nam nec* quĭd quod égo *nec* ego dĕfrúdaui *placet*   419
apparet ercle *A*   420 accepistine *A* (iv. 2)   421 a. t. m.
acc. *P*   422 opinor *codd.*   424 uenirem *P*   425 m. d. t.
Ritschl, rhythmi causa   olympicum *codd.*   426ª *post* 427 *P : secl.*
Ritschl   tute *A*   427 qua sp. *P*   dependit inquit *P*   428 esse
aiiebas *A* : aiebas esse *P*

Le. factum. St. ut quidem illud perierit. Le. factum
id quoque est.

430 nam nunc eum uidi miserum et me eius miseritumst. 30

St. miseret te aliorum, tui nec miseret nec pudet.

Ph. tempust adeundi. Le. éstne hic Philto qui aduenit?

is herclest ipsus. St. edepol né ego istum uelim

meum fíeri seruom cum suo peculio.

435 Ph. erum atque seruom plurumum Philto iubet 35

saluere, Lesbonicum et Stasimum. Le. di duint

tibi, Philto, quaequomque optes. quid agit filius?

Ph. bene uolt tibi. Le. edepol mutuom mecum facit.

St. nequam illud uerbumst 'bene uolt' nisi qui bene facit.

440 ego quoque uolo esse liber : nequiquam uolo ; 40

hic postulet frugi esse : nugas postulet.

Ph. meu' gnatus me ad te misit, inter té atque nos

adfinitatem ut conciliarem et gratiam.

tuam uólt sororem ducere uxorem ; et mihi

445 sententia eademst et uolo. Le. hau nosco tuom : 45

bonis tuis [in] rébus meas res inrides malas.

Ph. homo ego sum, homo tu es : ita me amabit Iuppiter,

neque te derisum aduenio neque dignum puto.

uerum hoc quod dixi : meu' me orauit filius

450 ut tuam sororem poscerem uxorem sibi. 50

Le. mearum me rerum nouisse aequomst ordinem

cum uostra nostra non est aequa factio.

adfinitatem uobis aliam quaerite.

St. satin tu's sanus mentis aut animi tui

455 qui condicionem hanc repudies? nam illum tibi 55

---

430 miserum] miserium *P*   miserum (ū *pro* it) unsi (*pro* umst)
P   431 tui] cui te *P* (*vix pro* tis)   433 ni *P*   438 mecum
mutuum *A*, *contra metrum*   440 esse uolo *A*   nequidquam *P*
441 n. postulat *P*CD   442 i. se *P*   446 in *om. P*   447 es
tu *A*, *fort. recte*   448 aduenio] ueni *P*   449 quod] ut *P*
dixit *A*   451 rerum me *P*   452 uestris *P*   454 tu sanus
A (? *i.e.* tu sanu's)   *vel* menti's *codd.*

ferentárium esse amicum inuentum intellego.
LE. abin hínc dierecte? ST. si hercle ire occipiam, uotes.
LE. nisi quid me aliud uis, Philto, respondi tibi.
PH. benigniorem, Lesbonice, te mihi
60   quam nunc experior esse confido fore;   460
nam et stulte facere et stulte fabularier,
utrumque, Lesbonice, in aetate hau bonumst.
ST. uerum hercle hic dicit. LE. oculum ego ecfodiam
                                 tibi,
si uerbum addideris. ST. hercle qui dicam tamen;
65   nam si sic non licebit, luscus dixero.   465
PH. ita tu nunc dicis, non esse aequiperabilis
uostras cum nostris factiones atque opes?
LE. dico. PH. quid nunc? si in aedem ad cenam ue-
                                 neris
atque ibi opulentus tibi par forte obuenerit
70   (adposita cena sit popularem quam uocant),   470
si illi congestae sint epulae a cluentibus:
si quid tibi placeat quod illi congestum siet,
edisne an incenatus cum opulento accubes?
LE. edim, nisi si ille uotet. ST. at pol ego etsi uotet
75   edim atque ambabus malis expletis uorem,   475
et quod illi placeat praeripiam potissumum
neque illí concedam quicquam de uita mea.
uerecundari neminem apud mensam decet,
nam ibi de diuinis atque humanis cernitur.
80   PH. rem fabulare. ST. non tibi dicam dolo: 480
decedam ego illi de uia, de semita,
de honore populi; uerum quod ad uentrem attinet,

456 ferentarium *A, testatur Varro de L. L.* 7, 57: ferentaneum *P*
amicum esse *A*   457 abin dīēr. *vel* abi hinc d. *Palmer*   derecte
P   uotis *P* (*pro* -tes?)   463 dico *A*   464 qui *Fleckeisen*:
quid *P*: quin *A*   466 nunc tu *A* (*ordo inusitatus*)   467
opus *A*   **469** obuenerit] ut uenerit *P*   470 sit cena *P*
472 tibi] illi *P*   474 edit *P*   uolet *A*   etiamsi *P*   475
magis *A*

non hercle hoc longe, nisi me pugnis uicerit.
cena hac annona est sine sacris hereditas.

485   PH. semper tu hoc facito, Lesbonice, cogites,   85
id optumum esse tute uti sis optumus ;
si id nequeas, saltem ut optumis sis proxumus.
nunc condicionem hanc, quam ego fero et quam aps te
                               peto,
dare atque accipere, Lesbonice, te uolo.

490   di diuites sunt, deos decent opulentiae   90
et factiones, uerum nos homunculi,
salillum animai qui quom extemplo emisimus,
aequo mendicus atque ille opulentissumus
censetur censu ad Accheruntem mortuos.

495   ST. mirum quin tú illo tecum diuitias feras.   95
ubi mortuos sis, ita sis ut nomen cluet.
PH. nunc ut scias hic factiones atque opes
non esse neque nos tuam neglegere gratiam,
sine dote posco tuam sororem filio.

500   quae res bene uortat—habeon pactam? quid taces?   100
ST. pro di inmortales, condicionem quoiusmodi !
PH. quin fabulare—uin ?—' bene uortat, spondeo ' ?.
ST. eheú ! ubi usus nil erat dícto, 'spondeo'
dicebat ; nunc hic, quom opus est, non quit dicere.

505   LE. quom adfinitate uostra me arbitramini   105
dignum, habeo uobis, Philto, magnam gratiam.
sed si haec res grauiter cecidit stultitia mea,
Philto, est ager sub urbe hic nobis : eum dabo
dotem sorori ; nam is de stultitiis meis

485 facito lesbonice hoc *A*   487 neque adsalutem *P*   488
apte *P*   489 aspicere *A*   490 decet *P*   492 satillum *A*
amisimus *P*   493 Aeque *P*   494 acherunte *P*   495 [an]
mirum *codd.* (an *pro nota personae* ?) : an *del. Ital.*   m. initu (inito *B*)
illum *P*   502 uin] di *P*   504 dicebant *A*   505 mea *P*
506 obis *A*   filio *P* (*cf. ad* 516)   507 si haec res] et si hercles *P*
508 hic *om. A*   509 stultitia mea *P* : diuitiis meis *Bergk, Leo*
(*Gött. Gel. Anz.* 1904, p. 366), *sed cf. Amer. Journ. Phil.* 21, 35

110   solus superfit praeter uitam relicuos.   510
     PH. profecto dotem nil moror.   LE. certumst dare.
     ST. nostramne, ere, uis nutricem quae nos educat
     abalienare a nobis? caue sis feceris.
     quid edemus nosmet postea?   LE. etiam tu taces?
115   tibin égo rationem reddam?   ST. plane periimus   515
     nisi quid ego comminiscor.   Philto, te uolo.
     PH. si quid uis, Stasime.   ST. huc concede aliquantum.
                                           PH. licet.
     ST. arcano tibi ego hoc dico, ne ille ex te sciat
     neue alius quisquam.   PH. crede audacter quidlubet.
120   ST. per deos atque homines dico, ne tu illunc agrum   520
     tuom síris umquam fieri neque gnati tui.
     ei rei argumenta dicam.   PH. audire edepol lubet.
     ST. primum omnium olim terra quom proscinditur,
     in quincto quoque sulco moriuntur boues.
125   PH. apage!   ST. Accheruntis ostium in nostrost agro.   525
     tum uinum priu' quam coctumst pendet putidum.
     LE. consuadet homini, credo.   etsi scelestus est,
     at mi infidelis non est.   ST. audi cetera.
     postid, frumenti quom alibi messis maxumast,
130   tribu' tantis illi minu' re[d]dit quam opseueris.   530
     PH. em istic oportet opseri mores malos,
     si in opserendo possint interfieri.
     ST. neque umquam quisquamst quoius illic ager fuit
     quin pessume ei res uorterit : quoium fuit,
135   alii exsulatum abierunt, alii emortui,   535

510 *post v.* 506 *P*   512 ere uis nutricem *Lindemann* : eleuis
nutrice ere *P* (ii. 4) : ere uis educat nutricem *A* (*pro* educatricem
corr. nutricem?)   quem *A*   515 tibi *P*   egon *A, vix recte*
516 philio *P*   519 quisquisquam *A*   521 um fieri neque
gnati tui quam *A* (ii. 4)   522 argumentum *P* : argumenti *A*[1]
523 quom *om. A*   526 coactust (-mst?) *P*   529 quo *P*   530
illis *A* (*pro* illíc?)   redit *Lambinus*   533 quisquam (*om.* -st) *A*
ille *codd., sed* agér fuit *displicet*   535 abiere *A*

alii se suspendere. em nunc hic quoius est
ut ad incitas redactust ! Ph. apage a me istum agrum !
St. magis 'apage' dicas, si omnia [a] me audiueris.
nam fulguritae sunt alternae | arbores ;
540 sues moriuntur angina | acerrume ;   140
oues scabrae sunt, tam glabraé, em, quam haecst manus.
tum autem Surorum, genu' quod patientissumumst
hominum, nemo exstat qui ibi sex menses uixerit :
ita cuncti solstitiali morbo decidunt.

545 Ph. credo ego istuc, Stasime, ita esse ; sed Campans genus 145
multo Surorum iam antidit patientia.
sed istést ager profecto, ut te audiui loqui,
malos in quem omnis publice mitti decet,
sicut fortunatorum memorant insulas,
550 quo cuncti qui aetatem egerint caste suam   150
conueniant ; contra istoc detrudi maleficos
aequom uidetur, qui quidem istius sit modi.
St. hospitium est calamitatis : quid uerbis opust ?
quamuis malam rem quaeras, illi reperias.

555 Ph. at tu hercle et illi et alibi. St. caue sis dixeris   155
me tibi dixisse hoc. Ph. dixisti arcano satis.
St. quin hicquidem cupit illum ab se abalienarier,
si quem reperire possit quoii os sublinat.
Ph. meu' quídem hercle numquam fiet. St. si sapies
quidem.

536 cuiust (*i.e.* quoiust) *codd. Nonii* 123   537 incitast (*i. e.* -ta
est ?) redactus *A* : incitas (*pro* -tast ?) redactus *P* (*pro* -tust ?) : incitas
redactus est *codd. Nonii*   istunc *P, quod inuitus abieci. uide ne conflatae sint duae lectiones* ap. istunc agr. *et* ap. a me istum agr.   538
a *om. P* : ex *Kampmann* (*vox usitata*)   mea *P*CD   539 alternis
Spengel : *fort.* alternas (*adv.*)   540 macerrumae *Onions* (*Journ.
Phil.* 14, 70) : sacerrume *Havet* (*Rev. Phil.* 1896)   541 haecst
suspectum : haec est *P*CD (haec *B*) *et fort. A*²   542 pacientis
sum munc sim *P* (sim *pro* st ; i. 7, 2)   550 egerunt castesum *P*
552 sint *P*   554 *vel* illic (*ita codd.*)   556 dixti arcanos sates *A*
557 apsese *P*   558 quem] quidem *P*   posset *P*   quoii os]
cuius *P*   559 nusquam *A*

160   lepide hercle dé agro ego hunc senem deterrui ;   560
     nam qui uiuamus nihil est, si illum amiserit.
     PH. redeo ad te, Lesbonice.   LE. dic sodes mihi,
     quid hic est locutus tecum ?   PH. quid censes ?   homost :
     uolt fieri liber, uerum quod det non habet.

165   LE. et égo esse locuples, uerum nequiquam uolo.   565
     ST. licitumst, si uelles ; nunc, quom nihil est, non licet.
     LE. quid tecum, Stasime ?   ST. dé istoc quod dixti modo :
     si ante uoluisses, esses ; nunc sero cupis.
     PH. de dote mecum conuenire nihil potest :

170   quid tibi lubet tute agito cum nato meo.   570
     nunc tuam sororem filio posco meo.
     quae res bene uortat ! quid nunc ? etiam consulis ?
     LE. quid istíc ? quando ita uis : di bene uortant ! spon-
                                 deo.

     ST. numquam edepol quoiquam ⟨tam⟩ exspectatus filius
175   natus quam illuc est 'spondeo' natum mihi.   575
     di fortunabunt uostra consilia.   PH. ita uolo.
     LE. sed, Stasime, abi huc ad meam sororem ad Calliclem,
     dic hoc negoti quo modo actumst.   ST. ibitur.
     LE. et gratulator meae sorori.   ST. scilicet.

180   PH. i hac, Lesbonice, mecum, ut coram nuptiis   580
     dies cónstituatur ; eadem haec confirmabimus.—
     LE. tu | istuc cura quod iussi.   ego iam | hic ero.
     dic Callicli, me ut conueniat.   ST. quin tu i modo.
     LE. de dote ut uideat quid opu' sit facto.   ST. i modo.
185   LE. nam certumst sine dote hau daré.   ST. quin tu i 585
                                  modo.

---

560 l. h. agro ego hoc hunc s. d. *A, fort. recte*   561 qui uamus *A*
(iii. 3)   563 est *om. P* (*pro* hic locutust *vel etiam* hicst locutus?)
census *P*   566 Licitusi u. *P* (iii. 3)   568–636 *deest A*   568 ante
Guietus : antea *cod.*   569 potest *Acidalius* : potes *cod.*   572
consulis *Camerarius* : consuis *cod.*   573 uortat *B*   574, 575 *Philtoni
dant alii*   574 q. tam *Ital.* : *an* quoiiquam?   576 *vel* PH., LE.   582
a retractatore ' *additus ut ultima scaenae pars omitti posset*' *Leo* : *post*
590 *transp. Bothe*   583 conuenat *Bothe*   584 q. possit (? *pro* q. opos
sit ; *cf. Stich.* 573)   585 had (*ut in Poen.* 1355) dare (addere *P*CD) *cod.*

Le. neque enim illi damno umquam esse patiar—St. abi
                    modo.

Le. meam neglegentiam. St. i modo. Le. ⟨nullo modo⟩
aequom uidetur quin quod peccarim—St. i modo.

Le. potissumum mihi id opsit. St. i modo. Le. o
                    pater,

590   enumquam aspiciam te?—St. i modo, i modo, i modo. 190
tandem impetraui abiret. di uostram fidem!
edepol re gesta pessume gestam probe,
si quidem ager nobis saluos est; etsi admodum
in ambiguo est etiam nunc quid ea re fuat.

595   sed id si alienátur, actumst de collo meo, 195
gestandust peregre clupeus, galea, sarcina:
ecfugiet ex urbe, ubi erunt factae nuptiae,
ibit istac, aliquo, in maxumam malam crucem,
latrocinatum, aut in Asiam aut in Ciliciam.

600   ibo huc quo mi imperatumst, etsi odi hanc domum, 200
postquam exturbauit hic nos [ex] nostris aedibus.—

ACTVS III

CALLICLES   STASIMVS   III. i

Ca. Quo modo tu istuc, Stasime, dixti? St. nostrum erilem
                    filium

Lesbonicum suam sororem despondisse. em hóc modo.

Ca. quoí homini despondit? St. Lysiteli Philtonis filio,

605 sine dote. Ca. sine dote ille illam in tantas diuitias dabit?
non credibile dices. St. at tu édepol nullus creduas. 5

587 Le. nullo modo *Ritschl* : o pater *cod.* (*cf. v.* 589) : Le. non—St.
i modo (?) *Goetz, Schoell*   588 peccarem *B*   594 quid dea (q.
de hac *P*CD) *cod.*   595 *an* alienat (*rhythmi causa*)?   601 ex-
turbat *Koch*   ex *del. Guietus*   603 despondissem hoc *cod.* : *corr.*
Ritschl   604 *vel* quoii   606 dicis *Ital.*   tua ed. (*pro* tu aed.,
i. e. tu ed.) *cod.*   credas *cod.*

si hoc non credis, ego credidero— Ca. quid? St. me nihili
                                      pendere.

Ca. quam dudum istuc aut ubi actumst? St. ilico hic
                                      ante ostium,

' tam modo,' inquit Praenestinus. Ca. tanton in re perdita

quam in re salua Lesbonicus factus est frugalior?   610

10 St. atque [e]quidem ipsus ultro uenit Philto oratum filio.

Ca. flagitium quidem hercle fiet, nisi dos dabitur uirgini.

postremo edepol ego istam rem ad me áttinere intellego.

ibo ad meum castigatorem atque ab eo consilium petam.—

St. propemodum quid illíc festinet sentio et subolet mihi : 615

15 ut agro euortat Lesbonicum, quando euortit aedibus.

ó ere Charmide⟨s⟩, quom apsenti hic tua res distrahitur tibi,

utinam te rediisse saluom uideam, ut inimicos tuos

ulciscare, ut mihi, ut erga te fui et sum, referas gratiam !

nimium difficilest reperiri amicum ita ut nomen cluet,   620

20 quoi tuam quom rem credideris, sine omni cura dormias.

sed generum nostrum ire eccillum uideo cum adfini suo.

nescioquid non satis inter eos conuenit : celeri gradu

eunt uterque, ille reprehendit hunc priorem pallio.

haud ineuscheme astiterunt.   huc aliquantum apscessero : 625

25 est lubido orationem audire duorum adfinium.

ii   Lysiteles   Lesbonicvs   Stasimvs

Ly. Sta ilico, noli auorsari neque te occultassis mihi.

Le. potin ut me ire quo profectus sum sinas? Ly. si in
                                       rem tuam,

Lesbonice, esse uideatur, gloriae aut famae, sinam.

---

607 nihil *cod.*   613 *vel* med   617 quam *Camerarius* apsente [te] *cod.*, *vix recte*   618 salum *cod.* (*corr. D*)   619 ulciscar
cod. : *corr. Camerarius*   et mihi *Ritschl*   620 amicum *Ital.* : inimicum *cod.*   621 crederis *cod.* : *corr. Ital.*   623 gradus *cod.* : *corr.*
Ital.   625 in eusce me[a] ast. *cod.* : *corr. Camerarius*   apsessero
cod.   628 quo *Ital.* : quod *cod.* (*vix* quŏd, *perantiqua adverbii forma*)

630 LE. quod est facillumum, facis.   LY. quid id est?   LE.
                                            amico iniuriam.

LY. neque meumst neque facere didici.   LE. indoctus 5
                                    quam docte facis!

quid faceres, si quis docuisset te, ut sic odio esses mihi?

[qui] bene quom simulas facere mihi te, male facis, male
                                                consulis.

LY. egone?   LE. tune.   LY. quid male facio?   LE. quod
                                    ego nolo, id quom facis.

635 LY. tuae rei bene consulere cupio.   LE. tu [mihi] es melior
                                        quam egomet mihi?

sat sapio, satis in rem quae sint meam ego conspicio mihi.   10

LY. an id est sapere, ut qui beneficium a beneuolente repu-
                                                    dies?

LE. nullum beneficium esse duco id quod quoi facias non
                                                placet.

scio ego et sentio ipse quid agam, neque mens officio migrat

640 nec tuis depellar dictis quin rumori seruiam.

LY. quid ais? nam retineri nequeo quin dicam ea quae 15
                                            promeres:

itan tandem hanc maiiores famam tradiderunt tibi tui,

ut uirtute eorum ánteperta per flagitium perderes?

atque honori posterorum tuorum ut uindex fieres,

645 tibi paterque auosque facilem fecit et planam uiam

ad quaerundum honorem: tu fecisti ut difficilis foret   20

culpa maxume et desidia tuisque stultis moribus.

praeoptauísti amorem tuom uti uirtuti praeponeres.

nunc te hoc facto credis posse optegere errata? aha! non
                                            itast:

633 qui *del. Hermann*   635 mihi *del. Bergk*   637 *accedit A*
iddest *A*   a *om. P*   638 quod] cum *A*   639 mense officium *P*   640 depellor *P*   641 quid ais *Lesbonico dat P*   retinere
codd. Nonii 475 *et fort. A*   642 hanc *om. P*   643 anteuerţa *A*
643, 644 perderes, . . . fieres? *distinguit Hopkins (Class. Rev.* 9, 307)
644 *vel* atqui   645 pater (*om.* que) *A* (*i. e.* patēr?)   facit *P*
648 praeoptasuisti *A* (*inchoaverat* praeoptasti)   649 pacto *P*

cape sis uirtutem animo et corde expelle desidiam tuo :   650
25 in foro operam amicis da, ne in lecto amicae, ut solitus es.

atque istum ego agrum tibi relinqui ób eam rem enixe
                                            expeto,
ut tibi sit qui te corrigere possis, ne omnino inopiam
ciues obiectare possint tibi quos tu inimicos habes.

LE. omnia ego istaec quae tu dixti scio, uel exsignauero,   655
30 ut rem patriam et gloriam maiorum foedarim meum :
scibam ut esse me deceret, facere non quibam miser ;
ita ui Veneris uinctus, otio [c]aptus in fraudem incidi.
et tibi nunc, proinde ut merere, summas habeo gratias.

LY. at operam perire meam sic et te †haec dicta corde 660
                                         spernere†
35 perpeti nequeo, simul me piget parum pudere te ;
et postremo, nisi mi auscultas atque hoc ut dico facis,
tute pone te latebis facile, ne inueniat te Honor,
in occulto iacebis quom te maxume clarum uoles.

pernoui equidem, Lesbonice, ingenium tuom ingenuom 665
                                        admodum ;
40 scio te sponte non tuapte errasse, sed amorem tibi
pectus opscurasse ; atque ipse Amoris teneo omnis uias.

ita est amor ballista ut iacitur : nihil sic celere est neque
                                        uolat ;
atque is mores hominum moros et morosos ecficit :
minu' placet magi' quod suadetur, quod dissuadetur placet ; 670
45 quom inopiast, cupias, quando eiius copiast, tum non uelis ;
ill' qui aspellit is compellit, ill' qui consuadet uotat.

---

650 tuam A   651 amicis operam A   [ha] da P (iv. 3)
ne] aut (*i. e.* haud) P   intellecto (-tu B) P   652 ego istum P
(*ordo usitatus*; *sed* agrūm *vix ferendum*)   menixe B : denixe *Bergk*
655 uel] ut A   658 aptus A ut vid.   659 ut] ac P   660
haec *om.* A   dicta *del. Bothe, Seyffert, qui duas versiones conflatas
esse credit,* haec corde *et* haec dicta   662 mi *Freund* : me *codd.*
665 lesbonicem imperium tuum ingenium a. P   666 tuapste A
667 amores P (*i. e.* -is)   tene A   668 celere sic est A   670
vel mage   quod suadetur magis A   671 Qum A   672-735
deest A   672 *del. Bergk*   consuadet *Camerarius* :
non suadet *cod.*

insanum [et] malumst in hospítium deuorti ad Cupidinem.

sed te moneo hoc etiam atque etiam ut reputes quid facere

expetas.

675 si istuc, ut conare, facis †indicium†, tuom incendes genus;

tum igitur tibi aquai erit cupido genu' qui restinguas tuom, 50

atque sí eris nactus, proinde ut corde amantes sunt cati,

ne scintillam quidem relinques genu' qui congliscat tuom.

LE. facilest inuentu : datur ignis, tam etsi ab inimico petas.

680 sed tu obiurgans me a peccatis rapi' deteriorem in uiam.

meam ut sororem tibi dem suades sine dote.   aha! non 55

conuenit

me, qui abusus sum tantam rem patriam, porro in ditiis

esse agrumque habere, egere illam autem, ut me merito

oderit.

numquam erit alienis graui' qui suis se concinnat leuem.

685 sicut dixi faciam : nolo te iactari diutius.

LY. tanto meliust te sororis caussa egestatem exsequi   60

atque eum agrum me habere quam te, tua qui toleres

moenia ?

LE. nolo ego mihi te tam prospicere qui meam egestatem

leues,

sed ut inops infamis ne sim, ne mi hanc famam differant,

690 me germanam meam sororem in concubinatum tibi,

si sine dote ⟨dem⟩, dedisse magi' quam in matrimonium.   65

quis me inprobior perhibeatur esse ? haec famigeratio

té honestet, me conlutulentet, si sine dote duxeris :

e

673 insanumst et malum *P*CD (et ' *ortum ex correctura* insanum' *Leo*)
hospitio (*del.* in) *Mueller*   675 incidium *T* (?) : iudicium *alii*   f.
incendio inc. *Nitzsch*   676 aquae erit *Dousa* : aquerit *cod.*   677
si eris *Reiz* : erit si *cod.*   679 tamen et si *cod.*   inimicos *cod.* :
corr. Ritschl   680 rapis *Ital.* : rapidis *cod* (v. 8)   681 ut
Opitz : uis *cod.* : *del. Guietus*   685 dixit *cod.*   686–91 *post v.*
705 *iterat cod.* (ii. 6)   686 tanton *Ritschl*   691 dote *vel* dotem
B   dem *add. Klotz*   *vel* mage   692–4 *post v.* 704 *iterat*
cod. (ii. 6)   692 famiferatio *cod.* (*corr. in loco iterato*)   693 me
[autem] c. *cod.* (*in loco iterato*)   me (et me) conlutulet et *codd.*
Nonii 84

tibi sit emolumentum honoris, mihi quod obiectent siet.

Ly. quid? te dictatorem censes fore, si aps té agrum acce- 695
                      perim?

70 Le. neque uolo neque postulo neque censeo, uerum tamen

is est honos homini pudico, meminisse officium suom.

Ly. scio equidem te animatus ut sis; uideo, subolet, sentio:

id agis ut, ubi adfinitatem inter nos nostram astrinxeris

atque eum agrum dederis nec quicquam hic tibi sit qui 700
                      uitam colas,

75 ecfugias ex urbe inanis; †profugiens† patriam deseres,

cognatos, adfinitatem, amicos factis nuptiis:

mea opera hinc proterritum te meaque auaritia autument.

id me commissurum ut patiar fieri ne animum induxeris.

St. non enim possum quin exclamem: eugae, eugae, Lysi- 705
                    teles, πάλιν!

80 facile palmam habes: hic uictust, uicit tua comoedia.

hic agit magis ex argumento et uorsus meliores facit.

etiam ob stultitiam tuam te †curist† multabo mina.

Le. quid tibi intérpellatio aut in consilium huc accessio
                      est?

St. eodem pacto quo huc accessi apscessero. Le. í hac 710
                    mecum domum,

85 Lysiteles, ibi de istis rebus plura fabulabimur.

Ly. nihil ego in occulto agere soleo. meus ut animust elo-
                    quar:

si mihi tua soror, ut ego aequom censeo, ita nuptum datur,

sine dote, neque tu hinc abituru's, quod meum erit id erit
                    tuom;

695 fores *cod.*   696 *tertium* neque *om.* B   700 nec *Ital.* :
ne *cod.*   701 profugus *Camerarius* : *vix* profugens   deseras
Camerarius (*cf. ad* 715)   705 Noenum p. *Ritschl*   quin *codd.*
Ciceronis de Or. 2, 39 : qui *cod.*   *vel sic distingue* exclamem eugae.
eugae   706 uictus *cod.*   708 te curis *B* : te turis *PCD* : te tuéris
Merula : ted auri *Niemeyer* : *an* te curió?   multa ab (ob *B*) omina
cod. : *corr. Scaliger*   709 consilium *codd. Donati ad Eun.* 4, 4, 4 :
concilium *cod.*

715 sin aliter animatus es—bene quod agas eueniat tibi,
ego amicus numquam tibi ero alio pacto. sic sententia 90
est.—

St. abiit [hercle] illequidem. ecquid audis, Lysiteles? ego
te uolo.

hic quoque hinc ábiit. Stasime, restas solus. quid ego
nunc agam,

nisi uti sarcinam constringam et clupeum ad dorsum accom-
modem,

720 fulmentas iubeam suppingi socco? non sisti potest.

uideo caculam militarem me futurum hau longius :   95

at aliquem ad regem in saginam eru' †sese coniecit⊦ meus,

credo ad summos bellatores acrem—fugitorem fore

et capturum spolia ibi illum qui—meo ero aduorsus uenerit.

725 egomet autem quom extemplo arcum [mihi] et pharetram
et sagittas sumpsero,

cassidem in caput—dormibo placide | in tabernáculo.   100

ad forum ibo : nudiu' sextus quoi talentum mutuom

dedi, reposcam, ut habeam mecum quod feram uiaticum.—

Megaronides   Callicles   iii

Me. Vt mihi rem narras, Callicles, nullo modo
730   potest fíeri prosus quin dos detur uirgini.

Ca. namque hercle honeste fieri ferme non potest,
ut eam perpetiar ire in matrimonium

sine dote, quom eius rem penes me habeam domi.   5

Me. parata dos domist; nisi exspectare uis,

715 eueniat *Ital.* : eueniet *cod.*   716 sic *Ital.* : si *cod.*   717
hercle *del. Fleckeisen, nam neque* abit (*praes.*) *neque* abit *pro* abit *satis
placet*   720 subponi *codd. Nonii* 206 (*neglegens citatio*?)   socco
scripsi : socios *codd.* : foco (fico) *codd. Nonii* : soccis *Camerarius*   721
cacula *cod.*   722 Ad *B* (*i. e.* At?) : Aut *P*^CD (*in v.* 721 aut longius
cod.)   Ad al. reg. *Guietus*   erus *Ital.* : merus *cod.*   si se *Pareus*
coniexit *Ritschl* : coniciet *Leo*   724 meo *del. Bothe, nam elisio* m(eo)
displicet   725 quome *cod.*   mihi *del. Mueller*   726 placidule
Ritschl   727 nundius *cod.*

ut eam sine dote frater nuptum conlocet.   735
post adeas tute Philtonem et dotem dare
te ei dicas, facere id eius ob amicitiam patris.
10   uerum hoc ego uereor ne istaec pollicitatio
te in crimen populo ponat atque infamiam ;
non temere dicant te benignum uirgini :   740
datam tibi dotem, ei quam dares, eius a patre,
ex ea largiri te illi, neque ita ut sit data
15   columem te sistere illi, et detraxe autument.
nunc si opperiri uis aduentum Charmidi,
perlongumst : huic ducendi interea apscesserit   745
lubido ; atque ea condicio huic uel primaria est.
Ca. nam hercle omnia istaec ueniunt in mentem mihi.
20   uide si hóc utibile magis atque in rem deputas,
ipsum adeam Lesbonicum, edoceam ut res se habet.
sed ut égo nunc adulescenti thensaurum indicem   750
indomito, pleno amoris ac lasciuiae ?
minime, minime hercle uero.   nam certo scio,
25   locum quoque illum omnem ubi situst comederit ;
quem fodere metuo, sonitum ne ille exaudiat
neu rem ipsam indaget, dotem dare si dixerim.   755
Me. quo pacto ergo igitur clam dos depromi potest ?
Ca. dum occasio ei ⟨rei⟩ reperiatur, interim
30   ab amico alicunde mutuom argentum roges.
Me. potin est ab amico alicunde exorari ?   Ca. potest.
Me. gerrae ! ne tu illud uerbum actutum inueneris :   760
' mihi quidem hercle non est quod dem mutuom.'
Ca. malim hercle ut uerum dicas quam ut des mutuom.

736 *accedit A*   739 cremen *P*   741 ei] et *A*   deres *P*
(*corr. D*)   742 largiri te] largitate *P*   743 columen te *P* :
incolumem *A*   detraxi *P*   744 opperi *A*   746 *om. P*   huic
del. Haupt   747 nam hercle] eadem *A*   749 ipsum] ut *P*
750 nunc ego (*om.* ut) *A*   752 uero *om. A*   756 ergo *om.*
A   757 rei (re ?) *add. Camerarius*   758 mutuom *om. P*
rogem *Ital.*   762 ut des] uides *P*

Me. sed uide consilium, si placet.   Ca. quid consilist?   35

Me. scitum, ut ego opinor, consilium inueni.   Ca. quid
                                                      est?

765   Me. homo cónducatur aliquis iam, quantum potest,
      quasi sit peregrinus.   Ca. quid is scit facere postea?

      Me. is homo exornetur graphice in peregrinum modum,
      ignota facies quae non uisitata sit,   40

      mendaciloquom aliquem—Ca. quid is scit facere postea?

770   Me. falsidicum, confidentem—Ca. quid tum postea?

      Me. quasi ad adulescentem a patre ex Seleucia
      ueniat, salutem ei nuntiet uerbis patris :

      illum bene gerere rem et ualere et uiuere,   45

      et eum rediturum actutum ; ferat epistulas

775   duas, éas nos consignemus, quasi sint a patre :

      det alteram illi, álteram dicat tibi

      dare sese uelle.   Ca. perge porro dicere.

      Me. seque aurum ferre uirgini dotem a patre   50

      dicat patremque id iussisse aurum tibi dare.

780   tenes iam?   Ca. propemodo atque ausculto perlubens.

      Me. tum tu igitur demum adulescenti aurum dabis,

      ubi erit locata uirgo in matrimonium.

      Ca. scite hercle sane!   Me. hoc, ubi thensaurum ecfo- 55
                                                          deris,

      suspicionem ab adulescente amoueris :

785   censebit aurum esse a patre allatum tibi,

      tu de thensauro sumes.   Ca. sati' scite et probe!

      quamquam hoc me aetatis sycophantari pudet.

      sed epistulas quando opsignatas adferet,   60

763, 764 *inverso ordine A*   763 quid ⟨id⟩ *Bach*   764 *vel* opino
765 iam aliquis *A*   766 quid iscit *A*   *versum secl. Brix, tanquam substitutum pro sequentibus quattuor*   768 facie *Saracenus*
q. ⟨hic⟩ *Ritschl*   uisitata] uis ita *P*   769 *om. P* (iii. 11)   is iscit
cod. '*ultima verba expulerunt velut* ⟨oportet hominem deligi⟩' *Leo*
771 ex leutia *P*   773 gererem et *codd.* (iii. 3)   774–834 *deest A*
776 *vel* illīc   780 propemodum *Pradel*   781 demus *Koch, Bergk*,
nam tum tú | ig. *displicet*

      [sed quom opsignatas attulerit epistulas]   788ª

      nonne arbitraris eum adulescentem anuli

      paterni signum nosse?   Me. étiam tu taces?   790

      sescentae ad eam rem caussae possunt conligi:

65   illúm quem hábuit perdidit, [alium post] fecit nouom.

      iam si opsignatas non feret, dici hoc potest,

      apud portitorem eas resignatas sibi

      inspectasque esse. in huiusmodi negotio   795

      diem sermone terere segnities merast:

70   quamuis sermones possunt longi texier.

      abi ad thensaurum iam confestim clanculum,

      seruos, ancillas amoue. atque audin? Ca. quid est?

      Me. uxorem quoque eampse hanc rem uti celes face.   800

      nam pol tacere numquam quicquamst quod queat.

75   quid nunc stas? quin tu hinc amoues et te moues?

      aperi, deprome inde auri ad hanc rem quod sat est,

      continuo operito denuo; sed clanculum,

      sicut praecepi; cunctos exturba aedibus.   805

      Ca. ita faciam. Me. at enim nimi' longo sermone utimur,

80   diem conficimus quod iam properatost opus.

      nihil est de signo quod uereare; me uide:

      lepida illast caussa, ut commemoraui, dicere

      apud portitores esse inspectas. denique   810

      diei tempus non uides? quid illúm putas,

85   natura illa atque ingenio? iam dudum ebriust.

      quiduis probare poterit; tum, quod maxumist,

      adferre, non petere hic se dicet. Ca. iam sat est.

788ª *retractatori ascribit Ritschl, cui* attulerīt *vix Plautinum videtur*
789 eum] tum *Bothe*   790 *vel* nouisse   792 alium post
seclusi (Journ. Phil. 26, 297)   794 portitores *Valla*   796 sermonem terrere *cod.*   ' *versus fortasse dittographia sequentis' Leo*
798 abi ad thensaurum *Camerarius*: tibi athenas aurum *cod.*   800
uoxorem *B (pro* ucx-)   802 hunc a. *P*CD   805 precepit *cod.*
807 quom iam *Fleckeisen*: quidiam? *Lange*   808 quod *Ital.*: quo *cod.*
809 est illa (ille *B) cod.*: trai. *Reiz, nam* ill' *vix ferendum : fort.* est
ea *(cf. ad Rud.* 219)   813 probari ei *Ritschl*   maxumumst *Merula*
814 hinc *Fleckeisen*

815   ME. ego sycophantam iam conduco de foro
      epistulasque iam consignabo duas,
      eumque húc ⟨ad⟩ adulescentem meditatum probe   90
      mittám. CA. eo ego igitur intro ad officium meum.
      tu istuc age.—ME. actum reddam nugacissume.—

ACTVS IV

CHARMIDES   IV. i

820 Salsipotenti et multipotenti Ioui' fratri et Neri Neptuno
      laetu' lubens laudis ago et gratis gratiasque habeo et fluc-
                                                  tibu' salsis,
      quos penes mei   *   potestas, bonis mis quid foret et meae
                                                  uitae,
      quom suis med ex locis in patriam urbis †cummam† redu-
                                                  cem faciunt.
      atque ego, Neptune, tibi ante alios deos gratias ago atque 5
                                                  habeo summas ;
825 nam te omnes saeuomque seuerumque atque auidis moribu'
                                                  commemorant,
      spurcificum, inmanem, intolerandum, uesanum : contra
                                                  opera expertus,
      nam pol placido te et clementi meo usque modo, ut uolui,
                                                  usu' sum in alto.

---

817 ad *add. Camerarius*   818 ego ⟨hinc⟩ *Ritschl*   819 nu-
gacissume *Hermann* : nugacesunt nisi *cod.*   820 mulsipotenti
Buecheler (saltip. et multip. *Plauto tribuens*)   et Nerei *cod.* : aetherei
Scaliger   neptuni *cod.* : *corr. Scaliger*   821 et fl. *Ital.* : e fl.
cod.   822 quos *Camerarius* : quom *cod.*   me *cod.*   ⟨fuit saepe⟩
Leo : ⟨me⟩ ⟨fuit nulla⟩ *Klotz*   meis *Ital.* (*cf. ad Poen.* 1189)   meai
uite *B* : mea uita *Bergk*   823 cumam *PCD*   p. suauissumam
Leo   826 ⟨ego⟩ contra *Hermann*   827 *elisio* m(eo) *displicet*
alto *Pius* : alio *cod.*
                                                  30*

atque hanc tuam gloriam iam ante auribus acceperam et
nobilest apud homines,

10 pauperibus te parcere solitum, diuites damnare atque domare.

abi, laudo, scis ordine ut aequomst tractare homines ; hoc 830
dis dignumst.

semper mendicis modesti sint.

fidu' fuisti : infidum esse iterant ; nam apsque foret te, sat
~cio in alto

distraxissent disque tulissent satellítes tui me miserum foede

15 bonaque omnia item una mecum passim caeruleos per
campos :

ita iam quasi canes, hau secu', circumstabant nauem turbines 835
uenti,

imbres fluctusque atque procellaé infensae frangere malum,

ruere antemnas, scindere uelá, ni tua pax propitia foret
praesto.

apage a me sis, dehinc iam certumst otio dare me ; sati'
partum habeo

20 quibus aerumnis deluctaui, filio dum diuitias quaero.

sed quis hic est qui in plateam ingreditur   840

cum nouo ornatu specieque simul ?

pol quamquam domum cupio, opperiar,

quam hic rém agat animum aduortam.   842ᵃ

ii   S y c o p h a n t a   C h a r m i d e s

Sy. Huic ego die nomen Trinummo facio : nam ego
operam meam

828 nobiles (nobilis B) cod. : corr. Leo   apra B   830 ordinem
cod. (corr. PᶜᴰP) 831 del. Mueller, nam moděsti-sint displicet
834 ⟨mea⟩ mecum Spengel : omnia ⟨mea⟩ Leo, ut octonarius fiat
835 accedit A, prima verba turbines uenti   uenit P   837 propitia
pax A   838 a om. P   dehinc iam] deinde hinc P   me dare P
839 quibus] cum hisce codd. Nonii 468   841 speciemque A : specia-
que B   842 domi A   842ᵃ agat . . . aduortam om. P (ii. 5)
agat gerit an. cod. : corr. Ritschl   843 vel diêi (-ei codd.)   faciam P

tribu' nummis hodie locaui ad artis nugatorias.
845 aduenio ex Seleucia, Macedonia, Asia atque Arabia,
quas ego neque oculis nec pedibus umquam usurpaui
meis.

uiden egestas quid negoti dat homini misero mali,   5
quin ego nunc subigor trium númmum caussa ut hasce
epistulas
dicam ab eo homine me accepisse quem ego qui sit homo
nescio
850 neque noui, neque natus necne is fuerit id solide scio.
CH. pol hicquidem fungino generest: capite se totum
tegit.

Hilurica facies uidetur hominis, eo ornatu aduenit.   10
SY. ill' qui me conduxit, ubi conduxit, abduxit domum,
quae uoluit mihi dixit, docuit et praemostrauit prius
855 quo modo quidque agerem; nunc adeo si quid ego addidero
amplius,

eo conductor melius de me nugas conciliauerit.
ut ille me exornauit, ita sum ornatus; argentum hac facit.   15
ipse ornamenta a chorago haec sumpsit suo periculo.
nunc ego si potero ornamentis hominem circumducere,
860 dabo operam ut me esse ipsum plane sycophantam sentiat.
CH. quam magi' specto, minu' placet mi haec hominis facies.
mira sunt

ní illic homóst aut dormitator aut sector zonarius.   20
loca contemplat, circumspectat sese atque aedis noscitat.
credo edepol, quo mox furatum ueniat speculatur loca.
865 magi' lubidost opseruare quid agat: ei rei operam dabo.

---

844 nauigatorias *A* (*pro* naugatorias?)   846 usurpauimus *P*
(*pro* usurpaui miis, *antiqua forma*)   847 malę (*vel* -i) *A*   848 qui *P*
nummorum *codd.*   850 is *om. A*   855 qui-
que *P*   856 conducto *A*   857 exornaui *P* (*corr. D*)   hoc *P*CD,
fort. recte   860 ipsum plane esse *A*   861, 865 *vel* mage   *ab*
862 *nova scaena* (*novus scriba?*) *P*CD   864-1044 *deest A*   864
nox *Scaliger*

Sy. has regiones demonstrauit mihi ille conductor meus;
25 apud illas aedis sistendae mihi sunt sycophantiae.
     fores pultabo. Ch. ad nostras aedis hicquidem habet rectam
                                                             uiam.
     hercle opinor mi aduenienti hac noctu agitandumst uigilias.
     Sy. aperite hoc, aperite. heus, ecquis his fóribus tutelam 870
                                                             gerit?
     Ch. quid, adulescens, quaeris? quid uis? quid istas pultas?
                                                             Sy. heus senex,
30 census quom ⟨sum⟩, iuratori recte rationem dedi.
     Lesbonicum hic adulescentem quaero in his regionibus
     ubi habitet, et item alterum ad istanc capitis albitudinem:
     Calliclem aiebat uocari qui has dedit mi epistulas.   875
     Ch. meum gnatum hicquidem Lesbonicum quaerit et ami-
                                                             cum meum
35 quoí ego liberosque bonaque commendaui, Calliclem.
     Sy. fac me, si scis, certiorem hosce homines ubi habitent,
                                                             pater.
     Ch. quid eos quaeris? aut quis es? aut unde es? aut unde
                                                             aduenis?
     Sy. multa simul rogitas, nescío quid expediam potissumum. 880
     si unum quicquid singillatim et placide percontabere,
40 et meum nómen et mea facta et itinera ego faxo scias.
     Ch. faciam ita ut uis. agedum nomen tuom primum
                                                             memora mihi.
     Sy. magnum facinus incipissis petere. Ch. quid ita? Sy.
                                                             quia, pater,

---

868 putabo *cod.*   habet *Ital.*: habeat *cod.*   869 *vel* opino
871 heu *cod.*   872 sum *add. Acidalius*   *post hunc v. Leo credit*
v. huiusmodi excidisse Ch. responde, monstrare tibi quos quaeris si
possim. Sy. eloquar   873 hinc *Nipperdey*   874 et *om. codd.*
Nonii 73   istane *cod.* : ipsam *codd. Nonii*   875 mihi dedit *P*CD
877 *vel* quoii   878 si sis certiore *cod.*   hisce *Ital*, *fort. recte*
habitem *cod.* (*corr. D*)   881 sin *cod.* (vii. 4)   882 numen *cod.*
(*corr. D*)   884 pater *Merula* : patrem *cod.*

885 si ante lucem * ire occipias a meo prímo nomine,
   concubium sit noctis priu' quam ad postremum perueneris.
   CH. opu' factost uiatico ad tuom nómen, ut tu praedicas.   45
   SY. est minusculum alterum, quasi uexillum uinarium.
   CH. quid est tibi nomen, adulescens? SY. 'Pax,' id est
                                            nomen mihi.
890 hoc cottidianumst.   CH. edepol nomen nugatorium !
   quasi dicas, si quid crediderim tibi, 'pax'—periisse ilico.
   hic homo solide sycophantast.   quid ais tu, adulescens? 50
                                            SY. quid est?
   CH. eloquere, isti tibi quid homines debent quos tu quae-
                                                        ritas?
   SY. pater istius adulescentis dedit has duas mi epistulas,
895 Lesbonici.   is mihi est amicus.   CH. teneo hunc manufesta-
                                                        rium.
   me sibi epistulas dedisse dicit.   ludam hominem probe.
   SY. ita ut occepi, si animum aduortas, dicam.   CH. dabo 55
                                                        operam tibi.
   SY. hanc me iussit Lesbonico suo gnato dare epistulam,
   et item hanc alteram suo amico Callicli iussit dare.
900 CH. mihi quoque edepol, quom hic nugatur, contra nugari
                                                        lubet.
   ubi ipse erat?   SY. bene rem gerebat.   CH. ergo ubi? SY.
                                            in Seleucia.
   CH. ab ipson istas accepisti?   SY. e manibus dedit mi ipse 60
                                            in manus.
   CH. qua facie est homo?   SY. sesquipede quiddamst quam
                                            tu longior.

---

885 *ante* ire *spat.* 6 *litt.* B : ⟨hercle⟩ *Ritschl*   886 ad *om. cod.*
Varronis de L. L. 7, 78   887 factost [et] *cod.* (*pro* factoet? i. 7, 2):
corr. Scaliger   888 uixillum (iuxillum B) *cod.* (? *i. e.* uexillum, *ut
in C. I. L.* vi. 1377, 2544)   889–91 *versus traditos post v.* 937
huc transposuit Meyer, vix iniuria   889 Quid ⟨id⟩ *Ritschl*   892 est]
es *cod.*   895 Lesbonici is *Pareus* : lesbonicis *cod.*   900 nuguratur
cod.   901 ' *cf.* 928.   *qui versum inseruit hoc eo consilio fecisse videtur,
ut deinde vv.* 928–49 *omitti possent*' *Leo*   903 quidamst *Bothe*

Cʜ. haeret haec res, si quidem ego apsens sum quam prae-
                                                            sens longior.
nouistin hominem? Sy. ridicule rogitas, quocum una cibum 905
capere soleo. Cʜ. quid est ei nomen? Sy. quod edepol
                                                    homini probo.
65 Cʜ. lubet audire. Sy. illi edepol—illi—flli—uae misero
                                                            mihi!
Cʜ. quid est negoti? Sy. deuoraui nomen inprudens modo.
Cʜ. non placet qui amicos intra dentes conclusos habet.
Sy. atque etiam modo uorsabatur mihi in labris primoribus. 910
Cʜ. temperi huic hodie anteueni. Sy. teneor manufesto
                                                            miser.
70 Cʜ. iam recommentatu's nomen? Sy. deum hercle me
                                            atque hominum pudet.
Cʜ. uide modo ut hóminem noueris! Sy. tamquam me.
                                                    fieri istuc solet,
quod in manu teneas atque oculis uideas, id desideres.
litteris recomminiscar. ⟨C⟩ est principium nomini.   915
Cʜ. Callias? Sy. non est. Cʜ. Callippus? Sy. non est.
                                            Cʜ. Callidemides?
75 Sy. non est. Cʜ. Callinicus? Sy. non est. Cʜ. Calli-
                                            marchus? Sy. nihil agis.
neque adeo edepol flocci facio, quando egomet memini mihi.
Cʜ. at enim multi Lesbonici sunt hic: nisi nomen patris
dices, non mostrare istos possum homines quos tu quae- 920
                                                            ritas.
quod ad exemplum est? coniectura si reperire possumus.
80 Sy. ad hoc exemplum est: an Chares? an Charmides?
                                            Cʜ. num Charmides?

904 quam *Rittershusius*: quia *cod*.   905 quicum *Fleckeisen*
906 ei nomen est *B* (*vix pro* ei nomenst)   dedepol *cod*.   907
ille ed. *cod*. : *corr. Camerarius*   909 concluso *cod*.   913 modo]
homo *P*CD (*cf. ad Poen*. 926)   Cʜ. fieri *etc. cod*.   915 C *add*.
Scaliger   916 Callias *Guietus* : callicias *cod*.   919 atque e. *B*
920 possum istos *cod*. : *trai. Bothe*   922 exemplumst: Char—

Sy. em istic erit.   qui istum di perdant !   Ch. dixi ego iam
                                                     dudum tibi :
te potius bene dicere aequomst homini amico quam male.
925 Sy. satin inter labra atque dentes latuit uir minimi preti?
    Ch. ne male loquere apsenti amico.   Sy. quid ergo ille
                                                     ignauissumus
mihi latitabat?   Ch. si appellasses, respondisset, nomine.   85
sed ipse ubi est?   Sy. pol illúm reliqui ád Rhadamantem
                                             in Cecropio [insula].
Ch. quis homo est me insipientior, qui ipse egomet ubi
                                             sim quaeritem?
930 sed nil disconducit huic rei.   quid ais?   quid hoc quod te
                                                     rogo?
quos locos adiisti?   Sy. nimium mirimodis mirabilis.
Ch. lubet audire nisi molestumst.   Sy. quin discupio 90
                                                     dicere.
omnium prímum in Pontum aduecti ad Arabiam terram
                                             sumus.
Ch. eho an etiam Árabiast in Ponto?   Sy. est : non illa ubi
                                             tus gignitur,
935 sed ubi apsinthium fit ac cunila gallinacea.
    Ch. nimium graphicum hunc nugatorem !   sed ego sum
                                                     insipientior
qui egomet unde redeam hunc rogitem, quae ego sciam 95
                                             atque hic nesciat ;
nisi quia lubet experiri quo euasurust denique.

Ch. Chares? *etc.   Acidalius, Reiz* : exemplum est—Ch. an Chares?
an Charmides?   Sy. enim Charmides. *Leo*   mim (min *P*^{CD}) *cod.*
(*pro* num) : enim *Ribbeck*   926 loquere *Bentley* : loquare *cod.*   927
nomini *Ritschl*   928 ihadamante *B* : Rhadamam *Ritschl*   cecropio
(-pia *P*^{CD}) *cod.*   insula *del. Guietus*   929 qui homo *cod.*   931
adistix (*i. e.* adisti *cum* X, *nota personae*) *cod.*   miris modis *cod.*
933 ad *Camerarius* : a *cod.* : *del. Ital.*   934 cubitus *B*   935 atque
cod.   937 quae] quia *B* (*vix antiqua vocis* quae *forma*)   *post*
hunc versum stant vv. 889-91 *in cod.* (*cf.* ad 889)

sed quid ais? quo inde isti porro? Sy. si animum aduortes,
eloquar.

ad caput amnis, quod de caelo exoritur sub solio Iouis. 940

Ch. sub solio Iouis? Sy. ita dico. Ch. e caelo? Sy.
atque medio quidem.

100 Ch. eho an etiam in caelum escendisti? Sy. immo horiola
aduecti sumus

usque aqua aduorsa per amnem. Ch. eho an tu etiam
uidisti Iouem?

Sy. alii di isse ad uillam aiebant seruis depromptum cibum.

deinde porro—Ch. deinde porro nolo quicquam praedices. 945

Sy. * * * o hercle, si es molestus. Ch. nam
pudicum neminem,

105 * * re oportet, qui aps terra ad caelum peruenerit.

Sy. ⟨facia⟩m ita ut te uelle uideo. sed mostra hosce
homines mihi

quos ego quaero, quibu' me oportet has deferre epistulas.

Ch. quid ais? tu nunc si forte eumpse Charmidem con- 950
spexeris,

illum quem tibi istás dedisse commemoras epistulas,

110 nouerisne hóminem? Sy. ne tu me edepol arbitrare
beluam,

qui quidem nón nouisse possim quicum aetatem exegerim.

an ille tam esset stultus qui mi mille nummum crederet

Philippum, quod me aurum deferre iussit ad gnatum suom 955

atque ad amicum Calliclem, quoi rem aibat mandasse hic
suam?

---

940 qui de *Guietus* : quoad e *Lachmann* 941 atque ⟨e⟩ *Pareus*
942 doriola *cod.* : *corr. Saracenus* 943 an tu *Ritschl*: ante *cod.*
944 alii di isse *Acidalius* : Calliclise (calliclis *P*CD) *cod.* (cl *pro* d)
945 mande p. Ch. deinde p. *cod.* : *corr. Camerarius* 946–8 *amissa
initia propter maculam in pagina archetypi* 946 Sy. ⟨Sed—Ch.
abe⟩o *Leo* : Sy. ⟨Taceo eg⟩o *Ritschl* 947 *incipit* pre (*B*) *vel* ere
(*P*CD) *cod.* : ⟨Pax, refe⟩rre *Leo* : ⟨Deput⟩are *Ritschl* 948 Faciam
suppl. Spengel 949 quos *Ital.* : hos *cod.* 950 *vel* eumpsum
952 *vel* norisne 954 tam] ita *P*CD 955 *vel* philippeum (*ita
cod.*)

mihi concrederet, nisi mé ille ét ego illum nossem probe?— 115
CH. enim uero ego nunc sycophantae huic sycophantari
                                    uolo,
si hunc possum illo mille nummum Philippum circumducere
960 quod sibi me dedisse dixit, quem ego qui sit homo nescio
neque oculis ante hunc diem umquam uidi.   eine aurum
                                    crederem,
quoi, si capitis res siet, númmum numquam credam plum- 120
                                    beum?
adgrediundust hic homo mi astu.—heus, Pax, te tribu'
                                    uerbis uolo.
SY. uel trecentis.   CH. haben tu id aurum quod accepisti a
                                    Charmide?
965 SY. atque etiam Philippum, numeratum illius in mensa manu,
mille nummum.   CH. nempe ab ipso id accepisti Charmide?
SY. mirum quin ab auo eius aut proauo acciperem qui sunt 125
                                    mortui.
CH. adulescens, cedodum istuc aurum mihi.   SY. quod ego
                                    aúrum dem tibi?
CH. quod a me te accepisse fassu's.   SY. aps te accepisse?
                                    CH. ita loquor.
970 SY. quis tu homo es?   CH. qui mille nummum tibi dedi ego
                                    sum Charmides.
SY. neque edepol tu is es neque hodie is umquam eris, auro
                                    huic quidem.
abi sis, nugator : nugari nugatori postulas.   130
CH. Charmides ego sum.   SY. nequiquam hercle es, nam
                                    nihil auri fero.
nimis argute ⟨me⟩ obrepsisti in eapse occasiuncula :

957 *vel* med   nosse aprobe *cod.* (A *pro* M)   nouissem *Ritschl*
approbe *Camerarius*   959 philippo ciuem ducere *cod.* : *corr. Ritschl*
961 eine aurum *Camerarius* : eine mirum *cod.* (MIR *pro* AVR) : ei
nimirum *Ital.*   965 *vel* philippeum (*ita cod.*)   967 quin *Ital.* :
quid *cod.*   969 te a me *Reiz, Mahler*   970 est *cod.*   971
tuis ses *cod.* (*corr. D*)   972 abi *Camerarius* : asi *cod.*   974 me
add. Ritschl : argute ⟨tu⟩ *Niemeyer*   obresisti *cod.*

postquam ego me aurum ferre dixi, post tu factu's Charmides; 975
priu' tu non eras quam aúri feci mentionem.   nihil agis ;
135 proin tu te, itidem ut charmidatus es, rusum recharmida.
    Ch. quis ego sum igitur, si quidem is nón sum qui sum?
                           Sy. quid id ad me attinet?
    dum ille ne sis quem ego esse nolo, sis mea caússa qui lubet.
    priu' non is eras quí eras : nunc is factu's qui tum non eras. 980
140 Ch. age si quid agis.   Sy. quid ego agam?   Ch. aurum
                 redde.   Sy. dormitas, senex.
140 Ch. fassu's Charmidem dedisse aurum tibi.   Sy. scriptum
                       quidem.
    Ch. properas an non properas ire actutum ab his regionibus,
    dormitator, priu' quam ego híc te iubeo mulcari male?
    Sy. quám ob rem?   Ch. quia illum quem ementitus es, ego 985
                     sum ipsus Charmides
    quem tibi epistulas dedisse aiebas.   Sy. eho, quaeso, an tu
                          is es?
145 Ch. is enim uero sum.   Sy. ain tu tandem? is ipsusne es?
                Ch. aio.   Sy. ipsus es?
    Ch. ipsus, inquam, Charmides sum.   Sy. ergo ipsusne es?
                    Ch. ipsissumus.
    abi hinc áb oculis?   Sy. enim uero serio, quoniam aduenis—
    uapulabis meo arbitratu ét nouorum aedilium.   990
    Ch. at etiam maledicis?   Sy. immo, saluos quandoquidem
                    aduenis—
150 di te perdant, si te flocci facio an periisses prius.

---

    976 ieras *corr.* is eras *ut uid.* B : eras P^{CD}   non tu is eras *Hermann*
aurifici *cod.*   977 *vel* tute   decharmida *Ritschl*   978 Quid B
983 ire *Guietus* : abire (abere B) *cod., sed* abíre *act.* *vix ferendum*
985 ementitu's *is Fleckeisen*   986 *vel* aibas   quaescan tuises
(quae *et post* 6 *litt. spat.* es P^{CD}) *cod.* (C *pro* O)   987 isipsusnes
ip Sy. ipsuses B¹ (*corr.* B², *qui* aio, *fort. corr.* ain, *addidit neque* ip
delevit) : is ipsus es *reliquis omissis* P^{CD}   988 ipsusne es] ipsus est
codd. Prisciani 1, 84   989 abhinc *cod., etiam codd. Prisciani* : abin
hinc *Guietus*   sero *Gulielmius*   990 uapulabis *Camerarius* :
uapulais *ut uid. cod* (uapulis B : uapulas D, *fort. recte*)   992 periisse *cod.*

ego ob hanc operam argentum accepi, te macto infortunio :
ceterum qui sis, qui non sis, floccum non interduim.
995 ibo, ad illúm renuntiabo qui mihi tris nummos dedit,
ut sciat se perdidisse.   ego abeo.   male uiue et uale !
qui te di omnes aduenientem peregre perdant, Charmides !— 155

CH. postquam illic hinc ábiit, post loquendi libere
uidetur tempus uenisse atque occasio.
1000 iam dudum meum ille pectus pungit aculeus,
quid illí negoti fuerit ante aedis meas.
nam epistula illa mihi concenturiat metum   160
in corde et illud mille nummum quam rem agat.
numquam edepol temere tinnit tintinnabulum :
1005 nisi qui illud tractat aut mouet, mutumst, tacet.
sed quis hic est qui huc in plateam cursuram incipit ?
lubet ópseruare quid agat : huc concessero.   165

STASIMVS   CHARMIDES   iii

ST. Stasime, fac te propere celerem, recipe te ad dominum
domum,
ne subito metus exoriatur scapulis stultitia ⟨tua⟩.
1010 adde gradum, adpropera. iam dudum factumst quom abiisti
domo.
caue sis tibi ne bubuli in te cottabi crebri crepent,
si aberis ab eri quaestione.   ne destiteris currere.   5
ecce hominem te, Stasime, nihili ! satin in thermopolio
condalium es oblitus, postquam thermopotasti gutturem ?
1015 recipe te et recurre petere ⟨re⟩ recenti. CH. huic, quisquis est,
gurguliost exercitor : is hunc hóminem cursuram docet.

993 inportunio *cod.*   994 ceterum *Gulielmius* : sed (*pro* set) erum
cod.   interdum *cod.* :   *corr. Camerarius*   995 ad *Ital.* : id *cod.*
997 qui te di *Scaliger* : quo di te *cod.*   1002 epistulae illae mihi
concenturiant *Meyer*   1004 numquem *cod.*   1005 mutus t. *cod.*
1009 stultitia tua *Camerarius* : stultitiam *cod.*   1012 aberis
Camerarius : abieris *cod.*   1013 ecce te hominem *Bach*   nihil
cod.   1015 re *add. Camerarius*

10 Sᴛ. quid, homo nihili, non pudet te ? tribu'ne te poteriis
    memoriam esse oblitum ? an uero, quia cum frugi hominibus
    ibi bibisti, qui ab alieno facile cohiberent manus ?
    †Truthus† fuit, Cerconicus, Crinnus, Cercobulus, Collabus, 1020
    oculicrepidae, cruricrepidae, ferriteri mastigiae :
15 inter eosne homines condalium te redipisci postulas ?
    quorum eorum únus surrupuit currenti cursori solum.
    Cʜ. ita me di ament, graphicum furem ! Sᴛ. quid ego quod
                               periit petam ?
    nisi etiam laborem ad damnum ápponam epithecam insuper. 1025
    quin tu quod periit periisse ducis ? cape uorsoriam,
20 recipe te ad erum. Cʜ. non fugitiuost hic homo, comme-
                               minit domi.
    Sᴛ. utinam ueteres homin⟨um mor⟩es, ueteres parsimoniae
    potius ⟨in⟩ maiore honore hic essent quam mores mali !
    Cʜ. di inmortales, basilica hicquidem facinora inceptat 1030
                               loqui !
    uetera quaerit, uetera amare hunc more maiorum scias.
25 Sᴛ. nam nunc mores nihili faciunt quod licet nisi quod
                             lubet :
    ambitio iam more sanctast, liberast a legibus ;
    scuta iacere fugereque hostis more habent licentiam :
    petere honorem pro flagitio more fit. Cʜ. morem inprobum ! 1035
    Sᴛ. strenuos⟨os⟩ praeterire more fit. Cʜ. nequam quidem !
30 Sᴛ. mores leges perduxerunt iam in potestatem suam,
    magi'que is sunt obnoxiosae quam parentes liberis.

1018 memoria *cod.* : *corr. Seyffert*   quia] quinque *Mueller* (*Rhein. Mus.* 54, 540)   1020 truchus *P*ᶜᴰ   Struthus fuit, Circonychus (?) *Leo*   Crimnus *Scaliger*   1021 oc.] collicrepidae *Becker*   1024 ament *Ital.* : amant *cod.*   1025 epithecam *Camerarius* : apothecam *cod.* : prosthecam (?) *Leo*   1028 uet. hominum mores *Lindemann* : uet. ueterum mores *Ritschl*   1029 p. maiori honori *cod.* : *corr. Loman*   1031 more *Dousa* : morem *cod.*   1032 mores] homines *Bergk*   nihil *cod.*   1035 honore *cod.* (*corr. D*)   1036 strenuos *cod.* : *corr. Loewe*   1038 magis qui sunt *cod.* : *corr. Spengel* : m. quĭs sunt *Pius* *vel* mageque   obnoxiosi *cod.*   liberis *Ital.* : liberi *cod.*

eae miserae etiam ad parietem sunt fixae clauis ferreis,
1040 ubi malos mores adfigi nimio fuerat aequius.

Ch. lubet adire atque appellare hunc; uerum ausculto
perlubens

et metuo, si compellabo, ne aliam rem occipiat loqui.   35

St. neque istis quicquam lege sanctumst: leges mori ser-
uiunt,

mores autem rapere properant qua sacrum qua publicum.

1045 Ch. hercle istis malam rem magnam moribus dignumst dari.

St. nonne hoc publice animum aduorti? nam id genus
hominum omnibus

uniuorsis est aduorsum atque omni populo male facit: 40

male fidem seruando illis quoque abrogant etiam fidem

qui nil meriti; quippe eorum ex ingenio ingenium horum
probant.

1050 hoc qui in mentem uenerit mi? re ipsa modo commonitu'
sum.

si quoi mutuom quid dederis, fit pro proprio perditum:

quom repetas, inimicum amicum beneficio inuenias tuo.   45

si mage exigere occupias, duarum rerum exoritur optio:

uel illud quod credideris perdas, uel illum amicum amiseris.

1055 Ch. meus est hicquidem Stasimus seruos. St. nam ego
talentum mutuom

quoi dederam, talento inimicum mi emi, amicum uendidi.

sed ego sum insipientior qui rebus curem puplicis   50

potius quam, id quod proxumumst, meo térgo tutelam geram.

eo domum. Ch. heus tu, asta ilico! audi. St. heús tu!
non sto. Ch. te uolo.

1039 ea miserere *cod.* : *corr. Merula vel* misere   1042 et *Acidalius* : sed *cod.* (*pro* set)   1043 istis *Ital.* : isti *cod.*   1045 *accedit A*
1046 hom. hominibus *Merula*   1049 ex eorum *P*   1050 menté
(*sic pro* menté, *i. e.* mentem?) *B*   modo re ipsa commotus sum *A*
1051 quoi] quid *P*   dederit *P*   fit propio pe. *A¹, corr. A²*   proditum
Mueller (*Rhein. Mus.* 54, 540)   1052 qum *A*   inuenias ex beneficio
tuo *A*   1053 exgenere cupias *P*   1054 miseris *P* (*corr. D¹*)   1055
Meust h. *A*   1056 quoi] quod *P*   1059 Ch. te uolo *om. P*

St. quid si ego me te uelle nolo? Ch. aha nimium, 1060
Stasime, saeuiter!

St. emere meliust quoi imperes. Ch. pol ego emi atque
argentum dedi;

55 sed si non dicto audiens est, quid ago? St. da magnum
malum.

Ch. bene mones, ita facere certumst. St. nisi quidem es
obnoxius.

Ch. si bonus es, obnoxius sum; sin secus es, faciam uti
iubes.

St. quid id ad me attinet, bonisne seruis tu utare an malis? 1065

Ch. quia boni malique in ea re pars tibi est. St. partem
alteram

60 tibi permitto; illam alteram apud me, quod bonist, apponito.

Ch. sí eris meritus, fiet. respice huc ad me. ego sum
Charmides.

St. hem quis est qui mentionem homo hominis fecit optumi?

Ch. ipsus homo optumus. St. mare, terra, caelum, di 1070
uostram fidem!

satin ego oculis plane uideo? estne ipsus an non est?
is est,

65 certe is est, is est profecto. o mí ere exoptatissume,

salue. Ch. salue, Stasime. St. saluom te—Ch. scio et
credo tibi.

sed omitte alia, hoc mihi responde: liberi quid agunt mei,

quos reliqui hic filium atque filiam? St. uiuont, ualent.   1075

Ch. nempe uterque? St. uterque. Ch. di me saluom et
seruatum uolunt.

70 cetera intus otiosse percontabor quae uolo.

    1060 egomet te *P*   uell{t *A*   1062 es *P*   da magnum]
damnum *P* (vii, p. 104)   1064 est *bis Lambinus*   ut mones *A*
1067 ad me *P* (*fort. recte*)   1068 fies *P*   ad me huc *P*   1069
facit homo hominis *P*   1070 hohomo *A*   1071 oculis ego *A*
ipsus] hic *A*   1072 is est *alterum om. A*   1074 omitto *P*

eamus intro, sequere. St. quo tu té agis? Ch. quonam
                                                nisi domum?

  St. hicine nos habitare censes? Ch. ubinam ego alibi
                                                censeam?

1080 St. iam—Ch. quid iam? St. non sunt nostrae aedes istae.
                                    Ch. quid ego ex te audio?

  St. uendidit tuo' natus aedis—Ch. perii! St. praesentariis
argenti minis numeratis—Ch. quot? St. quadraginta. Ch. 75
                                                occidi!

quis eas emit? St. Callicles, quoi tuam rem commenda-
                                                ueras;

is habitatum huc commigrauit nosque exturbauit foras.

1085 Ch. ubi nunc filius meus habitat? St. hic in hoc posticulo.
  Ch. male disperii! St. credidi aegre tibi id, ubi audisses,
                                                fore.

  Ch. ego miserrumeis periclis sum per maria maxuma   80
uectus, capitali periclo per praedones plurumos
me seruaui, saluos redii: nunc hic disperii miser

1090 propter eosdem quorum caussa fui hoc aetate exercitus.
adimit animam mi aegritudo. Stasime, tene me. St. uisne
                                                aquam

tibi petam? Ch. res quom animam agebat, túm esse 85
                                                offusam oportuit.

  Callicles   Charmides   Stasimvs   iv

    Ca. Quid hoc híc clamoris audio ante aedis meas?
    Ch. o Callicles, o Callicles, o Callicles!
1095   qualine amico mea commendaui bona?
    Ca. probo et fideli et fido et cum magna fide.

    1078 quo tu] quonam tu A   quonam cen A hic desinens in fine
paginae (i. e. quonam censes, nisi domum? Studemund)   1080
aedisste cod., unde aedes. Ch. Stasime Schoell   1083 Qui PCD
1089 salus cod.   1090 hoc aetate 'masculini generis' Nonius 192
('i. e. hoc aetatis, soloece' Leo): hac aetate cod.   1092 offusa cod.
    PLAVT. II   31

5   et salue et saluom te aduenisse gaudeo.
      CH. credo, omnia istaec sí ita sunt ut praedicas.
      sed quis iste est tuos ornatus? CA. ego dicam tibi.
      thensaurum ecfodiebam intus, dotem, filiae   1100
      tuae quaé daretur.   sed intus narrabo tibi
10   et hoc et alia. sequere. CH. Stasime. ST. hem!
                             CH. strenue
      curre in Piraeum atque unum curriculum face.
      uidebis iam illic nauem qua aduecti sumus.
      iubeto Sangarionem quae imperauerim   1105
      curare ut ecferantur, et tu ito simul.
15   solutumst portitori iam portorium :
      nihil est moraé. [i], i, ámbula, actutum redi.
      ST. illic sum atque hic sum. CA. sequere tu hac me
                     intro.—CH. sequor.—
      ST. hic meo ero amicus solus firmus restitit   1110
      neque demutauit animum de firma fide,
20   sed hic unus, ut ego suspicor, seruat fidem.
      quamquam labores multos   *   *   *
      ob rem †laborem† eum ego cepisse censeo.—

ACTVS V

               LYSITELES

     Hic homost omnium hominum praecipuos,   1115
     uoluptatibu' gaudiisque antepotens :

    1098 sunt *Ritschl* : st *cod.* (vii, p. 96)   1105 iubeto *Pius* : uideto
cod. (D *pro* B)   Sag- (?) *K. Schmidt* (*Herm.* 37, 205)   1108 *vel*
morai   morae i i *Taubmann* : moracii *cod.* (c *pro* e) : moracli *Havet*
(*Arch. Lat. Lexicogr.* 11, 360) : morae tibi *Mueller* (*Rhein. Mus.* 54,
542) (*cf. Sjögren* ' *part. copul.*' p. 150)   1110 amicus *Ital.* : amico *cod.*
1112 *post* 1113 *cod.* (ii, p. 38) : *traieci*   1113 *fort.* ⟨sollicitudines⟩
1114 *fort.* ob rém alienam eum (ii, p. 38) (*sed cf. Reissinger* '*Präpos.
ob und propter*' p. 17) : quamquam labores multos ob rem et liberos
⟨Apsentis mei eri⟩ eum ego cepisse censeo. Sed hic *etc. Ritschl*

ita commoda quae cupio eueniunt,

quod ago adsequitur, subest, supsequitur,

ita gaudiis gaudium suppeditat.   5

1120 modo me Stasimus Lesbonici seruos conuenit ⟨domi⟩;

is mihi dixit suom erum peregre huc aduenisse Charmidem.

nunc mi is propere conueniundust, ut quae cum eius filio

egi, éi rei fundus pater sít potior.   eo.   séd fores

hae sonitu suo mihi moram obiciunt incommode.   10

CHARMIDES   CALLICLES   LYSITELES   ii
                    LESBONICVS

1125 CH. Neque fuit neque erit neque esse quemquam hominem

in terra arbitror

quoi fides fidelitasque amicum erga aequiperet tuam;

nam exaedificauisset me ex his aedibus, apsque te foret.

CA. si quid amicum erga bene feci aut consului fideliter,

non uideor meruisse laudem, culpa caruisse arbitror.   5

1130 nam beneficium, homini propríum quod datur, prosum perit,

quod datum utendumst, id repetundi copiast quando uelit.

CH. est ita ut tu dicis.   sed ego hoc nequeo mirari satis,

eum sororem despondisse suam in tam fortem familiam.

CA. Lysiteli quidem Philtonis filio.   LY. enim me nominat. 10

1135 CH. familiam optumam occupauit.   LY. quid ego cesso hos

conloqui?

sed maneam etiam opinor, namque hoc commodum orditur

loqui.

CH. uah!   CA. quid est?   CH. oblitus intus dudum tibi

sum dicere:

modo mi aduenienti nugator quidam occessit obuiam,

1118 subit *Acidalius*   1119 suppetat *P*CD   1120 domi *add.*
Ritschl   1123–4 eo⟨quantum potest⟩ Sed fores hae *Leo*   1125 in
terra *Reiz post Camerarium* : interdum *cod.*   1126 tuam *Ritschl* :
suum *cod.*   1130 prosum perit *Boxhorn* : prosumpserit *cod.*
1131 datumst utendum *Mueller, nam* datum ǔtendumst *displicet* (*cf. ad
Merc.* 330)   uelis *D*   1132 nequeo *Ital.* : metuo *cod.*   1136
vel opino   1138 occessit *Gulielmius* : accessit *cod.* (*cf. ad Pseud.* 250)

31*

15 nimi' pergraphicus sycophanta; is mille nummum se aureum

    meo datu tibi ferre et gnato Lesbonico aibat meo;   1140

    quem ego nec qui esset noram neque eum ante usquam

                                conspexi prius.

    sed quid rides?   CA. meo adlegatu uenit, quasi qui aurum

                                      mihi

    ferret aps te quod darem tuae gnátae dotem, ut filius

20 tuo', quando illi a me darem, esse allatum id aps te crederet

    neu qui rem ipsam posset intellegere, [et] thensaurum tuom 1145

    me esse penes, atque eum [a] me lege populi patrium posce-

                                   ret.

  CH. scite edepol!   CA. Megaronides communis hoc meus

                                   et tuos

    beneuolens commentust.   CH. quin conlaudo consilium et

                                   probo.

25 LY. quid ego ineptus, dum sermonem uereor interrumpere,

    solus sto nec quod conatus sum agere ago? homines conlo- 1150

                                     quar.

  CH. quis hic est qui huc ad nos incedit?   LY. Charmidem

                                  socerum suom

    Lysiteles salutat.   CH. di dent tibi, Lysiteles, quae uelis.

  CA. non ego sum salutis dignus?   LY. immo salue, Callicles;

30 hunc priorem aequomst me habere: tunica propior palliost.

  CA. deos uolo consilia uostra ⟨uobis⟩ recte uortere.   1155

  CH. fíliam meám tibi désponsatam esse audio.   LY. nisi tu

                                    neuis.

  CH. immo hau nolo.   LY. sponden ergo tuam gnatam uxo-

                                   rem mihi?

  CH. spondeo et mille auri Philippum dotis.   LY. dotem nil

                                   moror.

1139 aurum *cod.* : *corr. Camerarius*   1141 nequi es. *cod.*   1145
quis *cod.* et *del. Bothe*   1146 a *del. Mueller*   1152 Lysteus s. *cod.*
(*pro* -elis)   1153 dignus salutis *Nonius* 497 ('gen. pro abl.') :
salute dignus *cod.*   1155 uobis *add. Hermann*   1156 desponsam
B (*fort. recte*; *cf. ad Mil.* 1007)   tu neuis *Nonius* 144 : *om. cod.*
1158 morer *B*

Сн. si illa tibi placet, placenda dos quoque est quam dat 35
tibi.

1160 postremo quod uis non duces, nisi illud quod non uis feres.

Ca. ius hic orat. Ly. impetrabit te aduocato atque arbitro.
istac lege filiam tuam spónden mi uxorem dari?

Ch. spondeo. Ca. et ego spondeo idem hoc. Ly. oh
saluete, adfines mei!

Ch. atque edepol sunt res quas propter tibi tamen suscensui. 40

1165 Ly. quid ego feci? Ch. meum corrumpi quia perpessu's
filium.

Ly. si id mea uoluntate factumst, ⟨est⟩ quod mihi suscenseas.
sed sine me hoc aps te impetrare quod uolo. Ch. quid id
est? Ly. scies.

si quid stulte fecit, ut ea missa facias omnia.
quid quassas caput? Ch. cruciatur cor mi et metuo. Ly. 45
quidnam id est?

1170 Ch. quom ille itast ut esse nolo, id crucior; metuo, si tibi
denegem quod me oras, ne te leuiorem erga me putes.
non grauabor. faciam ita ut uis. Ly. probus es. eo, ut
illum euocem.

Ch. miserumst, male promerita, ut merita sunt, si ulcisci
non licet.

Ly. aperite hoc, aperite propere et Lesbonicum, si domist, 50

1175 [foras] euocate: ita subitost propere quod eum conuentum
uolo.

Le. quis homo tam tumultuoso sonitu me exciuit [subito]
foras?

Ly. beneuolens tuos atque amicust. Le. satine salue? dic
mihi.

1165 (etiam 1166, 1167, 1169, 1172, 1174, 1177) Ly.] Ca. alii
1166 est add. Camerarius   1167 es cod.   1168 missam cod.
1170 istast cod.   1173 sunt si Lindemann : sinis cod. : sint si
Ritschl   1175 foras del. Guietus   uocate Bothe   1176 subito
del. Guietus   1177 amicus codd. Donati ad Eun. 5, 5, 8   satinst
salue cod. (pro satine, i.e. satinest ex satine?)

Ly. recte.   tuom patrem rediisse saluom peregre gaudeo.

55 Le. quis id ait?   Ly. ego.   Le. tun uidisti?   Ly. et tute

item uideas licet.

Le. o pater, pater mi, salue!   Ch. salue multum, gnate mi. 1180

Le. si quid tibi, pater, laboris—Ch. nihil euenit, ne time:

bene re gesta saluos redeo—si tu modo frugi esse uis.

haec tibi pactast †Callicli filia†.   Le. ego ducam, pater,

60 et eam et si quam aliam iubebis.   Ch. quamquam tibi

suscensui,

miseria ⟨una⟩ uni quidem hominist adfatím.   Ca. immo 1185

huic parumst,

nam si pro peccatis centum ducat uxores, parumst.

Le. at iam posthac temperabo.   Ch. dicis, si facies modo.

Ly. numquid caussaest quin uxorem cras domum ducam?

Ch. optumumst.   [licet.]

65 tú in perendinum paratus sis ut ducas.   Caterva. plaudite.

1179 item *Bothe* : idem *cod.*   1184
et eam *Bothe* : etiam *cod.*   1185 una *add. Lambinus*   1187
faciaes *B* : facias *Camerarius*   1188 nunc quid *cod.*   ducat *PCD*
optumast (-tima est) *Gronovius*   licet *del. Guietus*   ' *duplicis recen-*
sionis vestigia apparent, Lys. Numquid . . . ducam? Ch. Optumumst
et Ca. Numquid . . . ducat? Ch. Licet' *Ritschl*

TRVCVLENTVS

ARGVMENTVM

Tres unam pereunt adulescentes mulierem,
Rure unus, alter urbe, peregre tertius;
Vtque ista ingenti militem tangat bolo,
Clam sibi supposuit clandestino editum.
Vi magna servos est ac trucibus moribus,   5
Lupae ni rapiant domini parsimoniam;
Et is tamen mollitur. miles advenit
Natique causa dat propensa munera.
Tandem compressae pater cognoscit omnia,
Vtque illam ducat qui vitiarat convenit,   10
Suomque is repetit a meretrice subditum.

5 at crucibus (tr-) *cod.* : *corr. Ital.*   imoribus *B*   6 Lupae ni
Pylades : Lut (It *P*CD) poeni *cod.*   parsimonia *B*   9 Tandem
Ital. : Tamen *cod.* (vii. 2)   10 illam *Camerarius* : litam *cod.*

PERSONAE

DINIARCHVS ADVLESCENS
ASTAPHIVM ANCILLA
TRVCVLENTVS SERVVS
PHRONESIVM MERETRIX
STRATOPHANES MILES
CYAMVS SERVVS GETA
STRABAX ADVLESCENS RVSTICVS
CALLICLES SENEX
ANCILLA CALLICLIS
SVRA TONSTRIX (ANCILLA PHRONESII)

SCAENA ATHENIS

TRVC.] *adiectivum. non nomen, vix esse potest* : STRATILAX *Ital., aperto errore qui ex scaen.* III. i. *titulo in P, ubi* STRATILAX *pro* STRAVAX (*i. e.* -BAX) *scriptum erat, emanavisse videtur ; cf. Leo ad v.* 256
SERVVS GETA. *Cf. v.* 577
ANCILLA CALLICLIS. *Cf. ad v.* 775

PROLOGVS

Perparuam partem postulat Plautus loci
de uostris magnis atque amoenis moenibus,
Athenas quo sine architectis conferat.
quid nunc? daturin estis an non? adnuont
5 †melior me quidem uobis† me ablaturum sine mora;   5
quid si de uostro quippiam orem? ábnuont.
eu hercle! in uobis resident mores pristini,
ad denegandum ut celeri lingua utamini.
sed hoc agamus quoia huc uentumst gratia.
10 Athenis †tracto† ita ut hoc est proscaenium   10
tantisper dum transigimus hanc comoediam.
hic habitat mulier nomen quoí est Phronesium;
haec huiius saecli mores in se possidet:
numquam ab amatore [suo] postulat—id quod datumst,
15 sed relicuom dat operam—ne sit relicuom,   15
poscendo atque auferendo, ut mos est mulierum;
nam omnes id faciunt, quom se amari intellegunt.
ea se peperisse puerum simulat militi,
quo citius rem ab eo auorrat cum puluisculo.
20 quid multa? * * †stuic superet muliere†   20
†hiscum anima ad eum habenti erce teritur†.

*corrupti codicum BCD in hac fabula textus id fuisse causae credo quod
in cod. archetypo novus scriba inusitata scribendi compendia et insuetas
litterarum formas adhibuerit* (Amer. Journ. Phil. 17, 442)   1-3
correcta praebent Apuleius Florid. 4. 18 *fere et Priscianus* 2, 421   1 p.
artem p. plaudi locu *cod.*   2 Deum eris *cod.* (*pro* deūeris, *i. e.* de
uestris)   3 s. arcus pletis *cod.*   4 adnunt *cod.*   5 *fort.*
meliorem (*sc.* partem) urbis quidem   abiaturum *cod.*   6 ore *PCD*
abduunt *cod.*   7 eu *Spengel*: eum *cod.* (vii. 4)   uobis *Camerarius*: uodiis *cod.* (? *pro* uodis; D *pro* B)   9 quia h. *D*: qua h.
BC: huc qua *Camerarius*   10 traicio *Schoell* (*Rhein. Mus.* 55, 495):
fort. instructo   12 nomine *cod.* (*pro* nomē, *i.e.* nomen?)   14 suo
del. Weise   15 sed reliquam *cod.*: *corr. Merula*   19 auerrat
Weise: auferat *cod.*   20 mulierem *PCD*   *fort.* Quid multa? ⟨uita⟩
si huïc superet (*vel* huic supererit) mulieri | Viscum, hamum, laqueum
habenti, hercle exercebitur (*vel* hab., exenterabitur)

ACTVS I

DINIARCHVS

Non omnis aetas ad perdiscendum sat est
amanti, dum id perdiscat, quot pereat modis ;
neque eam rationem eapse umquam educet Venus,
quam penes amantum summa summarum redit,⠀⠀⠀25
5⠀⠀quot amans exemplis ludificetur, quot modis
pereat quotque exoretur exorabulis :
quot illíc blanditiae, quot illic iracundiae
sunt, quot †sui perclamanda†, di uostram fidem, hui!
quid peiierandum est etiam, praeter munera :⠀⠀⠀30
10⠀⠀primumdum merces annua, is primus bolust,
ob eam—tres noctes dantur ; interea loci
aut aera aut uinum | aut oleum | aut triticum ;
temptat benignusne an bonae frugi sies :
quasi in piscinam rete qui iaculum parat,⠀⠀⠀35
15⠀⠀quando abiit rete pessum, adducit lineam ;
si iniecit rete, piscis ne ecfugiat cauet :
dum huc dum illuc rete †or† impedit
piscis usque adeo donicum eduxit foras.
itidem est, amator sei quod oratur dedit⠀⠀⠀40
20⠀⠀atque est benignus potius quam frugi bonae.

22 est satis *codd. Varronis de L. L.* 6, 11⠀⠀⠀23 amanti dum hic p.
quod p. modis *codd. Prisciani* 2, 421 : nam antidum id p. [ad] quod p.
motus *cod.* (iv. 3)⠀⠀⠀24 eam rationem ea ipsa *codd. Prisciani* : ea
ratione me abse *cod.*⠀⠀⠀edocuit *codd. Prisciani*⠀⠀⠀25 penis a.
suumma *B*⠀⠀⠀27 quoque *B*⠀⠀⠀exoritur *cod.*⠀⠀⠀28 blanditiae
Ital. : blanditer *cod.* (*pro* blandit, *i. e.* blanditiae ?)⠀⠀⠀29 supplicia
danda *Buecheler*⠀⠀⠀31 miros annua is (miror annuus *P*CD) *cod.* :
corr. Gronovius⠀⠀⠀primos *B*⠀⠀⠀ebolust *cod.* : *corr. Camerarius*⠀⠀⠀32
dantur *Bothe* : dutor (tutor *P*CD) *cod.*⠀⠀⠀33 aut aera *Ital.* : aut
ara *cod.* : auctarium *Schoell*⠀⠀⠀ut ui. *B*⠀⠀⠀vix oléum⠀⠀⠀36 lineam *Studemund* : finfa (infra *P*CD) *cod.*⠀⠀⠀37 Siniecit *B* : Sinietit *P*CD : *corr.
quidam apud Lambinum* : si inierit *Buecheler fort. recte*⠀⠀⠀38 or]
circumuortit *Buecheler* (*qui alt.* dum *omittit*) : *fort.* oratas (iii, p. 52)
39 donicum *Saracenus* : dolium *cod.*⠀⠀⠀foras eduxit *cod.* : trai.
Camerarius⠀⠀⠀40 Ibidem *cod.*⠀⠀⠀set (sed *P*CD) quod *cod.*

adduntur noctes, interim ille hamum uorat ;
si semel amoris poculum accepit meri
eaque intra pectus se penetrauit potio,
45   extemplo et ipsus periit et res et fides.
si iratum scortum fortest amatori suo,   25
bis perit amator, ab re⟨d⟩ atque animo simul ;
sin alter alteri propitiust, †idem† perit :
si raras noctes ducit, ab animo perit ;
50   si | increbrauit, ipsus gaudet, res perit.
50ᵃ   [intercepta in aedibus lenonis]   30
priu' quam unum dederis, centum quae poscat parat :
aut periit aurum aút conscissa pallula est
aut empta ancilla aut aliquod uasum argenteum
aut uasum ahenum †aliquod aut lectus laptiles†
55   aut armariola Graeca, aut—aliquid semper ⟨est⟩   35
quod †petra† debeatque amans scorto suo.
atque haec celamus nos clam magna industria,
quom rem fidemque nosque nosmet perdimus,
ne qui parentes neu cognati sentiant ;
60   quos quom celamus si faximus conscios,   40
qui nostrae aetati tempestiuo temperent,
unde anteparta demus postpartoribus,

42 hamam *B*   43 meri *Bothe* : mere *cod.* (*pro* merei ?)   45
perit *cod.*   46 scortumst forte *Lambinus, cui* amãtori suo *displicet*
(*cf. ad Merc.* 330)   47 periit *cod.*   de red *cf. Arch. Lat. Lexicogr.*
10, 550   ⟨ab⟩ an. *Lambinus*   48 propitiust *Buecheler* : potius
est *cod.*   *an* fide ?   50 sin crebrauit *B*   *vel* sin   *vel*
increbauit   50ᵃ *secl. Schoell*   intercepta *scripsi* (vii, p.
103) : iteca (ita et *P*ᶜᴰ) *cod.*   lenosis *cod.* : *corr. Schoell* : lenoniis
Ital.   vix ⟨perit⟩ intercepta in aedibus lenoniis   52 aurum
periit *Camerarius*   c. est pallula *codd. Porphyrionis ad Hor. ep.*
1, 17, 55 (*i.e.* conscissast ?)   54 aliquod] antiquom *Buecheler*   electus
B   electus lapis *Buecheler* : lectus scalptilis (scu-) *Kiessling* : lectus
dapsilis *Ital.*   55 est *add. Camerarius*   56 praestet *Buecheler* :
detque *Niemeyer* (*Liter. Centralbl.* 1905, p. 352)   57 celumus
B   clam] damna *Ital.*   magna *Leo* : mina *cod.* (vii, p. 104)   59
ne qui *Bugge* : neque *cod.*   60 faximus *Camerarius* : facimus *cod.*
(*i.e.* facĩmus ?) : *fort.* faciamus   conscias *cod.*   61 temperint
cod.   62 unne *cod. ut vid.* (*cf. ad v.* 82) : ut ne *Ital. fort. recte*
anteparata *cod.* : *corr. Saracenus*

faxim lenonum nec scortorum plus siet   62ª
et minu' damnosorum hominum quam nunc sunt siet.

45   nam nunc lenonum et scortorum plus est fere
quam olim muscarum est quom caletur maxume.   65
nam nusquam alibi si sunt, circum argentarias
†scorti† lenones qui adsident cottidie,
ea nimia est ratio ; quippe qui certo scio
50   fere plus scortorum esse iam quam ponderum.
quos quidem quam | ad rem dicam in argentariis   70
referre habere, nisi pro tabulis, nescio,
ubi aera perscribantur usuraria :
accepta dico, expensa ne qui censeat.
55   postremo id magno in populo multis hominibus,
re placida atque otiosa, uictis hostibus :   75
amare oportet omnis qui quod dent habent.
nam mihi haec méretrix quae hic habet, Phronesium,
suom nómen omne ex pectore exmouit meo,
60   [Phronesium, nám phronesis est sapientia].   78ª
nam me fuisse huic fateor summum atque intumum,
quod amantis multo pessumum est pecuniae ;   80
eadem postquam alium repperit qui plus daret,
damnosiorem meo exinde immouit loco,
65   quem infestum, odiosum sibi esse memorabat mala,

62ª nec *scripsi*: et *cod.*   siet *scripsi*: est *cod.*   64 ⟨hic⟩ plus
Ritschl, cui scortorúm *displicet*   est *ante* et *colloc. Bothe*   65 *post v.*
66 *cod.*: *corr. Camerarius*   quam⌈nus⌉ B^1 (*cf. v.* 66)   67 scorta et
Scaliger: *an* scortis ?   qui assident *Mikkelsen* (*Nord. Tidskr. Fil.* 1897,
p. 97): quasi sedent *cod.*   68 Fa B (F *pro* E)   69 fere *scripsi* : eri
cod.: ibi *Seyffert*   iam *Ital.* : eam *cod.*   70 Quas *Ritschl*   equidem
Bentley   72 aera *Camerarius* : ae *cod.* (hae P^{CD}) (*pro* aera *per
compend. script.* ?)   73 accipiat d. e. neque c. *cod.* : *corr. Acidalius*
74 id *vix ferendum* : ut *Baehrens*   populo in B ⟨in⟩ multis
Camerarius : mulier *cod.*   75 plagida *cod.* (G *pro* C)   77
haec ⟨nunc⟩ *Mueller*   78 omnes *cod.* : *corr. Camerarius*   78ª
Phronesim *Leo, qui versum tuetur* (iv. 1)   81 pius (prius P^{CD})
cod. (I *pro* L)   82 meo *scripsi*: mihi *cod.* (*pro* meo *per compend. script.*?)
exine B ex. me mouit l. *Abraham stud. Plaut.* 237, *alii*   83 ⟨q⟩ui
manifesta ⌈ac⌉ o. *cod.* (? *pro* q; mĭfestum o. *cf. ad Aul.* 784) : *corr.
Ital., Lambinus* : quem antehac o. *Buecheler*

Babyloniensem militem. is nunc dicitur
85 uenturus peregre; eo nunc commenta est dolum:
peperisse simulat sese, ut me extrudat foras;
eum esse simulat militem puero patrem;
atque ut cum solo pergraecetur militi, 70
88ᵃ †eum isti suppositum puerum opus† pessumae.
mihi uerba retur dare se? án me censuit
90 celare se potesse, grauida si foret?
nam ego Lemno aduenio Athenas nudiustertius,
legatus quo hinc cum publico imperio fui. 75
sed haec quidem eiius Astaphium est ancillula;
cum ea quoque etiam mihi fuit commercium.

ASTAPHIVM DINIARCHVS ii

95 As. Ad fores auscultate atque adseruate aedis,
nequis aduentor grauior abaetat quam adueniat,
neu, qui manus attulerit sterilis intro ad nos,
grauidas foras exportet. noui ego hominum mores;
ita nunc adulescentes morati sunt: quinei aut 5
100 senei adueniunt ad scorta congerrones;
consulta sunt consilia: quando intro aduenerunt,

86 Reperisse *cod.* (R *pro* P) 87 *post* 88 *colloc. Dousa* 87
cum esse simulant *cod.*: *corr. Ital.* puerum *B* 88 peregre getur
cod. (G *pro* C) 88ᵃ Eo *Ital.* opinor *Dombart, cui* 'opus est illam
rem' (*Nonius* 482) *displicet* 89 *vel* sese ame *cod.* (? *pro* āme, *i.e.*
an me) 91 adueni *Geppert, Mikkelsen* (*Nord. Tidskr. Fil.* 1897, p. 97)
92 quo hinc *Bothe*: hinc quod *cod.* (*cf. ad Trin.* 628) 93 sed haec
quibus (B *pro* D) melius (*pro* -m eiius) est a. est a. *cod.*: *corr. Seyffert*
vel Astaphiumst 94 c. ea *Ital.*: c. ergo *cod.*: eam erga *Seyffert*
95-8 *adfert Priscianus de metr. Terent.* 18, *Plautum eodem metro*
usum esse dicens quo usus sit Terentius in Andria (iii. 2), *scilicet* 'tro-
chaico mixto vel confuso cum iambico' 95 adseruate *codd. Prisciani*:
adseruas *cod.* 96 nequi *Hermann* abeat *Pᶜᴰ, codd. Prisc.*
qua *B* 97 quis *codd. Prisc.* intero *Schoell* 98 exportet
codd. Prisc.: exortet *cod.* 100 seni (-nei) *Schneider*: senec *cod.*
101 consilio *codd.*: *corr. Camerarius*

oenus eorum aliqui osculum amicae usque oggerit, dum illi
                                                agant ceteri cleptae ;
sin uident quempiam se adseruare, obludiant qui custodem
                                                          oblectent
10 per ioculum et ludum ; de nostro saepe edunt : quod
                                                fartores faciunt.
fit pol hoc, et pars spectatorum scitis pol haec uos me hau 105
                                                            mentiri.
† ibi sibus † pugnae et uirtuti de praedonibu' praedam capere.
at ecastor nos rusum lepide referimu' gratiam furibu' nostris : 107-10
nam ipsi uident quom eorum agerimus bona atque etiam
                                                ultro ipsi aggerunt ad nos.
15   DI. me illis quidem haec uerberat uerbis,
                  nam ego húc bona mea degessi.
AS. commemini, iam pol ego eumpse ad nos, si domi erit,
                                                mecum adducam.
             DI. heus ! manedum, Astaphium, priu' quam abis.   115
       AS. qui reuocat ? DI. scies : respice huc. AS. quis est ?
20   DI. uobis qui multa bona ésse uolt. AS. dato,
             si esse uis. DI. faxo erunt. respice huc modo. AS.
                                                                oh !
             enicas me miseram, quisquis es.
                  DI. pessuma, mane.   120
                  AS. optume, odio es.

102 aliquis oculum *cod.* : *corr. Camerarius*   amicensque *cod.* (n
pro u) : *corr. Ital.*   s̄s̄ (*pro cancellis quibus verba modum versus excedentia
secludi solent* ; *cf. Rud.* 927) CETERI CLEPTAE *rubricator B proprio v.* :
om. (*tanquam scaenae tit.*) *P*CD   103 obludeant *cod.* : obludunt *Merula* :
adludiant (all.) *Mikkelsen* (*Nord. Tidskr. Fil.* 1897, p. 97), *fort. recte*
104 fartores] fectoř (*i. e.* fectorum) *B*   105 scistis *cod.*   poli ec uos
me aut *B*   106 ibi usibus *P*CD : ibist ibus *Camerarius* : *fort.* ius ibust
pugna *Buecheler*   107 *accedit A*   eccastor *A* : *om. P*   111 eorum cum
A   aggerimus *codd.*   atque] loqui *P* (*i.e.* atqui ?)   112 uerberant *A*
113 donea (*pro* -nāea, *i. e.* dona mea) decessi *P* (D *pro* B, C *pro* G)
114 ego *om. A*   *vel* eumpsum (eum ipsum *A* : um sum *P*)   ad
nos *om. P*   erat *P*   115 astaphius *P*   auis *P* (*i. e.* abis)
118, 119 io tenicas *P*   120 pessimam anel *P*   121 *vel* odio's :
odio es *codd. Prisciani* 2, 422 : odio esț *A* : odiosus es *P*

Diniarchusne illic est? atque is est. 25
Dɪ. salua sis. As. et tu.
Dɪ. fer contra manum et pariter gradere.
125 As. tuis seruio atque audiens sum imperiis.
Dɪ. quid agis? As. ualeo et ualidum teneo.
peregre quoniam aduenis, cenetur. 30
Dɪ. bene dicis benigneque uocas, Astaphiúm. As.
amabo,
sine me ire era quo iussit. Dɪ. eas. sed quid ais? As.
quid uis?
130 Dɪ. dic quó iter inceptas; quis est? quem arcessis? As.
Archilinem
opstetricem. Dɪ. mala tu femina es, oles únde es disciplinam.
manufesto mendaci, mala, teneo te. As. quid iam, amabo? 35
Dɪ. quia te adducturam huc dixeras eumpse, non eampse;
nunc mulier facta est iam ex uiro: mala es praestrigiatrix.
135 sed tandem eloquere, quis is homost, Astaphium? nouos
amator?
As. nimis otiosum te arbitror hominem esse. Dɪ. qui
arbitrare?
As. quia túo uestimento et cibó alienis rebus curas. 40

---

122 *vel* illic'st   122, 123 *fort. versus Eupolideus* isestis ad uas
lissi ituli *P* (ad *pro* al ; vi, p. 84)   *vel* sies (*colon Reizianum*)   124
fert *P*   125 tuis] tibi *P*   audies *P*   126 [tute] quid *P*
uade (*B*) *vel* uale (*P*ᶜᴅ) *P* (ad *pro* al ; *cf. ad v.* 123)   127 cenetur
scripsi : cena detur *A* : centur *P* : cena datur? *Spengel*   128 Benigne dicis astat eum ambo (*om.* ben. uoc.) *P* : benigne dicis bene
uocas *etc. Spengel, ut versus Reizianus fiat*   129 era *om. P*   As.
om. A   130 dic] istic *P*   qui es *P*   archinam *P* : *vel* Archy-
linem, *sed cf. K. Schmidt* (*Herm.* 37, 178)   131 meretricem *A* (*fort.
prava emendatio metri causa facta*) : tonstricem *Bergk, cui synaphia*
Archilinem óp ‖ stetrícem *non placet*   mala femina es soles unies
  i
(*pro* un es, *i. e.* unde es) d. *P* : mala tu femina es oles eam unde tu
es d. *A* (iv. 1 ?)   132 manifesta *P* : manifestam *Ital.*   te teneo
P   133 quate adducituram *P*   eum ipsum inonea ase (asae *B*)
P : *vel* eumpsum non eampsam (-se)   134 iam *om. P*   est (ē) pres-
tigiator *P*   135 loquere *P*   astaphi unous *P*   136 te
om. P   qui] quinam *P*

Dɪ. uos mihi dedistis otium.   As. qui, amabo?   Dɪ. ego
                                                       expedibo.

rem perdidi ápud uos, uos meum negotium apstulistis.

si rem seruassem, fuit ubi negotiosus essem.   140

As. an tu te Veneris publicum aut Amoris alia lege

45 habere posse postulas quin otiosus fias?

Dɪ. illa, haud ego, habuit publicum: peruorse interpre-
                                                       taris;

nam aduorsum legem meam ob meam scripturam pecudem
                                                       cepit.

As. plerique idem quod tu facis faciunt rei male gerentes: 145

ubi non est scripturam unde dent, incusant publicanos.

50 Dɪ. male uortit res pecuaria mihi apud uos: nunc uicissim

uolo habere aratiunculam pro copia hic apud uos.

As. non aruos hic, sed pascuost ager: si arationes

habituris, quí arari solent, ad pueros ire meliust.   150

hunc nos habemus publicum, illi alii sunt publicani.

55 Dɪ. utrosque pergnoui probé.   As. em istoc pol tu otiosu's,

quom et illíc et hic peruorsus es.   sed utriscum rem esse
                                                       mauis?

Dɪ. procaciores esti' uos, sed illí peiiuriosi;

illis perit quidquid datur neque ipsís apparet quicquam: 155

uos saltem si quid quaeritis, exbibitis et comestis.

60 postremo illi sunt inprobi, uos nequam et gloriosae.

As. male quae in nos ais, ea omnia tibi dicis, Diniarche,

138 otiosum *P*   qui] quid [iam] *P* (iv. 3)   139 apud uos uos
om. P   141 bene res *P* (*i. e.* Veneris)   142 posses *P*
q. tu otiosius (osius *B*) *P*   144 meam *Schoell ex Charisio* 140 (pecudem
fem. gen.): me *A* : amem *P* (ii. 7)   accipit *P*   145–77 *deest A*
145 Plerique *Camerarius* : Fierique *cod.*   gerentis *P*CD   148
copia hic *Camerarius* : copiae lic (copiae *P*CD) *cod.* (iii, p. 49)   149
pascus est agere si rationes *cod.* : *corr. Ital., Valla*   150 habituru's
Ital.   152 percognouit trobe *cod.* : *corr. Spengel* (probe *Merula*)
em *Geppert* : idem *cod.*   153 es *Ital.* : esse *cod.*   154 periuriores
Brix   156 etbibitis *cod.* (et *pro* ex; v, p. 85): *fort.* ebibitis (*cf. ad v.*
171)   157 nequam *Merula* : quam *cod.*   gloriosi *cod.* : *corr. Valla*
158 ais *scripsi* : illis (*pro* aiis?) *cod.* : uis *Leo*

et nostram et illorum uicem.   Dɪ. qui istuc ?   As. rationem
dicam :
160 quia qui alterum incusat probri, sumpse enitere oportet.
tu a nobis sapiens nihil habes ; nos nequam aps té habeamus.
Dɪ. o Ástaphium, haud istoc modo solita es me ante 65
appellare,
sed blande, quom illuc quod apud uos nunc est apud méd
haberem.
As. dum uiuit, hominem noueris : ubi mortuost, quiescat.
165 te dum uiuebas noueram.   Dɪ. an me mortuom arbitrare ?
As. qui potis [est], amabo, planius ? qui antehac amator
summus
habitu's[t], nunc ad amicam uenis querimoniam referre.   70
Dɪ. uostra hercle factum iniuria, quae properauistis olim :
rapere otiose oportuit, diu ut essem incolumis uobis.
170 As. amator similest oppidí hostilis.   Dɪ. quo argumento[st] ?
As. quam primum expugnari potis [est], tam id optumum
est amicae.
Dɪ. ego fateor, sed longe aliter est amicus atque amator :   75
certe hercle quam ueterrumus homini optumust amicus.
non hercle * occidi, sunt mi etiam fundi et aedes.

---

159 qui *Camerarius* : quia *cod.*   160 quia quia al. *cod.* : *corr.*
Ital.   sumpsit seniteri *cod.* : *corr. Bergk*   161 ted habemus
Abraham stud. Plaut. 238   162 Ostaphium P^{CD} est *cod.*
appellari *cod.*   163 biande *cod.*   habebam *Luebbert* (*cf.* 381)
164 quiescas *cod.* : *corr. Bothe*   165 noueram an me *Ital.* : no-
ueras siat me *cod.* : *fort.* n. satin (-ne)   166 *vel* potest (-ist)
167 habitus st (si *B* : est P^{CD}) istunc *cod.* : *corr. Spengel*   ueruis
(uerius P^{CD}) uerimonia *cod.* : *corr. Buecheler*   querimonias *Camerarius*   deferre *Ital.*   168 properauitis *cod.* : *corr. Camerarius*
170 -st *del. Ital.*   171 *vel* potest (-ist)   tam id *Spengel* : amit
(amat P^{CD}) *cod.*   amica et *cod.* : *corr. Ital.*   172 alter *Acidalius*
(*sed cf.* i, p. 29)   173 homini *Saracenus* : [am] omini *cod.* (*antici-
paverat scriba* amicus ; iv. 3), *unde* tam homini *Studemund*   optimus
cod.   174 *vix* hercule ⟨ego omnino⟩ *add. Brix*   occide *cod.*
(*pro* -dei ?) : *vix* occecidi   mihi *cod.*   etiamdum *Spengel*

As. qur, opsecro, ergo ante ostium pro ignoto alienoque 175
astas ?

⟨i⟩ intro, haúd alienus tu quidem es ; nam ecastor neminem
hodie

80 mage amat corde atque animo suo, si quidem habes fundum
atque aedis.

Dɪ. in melle sunt linguae sitae uostrae atque orationes,

facta atque corda in felle sunt sita atque acerbo aceto :

eo dícta lingua dulcia dati', corde amara facitis.   180

As. amantes si qui non danunt—non didici fabulari.

85 Dɪ. †amantis si cui quod dabo non est†—non didici fabulari. 181ᵃ

As. non istaec, mea benignitas, decuit te fabulari,

sed istós· qui cum geniis suis belligerant parcepromi.

Dɪ. mala es atque eadem quae soles inlecebra. As. ut
exspectatus

peregre aduenisti ! nam, opsecro, cupiebat te era uidere.   185

90 Dɪ. quid tandem ? As. te unum ex omnibus amat. Dɪ.
eúgae ! fundi et aedes,

per tempus subuenisti'. sed quid ais, Astaphium ? As.
quid uis ?

Dɪ. estne intus nunc Phronesiúm ? As. utut aliis, tibi
quidem intus.

Dɪ. ualetne ? As. immo edepol meliu' iam fore spero, ubi
te uidebit.

Dɪ. hoc nobis uitium maxumumst, quom amamus tum 190
perimus :

---

175 ego *cod.*   ignato *cod.*   176 i *add. Ital.*   es *Ital.* : esse *cod.*
178 *accedit* A   melie P   179 facta] fac P (*pro* faċ, *i. e.* facta)
belle P   aceruo P (*i. e.* -bo)   180 Linguis (*om.* eo) dicta dulcia
d. c. amare factis P   181 *om.* A   Amantis si quit (*i. e.* quid)
non danunt non didici fabulare P (*cf. ad Mil.* 371)   181ᵃ *om.* P
(*cf. ad Merc.* 319)   182 docuit P   183 parcepromis (*corr.*
-os) A   184 inlecebru P (u *pro* a)   185 nam] quam *Seyffert*
186 en omenibus addit A   funde P (*pro* -dei ?)   187 sub.
[mihi] P (iv. 2)   [ut] quid u. P   188 estine A   utut aliis
om. P   *fort.* intust A   189 eam A   credo fore P (*pro* fore
credo ?)   te ubi uideret A (R *pro* B)

si illud quod uolumus dicitur, palam quom mentiuntur,   95
uerum esse insciti credimus, †ne uias utamur† ira.
As. heia! haud itast res. Dɪ. ain tu eam me amare? As.
                                   immo unice unum.
Dɪ. peperisse audiui. As. ah, opsecro, tace, Diniarche!
                                      Dɪ. quid iam?
195 As. horresco misera, mentio quotiens fit partionis,
ita paene nulla tibi fuit Phronesium. í intro, amabo,   100
uisse illam. atque opperimino : iam exibit ; nam lauabat.
Dɪ. quid ais tu? quae numquam fuit praegnas qui parere
                                        potuit?
nam équidem illi uterum, quod sciam, numquam extumere
                                        sensi.
200 As. celabat metuebatque te, ne tu sibi persuaderes
ut abortioni operam daret puerumque ut enicaret.   105
Dɪ. tum pol istic est puero pater Babyloniensis miles,
quoius nunc ista aduentum expetit. As. immo ab eo ut
                                      nuntiatumst,
iam hic adfuturum aiunt eum. nondum aduenisse miror.
205 Dɪ. ibo igitur intro? As. quippini? tam audacter quam
                                    domum ad te ;
nam tu quidem edepol noster es etiamnunc, Diniarche.   110
Dɪ. quam mox te huc recipis? As. iam hic ero: propest
                                    profecta quo sum.

aestu

   192 ne uti nestu mutua mur *P* (*pro* mutuamur ? v. 3) : ne ut iusta
utamur *Bugge, Buecheler*   193 anin tume amaret *P* (*om.* eam ;
cf. v. 194)   194 [eam] audiui *P* (*cf. v.* 193)   iam] eam *P*
195 Horrisco misera sentio *P*   quotiens] quod diis *P* : quod *codd.*
Nonii 218 : *vix* quot dies   196 nulla *om. P*   sibi *A*   i *om. P*
197 atqui *Seyffert*   opperimino] operire ibi *P*   exiuit nam laua-
bit *P*   198 tu] li *P*   199 *vel* illic   ut. illi *P*   scias *P* (*cf.*
Amer. Journ. Phil. 17, 444)   200 te ne tu] teu (te *P*CD) aut *P*
201 ut] lit *P* (li *pro* u)   202 i. puero quid est (*i. e.* quidemst) p.
P   203 expetiti *P*   nuntatust *P*   204 moror *P*   205
tam] quam *P*   206 quidem *om. P*   es etiam] set iam *P*   207
huc *om. P*   recepisti *P*

32*

Dɪ. redi uéro actutum.   ego interim hic apud uos opperibor. —

ACTVS II

II. i   Aꜱᴛᴀᴘʜɪᴠᴍ

Hahahae ! requieui,
    quia intro abît odium meum.   210
        tandem sola sum.   nunc quidem meo arbitratu
        loquar libere quae uolam et quae lubebit.
5 huic homini amanti mea era apud nos naeniam dixit [de]
                                                    bonis,
    nam fundi et aedes obligatae sunt ob Amoris praedium.
    uerum apud hunc mea era sua consilia summa eloquitur 215
                                                    libere,
    magi'que adeo ei consiliarius hic amicust quam auxiliarius.
        dum fuit, dedit ; nunc nihil habet : quod habebat nos
                                                    habemus,
10 iste id habet quod nos habuimus.   humanum facinus
                                                    factumst.
    actutum fortunae solent mutari, uaria uitast :
    nos diuitem istum meminimús atque iste pauperes nos : 220
    uorterunt sese memoriae ; stultus sit qui id miretur.
        si eget, necessest nos patí : amauit, aequom ei factum est.

---

208 rede *P* (*pro* -dei ?)   hic] te *P*   apperibor *P*   209 hahahae
requieui *Camerarius* : ha requieui *A* : ha ha ha ercle quieui *P*   210
auit *B* (iuit *P*ᶜᴰ) *P* (*i. e.* abit)   meum *om. P*   212 iubebit *P*
(*pro* lub-) : licebit *A*   213 hominem *P*   me era *P* (*pro* meaera,
i. e. mea era)   homini aput nos mea era amanti nneiam *A*   bonis
Spengel : de bonis *codd.* (*sed* naéniam díxit *displicet*) : domi *cod. Festi*
p. 161 (*s. v.* naenia)   214 fundi et] fundit *P*   moris prandium
P   215 sua *om. P*   216 *vel* mageque   ei *om. A*   quam]
qui *B* : quod *P*ᶜᴰ (*pro* quam *per compend. script.*)   218 istinc id
P (*conflat. ex* istic, *vel* ist' nunc, *et* iste id ?)   219 mutauit *P* (*pro*
mutā, *i. e.* mutari ?)   220 istum] eum *P*   isti *P*   221 memoria est (memoriast *P*ᶜᴰ) uitus sit quid ita miretur *P*   222 ei]
me *P*

piaculumst miserere nos hominum rei male gerentum.   15
  bonis ésse oportet dentibus lenam probam, ad-
225 -ridere ut quisquis ueniat blandeque adloqui,
  male corde consultare, bene lingua loqui.
  meretricem similem sentis esse condecet,
quemquem hominem attigerit, profecto ei aut malum aut 20
  damnum dari.
numquam amatoris meretricem oportet caussam noscere,
230 quin, ubi nil det, pro infrequente eum míttat militia
  domum.
neque umquam erit probu' quisquam amator nisi qui rei
  inimicust suae.
dum hábeat, túm amet; ubi nil habeat, alium quaestum
  coepiat.
aequó animo, ipse si nil habeat, aliis quí habent det locum. 25
nugae sunt nisi quoi, modo quom dederit, dare iam lubeat
  denuo;
235 is amatur hic apud nos, qui quod dedit id oblitust datum.
probus est amator, qui relictis rebus rem perdit suam.
at nos male agere praedicant uiri solere secum
nosque esse auaras. qui sumus? quid est quód male agimus 30
  tandem?
nam ecastor numquam sati' dedit suae quísquam amicae
  amator,

---

223 misereri *codd.* 224-7 *metrica dispositio in A haec est,*
Bonis—probam (*iamb. senar.*), Adridere—consultare (*iamb. senar. cum
iamb. clausula ut vid.*), Bene—addecet (*troch. septenar.*) 224
probram *P* 225 adripere *Buecheler, qui systema iambicum non
agnoscit* ut *om. P* quisque *A* (*i. e.* quisq'?) 226 consultari
P loqui lingua *P* 227 esse similem sentis c. *P*: sentis
similem esse addecet *A* 228 attingerit *P* ei *om. P* dare
Bothe et fort. A 230 cum mittas *P* 231 quisquam probus
erit *P* 232, 233 *post* 235 *P* 232 dum am. *Lambinus* habet *A*
233 *vix troch. septenar.* dent *P* 234 quoi modo (?) *Schoell :*
qui modo *A* : quodo modo (quod amodo *P*CD) *P* díberit *A*
iubeat *P* 235 quid quod edit iobi (iob *P*CD) atus d. *P* 238
qui si mumquam alenos *P, pro* qui simus (*i. e.* sumus) qui (*vel* quid *vel*
quae, *vix* quia *antiqua forma neut. plur.*) male nos 239 dedit
amicaē (*sic, nota corruptelae*?) quisqui amattor suae *A*

neque pol nos satis accepimus neque umquam úlla sati' 240
                                    poposcit.
            nam quando sterilis est amator ab datis,
            si negat se habere quod det, soli credimus,
35   nec satis accipimus, sati' quom quod det non habet :
            semper datores nouos oportet quaerere,
            qui de thensauris integris demus danunt.   245
            uelut hic agrestis est adulescens qui hic habet,
            nimi' pol mortalis lepidus nimi'que probu' dator.
40   sed is clam patrem etiam hac nocte illa per hortum
        transiluit ad nos. eum uolo conuenire.
            sed est huic unus seruos uiolentissumus,   250
        qui ubi quamque nostrarum uidet prope hasce aédis ad-
                                    grediri,
        item ut de frumento anseres, clamore apsterret, abigit ;
45 ita est agrestis.   sed fores, quidquid est futurum, feriam.
        ecquis huic tutelam ianuae gerit? ecquis intus exit?
                                                    254-5

ii   T R V C V L E N T V S   A S T A P H I V M

    Tr. Quis illic est qui tam proterue nostras aedis arietat?
    As. ego sum, respice ad me.   Tr. quid 'ego'? ⟨As.⟩
                                    nonne 'ego' uideor tibi?
    Tr. quid tibi ad hasce accessio aedis est prope aut
                                    pultatio?

240 nos *om. P*   umquam *om. P*   242 det] et *P*   credimus
om. P   245 quin *P*CD : *om. A*   demum occerunt *A* (*vel* ogge-
runt)   246-50 *quattuor troch. septenarios exhibet A,* Velut—rusticus
Nimis—patrem Etiam—uolo Conuenire—uiolentissimus   246 Vi
ut *P*   habit *P* (*pro* -et)   hic est adulescens qui habitant (*pro* -tat)
hic agrestis rusticus *A*   247 pol *om. A*   datur *P* : amator *A*
(*contra metrum*)   248 pater *P*   noctem *P*   249 transiliuit *P* :
transit *A* (*i. e.* transiit): *corr. Bergk*   250 hic *P*   251 hasce *om. A*
aedis hac si adgredias *P*   hasce aedis *Schoell post Merulam*   ad-
gredier *Bergk*   252 ut de] uide *P*   253 ita est] is item est *P*
257 respic *A*   n. u. (*om.* ego) *A*   [te] tibi *P* (iv. 3)   258
ab *P*   ac. est aedis p. aut pultatiost *P*

As. salue. Tr. sat mihi est túae salutis. nil moror. non
                                                    salueo.
260 aegrotare malim quam esse tua salute sanior.   5
sed uolo scire, quid debetur hic tibi nostrae domi?
As. comprime sis eiram. Tr. eam quidem hercle tu, quae
                                                    solita's, comprime,
inpudens, quae per ridiculum rustico suades stuprum.
As. 'eiram' dixi: ut excepisti, dempsisti unam litteram.
265 nimi' quidem hic truculentust. Tr. pergin male loqui, 10
                                                    mulier, mihi?
As. quid tibi ego male dico? Tr. quia enim me tru[n]-
                                                    cu[m]lentum nominas.
nunc adeo, nisi abis actutum aut dicis quid quaeras cito,
iam hercle ego hic te, mulier, quasi sus catulos pedibus
                                                    proteram.
As. rus merum hoc quidemst. Tr. pudendumst uero
                                                    clurinum pecus.
270 aduenisti huc te ostentatum cum exornatis ossibus,   15
quia tibi suaso infecisti propudiosa pallulam?
an eo bella es, quia accepisti tibi armíllas aeneas?
As. nunc places, quom mi inclementer dicis. Tr. quid
                                                    hoc quod te rogo?

---

259 sat salueo *A* : non salueo? (*interrogative*) *edd.* (*sed cf. Sacerdos*
433 *et* 490 *K.*)   260 egrotarem aliquam *P*   esse tua *Ital.* : isse tua
A : essem suam *P*   261 sed] at *P*   in nostra domo *A*   262
comprime spero *P* : reprime sis iram *Sacerdos* 453 *et* 461 *K.*   meam *P*
comprimas *P*   263 inprudens per rid. ut (*pro* ut p. r.) rustico
suadet st. *P*   264 sut decepisti d. u. l. *A* : ut esse cepisti sidem
sistun alteram *P* : *correxi dubitanter* : 'i' tu excepisti *Buecheler*   265
hic quidem truculentus *P*   mihi [es] *P* (ii. 4)   266 ego [aut]
medico *P* (v. 1)   *vide ne versus iambicus sit* (tibi ego), *nam ioco
huic personae tam apto* (*cf. ad v.* 674) *aegre careo* (*sed cf.* i. 8)   truculentum nomines *P*   267 aut] ac *P*   dicas quem *A*   scito *P*
268 mulier *post* catulos *A fort. recte*   269 pudendum et *P*   270
h. sistentatum ex. *P*   271 insuaso ('quidam legunt') *Festus* 302 :
resuasu *P*   paliuiam *P*   272 est *P*   qui accepistibi (*vel* quia clepis
                                e
tibi) armilias aneas *et in margine* aeneas *A* : quiaccepisti arme (arma
*P*CD) aduenias *P* (*pro* aduenas?)   273 cum me illi uel in (*pro*
me incle; v. 1) mentiri d. *P*   hoc *om. P*

mancupion qui accipias, gestas tecum ahenos anulos?

20 pignus da ni ligneae haec sint quas habes Victorias.   275

As. ne attigas me. Tr. egon te tangam? íta me amabit

                             sarculum,

ut ego me ruri amplexari mauelim patulam bouem

cumque ea noctem in stramentis pernoctare perpetim

quam tuas centum cenatas noctes mihi dono dari.

25 rus tu mi opprobras? ut nancta es hominem quem pudeat 280

                             probri!

sed quid apud nostras negoti, mulier, est aedis tibi?

quid tu hoc occursas, in urbem quotiensquomque ad-

                            uenimus?

As. mulieres uolo conuenire uostras. Tr. quas tu mulieres

mihi narras, ubi musca nulla feminast in aedibus?

30 As. nullan istic mulier habitat? Tr. rus, inquam, abie- 285

                          runt. abi.

As. quid clamas, insane? Tr. abire hinc ni properas

                          grandi gradu,

iam hercle ego istós fictos, compositos, crispos cincinnos tuos,

unguentatos usque ex cerebro exuellam. As. quanam

                          gratia?

Tr. quia ad fores nostras unguentis uncta es ausa accedere

35 quiaque bucculas tam belle purpurissatas habes.   290

274 mancupium *P*   gesta *P*   henos anuos *P*   275 dignus
dant lauinie (-iae) *P*   hae sint *A* : hic sunt *P*   276 attinga(s) *A* :
atticas *P*   (eg\o(nt)ę *A* : *om. P*   277 me ruriam exarma ueum
patulum uoueri *P*   278 ea] ita *P (pro* illa?)   perpetim totam *A*
(iv. 2)   279 dari] patri *P* (*P pro* D)   280 rustum iodbras *P* (D
pro pro *per compend. scripto*)   es *Ital.* : est *A* : esse *P*   281
apud] ad *A*   282 occurras *P*   283 conuenire uolo *P*   285
nullam (-an?) istinc m. *P* : nullan m. istic *A*   abierunt inquam *A*
pabi *P*   286 propera *P*   gras *P* (*pro* grā, *i. e.* gradu; *cf. Amer.
Journ. Phil.* 17, 443)   287 hercle *om. P*   istoc *P* (*vix pro*
istosc)   288 uniuentatos *P*   expellam *P*   gratias *P*CD : grat
B (*pro* gratia *per compend. scripto*)   289 ad[eo] foras *P* (iv. 3)
unguant iuncta esse audes (*conflat. ex* es ausa *et* audes?) *P*   290
bucculas] istas buccas *P*   purporis satis habeost *P*

As. erubui mecastor misera propter clamorem tuom.

Tr. itane? erubuisti? quasi uero corpori reliqueris

tuo potestatem coloris ulli capiendi, mala!

buccas rubrica, creta omne corpus intinxti tibi.

295 pessumae estis. As. quid est quod uobis pessumae haec 40

malefecerint?

Tr. scio ego plus quam tu arbitrare scire me. As. quid

id opsecrost

quod scias? Tr. erilis noster filius apud uos Strabax

ut pereat, ut eum inliciatis in malam fraudem et probrum.

As. sanus si uideare, dicam: ' dicis contumeliam.'

300 nemo homo hic solet perire apud nos : res perdunt suas ; 45

ubi res perdidere, abire hinc si uolunt saluis licet.

ego istunc non noui adulescentem uostrum. Tr. ueron

serio?

quid maceria illa ait in horto quae est, quae in noctes sin-

gulas

latere fit minor, qua isto ad uos damni permensust uiam?

305 As. nihil mirum (uetus est maceria) lateres si ueteres ruont. 50

Tr. ain tu uero ueteres lateres ruere? numquam edepol

mihi

quisquam homo mortalis posthac duarum rerum creduit,

ní ego ero maiori uostra facta denarrauero.

---

294 rubrice ceta P   rubrĭca Leo, cui rūbr- displicet   intinxti
Scaliger: intinxit P: inteai A (pro intexti ?)   295 malefecerint]
ma ceteris omissis P (ii. 5)   296 quam me arbitrarier scire. quid id
est obsecro P   297 heriis P (pro heriiis ; I pro L)   uostram
pax P   298 pereat ut] per ex tut P (X pro A)   iniciatis P
probrum] praemium P (vii, p. 104)   300 n. hominem hec perire
solet P   301 ubi perdiderunt res P (sed -ĕrunt, nisi in fine, displicet)   abiere A   saluis] ut uis P (u pro a)   302 e. nunc
noui (om. non) P   serion P (vix recte)   303 Qui in m. P (i. 4)
aut P (corr. C)   304 vel lateri (antiqua forma)   isto ad Seyffert:
is hoc ad codd. Prisciani 1, 189: isti P: is aput A   damnis A
permensus tuam P   305 Non m. P   etus A   macere P   306
Ain (i. e. Aïn) tu male (pro mala ?) lateres ueteres P   ruere Prisc.:
rure A: uere P   307 tomo P   postquam A   dinarum(?) Leo
308 niesse (pro nise, i. e. nisi) ego uestra ero amari P (vii, p. 104)

As. estne item uiolentus ut tu ? Tr. non enim illé mere-
                                  triculis
55 moenerandis rem coegit, uerum parsimonia   310
duritiaque : quae nunc ad uos clam exportantur, pessumae ;
ea uos estis, exunguimini, ebibitis.   egone haec mussitem ?
iam quidem hercle ibo ad forum atque haec facta narrabo
                                  seni ;
neque istuc insegesti tergo coget examen mali.—
60 As. si ecastor hic homo sinapi uictitet, non censeam   315
tam esse tristem posse.   at pol ero beneuolens uisust suo.
uerum ego illúm, quamquam uiolentust, spero immutari potis
blandimentis, hortamentis, ceteris meretriciis ;
uidi equidem †exinem intu domitot fieri atque alias beluas.
65 nunc ad eram reuidebo. ⟨sed⟩ eccum ódium progreditur 320
                                  meum.
tristis exit.   hau conuenit etiam hic dum Phronesium.

iii   D i n i a r c h v s   A s t a p h i v m

Di. Piscis ego credo, qui usque dum uiuont lauant,
minu' díu lauare quam haec lauat Phronesium.
si proinde amentur, mulieres diu quam lauant,
omnes amantes balneatores sient.   325

309 item] ille *P*   ut tu] suum *P* (*pro* uuú ?)   *vel* ill'   310
moniendis (*pro* moeniendis) rem cogi u. parsimonie *P*   311
durieque quae nunc duo sciam exportatur pessumum *P* (*pro* pessuṁ ?)
312 em tuos (*om.* estis) *P* (M *pro* A)   ex ungula male (*pro* exun-
guiṁe ; *cf. ad v.* 266) uiuitis *P*   hic *P*   313 Iam enim exercere
ibi f. *P*   314 exanimen *P* (v. 8)   316 uisust suo] ut is est suos *P*
317 uiolentum est (*pro* -tust) *A*   pero *P*   potest *codd.*   318 ornamentis *P* : oramentis *Meursius*   meretrices *P*   319–52 *deest A*
319 intum *P*CD   equom ex indomito domitum *Merula, Weise* : equidem elephantem Indum domitum *Schoell* : *fort.* equidem lyncem Indum
domitum uelbas *B*   320 reuibebo *cod.* (*corr. C*) (B *pro* D)
sed eccum *Camerarius* : et cum *cod.*   321 haud conuenit *Camerarius, Gulielmius* : ad conuenire *cod.* (*pro* had conueñ)   dum *Ital.* :
bum *cod.* (B *pro* D)   322 qui *codd. Varronis de L. L.* 9, 105 : quit
cod.   323 diu minus *codd. Varronis*   lauere *cod.* (*corr. C*) :
lauari *testatur Varro* (' Plauti aut librarii mendum ')   324 iuuant
cod. (I *pro* l, u *pro* a)   325 amatores *P*CD (i. 10)

As. non quis parumper durare opperirier?   5

Di. quin hercle lassus iam sum durando miser:

mihi quoque prae lassitudine opus est ⟨ut⟩ lauem.

sed opsecro hercle, Astaphium, ⟨i⟩ intro ac nuntia

330   me adesse, ut properet suade, iam ut sati' lauerit.

As. licet. Di. audin etiam? As. quid uis? Di. di 10

                           me perduint

qui te reuocaui! non tibi dicebam 'i' modo?

As. quid iam reuocabas, inprobe nihilique homo?

tute tibi mille passum peperisti morae.—

335   Di. sed quid haec hic autem tam diu ante aedis stetit?

nescioquem praestolata est; credo, militem.   15

illum student iam; quasi uolturii triduo

priu' praediuinant quo die essuri sient:

illum inhiant omnes, illi est animus omnibus;

340   me nemo magi' respiciet, ubi is huc uenerit,

quasi abhinc ducentos annos fuerim mortuos.   20

ut rem seruare suaue est! uae misero mihi!

post factum flector, qui antepartum perdidi.

uerum nunc si qua mi optigerit hereditas

345   magna atque luculenta, nunc postquam scio

dulce atque amarum quid sit ex pecunia,   25

ita ego illam edepol seruem itaque parce uictitem,

ut—nulla faxim cis dies paucos siet;

---

326 durari *cod.*   328 ut lauem *Camerarius*: laue *cod.*   329
i *add. Ital.*   330 ut *Kiessling*: tui *cod.*   suade *Camerarius*:
suaue *cod.*   333 quidiam [me] *B*: quidnam *Leo*   improbu's
Leo, cui nihili *trisyll. displicet*   334 tute *Leo*: que *cod.*   peperisti *Spengel*: peperit *cod.*   moram *Spengel*   336 praestolata est *Ital.*: presto [ita] lata est *cod.* (iv. 3)   337 uolturii triduo *Ital.*: uolturi heri duo (*P*CD) *vel* uolo turiceri duo (*B*) *cod.*
338 de quoio *Bergk*   euri *cod.* (*pro* ēuri, *i. e.* esuri)   340 nemo
Pylades: nimo *cod.* (nimio *P*CD)   *vel* mage   is *Ital.*: is ē (*vel* est)
cod. (iv. 3?): iste *Camerarius*   341 abhinc *Fleckeisen*: hinc *cod.*
342 ut rem seruare *Studemund*: utrum seruire (seure *B*) *cod.*: ut
rem inseruire *Seyffert*   suaue *Camerarius*: salue *cod.*   uae
Merula: ueue *cod.*   343 qui *Bothe*: quia *cod.*

ego istós qui nunc me culpant confutauerim.
sed aestuosas sentio aperiri fores,   350
30   quae opsorbent quidquid uenit intra pessulos.

iv   PHRONESIVM   DINIARCHVS

PH. Num tibi nam, amabo, ianua est mordax mea,
quo intro ire metuas, mea uoluptas? DI. uer uide:
ut tota floret, ut olet, ut nitide nitet!
PH. quid tam inficetu's Lemno adueniens qui tuae   355
5 non des amicae, Diniarche, sauium?
DI. uah! uapulo hercle ego nunc, atque adeo male.
PH. quo te auortisti? DI. salua sis, Phronesium.
PH. salue.   hicine hodie cenas, saluos quom aduenis?
DI. promisi. PH. ubi cenabis? DI. ubi tu iusseris.   360
10 PH. hic me lubente facies. DI. edepol me magis.
nemp' tú eris hodie mecum, mea Phronesium?
PH. uelim, si fieri possit. DI. cedo soleas mihi,
properate, auferte mensam. PH. amabo, sanun es?
DI. non edepol bibere possum iam, ita animo malest.   365
15 PH. mane, aliquid fiet, né abi. DI. ah! áspersisti aquam.
iam rediit animus. deme soleas, cedo bibam.
PH. idem es mecastor qui soles. sed dic mihi,
benene ambulatumst? DI. huc quidem hercle ad te bene,
quia túi uidendi copia est. PH. complectere.   370

349 confutauerunt *cod.* (*pro* -ueī, *i. e.* -uerum): *corr. Camerarius*
350 aestuosas *Bothe*: est uos ad *cod.*   351 infra *cod.* (*corr. D¹*)
353 *accedit A*   uoluntas *P*   354 olet ut] ole lui *P*   355 qui tam
P (*pro* quittam)   facetus *A*   qui tuae] quid (*pro* quit) ue *P*   356
dini archis auiuum *P*   357 hercule *A*   358 auortistis *P*   sim *P*
359 cenas hodie *A*   360 cenas *A* : cenabist *P*   luseris *P* (1 *pro* i)
361 iubente *B et fort. A*   362 promestum *P*   363 uellem *A*
posset *A*   credo *P*   mihi] puer *A, fort. recte, nam* puer *voc. casu*
in fine versus non displicet   366 fiet ne] fine *P* (? *pro* fi, *i. e.* fiet, ne)
ah] ab *P*   367 uiuam *P*   368 ecastor *P*   dicat *P*   369
ambulasti *P*   ad te bene] attibent *P*   370 quam *P* (*cf. ad* 488)
tu *A*   uidendum est copia *P*   *vel* copiast

Dɪ. lubens.   heia! hoc est melle dulci dulcius.   20

hoc tuis fortunis, Iuppiter, praestant meae.

Pʜ. dan sauium?   Dɪ. immo uel decem.   Pʜ. ém istoc

pauper es :

plus pollicere quám ego | aps te postulo.

375 Dɪ. utinam ítem a principio rei repersisses meae

ut nunc repercis sauiis.   Pʜ. si quid tibi   25

compendi facere possim, factum edepol uelim.

Dɪ. iam lauta es?   Pʜ. iam pol mihi quidem atque oculis

meis.

num tibi sordere uideor?   Dɪ. non pol mihi quidem ;

380 uerum tempestas quondam, dum uixi, fuit

quom inter nos sordebamus alter de altero.   30

sed quod ego facinus audiui adueniens tuom

quod tu hic me apsente noui negoti gesseris ?

Pʜ. quid id est?   Dɪ. primumdum, quom tu es aucta liberis

385 quomque bene prouenisti salua, gaudeo.

Pʜ. concedite hinc uos intro atque operite ostium.   35

tu nunc superstes solus sermoni meo es.

tibi mea consilia semper summa credidi.

equidem neque peperi puerum neque praegnas fui ;

390 uerum adsimulaui me esse praegnatem : hau nego.

371 heia Dɪ. hoc *A* : ad hoc *P* (*i. e.* at hoc)   me illi *F* (? *pro* melli)
373 dant *P* : da *A* : *corr. Camerarius*   [ut] em *P*   es] esse *P*
(*cf.* 280, 289, 378)   374 q. abs te posco au (aut *A²* *ut vid.*) postulo *A*,
sed abs te posco *vix Plautinum*   *fort.* plus polliceri (-rei) quam ego
posco hau te postulo (*vel* quam te posco hau postulo)   375 utinam
a principio rei item *P*   parsissi *P* (*pro* -es) : pepercisses *A* (*vix
Plautinum*)   377 factam *P* (a *pro* u)   378 iam lauta es
Pʜ. lauta   Dɪ. mihi *A* (*pro* Pʜ. lauta mihi, *nisi quidem alt.* lauta
glossema est) : iam iauiaisse iam pol' mihi *P*   379 sorbere *A* (B
pro D)   380 t. memini quondam f. *P* (*pro* t. q. dum m. f.?)
uiuixi *A* (*pro* uixi)   381 sorderemus (*fort. recte*) alteri *P* (*pro* alter
alteri)   382 quid *P*   383 hic me absente *Lambinus* : me
hic absente *A* : hic absente me *P*   negotiis *P*   384 *om. P* (iii.
11)   385 preuenisti *P* (e *pro* o)   gratulor *A*   386, 387
om. P   386 operit *cod.*   388 summas semper crebri *P*
389 pregnam *P*   390 adsimulasse *A*   meis se *P*   ego *P*
deficit A

40 Di. quem propter, o mea uita? Ph. propter militem
    Babyloniensem, qui quasi uxorem sibi
    me habebat annum dum hic fuit. Di. ego senseram.
    sed quid istuc? quoi rei te adsimulare retulit?
    Ph. ut esset aliquis laqueus et redimiculum,   395
45 reuorsionem ut ad me faceret denuo.
    nunc huc remisit nuper ad me epistulam
    sese experturum quanti sese penderem:
    si quod peperissem id ⟨non⟩ necarem ac tollerem,
    bona sua me habiturum omnia [esse]. Di. ausculto lubens. 400
50 quid denique agitis? Ph. mater ancillas iubet,
    quoniam iam decumus mensis aduentat prope,
    aliam aliorsum ire, praemandare et quaerere
    puerum aut puellam qui supponatur mihi.
    quid multa uerba faciam? tonstricem Suram   405
55 nouisti nostram? Di. quaen erga aedem sese habet?
    noui. Ph. haec †ut opera† circumit per familias,
    puerum uestigat; clanculum ad me detulit,
    datum sibi esse dixit. Di. o mercis malae!
    eum núnc non illa peperit quae peperit prior,   410
60 sed tu posterior. Ph. ordine omnem rem tenes.
    nunc ut praemisit nuntium miles mihi,
    non multo post hic aderit. Di. nunc tu te interim

---

391 quem *Bugge*: que *cod.*   393 anno *Lipsius*: anno [um]
cod.   394 te *Ital.*: tem *cod.* (vii. 4)   395 aliquis la-
queus *Camerarius*: aliqui si aqueust *cod.* (aquae usque est *P*CD,
unde laqueusque *Seyffert*)   398 penderem *Ital.*: perderem *cod.*
399 id non necarem *Schoell*: ide carem *cod.* at *P*CD   400 sua
Camerarius: sum *cod.* (M *pro* A)   *vel* med   esse *del. Camerarius*,
nam habituram esse *minus placet*   402 iam *P*CD: non *B* (*pro*
nunc?)   403 alia maiorsum *cod.* (*pro* maiiorsum): *corr. Ital.*
404 quisupponantur *corr.* quis opponantur *ut vid. cod.*: *corr. Aci-*
dalius   405 qui *cod.*   406 nouisti *Ital.*: nouisi *cod.*   quem
cod.: *corr. Spengel*: quae *Ital.*, *qui* quae ... habet *Phronesio* (*cum*
cod.) *continuant*   mercede sese alit *Bugge*: mercedem sese
habet *Leo*   407 data opera *Koch*: *vix* topper   409 malas
Seyffert   410 prior *Merula*: patior *cod.*   413 non] haud
Kellerhoff, secundum morem Plautinum   hec *cod.*

quasi pro puerpera hic procuras? PH. quippini,
415 ubi sine labore res geri pulchre potest?
ad suom quemque aequom est esse quaestum callidum.   65
DI. quid me futurumst quando miles uenerit?
relictusne aps te uiuam? PH. ubi illud quod uolo
habebo ab illo, facile inuenio quo modo
420 diuortium et discordiam inter nos parem :
postid ego tecum, mea uoluptas, usque ero   70
adsiduo. DI. immo hercle uero accubuo mauelim.
PH. dis hodie sacruficare pro puero uolo,
quinto die quod fieri oportet. DI. censeo.
425 PH. non audes aliquid dare mihi munusculum?
DI. lucrum hercle uideor facere mihi, uoluptas mea,   75
ubi quippiam me poscis. PH. at ego, ubi apstuli.
DI. iam faxo hic aderit. seruolum huc mittam meum.
PH. sic facito. DI. quidquid attulerit, boni cónsulas.
430 PH. ecastor munus te curaturum scio,
ut quoius me non paeniteat mittatur mihi.   80
DI. num quippiam aliud me uis? PH. ut quando otium
tibi sit ad me reuisas, tu ualeas.—DI. uale.

pro di inmortales! non amantis mulieris,
435 sed sociai unanimantis, fidentis fuit
officium facere quod modo haec fecit mihi,   85

414 puerpera *Ital.*: puera *cod.* procurast *cod.* 415 pulcri *cod.*
416 sum *cod.* quaestum esse *cod.* : *trai. Acidalius* : quaesitum e. *Fay*
419 inueniam *P*CD 421 tecum *Bothe* : [totum] tecum *cod.* (iv. 3)
uoluntas *cod.* 423 dis *Spengel* : [quin] his *ɔd.* (iv, p. 62) *se-*
cuntur quasi novus versus Adsido immo hercl‿ uero (*v.* 422) (iv. 3)
424 fieri oportet *Ital.* : fieri optet *cod.* 425 aliquid (*B*) *vel* aliquod
(*P*CD) *cod.* mihi dare *cod.* : *trai. Camerarius, nam* darē *ne in hoc*
quidem versus loco placet (ii. 4) munusciuilim *cod.* (*pro* munusculum
corr. -li?) 426 facerem mihi uoluntas me[hi]ea (meheia *P*CD)
cod. (iv. 3) 427 posces *cod.* (*i. e.* -is?) abstulit *cod.* 429
sit *B* attulerit *Brix* : ait uierit *cod.* boni *Ital.* : bona *cod.* 431
mittatur *Buecheler* : mitta (*pro* mittā, *i. e.* mittatur?) *cod.* (mitte *P*CD) :
mittas *Camerarius* 432 me uis alium *cod.* : *corr. Geppert* 433
tu *Camerarius* : t *cod.* (*seq.* u) : et *Geppert* : i *Seyffert, fort. recte*
436 ficit *cod.* (facit *P*CD)

suppositionem pueri quae mihi credidit,
germanae quod sorori non credit soror.
ostendit sese iam mihi medullitus :
se mi infidelem numquam, dum uiuat, fore.   440
90 egone illam ut non amem ? egone illi ut non bene uelim ?
me potius non amabo quam huic desit amor.
ego istí non munus mittam ? ímmo ex hoc loco
iubebo ad istam quinque perferri minas,
praeterea | opsonari dumtaxat mina.   445
95 multo illi potius bene erit quae bene uolt mihi
quam mihimet, omnia qui mihi facio mala.—

v   P H R O N E S I V M

             Puero isti date mammam. ut miserae
matres sollicitaeque ex animo sunt cruciantque !   449-50
edepol commentum male, quomque eam rem in corde agito,
nimio—minu' perhibemur malae quam sumus ingenio.
5   ego prima de me, domo docta, dico.
         quanta est cura in animo, quantum corde capio   454-5
         dolorem—dolus ne occidat morte pueri :
         mater dicta quod sum, eo magis studeo uitae ;
         quae | hunc ausa sum, tantundem dólum adgrédiar.
10   lucri caussa auara probrum sum exsecuta,
         alienos dolores mihi supposiui.   460

nullam rem oportet dolose adgrediri
nisi astute accurateque exsequare.
uosmet iam uidetís ut ornata incedo :
puerperio ego nunc med esse aegram adsimulo.   15
465 male quod mulier facere incepit, nisi ⟨id⟩ ecficere perpetrat,
id illi morbo, id illi seniost, ea illi miserae miseriast ;
bene si facere incepit, eius rei nimi' cito odium percipit.
nimi' quam paucae sunt defessae male quae facere occeperunt,
nimi'que paucae ecficiunt si quid facere occeperunt bene :   20
470 mulieri nimio male facere melius onus est quam bene.
ego quod mala sum, matris opera mala sum et meapte
                                                       malitia,
quae me grauidam esse adsimulaui militi Babylonio :
eam nunc malitiam accuratam miles inueniat uolo.
is hic hau multo post, credo, aderit ; nunc priu' praecaueo 25
                                                       sciens
475 †eumque ornatum ut grauida† quasi puerperio cubem.
date mi huc stactam atque ignem in aram, ut uenerem
                                                  Lucinam meam.
hic apponite atque abite ab oculis.   eho, Pithecium !
face ut accumbam, accede, adiuta.   em sic decet puerperam.
soleas mihi deduce, pallium inice in me huc, Archilis.   30

461 ⟨nam⟩ nullam *Spengel, ut integer tetrameter fiat* : *an* non
ullam? (vii, p. 99)   462 nisī ⟨si⟩ *Bothe, ut integer tetrameter fiat*
astu docte acc. Schoell   exsequere *cod.* : *corr. Ital.*   463 uidetis
⟨me⟩ *Mueller*   464 essem *cod.*   465 id *add. Camerarius*
466 morbost *Spengel*   senio (*om.* est) *B*   467 si bene *P*CD
eius enim scito (cito *P*CD) *cod.* : *corr. Spengel*   468 quam *Came-*
rarius : quae *cod.*   occeperent *cod.* (*i. e.* -rint ?)   469 occeperunt (-rint *P*CD) bene facere *cod.* : *trai. Bothe*   470 melius onus
displicet   leuius *Ital.* : mollius *Bentley*   est onus *P*CD : opus est
Scaliger   474 is hic *Weise* : istic *cod.*   praecaueo *Camerarius* :
prece caueo *cod.*   475 Sumque ornata ita ut aegra uidear *Buecheler*
puer perlocubem *cod.*   476 stactam *Camerarius* : eiectam *cod.*
benerem iucinam (uicinam *P*CD) *cod.* : *corr. Saracenus*   477 e opi
hecium (opihetium *P*CD) *cod.*   478 adiutare sic *cod.* : *corr. Pareus,*
Seyffert   puerperam *Ital.* : pueri eram *cod.*   479 deduce *Geppert* :
duce *cod.*   inice *Ital.* : minice *cod.*

ubi's, Astaphium ? fer huc uerbenam mi intus et bellaria.   480
date aquam manibus. nunc ecastor †um ueniret† miles uelim.

vi STRATOPHANES   PHRONESIVM   ASTAPHIVM

STRAT. Ne exspectetis, spectatores, meas pugnas dum prae-
                                                    dicem :
manibus duella praedicare soleo, haud in sermonibus.
scio ego multos memorauisse milites mendacium :
et Homeronida et postilla mille memorari potest,   485
5 qui et conuicti et condemnati falsis de pugnis sient.
[non laudandust quoi plus credit qui audi⟨i⟩t quam qui
                                                    uidet]
non placet quem illi plus laudant qui audiunt quam qui
                                                    uident.
pluris est oculatus testis unus quam auriti decem ;
qui audiunt audita dicunt, qui uident plane sciunt.   490
10 non placet quem scurrae laudant, manipulares mussitant,
neque illi quorum lingua gladiorum aciem praestringit domi.
strenui nimio plus prosunt populo quam argute cati :
facile sibi facunditatem uirtus argutam inuenit,
sine uirtuti argutum ciuem mihi habeam pro praefica,   495
15 quae alios conlaudat, eapse sese uero non potest.

---

480 ubi saphilim *cod.* : *corr. Ital., Pareus*   mi intus (?) *Buecheler* :
mihi tus *cod.*   481 data quam *cod*   adueniat *Mueller* : uenerit
Camerarius : ut ueniat *Guietus*   482 dum pugnas *Bothe, favente
allitteratione*   483 duella *Gronovius* : duellis *cod.*   predicarem
cod.   484 memorauissem *cod.*   485 homeronidam *cod.* : *corr.
Leo*   post illam illi *cod.* : *corr. Saracenus, Camerarius*   *vel* pote
486 pugnis *Camerarius* : pugnas *cod.*   487 *del. Brix*   auditat
Schoell   quam ⟨ille⟩ *Leo, Goetz*   488 *del. Guietus*   quem *Acidalius* : cum *cod*   quam *Ital.* : quia *P*CD (q *B*)   489 unus
Paulus 179, *Apuleius flor.* 1, 2 : *om. cod.* (vii. 6)   auriti decem
Paulus, Apuleius : aurite decet *cod.* (vii. 2)   *vel* auritei   490
audita *Ital.* : auditas *cod.*   scient *P*CD   491 mussitan *cod.* (*corr.
C*)   493 argut (-guit *BC*) eccati *cod.* (*pro* argute cati) : arguti et
cati *Merula*   494 argutam *Turnebus* : arguta *cod.*   495 *vel* uirtute
pro praefica *Varro de L. L.* 7, 70 (*cf. Nonius* 67) : profecta *cod.*   496
alios *codd. Nonii* : alias *cod.*   *vel* eapsa   c. eapsa (abse *P*CD) se
uero *cod.* : conlaudare a se uero *codd. Nonii* : *corr. Bothe*

nunc ad amicam decumo mense post Athenas Atticas
uiso, quam grauidam hic reliqui meo compressu, quid ea agat.
PH. uide quis loquitur tam propinque.   As. miles, mea
Phronesium,
500 tibi adest Stratophanes.   nunc tibi opust aegram ut te ad-
simules.   PH. tace.
quoí adhuc ego tam mala eram monetrix, me maleficio 20
uinceres ?
STRAT. peperit mulier, ut ego opinor.   As. uin adeam ad
hominem ?   PH. uolo.
STRAT. eugae ! Astaphium eccam it mi aduorsum.   As.
salue ecastor, Stratophanes.
[uenire] saluom ⟨te⟩—STRAT. scio. sed peperitne, opsecro,
Phronesium ?
505 As. peperit puerum nimium lepidum.   STRAT. ehem, ecquid mei similest ?   As. rogas ?
quin ubi natust machaeram et clupeum poscebat sibi ?   25
STRAT. meus est, scio iam de argumentis.   As. nimium tui
similest.   STRAT. papae !
iam magnust ? iamne iit ad legionem ? ecquae spolia rettulit ?
As. †teret† nudiusquintus natus ille quidem est.   STRAT.
quid postea ?
510 inter tot dies quidem hercle iam aliquid actum oportuit.

497 ad *codd. Nonii* 457 : *om. cod.*   498 hic *codd. Nonii* : *om. cod.*   499 uide *Ital.* : uibet *cod.* (B *pro* D)   tam *Acidalius* : iam *cod.*   propinqua *P*CD   500 ades *cod.*   501 cui a. ego tu mala meam emonet ruria me malficio (mafficio *P*CD) uincer est *cod.* : *corr. Buecheler, Leo*   malam monerulam *Schoell*   502 Peperit *Camerarius* : Reperit *cod.*   *vel* opino   uinadea aut (*pro* at) hominem ut uolo *cod.*: *corr. Pius*   503 eugastha phin (euge staphin *P*CD) maccam *cod.*: *corr. Ital.*   ecastror *cod.* (*corr.* D)   504 saluom te *Kampmann*: uenire saluum *cod.* (v. 1): bene te s.— *Seyffert*   505 ehem ecquid *Mueller*: ehec quit (hec quit *P*CD) *cod.*   mihi si mille est : *corr. Ritschl*   507 n. tui *Brix*: n. quidui *cod.* (iv. 3) : nimis quam tui *Spengel* (*cf. ad* 488)   508 i. iit ad *Buecheler* : i. letat *cod.* (lectat *P*CD): iam letat *Schoell*   ecquae *Kiessling*: quae *cod.*   spolia rettulit *Spengel* : spoliaret uelit *cod.*   509 heia *Schoell* : gerrae (*vel* ἔρρε) *Palmer*   quidem ille est *cod.*: *trai. Ritschl*   510 actum al. *cod.* : *trai. Bothe*

30 quid illi ex utero exitiost priu' quam poterat ire in proelium ?

As. consequere atque illam saluta et gratulare illi.   STRAT.

sequor.

PH. ubi illa, ópsecro, est quae me hic reliquit, eapse abiit ?

ubist ?

As. adsum, adduco tibi exoptatum Stratophanem.   PH. ubi

is est, opsecro ?

STRAT. Mars peregre adueniens salutat Nerienem uxorem 515

suam.

35 quom tu recte prouenisti quomque es aucta liberis,

gratulor, quom mihi tibique magnum peperisti decus.

PH. salue, qui me interfecisti paene uita et lumine

†quiquem ibi† magni doloris per uoluptatem tuam

condidisti in corpus, quo nunc etiam morbo misera sum.   520

40 STRAT. heia ! haud ab re, mea uoluptas, tibi istic obuenit

labos :

filium peperisti, qui aedis spoliis opplebit tuas.

PH. multo ecastor magis oppletis tritici opust granariis,

ne, ille priu' quam spolia capiat, hinc nos extinxit fames.

STRAT. habe bonum animum.   PH. sauium sis †petet† hinc 525

—ah ! nequeo caput

45 tollere, ita dolet itaque ego †medulo⊦, neque etiam queo

pedibus mea sponte ambulare.   STRAT. si hercle me ex

medio mari

512 gratulari *cod.*   513 *vel* illaec   est obsecro *Bothe*   ab⟨iit
ub⟩ist *Leo* : abisti *cod.*   514 adduco *Ital.* : adduce *cod.*   strato
pane nubilis est *cod.* : *corr. Ital.*   515 uoxorem *B* (*pro* ucx-)   516
quam qua es *cod.*   517 peperisti *Merula* : deristi *cod.* : *vix* decoristi
518 uita *Camerarius* : [ut] ulta *cod.* (iv. 3) : et uita *Ital.*   519
uimque mihi *Buecheler* : quique mihi (magnos dolores) *Ital.* : *fort.*
quiq' mi uim   521 Cela ad ob rem *cod.* : *corr. Camerarius*   obuenit
labos istec *cod.* : *trai. Goeller*   522 oppleuit *cod.* (*i. e.* -bit)   523
opus est tritici *cod.* : *trai. Bothe*   granarii *P*CD   524 hic
Angelius   525 habe bonum animum *Ital.* : habebo unu ma-
nunt *cod.* (vii, p. 103)   pete hinc sis *Bothe* : *an* sis petere hinc ?   ah
Bothe : ab *cod.* (b *pro* h)   526 dolet *Spengel* : do ut *cod.* (*pro* dolit ?)
ego me doleo *Ital.* : egomet d. *Spengel*   etiam *Camerarius* : eliam
cod.   527 si hercle me *Luchs* : sih plane (plame) *cod.*   maria *P*CD

sauium petere tuom iubeas, petere hau pigeat [me], mel meum.

id ita esse experta es : nunc experiere, mea Phronesium,

530 me te amare.   adduxi ancillas tibi eccas ex Suria duas,

is te dono.   adduce hoc tu istas.   sed istae reginae domi   50

suae fuere ambae, uerum ⟨earum⟩ patriam ego excidi manu.

his te dono.   PH. paenitetne te quot ancillas alam,

quin examen super adducas quae mihi comedint cibum ?

535 STRAT. hoc quidem hercle ingratumst [donum].   cedo tu

mi istam, puere, perulam.

mea uoluptas, attuli eccam pallulam ex Phrygia tibi.   55

tene tibi.   PH. hoccin mihi ob labores tantos tantillum dari ?

STRAT. perii hercle ⟨ego⟩ miser !   iam ⟨mi⟩ auro contra con-

stat filius :

etiam nihili pendit addi purpuram.   ex Arabia tibi

540 attuli tus, Ponto amomum.   tene tibi, uoluptas mea.

PH. accepi hoc ;   abduc⟨it⟩e hasce hínc e conspectu Suras.   60

STRAT. ecquid amas me ?   PH. nihil ecastor neque meres.

STRAT. nilne huic sat est ?

ne bonum uerbum quidem unum dixit.   uiginti minis

---

528 tuom petere *Bothe*, *rhythmo consulens*   me *del. Bothe*   mel meum
Camerarius : imme (inme *P*CD) inmeum (v. 3, p. 109)   530 ex Syria
Ital.: exuri *cod.* (*pro* exsuri)   532 earum *add. Seyffert*   fuerunt
(*Bothe*) a. earum p. *Mueller*   excida *B*   533 *vel* is (*ita cod.*)   quot
ancillas alam *Gulielmius* : quod ancillam solam *Donatus ad Eun.* 5, 6,
12 : quod ancilla siam *B* : quod ancillast iam *P*CD   534 examen
Haupt : etiam men *cod.*   comet incibum *cod.* : *corr. Camerarius*
535 hercle i. *Geppert* : hercles (hercle si *P*CD; *i. e.* hercl' si ?) i. *cod.* :
herclest ingratum *Goetz, Schoell* (*cf. ad Merc.* 330)   donum *del. Bothe*
puere perulam (-uiam *cod.*)] purpuram *Buecheler*   536 mea *Ital.* :
imea *cod.*   attoli *cod.* (*pro* attoli, *antiqua forma* ?)   pallulam *Ital.* :
paluuam (paluuiam *P*CD *ut vid.*) *cod.*   Phrygia *Gronovius* : pari gra
(grā, *i. e.* gratia *P*CD) *cod.*   537 tantillum *Ital.* : tantillis *cod.*   538
ego *add. Bothe*   mi *add. Camerarius*   539 nihili *Ital.* : num mali *cod.*
addi *scripsi* : addit *cod.*   etiam nummuli non pendit pallam (?) *Leo* : *an*
etiamnum malipendio addit pu. ?   Arabia *Buecheler* : arat *cod.* (*cf. Journ.
Phil.* 17, 443)   540 tuas ponto (tua sponte *B*) amoenas *cod.* : *corr.
Spengel, Mueller*   541 accipe hoc ⟨Astaphium⟩ *Bach*   abducite
Bothe : abduce *cod.*   542 ecquid amas me *Camerarius* : ec quidem asme
cod.   ecastor *Ital.* : castor *cod.*   543 ne bonum *Buecheler* : neuo-
num *ut vid. cod.* (nemonum *B* : ne unum *P*CD)   num d. *cod.* (*corr. D*¹)

uenire illaec posse credo dona quae ei dono dedi.

uehementer nunc mihi est irata, sentio atque intellego ;   545

65 uerum abibo. quid ais ? nunc tu num neuis mé, uoluptas mea,

quo uocatus sum ire ad cenam ? mox huc cubitum uenero.

quid taces ? planissume edepol perii. sed quid illúc noui est ?

quis ⟨hic⟩ homost qui inducit pompam tantam ? certumst

quo ferant

opseruare. huic credo fertur. uerum iam scibo magis.   550

vii C Y A M V S   P H R O N E S I V M   S T R A T O P H A N E S

Cy. Ite, ite hac simul, mulieri damnigeruli,

foras egerones, bonorum exagogae.

satin, siquis amat, nequit quin nihili sit, atque inprobis se

artibus exspoliat ?

nam | hoc qui sciam, ne quis id quaerat ex me,

5   domist qui facít inprobe facta amator,   555

qui bona sua pro stercore habet,

foras iubet ferri : metuit   556ᵃ

†publicos† : mundissumu' fit ;

puras esse sibi uolt aedis : domi quidquid habet eicitur ἔξω.

---

546 adibo *corr.* ab- *ut uid.* cod. (abdibo *B* : adibo *P*CD)   547
nox *Fleckeisen*   m. adhuc *B*   uenero *Bugge* : inero *cod.* : iuero
Ital.   548 noui *Spengel* : boni *cod.* (*pro* uoni ?)   549 hic *add.*
Seyffert   ducit *Bothe*   551 mulierei *cod.* (*antiqua forma*) (*vel* muli
erei)   552 egerones *Bugge* : gerronis *cod.*   exagogae *Merula* :
axagoce (maca goce *B*) *cod.*   553 se (*pro* sei ?) quis *cod.*   *fort.*
nequam (*del.* quin ; *cf. ad vv.* 488, 595) nihilist, *nam nec* síquis *nec*
nequít *satis placet*   atque *Saracenus* : aque *cod.* : *fort. delend. ut fiant
duo glyconici cum dochmio*   inprouisse (-uise *P*CD) partibus *cod.* : *corr.*
Camerarius   expoliat *an* exspoliat *incert. cod.*   554 ⟨ego⟩ hoc *Mueller*
qui sciam *Ital.* : quis cieam *cod.*   555 domis itque (idque *P*CD)
f. *cod.* : *corr. Camerarius*   inprobe *scripsi* : improba *cod.* (*cf. ad v.* 822,
Mil. 894) : ⟨tam⟩ improbe *Schoell*   domist quí facit facta impróba
amator *Leo*   556, 557 *vix* Q. b. sua ⟨sibi⟩ p. s. h. (*anap. dim.*)
F. i. f. (*monom.*)   *vix* metit   556 ⟨domist⟩ quí bona sua pro
stercore habet *Leo*   557 puluisculos *Schoell*   m. fit *scripsi* :
mundissimust *Ital.* : mundissimum sit *cod.*   558 sibi esse *cod.* :
trai. Bothe, metri causa   aedis *Ital.* : asdis *cod.*   eicitur *Leo* :
neititur *cod.* (*i. e.* nititur ?) : *fort.* mittitur

quandoquidem ipsus perditum se it, secreto hercle equidem 10
　　　　　　　　　　　　　　　eum adiutabo

560 neque mea quidem opera umquam hilo minu' propere quam
　　　　　　　　　　　　　　　pote[st] peribit.

nam iam de hoc opsonio de mina deminui una modo

quinque nummos : mihi detraxi partem—Hérculaneam.

nam hoc adsimile est quasi de fluuio quí aquam deriuat
　　　　　　　　　　　　　　　sibi :

nisi deriuetur, tamen ea aqua ómnis abeat in mare ;　　　¹5

565 nam hoc in mare abit misereque perit sine bona omni gratia.

　　　　　　　haec quom uideo

566ᵃ　　　　　　fieri, suffuror, suppilo,

　　　　　　　de praeda praedam capio.

　　　　　　　meretricem ego item esse reor, mare ut est :　　　20

　　　quod des deuorat ⟨nec dat⟩is umquam abundat.

570　　　hoc saltem : seruat nec nulli ubi sit apparet :

des quantumuis, nusquam apparet neque datori neque ac-
　　　　　　　　　　　　　　　ceptrici.

572-3　uelut haec meretrix meum erum miserum sua blanditia
　　　　　　　　　　　　　　　intulit in pauperiem :

　　　priuabit bonis, luce, honore atque amicis.　　　25

575 attat ! eccam adest propinque. credo audisse haec me loqui.

pallida est, ut peperit puerum. ádloquar quasi nesciam.

iubeo uos saluere. PH. ét nos te, Geta, quid agis ? ut uales ?

559 se it *Camerarius* : sit *cod.* (i. 3, p. 108)　　eum *Leo* : illum *cod.*
560 hilo minus *Lambinus* : nihili omnibus *cod.* : nihili homo minus
Schoell　　561 una deminui *cod.* : *trai.* Leo　　562 *fort.* ⟨hercle⟩
Hercul.　　564 ea aqua *Camerarius* : ea qua *cod.*　　omnis *post*
tamen *cod.* : *trai.* (?) *Leo*　　mari *cod.*　　565 abiit *cod.*　　omnia
gratiam *cod.*　　566ᵃ fieri suffuror suppilo *codd. Nonii* 12 (*s. v.* sub-
pilare) : [si] fieri susfuror supplicio (*pro* supplio) *cod.* (iv. 3)　　567
praeda *codd. Nonii* : om. *cod.*　　568 esse *om. B*　　569 deuoratis
cod. (iii. 11) : *corr. Buecheler*　　570 *versus nondum sanatus* ⟨rem⟩
se. *Leo*　　nec ulli (nulli *scripsi*) ubi sit *Leo* : mecum illi sub este *cod.*
571 *vix anap. versus cum* dātori　　acceptrice *cod.* (*pro* -cei ?)　　572-3
haec *om.* P^{CD}　　vix int. paup. (*anap. tetram.*)　　574 bones
(bonas P^{CD}) *cod.* (*pro* -eis ?)　　577 et nos te *Seyffert* : noster *cod.*
Geta] Cyame *Seyffert*

Cy. ualeo et uenio ad minu' ualentem et melius qui ualeat
fero.

30 eru' meus, ocellus tuos, ád te ferre me haec iussit tibi

dona quae uides íllos ferre et has quinque argenti minas.   580

      Ph. pol hau perit quód illum tantum amo.

     Cy. iussit orare ut haec grata haberes tibi.

   Ph. grata acceptaque ecastor habeo.   iube aúferri intro, i
Cyame.

35   As. ecquid auditis haec, quae iam ⟨haec⟩ imperat?

      Cy. uasa nolo auferant : desiccarí iube.   585

   As. inpudens mecastor, Cyame, es.   Cy. egone?   As. tu.
Cy. bona fide?

tune ais me inpudentem esse, ipsa quae sis stabulum flagiti?

     Ph. dic, amabo te, ubi est Diniarchus?   Cy. domi.

40   Ph. dic ob haec dona quaé ád me miserit

me illum amare plurumum omnium hominum   *   ergo, 590

     meumque honorem illum habere omnium maxumum,

     atque ut huc ueniat opsecra.   Cy. ílicet.

sed quisnam illic homost qui ipsus se comest, tristis, oculis
malis ?

45   animo hercle homost suo miser,

quisquis est.   Ph. dignust mecastor.   nequam est.   non 595
nosti, opsecro,

---

578 minu *cod.*   580 illos] nos *Buecheler* : hos *Bothe*   582 iussit orare *Camerarius* : lus sit operare *cod.*   583 acceptaque *Camerarius* : acaque *cod.* (vii, p. 103)   chiame *cod.*   584 heque tam *cod.* : corr. *Camerarius, Leo*   haec *addidi*   585 Suasa *cod.* (? *i. e.* S⟨eruus⟩ Vasa)   iubet *cod.* : corr. *Buecheler*   586 Immo pudet me castor cua mestegori tu b. f. *cod.* : corr. *Merula, Bothe,* Cuame *restituit Seyffert*   *vel* bonan   587 tune asin (ansin *P*CD) pudentem me esse ipsa (aipsa *B*) quae sistabulum flagitii *cod.* : corr. *Spengel fort.* i. me, eapse (eapsa)   589 me ⟨modo⟩ *Bergk, Abraham stud. Plaut.* 240, *ut integer tetrameter fiat*   590 omnium plurumum *Spengel* (*cret.*)   ergo] merito *Ussing* : *vix* ⟨humanitatis⟩ ergo 591 meque honorem illi *Bothe*   592 reueniat *Spengel* : u. ⟨ad me⟩ *Schoell, ut integer tetrameter cret. fiat*   obsecra *Camerarius* : obsecrat *cod.* : obsecrare *Ital.*   594 humost *cod.*   595 nequam *Seyffert* : nequid *cod.* (*cf. ad* 488)

militem, hic apud me quí erat ? huius pater pueri illic est.
usque adicit oculum, uissit, adit,

mansit : auscultat, opseruat quem perdam.   CY. noui hominem nihili.

illicinest ?   PH. illic est.   CY. me intuetur gemens ;   50

600   traxit ex intumo uentre suspiritum.

hoc uide ! dentibus frendit, icit femur ;

num opsecro nam hariolust qui ipsus se uerberat ?

STRAT. nunc ego meos animos uiolentos meamque iram ex
pectore iam promam.

604-5 loquere : unde es ? quoius es ? qur ausu's mi inclementer 55
dicere ?   CY. lubitumst.

STRAT. istuc ne[c] mihi responsis.   CY. hoc.   non ego te
flocci facio.

STRAT. quid tu ?   qur ausa es alium te dicere amare hominem ?   PH. lubitumst.

STRAT. ain tandem ?   istuc primum experiar.   tun tantilli
doni caussa,

609-10 holerum atque escarum et poscarum, moechum malacum,
cincinnatum,

umbraticulum, tympanotribám amas, hominem non nauci ? 60
CY. quae haec res ?

596 militem hic apud me qui erat *Schoell* : qui ilitic (illic *P*CD)
apud me erat *cod.* (*pro* quīilitēic, *i. e.* qui militem hic)   597 adicit
(adiĕcit) oculum uisit (abiit *Spengel*) *scripsi* : adiecta
culem iussit alii *cod.*   598 mansi auscultaui obseruaui (-bi *B*) quem
per nam *cod.* : *correxi*   quam rem agam *Spengel*   nihil
cod.   599 illic que est illic est *cod.* : *corr. Kiessling*   600
suspiritum *Camerarius* : suspensum (-us *B*) *cod.* (*pro* suspm̄, *i. e.*
suspiritum)   602 ariolus *cod.*   603 uiolentus *B*   expector
etiam *P*CD   604-5 unde est *cod.*   inc. m. *P*CD   lubitumst
Spengel : lubido (iub- *B*) est *cod.* (*pro* lubitust)   606 istucine mihi respondes ? *Camerarius*   responsas *Ital.*   608 tun
tantilli *Ital.* : tum pentilli (pert- *B*) *cod.* : tun petili *Geppert*   611
tympanotribam *codd. Prisciani* 1, 204 : lymphanotribam *cod.*   haec
res *Saracenus* : hercles *cod.*

meon [ero] tu, inprobe, ero male dicere ⟨nunc⟩ audes, fons
             uiti et peiiuri ?

STRAT. uerbum unum adde istoc : iam hercle ego te hic hac
             offatim conficiam.

CY. tange modo, iam ego ⟨te⟩ hic agnum faciam et medium
             distruncabo.

si tu legioni bellator clues, at ego culinae clueo.   615

65 PH. si aequom facias, aduentores meos ⟨non⟩ incuses, quorum
mihi dona accepta et grata habeo, tuaque ingrata, quae aps
             te accepi.

STRAT. tum pol ego et donis priuatus sum et perii.   PH.
             plane istuc est.

CY. quid nunc ergo hic, odiose, sedes, confectis omnibu'
             rebus ?

STRAT. perii hercle hodie, nisi hunc a te abigó.   CY. ac- 620
             cede huc modo, adi módo huc.

70 STRAT. etiam, scelu' uiri, minitare? quem ego offatim iam
             iam [iam] concipilabo.

quid tibi huc uentio est ? quid tibi hanc aditio est ?
quid tibi hanc notio est, inquam, amicam meam ?
emoriere ocius, ni manu uiceris.

CY. quid, manu uicerim ?   STRAT. fac quod iussi, mane. 625

75 iam ego te hic offatim conficiam ; ⟨óffatim⟩ occidi op-
             tumum est.

---

612 imp. et omale (male *P*CD) d. audes *cod.*: *correxi*: (Meone) improbe tu, male dicere ero audes *Leo*   613 conficiam *Lipsius* : officiam
cod. : offigam *Schoell*   614 te *add. Ital.*   615 si tu legioni
(-nei) *scripsi* : sit uellegionem *cod.* : si tu Bellonae *Schoell*   clues
Camerarius : ciuis *cod.*   culinae (Cul.) *Schoell* : in culina *cod.*   clueo
Camerarius : ciue *cod.*   616 non *add. Ital.*   617 abs te quae
Kiessling : *fort. delend.* abs te. *ut septenarius fiat*   619 odiosĕ (-osse)
sedes *scripsi dubitanter* : odiosse (-ose *P*CD) es (odies sees *B*) *cod.* :
odiosu's *Kiessling*   *fort.* o. manes (odiosēāes)   confectis omnibus
rebus *Spengel* : confessus o. teus *cod.* : confessus omnino reus *Leo*
620 acc. hunc m. a. huc modo *cod.* : *correxi*   621 ueri *cod.* (*corr. C*²)
iam *tert. del. Ital.*   623 noctio est umquam *B*   624 ni *Studemund* :
si *cod.* (? *pro* ni *corr.* nisi)   626 offatim *addidi*   occidi *Ital.* :
occidit *cod.* : occidi te *Buecheler*

Cy. captiost: istam machaeram longiorem ⟨tú⟩ habes quam
                                                    haec est.

sed uerum ⟨me⟩ sine dum petere: siquidem belligerandum
                                                    est tecum,

†abo domum† ego tecum, bellator, arbitrum aequom ceperim.

630 sed ego cesso hinc me amoliri, uentre dum saluo licet.—

PHRONESIVM   STRATOPHANES   viii

Ph. Datin sóleas? atque me intro actutum ducite,
nam mihi de uento miserae condoluit caput.—
Strat. quid mihi futurum est, quoi duae ancillae dolent,
quibu' te donaui? iamne abiisti? em sic datur!

635 quo pacto excludi, quaeso, potui planius   5
quam exclusus nunc sum? pulchre ludificor.   sine.
quantillo mi opere nunc persuaderi potest
ut ego hisc' suffringam talos totis aedibus.
num quippiam harum mutat mores mulierum?

640 postquam filiolum peperit, animos sustulit.   10
nunc quasi mi dicat: 'nec te iubeo neque uoto
intro ire in aedis.' at ego nolo, non eo.
ego faxo dicat me in diebus pauculis
crudum uirum esse. sequere me hac. uerbum sat est.—

---

627 tu *add. Spengel   fort.* quam haec est longiorem habes
628 me *add. Goeller*   629 ibo d. *P*CD: abeo dum *Geppert   fort.*
cep. arb. aeq. (*octonar.*)   630 mi hincamo sire *cod.* : *corr. Camerarius*
(-lire), *Bothe*   uentrem *cod.*   632 misere *cod.*   634 '*legendum
aut* iamne abis? *aut* iamne abiit?' *Seyffert*   datur *Ital.* : oatur *cod.*
635 excludi *Studemund* : excludis *cod.*   quameso *cod.*   potui
Buecheler : potius (pitius *P*CD) *cod.*   638 hisce (*ita cod.*) effr. *Ital.*
639 harum mutat (*Camerarius*) *scripsi* : auarum ut at *cod.* : *an* autem
(aū) inmutat (*Leo*)?   640 filiolum *Camerarius* : filiorum *cod.*   641
uoto (ueto) *Camerarius* : uolo *cod.*

ACTVS III

Strabax   Astaphivm

STRAB. Rus mane dudum hinc ire me iussit pater,   645
ut bubus glandem prandio depromerem.
post illoc quam ueni, aduenit, si dis placet,
ad uillam argentum meo qui debebat patri,
5   qui ouis Tarentínas erat mercatus de patre.
quaerit patrem. dico esse in urbe. interrogo   650
quid eum uelit   *   *
homo cruminam sibi de collo detrahit,
minas uiginti mi dat. accipio lubens,
10   condo in cruminam. ille abiit. ego †perperat† minas
ouis ín crumina hac ⟨huc⟩ in urbem detuli.   655
fuit edepol Mars meo periratus patri,
nam oues illius hau longe apsunt a lupis.
ne ego urbános istos mundulos amasios
15   hoc ictu exponam atque omnis eiciam foras.
eradicarest certum cumprimis patrem,   660
post id locorum matrem. nunc hoc deferam
argentum ad hanc, quam mage amo quam matrem meam.

646 clandem *P*ᶜᴰ   647 ueni quamadueni *cod.* : *corr. Spengel,
Merula*   649 qui ouis Tarentinas erat *Ital.* : quo uistaret inase-
rant (-rat *C*) *cod.* ('*scil.* n *omissa et ascripta locum non suum occupauit'*
Leo*)   651 uellit *cod.* ⟨concredat mihi si quid uelit⟩ *suppl. Schoell*
q. e. u. *vix delend.* (iv, p. 62)   652 erumenam *cod.* detrahit
Camerarius : detraxit *cod.*   653 *vel* mihi   middat *B*   654 *vel* abit
propere *Ital.* : pera *Spengel*   655 ouis *Merula* : quis *cod.* (Q *pro* O)
huc *add. Geppert*   urbem detuli *Ital.* : urbe medetuli *cod.*   656
periratus *Camerarius* : piratus *cod.* (vii. 1)   658 nunc e. i. m. u.
amaspos *cod.* : stos mundolos amasios *codd. Diomedis* 343 *K.* (s. *v.*
amasius) : *correxi, nam* mundlos *non ferendum nec* múndulos úrb.
placet : *fort.* nunc ⟨nunc⟩ e. i. m. a. (*del.* urbanos ; iv. 1)   659
ictu *Merula* : itu *cod.*   ieciam *cod.* (*corr. D*)   660 eradicarensi
cod. (-msi *P*ᶜᴰ)   661 locarum *cod.*   hoc die (hodie *P*ᶜᴰ) efferam
cod. : *corr. Spengel*   662 ad hanc argentum *cod.* : *trai. Bothe
'hythmi causa*

tat ! ecquis intust ? ecquis hoc áperit ostium ?

664-5 As. quid istúc ? alienun es, amabo, mi Strabax,   20
qui non extemplo ⟨intro⟩ ieris ? Strab. anne oportuit ?

As. ita te quidem, qui es familiaris. Strab. ibitur,
ne me morari censeas.—As. lepide facis.

Trvcvlentvs   Astaphivm   ii

Tr. Mirum uidetur rure erilem filium

670 Strabacem non rediisse ; nisi si clanculum
conlapsus est hic in corruptelam suam.

As. iam pol illic inclamabit me si aspexerit.

Tr. nimio minu' saeuos iam sum, Astaphium, quam fui,   5
†iam non sum truculentus†, noli metuere.

675 ⟨quid ais ?⟩ As. quid uis ? Tr. quin tuam exspecto oscu-
                                                    lentiam.

dic, impera mihi quid lubet quo uis modo.
nouos ómnis mores habeo, ueteres perdidi.
uel amare possum uel iam scortum ducere.   10

As. lepide mecastor nuntias.   sed dic mihi,

680 haben—Tr. parasitum te fortasse dicere ?

As. intellexisti lepide quid ego dicerem.

Tr. heus tu ! iam postquam in urbem crebro commeo,
dicax sum factus.   iam sum caullator probus.   15

---

663 tatec qui si nulla est et quis aperit hoc ostium *cod.* : *corr.*
Camerarius, Spengel, Bothe   664-5 es *Lambinus* : est *cod.*   666
intro ieris *Brix* : ire si *cod.*   669 rurier item filium *cod.* : *corr. Ital.*
672 me inclamauit se a. *cod.* : *corr. Bothe* : me inclamauerit *Seyffert*
vel sei   673 nimio inissae uos iam sumas astaphium *cod.* : *corr.*
Ital. (*cf. Amer. Journ. Phil.* 17, 442)   674 non ⟨ego⟩ *Leo* : noenum *Bothe*   truncus lentus *Ussing, fort. recte* (*cf. ad v.* 266)   metuere
Ital. : metueris *cod.*   675 quid ais *add. Schoell*   quin *Schoell* :
qui *cod.*   expector *cod.*   osc. *cf. Class. Rev.* 10, 334   676 impera
Ital. : incipera *cod.* (v. 8)   *vel* mi   quid tibi et quo *cod.* : *corr.*
Buecheler   678 uel iam *Camerarius* : uellam *cod.*   dicere *B*
680 haben *Lipsius* : habent *cod.*   marsipum *Leo* (*sed cf. Class. Rev.*
10, 334)   te *Ital.* : et *cod.*   682 commeo *Camerarius* : commoueo
(·obeo *B*) *cod.* (v. 8)   683 hic axsum (axum *PCD*) factum *cod.* :
corr. Camerarius   cauillator *cod.*

As. quid id est, amabo ? istaec ridicularia,
cauillátiones, uis opinor dicere?   685
Tr. ita, ut pauxillum differt a cauillibus.
As. sequere intro [me], amabo, mea uoluptas.   Tr. tene
            hoc tibi :
20 rabonem habeto, uti mecum hanc noctem sies.
As. perii ! 'rabonem'? quám esse dicam hanc beluam ?
quin tu 'arrabonem' dicis ?   Tr. 'a' facio lucri,   690
ut Praenestinis 'conea' est ciconia.
As. sequere, opsecro.   Tr. Strabacem hic opperiar modo,
25 si rure ueniat.   As. is quidem apud nos [est] hic Strabax,
modo rúre uenit.   Tr. priu'ne quam ad matrem suam ?
eu edepol hominem nihili !   As. iamne autem ut soles ?   695
Tr. iamne—nihil dico.   As. í intro, amabo, cedo manum.
Tr. tene.   in tabernam ducor deuorsoriam,
30 ubi male accipiar mea mihi pecunia.—

ACTVS IV

IV. i   Diniarchvs

Neque gnatust neque progignetur neque potest reperirier
quoí ego nunc ⟨aut⟩ dictum aut factum melius quam Veneri 700
            uelim.
di magni, ut ego ⟨laete⟩ laetus sum et laetitia differor !
ita ad me magna nuntiauit Cyamus hodie gaudia :

684 ⟨tu⟩ istaec (?) *Leo*   685 *vel* opino   686 Istud *Leo*
ita ut pauxillum differant a caulibus *post alios Goeller*   687 me *del.*
Bothe   uoluptast (uolupta si *B*) *cod.*   hoc *del. Bothe*   688
habeto ⟨hoc⟩ *Bergk*   mecum *ante* ut (*ita cod.*) *Camerarius*   ac (a *B*)
nocte *cod.* : *corr. Camerarius*   689 uelbam *cod.*   690 dicista
facto *cod.* : *corr. Merula, Lambinus* ('t *Truculentum indicaverat ut vv.*
680, 687' *Leo*)   693 si *Ital.* : se *cod.* (*pro* sei ?)   ueniet *B*   an
hicst?   hic apud nos est *Schoell*   694 rure ⟨huc⟩ (?) *Leo*   695
iamne *Acidalius* : anne *cod.*   696 i intro *Ital.* : lintro *cod.*   697
ducor *Ital.* : dulor *cod.*   699 potes *cod.*   700 *vel* quoii   dictum
nunc *Guietus*   aut *add. Bothe* (vii. 5)   Veneri *Camerarius* : bene
rem *cod.* : ⟨meae⟩ V. *Mueller*   701 diui *Bothe*   laete *add. Spengel*

mea dona deamata acceptaque habita esse apud Phronesium; 5
quom hoc iam uolup est, tum illuc nimio magnae mellinae
mihi,

705 militis odiosa ingrataque habita.   totus gaudeo.
mea pila est : si repudiatur miles, mulier mecum erit.
saluos sum, quia pereo ; si non peream, plane interierim.
nunc speculabor quid ibi agatur, quis eat intro, qui foras   10
ueniat ; procul hinc opseruabo meis quid fortunis fuat.
710 quia nil habeo, nam amoui mi hic omnia, agam precario.

A S T A P H I V M   D I N I A R C H V S   **ii**

As. Lepide ecficiam meum ego officium : uide intus modo
ut tu tuom item ecficias.

ama, id quod decet, rem tuam : istum exinani.
nunc dum isti lubét, dúm habet, tempús ei rei secundumst,
prome uenustatem tuam amanti, ut gaudeat quom perdis.
715   ego hic interim restitrix praesidebo,   5
istic dum sic faciat domum ad te exagogam ;
nec quemquam interim istoc ad uos qui sit odio
intro mittam : tu perge ut lubet ludo in istoc.

703 deamat *cod.*   704 es *cod.*   illuc (-oc) *Bach* : hoc *cod.*
nimium *Langen* (i. 3)   *fort.* tum hoc nimium (-io) iam   mel.iniae
cod.: *corr. Merula*   705 habita totus gaudeo *Ital.* : habitato tuca audeo
cod. (C *pro* G)   706 erit *Ital.* : prit (*antecedente spatio* P^{CD}) *cod.*
(P *pro* E)   707 plane (*Ital.*) interierim *Weise* : pane uriem (urient
P^{CD}) *cod.* (*pro* +ierim, *i. e.* interierim) : p. perierim *Goeller, fort. recte*
709 procui hunc *cod.* : *corr. Merula*   meis *Acidalius* : miles *cod.*
(? *pro* mieis, *antiqua forma*)   710 nam amoui *scripsi* : unum a[nimos]
moui *cod.* (iv. 3 ; v. 8)   mihi omnia P^{CD}   711 meum *Gulielmius*:
mea *cod.* (a *pro* u)   ego *Leo* : ero *cod.* (*cf. Asin.* 456, *Mil.* 1353)
fort. uide *delend., nam* uíde ïntus *displicet*   tu tuom *Merula* : tutum
cod.   712 istum *Camerarius* : estum *cod.*   713 dum iusti iubet
cod. : *corr. Ital.*   *fort.* ei rei *delend., ut bacch. tetram. fiat*   secundumst *Geppert* : secundas *cod.* (a *pro* u)   714 amanti tuam *cod.* :
trai. Geppert   gaudeat *Mueller* : gaudia *cod.*   perdis *Leo* : pereis *cod.*
Nunc dum ísti lubét, dum habet, témpust ëi rei.   Sed cúnctam prome
uenústatem tuam, amánti ut gaudeat cúm perdis (?) *Leo*   715
interim hic *cod.* : *trai. Bothe*   restitricis (restiti tricis B) *cod.* (*pro*
-tris ?) : *corr. Turnebus*   716 iste *cod.*   717 nec *Camerarius* :
ec *cod.*   718 perce ut iubet ludin istos *cod.* : *corr. Ital.*

Dɪ. quis est iste, Astaphium, indica, qui perit ?   As. amabo,

hicin tu eras ?

10   Dɪ. molestusne sum ?   As. nunc magis quam fuisti, 720

nam si quid nobis usust nobis molestu's.

sed opsecro, da mi operam ut narrem quae uolo.

Dɪ. nam quid est ? num mea refert ?   As. non mussito.

intu' bolos quos dat !   Dɪ. quid ? amator nouo' quispiam ?

15   As. integrum et plenum adortast thensaurum.   Dɪ. 725

quis est ?

As. eloquar, sed tu taceto. nostin tu hunc Strabacem ?

Dɪ. quidni ?

As. solus summam habet hic apud nos, nunc is est fundus

nouos.

animo bono male ⟨rem⟩ gerit.   Dɪ. perit hercle ; ego idem

bona perdidi, mala repperi, [factus] sum extumus a uobis.

20 As. stultus es qui facta infecta facere uerbis postules.   730

Theti' quoque etiam lamentando pausam fecit filio.

Dɪ. non ego nunc intro ad uos mittar ?   As. quidum quam

miles magis ?

Dɪ. quia enim plus dedi.   As. plus enim es intro missus

quom dabas :

sine uicissim qui dant [operam] ob illud quod dant operis

utier.

719 qui est iste [ea] ast. *cod.*: corr. *Ital.*: quis istest A. *Bach* hicinet uere *cod.*: corr. *Merula*   721 si] nisi *Ital.*   usui's *Seyffert*   nobis *alt.*] *fort.* non   *vix* nam si quid (quis ?) nobis non usust, non molestumst ? (-tust ?)   722 narem *cod.*   uolo *Ital.*: uolom *B*: uolti *C*: uolu *D*   723 num mea *Gulielmius*: nam ea *cod.*   mussito *Spengel*: musset *cod.*   723–4 *vix* mussito in-|-tus (*creticum systema*)   726 eloquar *Ital.*: te loquar *cod.*   tu *Camerarius*: diu *cod.*   tun *cod.* (*corr. in B*) (*pro* tú ; vii. 4)   727 summa hiabet *B*   ⟨nunc⟩ hab. *Leo*   nouos *Schoell*: nobis *cod.*   728 male rem *Camerarius*: malem (male *P^{CD}*) *cod.*   perii *Ital.*   itidem *Geppert* 729 *om. cod.*: hab. *Priscianus* 1, 100 (*s. v.* extremus, extimus)   hic reposuit *Langen*   factus *delevi dubitanter, ut versus Reizianus fiat* 730 est *cod.*   731 pausam *Valla*: lausum *cod.*: lausam *Schoell* (*Arch. Lat. Lex.* 4, 258)   732 qui tu quam *Kiessling*   733 es *Ital.*: se *cod.*: ⟨tu⟩ es (?) *Leo*, nam enim | es v'x ferendum   quom *Saracenus*: quam *cod.*   734 operam *del. Lambinus*   ob illud *Loman*: oblit (oblitus *P^{CD}*) *cod.*

735 litteras didicisti : quando scis, sine alios discere.   25

    Di. discant, dum mihi adcentare liceat, ní oblitus siem.

    As. quid erit interea magistrae, dum tu commentabere?

    uolt [interim] illa itidem commentari.   Di. quid?   As. rem

                             accipere identidem.

    Di. dedi equidem hodie : ⟨iussi⟩ ei quinque argenti deferri

                                    minas,

740 praeterea unam in opsonatum.   As. idem istoc delatum scio. 30

    de eo núnc bene sunt tua uírtute.   Di. ei ! meane [ut]

                                  inimici mei

    bona istic caedent? mortuom hercle me quam ut id pátiar

                                  mauelim.

    As. stultu's.   Di. quid est? aperí re⟨m⟩.   quid iam,

              ⟨Astaphium⟩?   As. quia pol mauelim

    mihi inimicos inuidere quam med inimicis meis ;

745 nam inuidere alii bene esse, tibi male esse, miseria est.   35

    qui inuident egent ; illis quibus inuidetur, i rem habent.

    Di. non licet dimidio opsoni me participem fieri?

    As. si uolebas participari, auferres dimidium domum.

    nám item ut Accherunti hic ⟨apud nos⟩ ratio accepti scribitur:

750 intro accipimus ; quando acceptumst, non potest ferri foras. 40

735 discere *Ital.* : dicere *cod.*   736 adcentare liceat *scripsi* (v, p. 81) : argentarilliceam (-ri illic eam *P*CD) *cod.* : commentari liceat *Ital.*   737 qui dedit   As. interea magister *cod.* : *corr. Buecheler*   738 interim *del. Pothe* (iv. 3?)   ididem *cod.*   dentidem *cod.*   739 iussi *add. Saracenus*   740 unam *Merula* : unum *cod.*   una mina obs. *Leo*   741 sunt *Brix, Seyffert* : sum *cod.*   uirtutem ime me (me *om. P*CD) utini emci mei *cod.* : *corr. Ital.*, *Brix, Leo*   742 comedint *Spengel*   ut *del. Ital.*   743 *post* 746 *cod.* : huc trai. *Weise*   supplevi dubitanter (iii. 2)   *vix* St. tuquidem es.   Di. aperi (*vel* St. quidem es aperte.)   744 inimicus inuiderem *cod.* : *corr. Ital.*   745 essem seria mesi *cod.* (esse inseria mesi *P*CD) : *corr. Camerarius*   746 qui *Ital.* : quid *cod.*   747 do *cod.* (*pro* dō, *i. e.* dimidio? *cf. Amer. Journ. Phil.* 17, 443)   749 idem *cod.* : *corr. Rittershusius*   nam itidem hic ut A. *Gruterus* ⟨fit⟩ hic *Mueller* (*Herm.* 34, 332)   apud nos *add. Schoell*   accepti *Ital.* : accepii (accepi *P*CD) *cod.* : *fort.* accepti ⟨expensi⟩ (iii. 11)   750 accipimus *Camerarius* : accipiamur *cod.* : accipitur *Spengel*   ferre *cod.* (? *pro* -rei)

bene uale. DI. resiste. As. omitte. DI. sine eam intro.

As. ad te quidem.

DI. immo istoc ad uos ⟨uolo⟩ ire. As. non potest, nimium

petis.

DI. sine experiri—As. immo opperire. uis est experirier.

DI. dic me adesse. As. abi, occupatast. res itast, ne

frustra sis.

45 DI. redin an non redis ? As. uocat me quae in me potest 755

plus quam potes.

DI. uno uerbo—As. eloquere. DI. mittin me intro ? As.

mendax es, abi.

unum aiebas, tria iam dixti uerba atque ⟨ea⟩ mendacia.—

DI. abiit intro, exclusit. egon ut haec mihi patiar fieri ?

iam hercle ego tibi, inlécebra, ludos faciam clamore in uia,

50 quae aduorsum legem accepisti a plurumis pecuniam ;   760

iam hercle apud nouos [omnis] magistrátus faxo erit nomen

tuom,

postid ego te manum iníciam quadrupuli, uenefica,

suppostrix puerum. ego edepol ⟨iam⟩ tua probra aperibo

omnia.

nihil me ⟨prohibet,⟩ perdidi omne quod fuit : fio inpudens

55 nec mi adeost tantillum pensi iam quos capiam calceos.   765

<hr>

751 bene ualere siste omittes inea m[itto] intro *cod.* (iv. 3) : *corr.*
Camerarius, Schoell   752 uolo *add. Buecheler*   irem *cod.*   petis
Boeckel : pati *cod.*   753 exp. sine (sinem *B*) *cod.* : *trai. Bothe* :
sine *del. Leo*   opperirem *cod.*   experire *cod.* : *corr. Camerarius*
754 dicam adesse ubi occupatast resistat et (r. ex ex *B*) frustra sit
cod. : *corr. Spengel   vix* ut f. s.   755 non redin si uocat *cod.* :
corr. Camerarius, Geppert   si u. me qui *Schoell*   potes *Lambinus* :
potest *cod.*   quae in me plus quam tu potest *Goeller*   756 mitti
inme *cod.*   757 alebat stridia dixti u. (dixit uerbe *B*) *cod.* : *corr.*
Camerarius   ea *add. Gulielmius*   758 exclusit *Spengel* : incluit
(induit *P*CD) *cod.*   egon *Loman* : ego *cod.*   759 clamorem *B*
760 quem *B*   accepisti a (ab) *Ital.* : accepistis ad *cod.* (*pro* ab)
761 nouos (*del.* omnis) *Bergk* : nos omnis *cod.* (*pro* nos os ?) (omnis
tutatur Leo)   762 tibi *Schoell*   initiam quadrupiis beneficia *cod.* :
corr. Ital., Camerarius   763 iam tua *Camerarius* : itu a *cod.*   proba
cod.   764 prohibet *add. Leo*   765 adest *cod.* : *corr. Acidalius*
tantillum *Casaubonus* : ad illum *cod.*

sed quid ego hic clamo? quid si me iubeat intro mittier?
conceptis me non facturum uerbis iurem, si uelit.
nugae sunt. si stimulos pugnis caedis, manibus plus dolet.
de nihilo nihil est irasci, quae te non flocci facit.

770 sed quid hoc ést? pro di inmortales! Calliclem uideo senem, 60
meu' qui adfinis fuit, ancillas duas constrictas ducere,
alteram tonstricem | huiius, alteram ancillam suam.
pertimui: postquam una cura cor meum mouit modo,
timeo ne male facta antiqua mea sint inuenta omnia.

CALLICLES   ANCILLA CALLICLIS   iii
DINIARCHVS   SVRA

775 CA. Egon tibi male dicam? at tibi te mauelim: ut animus
meust,

propemodum expertae estis quam ego sim lenis tranquillus-
que homo.

rogitaui ego uos uerberatas ambas pendentis simul;
commemini, quo quicquid pacto sitis confessae scio;
hic nunc uolo scire eodem pacto sine malo fateamini. 5

780 quamquam uos colubrino ingenio ambae estis, edico prius
ne duplicis habeatis linguas, ne ego bilinguis uos necem,
nisi si ad tintinnaculos uoltis uos educi uiros.

AN. uis subigit uerum fateri, ita lora laedunt bracchia.

766 mittiar *cod.* 767 uerui sirem sileuit *cod.* (ii. 7): *corr.*
Merula, Angelius 769 nihilist *Spengel* 770 hoc *om. B* calic-
tenui desenem *cod.*: *corr. Merula* 771 *post* 772 *cod.*: *trai.*
Gruterus 771 meusque *cod.*: *corr. Merula* 772 Alteram ⟨Suram⟩
Mueller *vix* huīus 774 ne *Camerarius*: ne [me] *cod.* (? *pro*
ne mē, *i. e.* ne male; iv. 3) sine inuenia (-am *P*CD) *cod.*: *corr.*
Acidalius 775 at tibi te mauelim *scripsi*: aut tibi adte male
uelim *cod.* aut tibi adeo *Camerarius*: a. t. Acte *Schoell* animu
meust (animo meost *P*CD) *cod.* 776 estis *Ital.*: essetis *cod.* sim
lenis *scripsi*: similes *cod.* (vii, p. 99): sim mitis *Camerarius* tranquil-
lusque *Camerarius*: tranquillus (-ilus *B*) usque *cod.* 777 uer-
berantis *cod.*: *corr. Spengel* ambas *Gruterus*: bas (has *P*CD) *cod.*
778 quicquid *scripsi*: quicquam *cod.* (*cf. ad vv.* 595, 785): quicque
Camerarius 779 pacton *Studemund* 780 colubri non *cod.*
781 linguam ne ego ibi linguis *cod.*: *corr. Ital.* 782 nesi *cod.*
(*antiqua forma*?) uos uoltis *Gruterus, rhythmo consulens* 783
subegit *cod.* (*antiqua forma*?)

34*

10 Ca. at si uerum mi eritis fassae, uinclis exsoluemini.

Di. etiamnum quid sit negoti falsus incertusque sum,   785

nisi quia timeo tamen, egomet ⟨quia⟩ quod peccaui scio.

Ca. omnium primum diuorsae state—em sic, istuc uolo ;

neue inter uos significetis, ego ero paries. loquere tu.

15 An. quid loquar ?   Ca. quid puero factumst, mea quem
                                    peperit filia,

meo nepoti ? capita rerum éxpedite. An. istae dedi.   790

Ca. iam tace. accepistin puerum tú ab hac ? Sv. accepi.
                                       Ca. tace.

nil moror praeterea. satis es fassa. Sv. infitias non eo.

Ca. iam liuorem tute scapulis istoc concinnas tuis.

20 conueniunt adhuc utriusque uerba. Di. uae misero mihi !

mea nunc facinora aperiuntur clam quae speraui fore.   795

Ca. loquere tu. qui dare te huic puerum iussit ? An. era
                                       maior mea.

Ca. quid tu, qur eum accepisti ? Sv. éra med orauit minor,

puer uti ferretur eaque ut celarentur omnia.

25 Ca. loquere tu. quid eo fecisti puero ? Sv. ad meam
                                       eram detuli.

Ca. quid eo puero tua era facit ? Sv. erae meae extemplo 800
                                       dedit.

---

784 uincis exsolue mihi *cod.* : *corr. Angelius, Camerarius*   785
etiam numquam sit negotii fassis *cod.* : *corr. Camerarius, Angelius*
786 tamen ego net (nec P^{CD}) quid pecc. *cod.* : *corr. Kiessling, Leo*
787 diuersa est ete em *cod.* : *corr. Camerarius*   788 neue *Camerarius* : ne *cod.* l. tu *Ital.* : loqueretur *cod.*   789 factumst
Camerarius : datumst (datum sit *B*) *cod.*   790 ⟨ede⟩ expedite *Leo*
(*sed cf. Seyffert Berl. Phil. Woch.* 1897, p. 715) dedit *cod.* : *corr.*
Merula   791 accepisti in *cod.* accepit *cod.*   792 est *cod.*
793 tute sc. *Camerarius* : utē capulis *cod.* (*cf. ad* 816) : uerbo sc. *Leo*
794 adhunc *cod.* utrique (?) *Leo* uae *Merula* : tuae *cod.* mihi *Ital.* :
nisi *cod.*   796 huc *cod.* : *corr. Merula* ira *cod.*   797-8
secl. Langen   797 era med orauit (*vel* me rogitauit) *Bothe* : eram
ero uit *cod.*   798 ut (*ita cod*) sibi f. *Ussing* : ut afferretur *Camerarius*
omniam *B*   799 erem *cod. ut uid.* (rem P^{CD})   800 quiite opuero
(cui te puero P^{CD}) tuo *cod.* : *corr. Camerarius* fecit *Ital.*   mea
cod.

CA. quoi, malum, erae? AN. duae sunt istae. CA. caue
　　　　　　　　　　　tu nisi quod te rogo.

ex te exquiro. SV. mater, inquam, filiae dono dedit.

CA. plus quam dudum loquere. SV. plus tu rogitas. CA.
　　　　　　　　　　　responde ocius:

quid illa quoi ⟨dono⟩ donatust? SV. supposiuit. CA. quoi? 30
　　　　　　　　　　　SV. sibi.

805 CA. pro filiolon? SV. pro filiolo. CA. di, opsecro uostram
　　　　　　　　　　　fidem!

ut facilius alia quam alia eundem puerum unum parit!

haec labore alieno puerum peperit sine doloribus.

puer quidem beatust: matres duas habet ét auias duas:

iam metuo patres quot fuerint. uide sis facinus muliebre. 35

810 AN. magi' pol haec malitia pertinet ad uiros quam ad
　　　　　　　　　　　mulieres:

uir illam, non mulier praegnatem fecit. CA. idem ego istuc
　　　　　　　　　　　scio.

tu bona ei custos fuisti. AN. plus potest qui plus ualet.

uir erat, plus ualebat: uicit, quod petebat apstulit.

CA. et tibi quidem hercle | idem áttulit magnum malum. 40

815 AN. de istoc ipsa, etsi tu taceas, reapse experta intellego.

CA. numquam te facere hodie quiui ut is quis esset diceres.

---

801 caue *Camerarius*: ca *cod.* (vii. 2)　　nisi (iste *B*) quod te
rogo [nisi] *cod.* (*pro* iste *corr. in marg.* nisi?): *corr. Goeller*
802 ex *Bothe*: ea *cod.*　　inquem *cod.*: *corr. Ital.*　　m. f. d. d. i.
cod.: *trai. Bothe*　　803 [inqua] loquere *cod.* (*cf. ad v.* 802): *corr.*
Bothe　　804 dono *add. Kampmann*　　sibi *Ital.*: tibi *cod.*　　805
pro filio lotoni pro filio lodeì (*pro* dei) *cod.*: *corr. Ital., Seyffert*　　806
unum p. *Buecheler*: ut num paret *cod.*　　808 beatus *cod.*　　mater
(*pro* maī., *i. e.* matres?) ouas *cod.*: *corr. Ital.*　　et *del. Geppert*　　809
muliebri *cod.*　　810 *vel* mage　　pertinet haec malitia ad uiros
Brix: ad ui. mal. h. p. *Bothe*. ne sit dactylus pertinet　　*sed scande*
sic, pértinét ad uíròs quam ad múl., *nam* uiros ἔμφασιν *habet*　　mulieres *Ital.*: muliebri *cod.* (v. 4)　　811 uir illam *Camerarius*: uiri
iam *cod.*　　idem *Camerarius*: et ide *cod.*　　813 abstulit *Camera-*
rius: adstuni (adest uni *P*CD) *cod.*　　814 *vix* hercule　　idem ⟨uir⟩
Guietus　　815 Idem istuc (-oc) *Kiessling*　　reapse *Camerarius*: re
ab *cod.*　　816 quiui ut is *Camerarius*: ut quiuis *cod.*　　dicerē *ut*
vid. cod. (*i. e.* diceres) (dicere *B*: diceret *P*CD)

An. tacui adhuc :   nunc ⟨non⟩ tacebo, quando adest nec se
indicat.

Di. lapideus sum, commouere me miser non audeo.

45 res palam omnis est, meo illic nunc sunt capiti comitia.

   meum illuc facinus, mea stultitia est.   timeo quam mox 820
nominer.

Ca. loquere filiam meam quis integram stuprauerit.

An. uideo ego té, propter male facta qui es patronus parieti.

Di. neque uiuos neque mortuos sum neque quid nunc
faciam scio

50 neque ut hinc abeam neque ut hunc adeam scio, timore
torpeo.

Ca. dicin an non ?   An. Diniarchus, quoí illam priu' 825
desponderas.

Ca. ubi is homost quem dicis ?   Di. adsum, Callicles. per
te opsecro

   genua ut tu istuc insipienter factum sapienter feras

   mihique ignoscas quod animi inpos uini uitio fecerim.

55 Ca. non placet : in mutum culpam confers ⟨qui non⟩ quit
loqui.

   nam uinum si fabulari possit se defenderet.   830

   non uinum ⟨uiris⟩ moderari, sed uiri uino solent,

   qui quidem probi sunt ; uerum qui inprobust si quasi bibit

---

817 t. ad nunc nunc t. *cod.* : *corr. Seyffert*   necesse indice *cod.* :
corr. Seyffert   819 ineo (neo *B* : *corr. D*) *cod.*   *vel* illi   comtia *cod.*
(coptia *C*[1], coitia *ut vid C*[2] : castia *D*[1], costia *D*[2])   820 illac *cod.* (a
pro u)   stultam (stulta *P*[CD]) *cod.* (*pro* stultā, *i. e.* stultitia ?)   nominer
Saracenus : non miner *cod.*   822 mala *cod.*   est *cod.*   823
neque q. *Ital.* : ne q. *cod.*   824 neque ut hunc *Ital.* : ut neque
hunc *B* : ut neque ad hunc *P*[CD]   825 desponderas *Camerarius* :
dicis (*pro* dis ?) ponderas *cod.*   826 te *Spengel* : tuo *B* (*seq.* o) : tua *P*[CD]
827 genua te ut ist. *Leo*   829 cui pam (quippiam *P*[CD]) confer quid
(quod *P*[CD]) l. *cod.* : *corr. Ital., Camerarius,* qui non *add. Luchs*   placet
⟨qui⟩ . . . confert *Fleckeisen*   830 fabularem *cod.* (*pro* -re? *cf. ad
Mil.* 371)   posset *Camerarius*   defenderem *cod.*   831 uiris
add. Schoell   uiri uino *Schoell* : uim non *cod.*   hominibus . . .
homines *Camerarius*   832 probri *cod.* (*corr. D*)   improbus *Ital.* :
iam probus *cod.* (iv. 3 ; A *pro* M *vel* N)

siue adeo caret temeto, tamen ab ingenio inprobust.

DI. scio equidem quae nolo multa mi audienda ob noxiam. 60
835 ego tibi me obnoxium esse fateor culpae compotem.

AN. Callicles, uide quaeso magnam ne facias iniuriam :
reu' solutus caussam dicit, testis uinctos attines.

CA. soluite istas.   agite, abite tu domum et tu autem
domum.

eloquere haec erae tu : puerum reddat, si quis eum petat.   65
840 eamus tu in ius. DI. quid uis in ius me ire? tú es praetor
mihi.

uerum te opsecro ut tuam gnátam des mi uxorem, Callicles.

CA. eam dem? pol te iudicasse pridem istam rem intellego.

nam hau mansisti, dum ego darem illam : tute sumpsisti tibi.

nunc habeas ut nactu's. uerum hoc ego te multabo bolo :   70
845 sex talenta magna dotis demam pro ista inscitia.

DI. bene agi' mecum. CA. filium istinc tuom te meliust
repetere.

ceterum uxorem quam primum potest abduce ex aedibus.

ego abeo. iam illi remittam nuntium adfini meo,

dicam ut aliam condicionem filio inueniat suo.—   75
850 DI. at ego ab hac puerum reposcam, ne mox infitias eat ;
nihil est, nám eapse ultro ut factumst fecit omnem rem palam.

833 inprobus (pro -st) codd. Nonii 5 : [timidus] est inprobus cod.
(iv. 3)   834 obnoxia cod. : corr. Palmerius   835 essem cod.
cultae compotemi cod. : corr. Saracenus   836 uidē B   quaeso
magnam ne Schoell : quaesomnem cod. (vii, p. 104) : in quaestione
ne Leo   837 dicit ta (tam PCD) estis (pro taestis, i. e. testis) uicto
sati ines cod. : corr. Lipsius   840 tu] t PCD : om. Ital.   in ius
... in ius Saracenus : intus ... intus cod.   tu es Ital. · et ues cod.
841 mi om. PCD   842 eam dem Palmer (Hermath. 9, 73) : eundem
cod. (u pro a)   pulte cod.   pridem Spengel : quidem cod.   qui
admisti eam rem Leo   843 dum Camerarius : dem cod. (idem
PCD)   845 magna Saracenus : malana cod.   dotes (detes PCD) cod.
istasc (istast PCD) insc. cod. (iv. 3)   846 tuom Camerarius : tum
cod.   847 uxorum cod. (corr. PCD)   abdu (abduci PCD) cod.
(pro abdū, i. e. abduce ?)   848 abeo Fleckeisen : adeo cod. (D pro
B)   affini Camerarius : adi (pro adfī, i. e. adfini ?) cod.   850
ab hac] istanc Abraham, qui posco ab non Plautinum esse monet
eat Ital. : et cod.   851 eapse Seyffert : ipsa et cod.   factus cod.

sed nimium pol opportuna éccam eapse égreditur foras.

ne ista stimulum longum habet quae usque illinc cor pungit

meum.

iv Phronesivm   Diniarchvs   Astaphivm

Ph. Blitea et luteast meretrix nisi quae sapit in uino ad rem

suam ;

si alia membra uino madeant, cor sit saltem sobrium.   855

nam mihi diuidiaest, [in] tonstricem meam †sicut multam†

male.

ea dixit, eum Díniarchi puerum inuentum filium.

5 Di. uidi, audiui, quam penes est mea omnis res et liberi.

Ph. uideo eccum qui amans tutorem med optauit suis bonis.

Di. mulier, ad ⟨te⟩ sum profectus.   Ph. quid agitur, uoluptas 860

mea ?

Di. non ' uoluptas,' aufer nugas, nil ego nunc de istac re ago.

Ph. scio mecastor quid uis et quid postules et quid petas :

10 me uidere uis, et me te [amare] postulas, puerum petis.

Di. di inmortales ! ut planiloqua est, paucis ut rem ipsam

attigit !

Ph. scio equidem sponsam tibi esse et filium ex sponsa tua, 865

et tibi uxorem ducendam iam, esse alibi iam animum tuom ;

et quasi pro derelicta sím, abituru's.   sed tamen

852 oportuna ecce ab se *cod.* : *corr. Ital., Bothe*   *vix* ecceampse
853 longem (longe *P*CD) *cod.* : *corr. Camerarius*   pugit *cod.*   melim
*P*CD   854 bliteae clautea *codd. Nonii* 80   est *Nonius* : et *cod.*   856
in *del. Camerarius*   sic mulcatam male *Camerarius* : sic conuictam
male *Leo*   857 meum *Bothe*   858 ubiit (-id *P*CD) audiuit *cod.* :
corr. Schoell   quam[quam] *cod.* : *corr. Pistoris* : *fort.* eam quam
Vbi id audiui, quam ⟨ego propere potui egressa huc sum foras. Di.
Lubet adire⟩ quam *etc. Leo*   859 manstutorem mea doptauis
bonis *cod.* : *corr. Bothe, Lambinus, Rost*   860 mul. adsum pro-
fectust *cod.* : *corr. Acidalius*   861 nunc *Ital.* : hunc *cod.*   862 uelis
Camerarius : uis *cod.*   863 amare *delevi dubitanter* (iv. 1,
p. 62)   uis, te amari (*del.* et me) *Bothe*   864 rempsam *B* (*forma
antiqua ?*)   866 iam *pr. del. Leo*   aliena an. *Abraham stud. Plaut.* 240
867 et⟨me⟩ *Camerarius* : ut me *Lambinus*   sim *scripsi* : sis *cod.* (*cf. Amer.
Journ. Phil.* 17, 444) : scio *Leo*   habiturus (*i. e.* -ru's) *cod.*   amen *cod.*

cogitato mus pusillus quam sit sapiens bestia,   15
aetatem qui non cubili ⟨uni⟩ umquam committit suam,
870 quia, si unum ostium opsideatur, aliud perfugium †geritt.
DI. otium ubi erit, de istis rebus tum amplius tecum
                                                    loquar.
nunc puerum redde. PH. immo amabo ut hos dies aliquos
                                                    sinas
eum esse apud me. DI. minime. PH. amabo. DI. quid 20
        ⟨eo⟩ opust? PH. in rem meamst.
triduom hoc saltem, dum miles aliquo circumducitur,
875 sine me habere : siquidem habebo, tibi quoque etiam pro-
                                                    derit ;
si auferes [puerum], a milite omnis [tum] mihi spes animam
                                                    ecflauerit.
DI. factum cupio, nam refacere si uelim, non est locus ;
nunc puero utere et procura, quando pro cura aes habes.   25
PH. multum amo te ób istam rem mecastor. ubi domi
                                                    metues malum,
880 fugito huc ad me : saltem amicus mi esto manubiarius.
DI. bene uale, Phronesium. PH. iam ⟨me⟩ tuom oculum
                                                    ⟨non⟩ uocas?
DI. id quoque interatim furtim nomen commemorabitur.

868 uestia *cod.*   869 quin ocubilium quam *cod.* : *corr. Buecheler*
suum *cod.* (*cf. ad Trin.* 1090)   870 quin *Bothe*   ostium *Mueller*
(*Herm.* 34, 335) : odium *B* : *om.* P^CD (*et fort. cod.* ; *cf. v.* 871)   ob-
sidiator *cod.*   alium *cod.*   q. si u. op. aliud ⟨iam⟩ p. ⟨ele⟩gerit *Leo* :
fort. al. p. ei erit   871 odium *cod.*   872 amabo *Bothe post Camerarium* : iam abo *cod.* (iam abio P^CD)   873 quid opus iure mea *cod.* :
corr. Studemund, Camerarius, Bothe, Lambinus   874 saltem ⟨unum⟩
Mueller   aliquo milis *cod.* : *trai. Bothe* (ii. 1) : ⟨mi⟩ al. mil. *Schoell*
aliqui *Spengel* : *fort.* aliqua   875 In eam rem siquid *cod.* : *corr.
Buecheler* (*cf. ad Men.* 452)   876 puerum *del. Guietus*   tum *del.
Mueller*   animam *Merula* : anima *cod.*   877 nefacere *Ital.*   878
pro cura aes *Schoell* : procures *cod.* : quor cures *Leo*   879 amo
Bothe : amabo *cod.*   880 manubinarius *cod.* : *an* mutuarius (-tuit-) ?
881 me *et* non *add. Camerarius*   tuum *Ital.* : tum *cod.*   882
interatim furtim *scripsi* : interim futatim *cod.* (ii, p. 38) : i. furatim
Lipsius   commemorauiter *cod.* : *corr. Camerarius*

30 numquid uis? Pн. fac ualeas. Dı. operae ubi mi erit, ad
te uenero.—
Pн. ille quidem hinc abiit, apscessit. dicere hic quiduis licet.
uerum est uerbum quod memoratur : úbi amíci, ibidem opes. 885
propter hunc spes etiamst hodie tactuiri militem ;
quém ego ecastor mage amo quam me, dum—id quod cupio
inde aufero.
35 quae quom multum apstulimus, hau multum ⟨eius⟩ apparet
quod datum est :
ita sunt gloriae meretricum. As. aha tace! Pн. quid est,
opsecro?
As. ⟨pater⟩ adest pueri. Pн. sine eumpse adire huc. sine, 890
si is est modo.
As. ⟨ipsus est⟩. Pн. sine eumpse adire, ut cupit, ad me.
As. rectam tenet.
Pн. ne istum ecastor hodie †thastis† confectum fallaciis.

ACTVS V

V Stratophanes   Phronesivm   Strabax
Astaphivm

Strat. Ego minam auri fero supplicium †damnis† ad
amicam meam ·

883 fac ualeas *Acidalius* : facultas *cod.* : fac uenias *Mueller*   mi
ubi *Bothe*   884 ascessit *cod.* hic quis uidelicet *cod.*: *corr. Camerarius*   885 uerum ⟨uetus⟩ est *Goetz, Schoell*   ⟨ubi⟩ubi *Mueller*
ibĭdem ⟨sunt⟩ *Camerarius*   opes *Pius* : opus *cod.*   886 etiam
se hodie tantum rimlitem *cod.* : *corr. Palmerius, Petitus*   tactum iri
⟨iterum⟩ *Buecheler* : inanitum iri (?) *Leo*   887 ego *om. P*CD   ama
qua me dum (dudum *P*CD) *cod.*: *corr. Ital., Camerarius*   aufero
Camerarius : auferue (auferre *P*CD) *cod.*   *ante* 888 *talem uersum
suppl. Buecheler*: nam quantumuis dent amantes, semper id nobis
parumst   888 mutum *cod.*   haud ⟨id⟩ *Seyffert*   mutu *cod.*
eius *add. Leo*   890 pater *add. Guietus*   891 ipsus est *add.*
Leo   sin *cod.*   ad me ad recta si tenent *cod.* : *corr. Leo* (tenet
Pius)   892 astutis conficiam *Camerarius, Geppert* : aspiciam confectum *Leo*: *fort.* habuisti (hāsti *per compend. script.*) confectum, *verba
Astaphii*   893 Eo mihi amare *cod.* : *corr. Buecheler, Seyffert*

ut illud acceptum sit priu' quod perdidi, hoc addam insuper.

895 sed quid uideo? eram atque ancillam ante aedis. adeundae
haec mihi.

quid hic uos agitis? PH. ne me appella. STRAT. nimium
saeuis †ict.

PH. potine ut mihi molestus ne sies? STRAT. quid, 5
Astáphium, litiumst?

As. merito ecastor tibi suscenset. PH. egon, atque isti
etiam parum

male uoló. STRAT. ego, mea uoluptas, si quid peccaui prius,

900 supplicium hanc minam fero auri. si minu' credis, respice.

PH. manu' uotat priu' quam penes sese habeat quicquam
credere.

puero opust cibum, opus est matri aútem quae puerum lauit, 10

opu' nutrici, lact' ut habeat, ueteris uini largiter

ut dies noctesque potet, opust ligno, opust carbonibus,

905 fasciis opus est, puluinis, cunis, incunabulis,

oleum ⟨opust⟩, opus est farina ; pu⟨e⟩rus est totum diem :

numquam hoc uno die ecficiatur opu' quin opu' semper 15
siet ;

non enim possunt militares pueri †etauio† exducier.

damnâs *Dousa* : damnis *cod.*   895 uideo *Merula* : uidet *cod.*
adeunda est haec mihi *cod.* : *corr. Leo* : adeunda haec mihist *Bothe*
896 appellat nimius eui sic *cod.* : *corr. Ital.*   *fort.* sae. saeuiter
897 potines *cod.*   ecquid (*cum* sis) *Buecheler*   ast apilitiumst *cod.* :
corr. Spengel   898 tibi *Ital.* : sibi *cod.*   lego natque ne isti *cod.* :
corr. Camerarius   900 hanc *Ussing* : archanc (adhanc *P*CD) *cod.*
(iv. 3) : ad te hanc *Camerarius*   minus *Bugge* : mihi *cod.* (*pro* mī,
i. e. minus ?)   credis respice *Acidalius, Muretus* : ri despice *cod.* :
(si mihi) arrides r. (?) *Goetz, Schoell*   902 cibo *Spengel*   ⟨opus
est⟩ quae *Leo*   903 lact (lacte) ut *Seyffert* : actut *cod.* (attut *B* :
actute *P*CD)   lagiter *cod.*   904 opust ligno *Guietus* : opustic no
(opus istic non *P*CD) *cod.*   905 fasciis *Ital.* : falciis *cod.* (faciliis *P*CD)
906 oleo *Spengel*   opust *add. Buecheler*   puerus *scripsi* (*Harv. Stud.*
9, 131) : purus *cod.* : porro opus *Buecheler*   907 *fort.* ordo verborum mutandus, nam nec d(ie) ecf. nec die ēcficiā. *satis placet*
908 possum *cod.*   dauco *Seyffert* : ut auium *Palmer*

STRAT. respice ergo : áccipe hoc qui ístuc ecficias opus.

PH. cedo, quamquam parum est.   STRAT. †ad omnae manuc† 910
                                              istuc post.   PH. parumst.

STRAT. tuo arbitratu quod iubebis dabitur.   da nunc sauium.

20 PH. mitte me, inquam, odiosu's.   STRAT. nihil fit, non amor,
                                                        teritur dies.

plus decem pondó—amoris pauxillisper perdidi.

PH. accipe hoc atque auferto intro.

                            STRAB. ubi mea amica est gentium ?

neque ruri neque hic óperis quicquam facio, corrumpor situ, 915

ita miser cubando in lecto hic exspectando obdurui.

25 sed eccam uideo.   heús amica, quid agis ?   STRAT. quis
                                                illic ⟨est⟩ homo ?

PH. quém ego ecastor mage amo quam te.   STRAT. quam
                    me ?   ⟨PH. quam te.   STRAT.⟩ quo modo ?

PH. hoc modo ut molestus ne sis.   STRAT. iam⟨ne⟩ abis,
                                              postquam aurum habes ?

PH. condidi intro quod dedisti.   STRAB. ades, amica, te 920
                                                        adloquor.

PH. at ego ad te ibam, mea delicia.   STRAB. hércle uero serio,

30 quamquam ego tibi uideor stultus, gaudere aliqui me uolo ;

nam quamquam es bella, malo tu tuo, nisi ego aliqui gaudeo.

PH. uin te amplectar, sauium dem ?   STRAB. quiduis face
                                              ⟨qui⟩ gaudeam.

---

909 ⟨atque⟩ accipe *Bothe*   hoc ⟨sis⟩ *Spengel*   [ex]efficias *cod.*
('*scil. varia lectio* exficias' *Leo*)   910 addam unam minam *Bothe* :
fort. addo minam etiam (*Leo*) auri (*cf. ad v.* 836)   istuc *Bothe* :
istic *cod.*   poste *cod.* (*antiqua forma* ?)   911 dabitur *Goeller* :
adabitur *cod.* (ii. 7) (addabitur *P*CD)   913 amoris *codd. Nonii* 155 :
moris *cod.*   pausilliper *cod.*   perdidit *codd. Nonii*   914 me
am. e. centium *cod.*   915 facto *cod.*   917 amicam q. a. [mille]
cod. (*pro personae titulo* MILES\   est *add. Weise*   918 mage
Ital. : age *cod.*   amo ⟨multo⟩ *Guietus*   quam te *add. Bothe*   919
-ne *add. Guietus*   920 adest *cod., unde* adesdum *Mueller* (*Herm.* 34,
339)   921 ibo ad medelicia *cod.* : *corr. post Angelium et Acidalium*
Spengel   923 est *cod.* (*cf. Amer. Journ. Phil.* 17, 443)   tu *post*
nisi *cod.* (ii. 2) : *huc transposui* (iii. 1) : *post* es *Schoell*   tuo's *Pareus*
924 uincte *cod.*   amplectar [et] *cod.* : *corr. Goeller*   qui *add. Ussing*

925 STRAT. meosne ante oculos ego illam patiar alios am-
plexarier?

mortuom hercle me hodie satiust. apstine hoc, mulier,
manum,

nisi si te mea manu ui ín machaera et hunc uís mori.   35

PH. †nihili phiarit satiust, miles, si te amari postulas;

auro, hau ferro deterrere potes⟨hunc⟩né amem, Stratophanes.

930 STRAT. qui, malum, bella aut faceta es, quaé ames hominem
isti modi?

PH. uenitne in mentem tibi quod uerbum in cauea dixit
histrio:

omnes homines ad suom quaéstum callent et fastidiunt.   40

STRAT. huncine hominem te amplexari tam horridum ac
tam squalidum?

PH. quamquam hic †qualestt, quam⟨quam⟩ hic horridus,
scitus, bellus mihi.

935 STRAT. dedin ego aurum—PH. mihi? dedisti filio cibaria.

nunc, si | hanc tecum esse speras, alia opust auri mina.

STRAB. malam rem is et magnam magno opere, serua tibi 45
uiaticum.

STRAT. quid isti debes? PH. tria. STRAT. quae tria nam?
PH. unguenta, noctem, sauium.

925 Me eosne *cod.*   926 me hodie satiust *Brix*: medio satius
cod.: me di s. *Ribbeck*   manu *cod.*   927 nisi si te mea machaera
uis et hunc una mori *Schoell*   928 nihilpphiari *B*: nil alapari
Buecheler: Philippiari (*sc.* auro Philippeo uti) *Spengel*   929
haud ferro *Merula*: aufero *cod.*   potest ne amet *cod.*: *corr. Seyffert*
930 faceta es *Pius*: eaci (-ti *P*CD) eta est *cod.* (E *pro* F)   hominem
Ital.: homini *cod.* (i. 10)   931 dixi *cod.*   932 et] nec *Bothe*
⟨qui⟩ ad s. q. c. nihil f. *Ussing*   933 amplexari *Saracenus*:
amplexares *cod.* (? *pro* -rei)   horridum (horri *B*) acta (atque *P*CD)
cod.: *corr. Spengel*   934 qualest (*corr.* -is est) *cod.* (qualiest *B*:
qualis est *P*CD): squalet *Spengel*: squalust *Seyffert*: *vix* squalenst
-quam *add. Merula*   horret *Spengel*   citus bellum hi *cod.*: *corr.*
Lipsius (bellust)   *vel* scitus   935 Dedin *Camerarius*: Dedi u
(dedi *P*CD) *cod.*   mihin? *Mueller*   dedixisti *cod.* (*corr. D*1) cibariam
cod.   936 tecum hanc *Spengel*   937 ⟨In⟩ malam rem is magnam *Acidalius et Guietus*   magnam *Merula*: magna *cod.*   *vel sic*
distingue magnam, magno opere serua   seruat ibi aticum (seruatib
atticum *P*CD *ut uid.*) *cod.* (iii. 3): *corr. Merula*   938 debes *Goeller*:
debe isi (debet nisi *P*CD) *cod.*   nocte (noctes *P*CD) *cod.*

STRAT. par pari respondet. uerum nunc saltem, †si† amas,
dan tu mihi de tuis deliciis †sum quicquid† pauxillulum ?   940
PH. quid id, amabo, est quod dem ? †dic tum super ferit†
50 Campas dicit †tauaui consultam† istuc ; mi homo,
caue faxis uolnus tibi iam quoi sunt dentes ferrei.
STRAT. uolgo ad se omnis intromittit : apstine istac tu
                            manum.
STRAB. iam hercle cum magno ⟨malo⟩ tu uapula uir strenuos. 945
STRAT. dedi ego huic aurum.   STRAB. at ego argentum.
                STRAT. †eat apale puram†.
55 STRAB. at ego ouis et lanam et alia multa quae poscet dabo.
meliust te minis certare mecum quam minaciis.
PH. lepidu's ecastor mortalis, mi Strabax, perge opsecro.
AS. stultus atque insanus damnis certant : nos saluae sumus. 950
STRAT. age prior perde aliquid.   STRAB. immo tu prior
                            perde et peri.
60 STRAT. em tibi talentum argenti. †Philippices† est, tene tibi.
PH. tanto melior : noster esto—sed de uostro uiuito.
STRAT. ubi est quod tu das ? solue zonam, prouocator. quid
                            times ?

939 ⟨et⟩ si ⟨istunc⟩ a. *Leo*   940 deliciis *Ital.* : delictis *cod.
fort.* umquam (*vel* numquam) quid (*vel* quod) (*cf. ad v.* 595)   pusil-
lulum *B* (*pro* paus.)   941 quid ita ababo (alabo *B* : abauo
*P*CD) est quod idem *cod.* : *corr. Palmerius*   fert *P*CD   *fort.*
dictatura tu supersede   942 capas *B*   ab aui *P*CD   *fort.*
i consultum i , mi h. ;   caue, si dicat. in tuam uitam sit consultum istuc,
mi homo *Buecheler*   943 uomus *B*   sum d. *B*   945 cum magno
malo *Bothe* : iam magno *cod.*   tut *B*   strenuis *B*   ⟨PH.⟩
uir strenuo's *Seyffert* (*Burs. Jahresber.* 1894, p. 324)   946 aurum
Merula : mirum *cod.*   at ego pallam et purpuram *Camerarius* : at
ego ancillas tura purpuram *Schoell*   947 et lanam *Camerarius* :
etia nam *cod.*   roscet *cod.*   dabo] dolum *B*   948 melius *cod.*
minis *Camerarius* : minis[ter] *cod.* (iv. 3)   certarem *B*   949–
61 *et* 967 *paucissima leguntur A*   949 (me)castor *A*   mi Strabax
Guietus : [est] strabax mi *P, A n. l.*   950 dannis *P, A n.l.*   sumis
B (iv. 3)   951 perde *Mueller* : tirot *B* : tyro *D* : tyranno *C* (*A
n. l.*)   952 talentum *Ital.* : tale actum *P, A n. l.* (A *pro* N)
Philippi hic est, em t. t. *Schoell.* : *vix* Philippicense est, t. t.   953
de *Camerarius* : et *P, A n. l.*   954 xonas *P, A n.l.*   prouo-
catur *P, A n. l.*

955 STRAB. tu peregrinu's, hic ⟨ego⟩ habito : non cum zona ego
                              ambulo :
   pecua ad hanc collo in crumina ego obligata defero.
   quid dedí! ut discinxi hominem! STRAT. ímmo ego uero 65
                               qui dedi.
   PH. í intro, amabo, i, tú eris mecum ; ⟨tum⟩ tu eris mecum
                               quidem.
   STRAT. quid tu ? quid ais ? cum hocin ⟨eris⟩ ? ego ⟨ero⟩
                        posterior ⟨qui⟩ dedi ?
960 PH. tu dedisti iam, ⟨hic⟩ daturust : istuc habeo, hoc expeto.
   uerum utrique mos geratur amborum ex sententia.
   STRAT. fiat.   ut rem gnatam uideo, hoc accipiundumst quod 70
                               datur.
   STRAB. meum quidem te lectum certe óccupare non sinam.
   PH. lepide ecastor aucupaui atque ex mea sententia,
965 meamque ut rem uideo bene gestam, uostram rusum bene
                               geram :
   †romabo† si quis animatust facere, faciat ut sciam.
   Veneris causa adplaudite : eius haec in tutelast fabula.   75

   spectatores, bene ualete, plaudite atque exsurgite.

     955 ego *add. Angelius*   nou cum zona ego *Ussing* : nunc meos
nego (nunc meos non ego *P*CD) *P, A n. l.*   956 ne rumina ego *codd.*
Prisciani I. 270 : ego in crumina *P, A n. l.*   957 discinxi *Pius* :
dixtinxi (*B*) *vel* distinxi (*P*CD) *P, A n. l.*   958 i *Merula* : in *cod.*
(vii. 4)   i *Leo* : et *cod.* (*pro* ei ?)   tu (*om. P*CD) uergo a mecum
tu *cod.* : *corr. Leo*   959 eris *et* ero *add. Ussing*   qui *add. Stude-*
mund   *fort.* cum hocin ? ego posterior ? ⟨posterior⟩ dedi ? (*vel* p.
⟨qui príor⟩ dedi)   960 hic *add. Buecheler post Lambinum*
962 cipiundumst *B*   quo *cod.*   963 sinem *cod.*   964
ecastor aucupaui atque *codd. Nonii* 467 : mecastor aucupabatque *cod.*
965 meamque *P*CD aeque *P*CD   ut rem debere negestam *cod.* : *corr.*
Bothe   gera *cod.*   966 rem bonam *Buecheler* : Romae habeo
Schoell : uerum (*malim* ergo) amabo (*Ital.*) *Camerarius*   si quid a.
facere (facire *B*) faciam *cod.* : *corr. Schoell*   ⟨me⟩ ut *Seyffert*
967-8 *exitus duplex etiam in A ut vid.*

VIDVLARIA

PERSONAE

ASPASIVS (?) SERVVS
NICODEMVS ADVLESCENS
GORGINES PISCATOR
DINIA SENEX
CACISTVS PISCATOR
SOTERIS VIRGO, ETC.

ASPASIVS. *Cf. ad v.* 17

PROLOGVS

```
*      *      *   hanc rem uetere nomine
*      *      *      *      *      *
*      *      *      *      *      *
laudatus   *      *      *      gra⟨ti⟩as
```
5
```
*      *      *      *      *      *
Sc⟨h⟩edia   *      *      *      *      *
*      *      noster f⟨ecit⟩ V⟨idularia⟩m.
*      *      *      *      *      *
priu' noscite   *      *   scitis, ipsus ⟨e⟩s⟨t⟩ ;
```
10
```
credo argumentum uelle uos ⟨pern⟩os⟨cer⟩e ;
int⟨elle⟩g⟨etis poti⟩us q⟨uid a⟩g⟨an⟩t q⟨ua⟩nd⟨o a⟩gent
*      *      uos in loco monitum   *      *
*      *      *      *      *      *
*      *      *      *      *      *
```
15
```
*      *      *      *      *      *
*      *      *      *      *      *
```

⟨A⟩s ⟨p a⟩s ⟨i⟩ v s

Hominem, semel quem †usu rupit† seruitus

```
              *              *              *
```

Huius fabulae praeter titulum, INCIPIT VIDVLARIA | VIDVLARIA, *nihil servatum in* P, *amissa ultima codicis parte. Fragmentorum quae in* A *sunt pleniorem descriptionem habes in Studemundi 'apographo cod. Ambrosiani.' Sicubi nihil adnotaui, Studemundum pro auctore habeas licet.*

1 ⟨nouam⟩ hanc (?) *Leo* 4 laudatus ⟨iam est acturus uobis⟩ gratias (?) *Leo* 6, 7 Sched⟨ia haec⟩ uo⟨catast a⟩ grae⟨co com⟩o⟨edia⟩ | Poeta, hanc noster f. V. *Studemund* 16 uos ill⟨um a⟩udite (*Goetz*) mox pro hoc ⟨alius rediero⟩ *Studemund* 17 usurpauit *Studemund*: *vix* usuripauit (-rup-). *Inter v.* 17 *et v.* 18 *interciderunt circ.* 190 *versus in* A, *quorum haec fragmenta servaverunt grammatici*

T. MACCI PLAVTI

⟨N I C O D E M V S   G O R G I N E S⟩

Nɪ. Eiusdem Bacchae fecerunt nostram nauem Pentheum.   frag. ɪ (ɪx)
inopiam, luctum, maerorem, paupertatem, algum, famem.   ɪɪ (vɪɪɪ)
Go. paupera haec res est.   ɪɪɪ (xɪɪɪ)
        haec myrtus Veneris est.   ɪv (vɪ, 2)

⟨D ɪ N ɪ A   N ɪ C O D E M V S⟩

est quo   *   neque ⟨temp⟩us censeo
Nɪ. quid ais? licet⟨ne? Dɪ. m⟩axum⟨e, si⟩ quid est opus.
sed quid est negoti? Nɪ. té ego audi⟨ui di⟩cere   2c
operarium te uelle ru⟨s condu⟩c⟨ere⟩.
Dɪ. re⟨ct⟩e audiuisti. Nɪ. quid uis operis ⟨fie⟩ri?
Dɪ. qu⟨id t⟩u istuc curas? an mihi tutor additu's?
Nɪ. dare possum, opinor, sati' bonúm operarium.
Dɪ. est tibi in mercede seruos quem des quispia⟨m⟩?   25
Nɪ. inopia seruom   *   *   *
Dɪ. quid? tu locas   *   *   *
nam equidem te   *   *   *   ⟨arb⟩itror.
Nɪ. non sum, siquidem tu   *   *   *
uerum, si pretium das, du⟨ces te⟩cum simul.   30
Dɪ. laboriosa, adulescens, uita est rustica.
Nɪ. urbana egestas edepol aliquanto magis.
Dɪ. talis iactandis tuae sunt consuetae manus.
Nɪ. at qualis exercendas nunc intellego.
Dɪ. mollitia urbana atque umbra corpus candidumst.   35
Nɪ. sol est ad eam rem pictor : atrum fecerit.
Dɪ. heus   *   illic estur   *   *

ɪ *Priscianus* ɪ, 300 (*accus. in* -eum)   ɪɪ *Priscianus* ɪ, 235 (algus)
ɪɪɪ *Priscianus* ɪ, 152 (paupera), *Probus cathol.* 16 (*item*)   ɪv *Por-
phyrio ad Hor. C.* ɪ, 38, 7 (myrtus *fem. gen.*)   24 *vel* opino
satis *an* si uis *incert. cod.*   25 in *del. Goetz*   26 seruumst.
i⟨ps⟩e ⟨eg⟩o me loc⟨auero⟩ *Buecheler* : s. i⟨ta⟩ f⟨it ut eg⟩o me loc⟨em⟩
(?) *Leo*   27 locas ⟨te⟩? no⟨n, ut opinor, serio⟩ *Leo*   28 te
m⟨ercennarium haud esse⟩ a. *Leo*   29 tu n⟨on uis mercedem
dare⟩ *Leo, Palmer (Hermath.* 20, 60)   36 aerum *cod.* (E *pro* T)
37 heus tu a me⟨is⟩ i.e. ⟨satis duru⟩s c⟨ibus⟩ *Leo*

Nɪ. misero male esse   *   *   *

Dɪ. quod aps te   *   *   *   quaesso ut m⟨ih⟩i impertias.

40 Nɪ. si tibi pudico | ⟨homine⟩ est opus et non malo,

qui   *   *   quam serui tui

cibique minimi maxumaque industria,

minime mendace, em me licet conducere.

Dɪ. non edepol equidem credo mercennarium

45 te esse. ⟨Nɪ. an⟩ non credis ?   *   *   *

      *   *   *   dicat simul

      *   *   *   operarium

iam   *   *   unde conducam mihi

multum labor⟨et, p⟩aullum mereat, paullum edi⟨t⟩.

50 Nɪ. minus operis nihilo faciam quam qui plurumum,

nec mihi nisi unum prandium quicquam duis

praeter mercedem. Dɪ. quid merendam ? Nɪ. ne duis

neque cenam. Dɪ. non cenabis ? Nɪ. immo ibo domum.

Dɪ. ubi habitas ? Nɪ. hic apud piscatorem Gorginem.

55 Dɪ. uicinus igitur es mihi, ut tu praedicas.

⟨Gorgines   Cacistvs   Aspasivs⟩

frag. v (1) Go. Animum aduortite ambo sultis. uidulum hic apponite ;

ego seruabo, quasi sequestro detis ; neutri reddibo,

donicum rés diiudicata erit haec.

vɪ (ɪɪ) As. hau fugio sequestrum

56 (Ca.) ibo et quaeram, si quem possim sociorum nanciscier

38 esse ⟨fuerit⟩ con⟨senta⟩ne⟨um⟩ *Leo*   39 *Nicodemo dant
alii*   41 qui fiděi plenior sit quam *Leo*   43 mendacem
em *cod.*   45 esse non *cod.*   50 faciat *cod.*   *Inter v.*
55 *et v.* 56 *interciderunt circ.* 150 *versus in A, quorum haec fragmenta servaverunt grammatici.*   v (*vv.* 1-3) vɪ *Priscianus* 1, 224
(sequestro)   1 amabo si uultis uitulum *codd. Prisciani*   2 *Nonius*
508 (reddibo)   sequestri *codd. Nonii*   neutri reddibo *Priscianus* 1,
226 (neutri) ; *idem cum v.* 3 *Priscianus* 2, 7 (neutri)   3 donicum
testatur gloss. Plaut.   donicum res reiudicata (*vel* res iudicata) erit
haec (*vei om.*) 1, 224 : donicum res diiudicata(deiu.) sit 2, 7 : donicum
haec diiudicata res erit *Ritschl*

35*

seu quem norim, qui aduocatus adsit. iam hunc noui locum.
hicine uos habitatis? Go. hisce in aedibus : huc adducito.
at ego uidulum intro condam in arcam atque occludam
probe.

tu si quem uis inuenire tibi patronum, quaerita ;   60
perfidiose numquam quicquam hic agere decretumst mihi.—
Ca. qur, malum, patronum quaeram, postquam litem perdidi ?

ne * homo miser * * * infelix fui,
uidulum q⟨ui⟩ ubi u⟨id⟩i, non me circumspexi centiens ;
uerbero illic, inter mu⟨rtos⟩ locust, in⟨de⟩ insidias dedit   65
tam scio quam med hic stare : captam praedam perdidi,
nisi quid ego mei simile aliquid contra consilium paro.
hic astabo atque opseruabo, si quem amicum conspicer.

DINIA   NICODEMVS   CACISTVS

Di. Ne tu edepol hodie miserias multas tuas
mihi narrauisti, eoque ab opere maxume   70
te abire iussi, quia me miserebat tui.
Ca. illic est adulescens quem tempe⟨st⟩as e mari
   *   *   *   *   *   *

et iam ego audiui   *   *   *
in opus ut sese collocauit quam ⟨cit⟩o !   75
⟨po⟩l hau cessauit, postquam   *   *
mirum est *   *   *   *
  *   *   *   *   *   *
rem mihi na⟨rrauit⟩ ; ede⟨po⟩l   *   *
puer *   *   *   *   *   80

63 ne ⟨ego⟩ homo miser e⟨t scelestus dudum at⟩que infelix fui
Leo : ne⟨mo⟩ homo miser e⟨st adaeque ut ego sum at⟩que infelix fui
Studemund   65 *suppl. Skutsch* : i. m. latuit, ins. *Leo* (*cf. Palmer,*
Hermath. 20, 63)   67 concilium *cod.*   70 narauisti *cod.*   72
e mari] *vel* immin—   77 ⟨Di.⟩ Mirumst ni a⟨udiui⟩ tuam u⟨ocem
u⟩squa⟨m gentium⟩   79 *vel* na⟨rauisti⟩   edepol simul ⟨tecum
fleo⟩ (?) *Leo*   80 puer i⟨s mi⟩hi ⟨periit⟩ (?) *Leo*

egentiorem   *   *   *   *   neminem
aeque esse cred⟨o neque fuisse⟩ neque f⟨o⟩re.
DI. caue tú istuc dixis. immo etiam argenti minam,
quam med orauisti ut darem tibi faenori,
85   iam ego adferam ad te. faenus mihi nullum duis.
NI. di tibi illum faxint filium saluom tuom,
quom mihi qui uiuam copiám inopi facis.
sed quin accedat faenus, id non postulo.
DI. defaenerare | hominem egentem | hau decet.
90   quam ad redditurum te mihi dicis diem
caue démutassis. NI. usque donec soluero

rag.VII(IV)   CA. ibi ut piscabar, fuscina ici uidulum.
VIII (VIª)   nescioqui seruos e myrteta prosil[u]it.
IX (V)   quid multa uerba? plurumum luctauimus.
X (VII)   nunc apud sequestrum uidulum posiuimus.

XI (X) opposita est calcendix. NI. at ego signi dicam quid siet.
XII (XVIII)   As. iube hunc in culleo insui
atque in altum deportari, si uis annonam bonam.
XIII (XVII)   CA. malo hunc adligari ad horiam,
ut semper piscetur, etsi sit tempestas maxuma.

XIV (XI) signum recte comparebat ; huiius contendi anulum.

81 egentiorem ⟨me ho⟩mine(m) n⟨atu⟩m neminem (?) *Leo*   82
aeque *scripsi* : atque *cod.* : neque *Studemund*   84 taenori *cod.*   87
copiam ⟨hanc⟩ *Studemund*   89 hau condecet *Studemund*   90
dicis *vix* -es *cod.*   91 *deficit A   Haec fragmenta reliquorum
fabulae versuum servaverunt grammatici*   VII *Nonius* 123 (ici)
uici *codd. Nonii*   VIII *Priscianus* I, 123 (myrt. *fem. gen.*), *Por-
phyrio ad Hor. C.* I, 38, 7   e] per *codd. Porphyrionis*   myrteta
suspectum   prosilit *Bothe* : prosiluit *codd. Prisciani et Porphyrionis*
IX *Nonius* 468 (deluctaui)   X *Priscianus* I, 528 (posiui)   XI
Prisciano I, 165 *in aliquot codd. ascriptum* (c. concha qua signum
tegitur) *vel* clac.   XII *Fulgentius Serm. Ant.* 53 (culleum)   insui
in culleo *codd. Fulgentii* : transposui   bonam piscibus *codd. deteriores*
XIII *Fulgentius Serm. Ant.* 15 (oriam .. Plautus in Cacisto)   XII, XIII
coniungit Leo, qui sic legit suis ut a. b. Piscibus ⟨concinnet⟩. CA.
malo *etc.*   XIV *Nonius* 258 (contendere)

T. MACCI PLAVTI VIDVLARIA

malim moriri meos quam mendicarier :   xv (iii)
boni miserantur illum, hunc inrident mali.
nunc seruos argentum a patre expalpabitur.   xvi

(Ni.) immo id quod haec nostra est patria et quod hic meu' xvii (xii)
                                        pater,
illic autem Soterinis est pater.
nam audiui feminam ego leonem semel parire   xviii (xv)
ubi quamque pedem uiderat, subfurabatur omnis. xix (xiv)

---

xv *Nonius* 138 (mendicarier)   2 boni ministrantur illum nunc
irrident mali *codd. Nonii* : *corr. Lipsius, Studemund*   xvi *Nonius*
104 (expalpare); 476 (expalpabitur)   nunc *om. codd.* 476   a patre
argentum *codd.* 476   xvii *Priscianus* 1, 317 (Soteris Soterinis)
xviii *Philargyrius ad Verg. Ecl.* 2, 63 (leonem feminam)   xix
Nonius 220 (pedis *fem. gen.*)   uiderat *Fleckeisen* : uidebat *codd. Nonii*

FRAGMENTVM DVBIVM

Aul. frag. vii *Vidulariae tribuunt Guietus, Mercerus*

FRAGMENTA

FABVLARVM PRAETER VARRONIANAS

ACHARISTIO

Quám ego tanta pauperaui per dolum pecunia.   ī

Panem et polentam, uinum, murrinam.   ıı

ADDICTVS

Opu' facere nimio quam dormire mauolo :

ueternum metuo.

AGROECVS

5 Quási lúpus ab armis ualeo, clunis infractos fero.

ARTEMO

Nunc mihi licet quiduis ioqui : nemo hic adest superstes.   ı

—⟨mu⟩iionum nauteam fecisset—   ıı

rauim.   ııı

ASTRABA

Sequere adsecue, Polybadisce : meam spem cupio consequi. ı

10 Po. sequor hercle equidem : nam lubenter meam speratam

consequor.

Axitiosae annonam caram e uili concinnant uiris.   ıı

Quasi tolleno aut pilum graecum reciprocas plana uia.   ııı

ACH. ı *Nonius* 157 (pauperavit, pauperem fecit)   ıı *Plinius N. H.* 14, 92 (vina murrae odore condita)   ADD. '*Servius*' *ad Verg. Georg.* 1, 124 (veternus)   AGR. *Paulus* 61 (clunes *masc.*), *Nonius* 196 (clunes *masc.*)   infractos fero *Paulus* : desertos (*pro* dissertos?) gero *codd. Nonii*   ART. ı *Festus* 305 (superstites, testes praesentes) (*cf. Pseudacr. in Hor. Epod.* 1, 5 nemo . . . sup.) ıı *Festus* 165 (nautea)   ııı *Festus* 274 (rauim)   AST. ı *Varro Ling. Lat.* 6, 73 (spes)   2 erclem quidem *cod.* : *corr. Spengel* mea sperata *cod.* : *corr. Ritschl*   ıı *Varro Ling. Lat.* 7, 66 (axitiosas, consupplicatrices)   ııı *Festus* 274 (reciprocare pro ultro citroque poscere)   tollenono *cod.* : *corr. Scaliger*   reciproceis *cod. vix recte* : *corr. O. Mueller*   uia *Scaliger* : uta *cod.*

IV . . Terebratus multum sit et supscudes addite.

V Terebra tu quidem pertundis.

VI Dare pedibus protinam sese ab his regionibus   15

VII   apluda.

BACARIA

PARASITVS. Quis est mortalis tanta
fortuna adfectus umquam
qua nunc ego sum, quoiius haec uentri portatur pompa ?
uel nunc qui mi in marí acipenser latuit antehac, quoius ego
5   latus in latebras reddam meis dentibus et manibus.   20

BOEOTIA

I PARASITVS. Vt illúm di perdant primus qui horas repperit
quique adeo primus statuit hic solarium,
qui mihi comminuit misero articulatim diem !
nam me puero uentér erat solarium,
5 multo omnium istorum optumum et uerissumum.   25
ubi is té monebat, esses, nisi quom nihil erat ;
nunc etiam quod est non estur, nisi Soli lubet.
itaque adeo iam oppletum oppidum est solariis :
maior pars populi | aridi reptant fame.

II Vbi primum accensus clamarat meridiem.   30

IV *Festus* 306 (subscudes, cuneatae tabellae quibus tabulae inter se
configuntur)   sit et] sit *Ritschl, ut iamb. senarius fiat*: *fort.* siet
V *Nonius* 62 (exterebrare, curiosius quaerere. Plautus . . cum in curi-
osum iocaretur)   terebra tu *Turnebus*: terebratum *codd.* (tum *pro* tú;
vii. 4)   VI *Nonius* 376 (protinam)   VII *Gellius* 11, 7, 5 (apludam),
unde Nonius 69   BAC. *Macrobius Sat.* 3, 16, 1 (acipenser . . Plautus . .
ex persona parasiti)   *Anapaestice discripsit Skutsch* (*Berl. Phil. Woch.*
1895, 265)   1, 2 q. ést m. ⟨aút fuit⟩ tantá f. afféctus *Seyffert*
3 quam *alii*   nunc egŏ *scripsi*: ego nunc *codd.*   4 uel] uenit *Leo*
5 manibus] mandibulis *Scaliger*   BOE. 1 *Gellius* 3, 3, 3 (parasitus
ibi esuriens haec dicit)   4 me puerŏ uentér *suspectum*: ⟨unum⟩
m. p. u. *Hertz*.   Cf. *Amm. Marc.* 23, 6, 77 uenter uni cuique uelut
solarium est   6 esses *Leo*: esse *codd.*   7 quom *Bothe*   8 est
oppidum *codd.*: *trai. Hermann*   9 pars p. ⟨iam⟩ *Hertz*: populi pars
Cobet   arida *Hertz* (*cf. Amm. Marc.* 19, 8, 8 per aestum arida
siti reptantes)   II *Varro Ling. Lat.* 6, 89 (accensus)   *vel* meridie

FRAGMENTA

CAECVS vel PRAEDONES

Nil quicquam factum nisi fabre nec quicquam positum sine 1
                                   loco ;

   auro, ebore, argento, purpura, picturis, spoliis,
   tum statuis

Neque eam inuito a me umquam abduces.   II

35 Spectaui ludos magnufice atque opulenter.   III

. . . . Plure altero tanto quanto eius fundust uelim.   IV

Ita sunt praedones : prosum parcunt nemini.   V

      In peregre [est].   VI

      A. Velim te arbitrari factum.   VII

40 B. Sedulum ; si summouentur hostes, remouentur lap[id]es.

. . . Si non strenue fatetur ubi sit aurum,   VIII
membra exsicemus serra.

Nil feci secus quam me decet.   IX

A. Quis tu es qui ducis me ?   B. mu.   A. perii hercle ! X
                               Afer est.

CALCEOLVS

45   Molluscam nucem
super eius dixit impendere tegulas.

CARBONARIA

. Ego pernam, sumen, sueres, spetile, callum, glandia.   1

CAE. 1 *Charisius* 199 (fabre)   1 sine] nisi (?) *Leo*   luco *cod.*
2 *post* spoliis *lacunam sign. Winter*   II *Charisius* 202 (invito,
adverb.)   III *Charisius* 209 (opulenter)   magn. ⟨confectos⟩ *Leo,
ut anap. septenarius fiat*   opulentiter *Weise, ut iamb. senarius fiat*   IV
Charisius 211 (plure)   fundus est *cod.*   V *Charisius* 211 (prorsum)
VI *Charisius* 212 (peregre)   in *del. Putsche*   in (isne) peregre ?
(*del.* est) *Leo*   VII *Charisius* 219 (sedulum, *adverb.*)   si (?) *Leo* :
est *cod.*   fustes *Winter*   lapes *Buecheler, ut troch. septenarius fiat*
VIII *Charisius* 219 (strenue)   IX *Charisius* 220 (secus pro aliter)
X *Charisius* 240 (mu *interiect.*)   *cf. Class. Rev.* 12, 364   CALC.
Macrobius Sat. 3, 18, 9 (nucem molluscam, Persicum quod vulgo
vocatur)   CARB. 1 *Festus* 330 (spetile, infra umbilicum suis quod
est carnis)   sueres] *cf. Heraeus* (*Arch. Lat. Lex.* 14, 124)   callum
Ursinus : galium *cod.*

⟂ɪ Patibulum ferat per urbem, deinde adfigatur cruci.
ɪɪɪ . . Secundum eampse aram aurum apscondidi.

†CESISTIO†

Dis stribula aut de lumbo opscena uiscera.   50

COLAX

ɪ Batiolam auream octo pondo habebam, accipere noluit.
ɪɪ Qui data fide firmata fidentem fefellerint,
  subdoli subsentatores, regi qui sunt proxumi,
  qui aliter regi dictis dicunt, aliter in animo | habent.
ɪɪɪ Si me tu hodie inuitaueris numquam quicquam . . .   55
ɪᴠ   Nexum.

COMMORIENTES

Saliam in puteum praecipes.

CONDALIVM

ɪ Tum crepusculo fere ut amant.   lampades accendite.
ɪɪ   Pro !

CORNICVLA

ɪ Quid cessamus ludos facere ? circus noster ecce adest !   60

ɪɪ *Nonius* 221 (patibulum *masc. gen.*)   adfigatur *vir doctus in Nonii ed. Basiliensi* : adfigat *codd.*   ɪɪɪ *Priscianus* ɪ, 516 (*de compositorum verbi 'do' perfectis*)   ipsam *codd.*   Cᴇs. *Varro Ling. Lat.* 7, 67 (stribula . . circum coxendices sunt bovis)   dis stribula *Buecheler* : distribula *cod.*   aut *Scioppius* : ut *cod.*   Cᴏʟ. ɪ *Nonius* 545 (batiola)   habebam *Ritschl* : habebat *codd.*   ɪɪ *M. Caesar ad Frontonem* 2, 10, p. 33 *Nab.*   3 animos *Ellis* ('Fronto' p. 25)   ɪɪɪ *Schol. Veron. Verg Aen.* 2, 670 (numquam hodie) *fort.* ⟨numquam⟩, numquam   ɪᴠ *Varro Ling. Lat.* 7, 105 (nexum) *Plautinum an Naevianum incertum*   Cᴏᴍᴍ. *Priscianus* ɪ, 280 (praecipes)   Cᴏɴᴅ. ɪ *Varro Ling. Lat.* 7, 77 (crepusculum, dubium tempus noctis an diei sit)   *vel* ferae   ɪɪ *Festus* 229 (pro *interiect.*) *sed vide Herm.* 40, 247   Cᴏʀɴ. ɪ *Varro Ling. Lat.* 5, 153 (circus, in Corn. militis aduentu, quem circumeunt ludentes)   eccum *Langen* ('Beiträge,' p. 4)

FRAGMENTA

Qui regi latrocinatu's annos decem Demetrio.   II
Pulchrum et luculentum hoc nobis hodie euenit proelium.   III
Mihi Lauerna in furtis celebrassit manus.   IV
Qui amant ancillam meam Phidullium oculitus.   V
65   Em te opsecro,   VI
Lyde, pilleum meum, mí sodalis, mea Salubritas.
Face olant aedes arabice.   VII

DYSCOLVS

. Virgo sum : nondum didici nupta uerba dicere.

FAENERATRIX

Heus tu ! in barbaria quod dixisse dicitur   2
70 libertus suae patronae, id ego dico ⟨tibi⟩ :
'Libertas salue ! uapula Papiria.'
Quae ego populabo probe.   1

FRETVM

Nunc illud est quód ' responsum Arreti ' ludis magnis dicitur :
peribo si non fecero : si faxo, uapulabo.

FRIVOLARIA

75 Commodo dictitemus.   I
Is mihi erat bilis, aqua intercus, querquera tussis.   II

II *Varro Ling. Lat.* 7, 52 (latro), *Nonius* 134 (latrocinari, militare
mercede)   latrocinatu's *non* -tus, *nam Nonius sic interpretatur* 'qui
apud regem in latrocinio fuisti, stipendium acceptitasti'   decem annos
cod. Varronis Demetrio] mercedem in tiberio *codd. Nonii*   III *Nonii*
63 (luculentum)   IV *Nonius* 134 (Laverna)   mihi Lauerna in *Scaliger* : militaueram nam in *codd.*   ⟨ita⟩ mihĭ L. *Buecheler (praec.* -ia)
vel celerassit   manius *codd.*   V *Nonius* 147 (oculitus)   fe-
dulium *codd.*   VI *Nonius* 220 (pilleus *gen. neutri*)   Te *an*
Em te *incert. codd.*   VII *Diomedes* 383 (olant)   face *Goetz* :
facere *codd.* : fac ere *Buecheler*   DYSC. *Festus* 170 (nupta verba)
cum Paulo 171   FAEN. 1 *Festus* 372 (uapula Papiria, *proverb.*)
2 ego d. tibi *Scaliger* : eo dico * * *cod.*   3 Libertas *O. Mueller* :
li͜berta *cod.*   II *Diomedes* 401 (populo) proue *codd.*   FRET. *Gellius*
3, 3, 7 (historia oraculi Arretini)   1 r. Arreti *Hertz* : arretini r. *codd.*
(v. 4)   magis *codd.*   FRIV. 1 *Charisius* 193 (*cf.* 196) (commodo)
II *Paulus* 256 (querquera) *cum Festo* 257, *Priscianus* 1, 271 (intercus)
aqua intercus *om. codd. Pauli*   querquera tussis *edd.* : querqueratus
codd. Pauli : tussis febris *codd. Prisciani* (*glossa marginali, ut vid.,
inculcata*)

T. MACCI PLAVTI

III . . Sequimini me hac sultis legiones omnes Lauernae.

IV Vbi rorarii estis? B. adsunt.   A. ubi sunt accensi?   C.

ecce . .

V Agite nunc, supsidite omnes, quasi solent triarii.

VI Naue agere oportet quod agas, non ductarier.   80

VII Superaboque omnis argutando praeficas.

VIII   Tunc papillae primulum
fraterculabant—illud uolui dicere,
'sororiabant.' ⟨quid⟩ opus est uerbis?

IX * * * agnina tene * * * strebulis.   85

X O amice ex multis mi une, Cephalio.

FVGITIVI

A. †Agerget†, specta, uide uibices quantas.   B. iam inspexi.

quid est?

HORTVLVS

Praeco ibi adsit, cum corona, quique liceat, ueneat.

LENONES GEMINI

Dolet huic puello sese uenum ducier.

LIPARGVS

Nil moror mihi fucum in alueo, apibus qui peredit cibum.   90

III *Festus* 301 (sultis) *cum Paulo* 300   *Ne bacchiace disponamus*
(*om.* omnes) *monet sequentium uersuum metrum*   IV *Varro Ling.
Lat.* 7, 58 (rorarii, qui bellum committebant; accensi ministratores)
ansunt *cod.* (*pro* assunt?)   V *Varro Ling. Lat.* 5, 89 (triarii . .
quod hi subsidebant, subsidium dictum). *Festus* 306 (subsidium)   VI
Festus 169 (navus)   VII *Nonius* 66 (praeficae)   VIII *Festus*
297 (sororiare mammae dicuntur puellarum cum primum tumescunt,
ut fraterculare puerorum) *cum Paulo* 296 (*cf. Herm.* 40, 247)   1
primulum *Ursini*: primum *codd. Pauli* (*cod. Festi n. l.*)   3 quid *add.
Ursinus, codd n. l.   vel* opust   IX *Festus* 313 (strebula, coxendices
hostiarum)   ⟨carne Venus⟩ ag. tene⟨ra, at duris Iuno stre⟩bulis
(*scil.* placatur) (?) *Leo*   X *Priscianus* 1, 188 (unus, *voc.*)   Fvgi. *Varro
Ling. Lat.* 7, 63 (vibices)   age age *Scaliger*: age ergo *vel* a tergo
L. *Spengel*: 'nomen proprium' (?) *Leo*   quid est *Scaliger*: quid (? quidem) esset *cod.*   Hort. *Festus* 306 (sub corona venire dicuntur, quia
captivi coronati solent venire)   cuique *cod.*   ueneat *Ursinus*: uentat
cod. (T *pro* E)   Len. Gem. *Festus* 249 (puelli), *Priscianus* 1, 231 (puellus)   dolet] holim *cod. Festi*   hic puellus *codd. Prisciani*   Lip.
Priscianus 1, 522 (edo, edis, edit)   alueo *Pareus*: aluo *codd.*

FRAGMENTA

NERVOLARIA

Scobina ego illunc actutum adrasi senem. I

Prohibentque moenia alia. unde ego fungar mea ? II

Ocissume nos liberi possimus fieri . . III

Producte prodigum esse amatorem addecet. IV

95 Vinum sublestissumum V

Insanum ualde uterque deamat. VI

Scrattae, scruppedae, strittabillae, sordidae. VII

P⟨H⟩AGO

⟨PARASITVS⟩. Honos sýncerasto periit, pernis, glandio.

PARASITVS MEDICVS

In conspicillo I

100 adseruabam pallium, opseruabam.

Cum uirgis caseum radi potest. II

. . . . . Addite lopadas, echinos, ostreas III

. . . Domi reliqui éxoletam uirginem. IV

NERV. 1 *Varro Ling. Lat.* 7, 68 (scobina, a scobe) scobinam e.
illum *cod.* senem *Lachmann* : enim *cod.* II *Festus* 145 (moenia,
officia) *cum Paulo* 144 III *Festus* 181 (ocissime) fier— *cod.*
IV *Festus* 229 (prodegeris, consumpseris, perdideris) prodigium esse
m. (*i. e.* Marcus *vel* Manius) amatorem *cod.* : *corr. Ursinus, Bothe* V
Festus 294 (sublesta, infirma et tenuia) VI *Nonius* 127 (insanum
pro insane) VII *Varro Ling. Lat.* 7, 65 (scrat. siccas significat ;
scrupp. . . a pede ac scrupea ; strittab. a strittillando, strittare ab eo
qui sistit aegre), *Gellius* 3, 3, 6 (meretricum vitia atque deformitates
significant) *cum Nonio* 169 scratie *cod. Varronis* : scrattae *codd.*
Gellii : escratae *codd. Nonii* ; *cf. Fest.* 333 scraptae (*ita cod.*) dice-
bantur nugatoriae ac despiciendae mulieres ; *cf. Corp. Gloss. Lat.*
5, 243 scrattae despectae et nugatoriae sruppae ide *cod. Varronis* :
scrupedae *codd. Gellii* : crupedae *codd. Nonii* : *cf. Corp. Gloss. Lat.*
5, 631 scrapedus (*ita codd.*) scabiosus srittabillae *cod. Varronis* :
strittiuillae *codd. Gellii* : strictibilae *codd. Nonii* tantulae *cod. Varronis* (*varia lectio antiqua* ?) PHA. *Varro Ling. Lat.* 7, 61
(syncerastum, omne edulium . . Plautus in Pagone) glandio *Pius* :
gradios *corr.* gladios *cod.* PAR. MED. 1 *Nonius* 84 (conspicillum,
unde conspicere possis) II *Nonius* 200 (caseus *gen. neut.*) III
Nonius 551 (lopades, genus conchae marinae) *de* lopadās *cf.*
Hopkins (*Harv. Stud.* 9, 98) IV *Priscianus* 1, 489 (exoletam, grandem
quae exoleverat) reliquit *Buecheler*

T. MACCI PLAVTI

PARASITVS PIGER

ı Inde hic bene potus primulo crepusculo.
ıı Domum ire coepi tramiti dextra uia. 105
ııı Ambo magna laude, lauti, postremo ambo sumu' non nauci.

PLOCINVS

Nam coloratum frontem habet, petilus⟨t⟩, habrus.

SATVRIO

ı ⟨Catulinam carnem esitauisse Romanos Plautus in Saturione
refert⟩
ıı Retrahi nequitur quoquo progressa est semel.
ııı ' Male tibi euenisse uideo.'   glaber erat tamquam rien. 110
ıv Subcenturiatum require qui te delectet domi.

SCHEMATICVS

Nam pater tuo' numquam cum illa étiam limauit caput.

SITELLITERGVS

ı Mulier est, uxorculauit, ego noui, scio axitiosa
quam sit
ıı †Fitea† mihi insignitos pueros pariat postea 115
aut uarum aut ualgum aut compernem aut paetum aut
brocchum filium.

PAR. PIG. ı *Varro Ling. Lat.* 7, 77 (crepusculum)   bene *Pius* :
dene *cod.*   primulo *Scaliger* : primo *cod.*   ıı *Varro Ling. Lat.* 7, 62
(trames)   tramite *cod.*   ııı *Festus* 166 (naucum)   PLOC.
Nonius 149 (petilum, tenue et exile), 204 (frontem *masc. gen.*)
coloratilem *codd.* 204   petilust *Ritschl* : petilis *codd.*   habrus
Scaliger : habris (-bis) *codd.*   SAT. ı *Paulus* 45   ıı *Festus*
162 (nequitur)   ııı *Festus* 277 (rienes)   ıv *Festus* 306
(succenturiare, explendae centuriae gratia supplere, subicere)   subcenturiatum *Dziatzko* : subcenturia centum *cod.*   SCH. *Nonius*
334 (limare)   *vel* illac   limabit *codd.*   SIT. ı *Varro Ling. Lat.*
7, 66 (axitiosae)   est *Seyffert* : es *cod.*   ax. quam sit *Schoell* :
ac sitio aquam sic *cod.*   ıı *Festus* 375 (valgos)

FRAGMENTA

TRIGEMINI

Nisi fugissem [inquit], medium, credo, praemorsisset . . .

FABVLARVM INCERTARVM FRAGMENTA

Epeum fumificum qui legioni nostrae habet coctum cibum.   ɪ

Quod uolt densum, ciccum non interduo.   ɪɪ

120 Gannit odiosus omni totae familiae.   ɪɪɪ

Licet uos abire curriculo.   ɪᴠ (xvɪɪ)

Iam tibi tuis meritis crassus corius redditust.   ᴠ (xvɪɪɪ)

Di bene uortant ! tene cruminam. ínerunt triginta minae.   ᴠɪ (xɪx)

Nullam ego rem citiorem apud homines esse quam famam ᴠɪɪ (xxɪ)

                          reor.

125 Stultus est aduorsum aetatem et capitis canitudinem.   ᴠɪɪɪ (xxɪɪ)

. Conruspare tua consilia in pectore.   ɪx (xxɪɪɪ)

Numnam mihi oculi caecultant? estne hic noster Hermio ?   x (xxɪᴠ)

Eierauit militiam.   xɪ (xxᴠ)

Sic me subes cottidie quasi fiber salicem.   xɪɪ (xxᴠɪ)

130 Init te umquam febris ?   xɪɪɪ (xxᴠɪɪɪ

Neque muneralem legem neque lenoniam   xɪᴠ (xxɪx)

rogata fuerit necne flocci existumo.

Perfidiose captus edepol neruo ceruices probat.   xᴠ (xxx)

Muriaticam autem uideo in uasis stagneis   xᴠɪ (xxxɪ)

135 naricam bonam et canutam et †taguma†

†quinas† fartas, conchas piscinarias.

Tʀɪ. *Gellius* 6, 9, 7 (praemorsisse)   inquit] in *Winter*: *utrum Plauti sit an Gellii non liquet*   Iɴᴄ. ɪ *Varro Ling. Lat.* 7, 38 (Epeum fumificum, cocum)   ɪɪ *Varro Ling. Lat.* 7, 91 (ciccum) densum] deus mittat (?) *Leo*   ɪɪɪ *Varro Ling. Lat.* 7, 103 (ab animalium vocibus tralata in homines)   ɪᴠ *Paulus* 49 (curriculo, cursim. Pl. licet, inquit, uos *etc.*)   ᴠ *Paulus* 60 (corius *masc. gen.*)   ᴠɪ *Paulus* 60 (crumina)   ᴠɪɪ *Paulus* 61 (citior) ᴠɪɪɪ *Paulus* 62 (canitudinem)   ɪx *Paulus* 62 (conruspari, conquirere) x *Paulus* 62 (caecultant, caecis proximi sunt)   xɪ *Paulus* 77 (eiuratio significat id quod desideretur non posse praestari)   xɪɪ *Paulus* 90 (fiber)   *vel* cott. | Quasi   xɪɪɪ *Paulus* 110 (init, introit)   (*cf. Pers.* 78)   xɪᴠ *Paulus* 143 (muneralis lex, qua Cincius cavit ne cui liceret munus accipere)   existimo *Scaliger*: aestimo *codd.*   xᴠ *Festus* 165 (nervum, ferreum vinculum)   captas (?) *Leo*   eoepol *cod. ut vid.*   xᴠɪ *Festus* 166 (narica, genus piscis minuti)   ɪ muriatica *Scaliger* xvii (xxxii) Non ego te noui, naualis scriba, columbar inpudens?

xviii (xxxiii) Nil deconciliare sibu's nisi qui persibus sapis.

xix (xxxiv) . . . Sacrum an profanum hábeas parui penditur.

xx (xxxvi) Vix super * * * misero mihi ac * * * ⟨regliscit⟩.   140

xxi (xxxvii) * * * surus * * * non est tibi.

xxii (xxxviii) Vlcerosam, compeditam, subuerbustam, sordidam.

xxiii (xxxix) Venter suillus * * * scrutillum ego me hodie * * * esa
                              farte biberem.

xxiv (xliii) Mittebam uinum pulchrum murrinam.

xxv (xliv) (Hortos tutelae Veneris adsignante Plauto.)

xxvi (xlv) Quid est? hoc rugat palliúm : amictus non sum commode. 145

xxvii (xlvi) Exi tu, Daue, age sparge, mundum | esse hoc uestibulum
                                    uolo.

Venus uentura est nostra, non hoc pulueret.

xxviii(xlviii) In pellibus periculum portenditur.

xxix (xlix) Cilix, Lycisce, Sosio, Stiche, Parmeno,
           exite et ferte fustis priuos in manu.   150

xxx (xlvii) (Dulcia Plautus ait grandi minus apta lieni.)

xxxi (l)   Glirium examina.

xxxii (li) Quid murmurillas tecum et te discrucias?

xvii *Festus* 169 (navalis scriba, qui in nave apparebat, . . minimae dignitatis ; columbaria in nave appellantur ea quibus remi eminent) *vel* non égo te n. | Naválís *etc.*   columbari *cod.* (*seq.* i) : *fort.* columbare   *cum Amph.* fr. xix *coniung. Brandt*   xviii *Festus* 217 (persibus, peracutus)   *vel* sibus quid *Scaliger*   persicus *cod.* xix *Paulus* 228 (profanum)   xx *Festus* 278 *cum Paulo* 279 (regliscit, crescit)   regiescit *codd.*   xxi *Festus* 297 *cum Paulo* 296 (surus, ex quo per deminutionem fit surculus)   xxii *Festus* 309 (subverbustam, verberibus ustam) uicerosam conpenditam *cod.* xxiii *Festus* 333 (scrutillus, venter suillus condita farte expletus) *cum Paulo* 332   xxiv *Plinius N. H.* 14, 92 (vina murrae odore condita)   xxv *Plinius N. H.* 19, 50   xxvi, xxvii *Gellius* 18, 12, 3 (pulveret, quod ipsum pulveris plenum sit) hoc esse *Ritschl* : *fort.* ⟨mi⟩ esse hoc   uestra ⟨*vel* nostra⟩ *codd.*   non] nolo *Ital.* xxviii *Porphyrio ad Hor. Serm.* 1, 6, 22 (quod veteres in pellibus dormirent . . Plautus, cum de anu ebria iocaretur)   in *del. Winter* pellibus *vel* pellis *cod.*   xxix *Pseudacro ad Hor. Serm.* 2, 5, 11 (privum, quod unius est)   1 Sosia (?) *Leo*   2 *fort.* ecferte xxx *Serenus Sammonicus de Med.* 425   xxxi *Nonius* 119 (glis) xxxii *Nonius* 143 (murmurillum, murmuratio)   *vel* técum | Et té

Leuior es quam tippula.	XXXIII (LII)
. . . . Nec machaera aúdes dentes frendere.	XXXIV (LIII)
155 Inimicus esto, donicum ego reuenero.	XXXV (LIV)
. Si qua forte contio est, ubi éum hietare nondum in mentem uenit.	XXXVI (LVI)
Ego illi uenear.	XXXVII (LVII)
Vinum precemur, nam hic deus praesens adest.	XXXVIII(LVIII)
160 Cette patri meo.	XXXIX (LIX)
Haec praesepes mea est.	XL (LX)
Neque ego ad mensam publicas res clamo neque leges crepo.	XLI (LXI)
Et ego te concuicabo ut sus catulos suos.	XLII (LXII)
Hunc sermonem institi.	XLIII (LXIII)
165 Properate prandium.	XLIV (LXIV)
Corpus tuum uirgis ulmeis inscribam.	XLV (LXV)
Paupera est haec mulier.	XLVI (LXVI)
Ipsa sibi auis mortem creat.	XLVII (LXVII)
. . Pro laruato te circumferam.	XLVIII(LXVIII)
170 Castrum Poenorum.	XLIX (LXIX)

XXXIII *Nonius* 180 (tippula, animal levissimum, quod aquas non nando sed gradiendo transeat) (*cf. Pers.* 244)   XXXIV *Nonius* 447 (frendere)   machaera *vocativo Bothe* : macheram (-ce-) *codd.*   XXXV *Charisius* 197 (donicum)   XXXVI *Diomedes* 345 (hietare)   XXXVII *Diomedes* 368 (veneor)   XXXVIII *Diomedes* 458, *Donatus Art. Gramm.* 400, *Pompeius Comm.* 307, *Isidorus Orig.* 1, 36, 9, *Servius ad Aen.* 1, 724   precamur *codd. Diomedis, Donati, Isidori*   XXXIX *Cledonius* 59, *Pompeius Comm.* 240, *Mar. Plotius Sacerdos* 490, *Phocas* 436, (cette)   XL *Mar. Plotius Sacerdos* 472 *cum Probi Catholic.* 8 (praesepes feminino) (? *cf. Rud.* 1038)   XLI 'Servius' ad Aen. 1, 738 (increpitans, clara voce hortatus)   XLII 'Servius' ad Aen. 2, 357 (catuli non solum canum) (*ad Truc.* 268 *respiciens* ?)   XLIII 'Servius' ad Aen. 4, 533 (insistit)   XLIV 'Servius' ad Aen. 9, 399 (properet mortem), ad Georg. 4, 170 (fulmina properant) (*cf. Cas.* 766)   properant *codd. Schol. Georg.*   XLV *Servius ad Aen.* 1, 478 (inscribitur, dilaceratur) '*dubitare licet an Servius respiciat Pseud.* 545' *Leo*   XLVI *Servius ad Aen.* 12, 519 (paupera) (*cf. Aul.* 174, *Vid.* fr. 3)   XLVII *Servius ad Aen.* 6, 205 (viscum de fimo turdelarum nascitur)   cacat *Burmann* (*ex Isidor. Orig.* 12, 7, 71 turdela quasi minor turdus, cuius stercore viscum generari putatur).   unde et proverbium apud antiquos erat 'malum sibi avem cacare')   XLVIII *Servius ad Aen.* 6, 229 (circumtulit, purgavit) (*cf. Amph.* 776)   XLIX *Servius ad Aen.* 6, 775 (castrum)   poenarum (-orum) *codd.*

L (LXX) Dissupabo te tamquam folia farfari.

LI (LXXI) Facilis oculos habet.

LII (LXXIII) Me⟨di⟩cum habet patagus morbus aes.

LIII (LXXIV) Qui talis est de gnatabus suis.

LIV (LXXIX) Probus quidem antea iaculator eras.   175

LV (LXXX) Linna cooperta est †textrino Gallia†.

LVI (LXXXI)   Si quid facturus es
appende in umeris pallium
et †pergat† quantum ualet
tuorum pedum pernicitas.   180

LVII (LXXXII) Aeneis coculis mi excocta est omnis misericordia.

LVIII (Dub. IV vel XI) Fortasse ted amare suspicarier.

LIX (Dub. V vel XII) Argentum hinc facite.

VOCABVLA

Acieris ; addues ; ad exitam aetatem ; adfabrum ; aeneolo ; aequiter ; aerumnula(s) ; alimodi ; angina(m) uinaria⟨m⟩ ; aristophorum ; asperiter ; bellitudinem (?) ; bellule ; binominis ; Bitienses ; blandicella ; butubatta ; custoditio ; glos ; herbam do ; interluere mare ; prosis lectis ; pullaria(m) ; scelerare ; thocum ; uesperna.

FRAGMENTA DVBIA ET SVSPECTA

I (IV)   Amoris imber grandibus guttis

L *Servius ad Aen.* 7, 715 (Farfarus)   LI *Servius ad Aen.* 8, 310 (faciles oculos, mobiles vino)   LII *Macrobius Sat.* 5, 19, 11 (ad rem divinam pleraque aenea adhiberi solita . . in his maxime sacris quibus . . exigere morbos volebant)   medicum *Buecheler* : mecum *codd.*   paeagus *codd.* : *corr. Canter* (*ex Paulo* 221 patagus, morbi genus)   LIII *Priscianus* I, 293 (natabus)   *vel* quin   LIV *Isidorus Orig.* 19, 5, 2 (funda, genus piscatoriae retis, . . etiam a iactando iaculum dicitur)   LV *Isidorus Orig.* 19, 23, 3 (linnae, saga quadra et mollia)   c. est ⟨e⟩ (*vel* c. e) textrina gallica *docti*   LVI *Isidorus Orig.* 19, 24, 1 (pallium, quo ministrantium scapulae conteguntur)   3 perge ad ⟨eam⟩ *Leo* : *an* perge. ait ?   LVII *Isidorus Orig.* 20, 8, 1 (cocula, omnia vasa coquendi causa parata)   LVIII *Donatus ad Ter. Hec.* 3, 1, 33 (fortasse cum infinito modo)   suspicarier *Ritschl* : suspicauere *codd.*   LIX *Donatus ad Ter. Phorm.* 4, 3, 30 (facesso et facio)   Voc. prosis lectis (significari rectis) *Varr. ap. Isid. Etym.* 1, 37, 1 ; scelerare *ad Pseud.* 817 *refert Heraeus* (*Herm.* 34, 165)   DVB. I *Fronto* 2, 2, p. 27 *Nab.* ; *sed cf. Most.* 142

FRAGMENTA

non uestem modo permanauit, sed in medullam ultro fluit.

Pilleum II (VI)

quém habuit deripuit eumque ad caelum tollit.

Numquam ad ciuitatem uenio nisi quom infertur peplum. III (IX)

Flocci pendo quid rerum geras. IV (VI vel XIII)

Cistellam mihi ecfers cum crepundiis. V (VII vel XIV)

(Plautus .. inducit inter multos amatorem positum dicentem VI (XVI vel VII)

quod solus sit.)

Pudens qui facit spes in alias VII

VOCABVLA DVBIA ET SVSPECTA

Coquitare ; fucilis ; Hannibālem, Hasdrubālem, Hamil-
cārem ; meminens ; reboo ; penitissuma(e) (-me).

II *Nonius* 220 (pilleus gen. masculini, Plautus Captivis ' pilleum
quem' *etc.*) III *Servius ad Aen.* I, 480 (peplum); *sed cf. Merc.*
66 sqq. IV *Fulgentius Serm. Ant.* 38 (flocci) V *Fulgentius
Serm. Ant.* 50 (cistella, capsella ; crepundia, puerilia ornamenta) ;
sed cf. Cist. 665 sq., 709 offers *codd. deteriores* VI *Servius ad
Aen.* 4, 82 (sola) ; *sed cf. Amph.* 640 VII *Commentator Bobiensis
in Donati Art. Gramm.* (ab impersonali verbo participia) *Cf. Sab-
badini* (*Stud. Ital.* 11, 169)

Osbernus Panorm. 332 (momarsiculus, stultus qui cito movetur ad
iram), 360 Quid tu, o momarsicule (Quid ais, m.) homo praesumis ?
quod ex Paulo 140, momar Siculi stultum appellant, *conflatum esse
docuit Goetz* (*Bericht. sächs. Gesellschaft,* 1903, p. 144)

essentia, queentia (*Quint.* 8, 3, 33) *ad Sergium Plautum refert
Schoell* (*Berl. Phil. Woch.* 16, 93)

SCHEMA METRORVM

Mil. Arg. I, II, vv. 1–155 Iamb. Senarii
   156–353 Troch. Septenarii
   354–425 Iamb. Septenarii
   426–80 Troch. Septenarii
   481–595 Iamb. Senarii
   596–812 Troch. Septenarii
   813–73 Iamb. Senarii
   874–946 Iamb. Septenarii
   947–1010 Troch. Septenarii
   1011–93 Anapaest. Tetram. Cat.
   1094–1136 Iamb. Senarii
   1137–1215 Troch. Septenarii
   1216–83 Iamb. Septenarii
   1284–1310 Iamb. Senarii
   1311–77 Troch. Septenarii
   1378–93 Iamb. Senarii
   1394–1437 Troch. Septenarii
Most. Arg., vv. 1–83 Iamb. Senarii
   84–101 Bacch. Tetram. Acat. (88 Cat.): sed 90, 98, 102
     Iamb. Dim. Cat.; 94 Anap. Dim. Acat.
    103–4 Iamb. Octonarii
    105–16 Cretici: sed 107 Iamb. Octonarius; 115, 117
     Troch. Septenarii
 108–9, 113, 116 pro altero hemistichio habent $\parallel \stackrel{\smile}{=} \smile \mid \acute{\,} \smile \acute{\,}$
    118–9 Iamb. Octonarii
    120–6 Bacch. Tetram. Acat.: sed 123 Anap. Dim. Acat.;
     127 Iamb. Dim. Cat.
   128–9, 131–2 Iamb. Octonarii, 130 Iamb. Dim. Acat.
    133–53 Cretici, sed 142 (?) –3, 146–8 Iamb. Octonarii,
     145 Troch. Septenarius
 133–6, 141 (149?) pro alt. hemist. habent $\parallel \acute{\,} \stackrel{\smile}{\smile} \mid \acute{\,} \smile \acute{\,}$

SCHEMA METRORVM

154-6 Troch. Septenarii

157-247 Iamb. Septenarii

248-312 Troch. Septenarii

313-9 Bacchiaci : sed 315 Cola Cretica,

$$- \cup - \cup - \parallel - - - \cup -$$

313-4, 317-8 (alt. hemist.) $\parallel \smile \overset{\prime}{\underset{\sim}{}} \mid \smile \overset{\prime}{\underset{\sim}{}} \overset{\prime}{}$

320-45 Cretici : sed 322-324, 326-7, 328ᵃ-9, 331-3, 335ᵃ
  Anapaestici ; 325ᵃ, 334-5 Iambici ; 330, 346-7
  Versus Reiziani

337-8, 343 (alt. hemist.) $\parallel \overset{\prime}{} \cup \mid \overset{\prime}{} \cup \overset{\prime}{}$

336, 339-42 (alt. hemist.) $\parallel - \cup \cup \cup -$

344-5 $\overset{\prime}{} - \mid \overset{\prime}{} \cup \overset{\prime}{} \parallel - \cup \cup \cup -$
$\parallel \overset{\prime}{} \cup \mid \overset{\prime}{} \cup \overset{\prime}{}$

348-407 Troch. Septenarii

409-689 Iamb. Senarii

690-739 Cretici : sed 727, 737, 740 Troch. Septenarii ;
  721 Glyconicus (?)

690-2, 694-5, 698-701, 707-11, 714, 717 (alt. hemist.)
$$\parallel \overset{\prime}{} \cup \mid \overset{\prime}{} \cup \overset{\prime}{}$$

693, 696-7, 702-3, 706 (alt. hemist.) $\parallel - \cup \cup \cup -$

704-5 $\overset{\prime}{} \cup \overset{\prime}{} \mid \overset{\prime}{} \cup \cup \parallel \overset{\prime}{} \cup \overset{\prime}{} \mid \overset{\prime}{} \cup \overset{\prime}{}$

725 $\overset{\prime}{} \cup \overset{\prime}{} \mid \overset{\prime}{} \cup \parallel \overset{\prime}{} \cup \overset{\prime}{} \mid \overset{\prime}{} \cup \overset{\prime}{}$

731, 738-9 (alt. hemist.) $\parallel \overset{\prime}{} \smile \mid \overset{\prime}{} \cup \overset{\prime}{}$

733 $\overset{\prime}{} \cup \mid \overset{\prime}{} \cup \overset{\prime}{} \parallel \overset{\smile}{} \cup \cup \overset{\prime}{} \mid \overset{\prime}{} \cup \overset{\prime}{}$

741-5 Iamb. Octonarii, 746 Septenarius

747-82 Iamb. Senarii

783-803 Bacch. Tetram.

783-4, 790, 792, 796 (alt. hemist.) $\parallel \smile \overset{\prime}{} \mid \smile \overset{\prime}{\underset{\sim}{}} \overset{\prime}{}$

805-57 Troch. Septenarii, 804 Octonarius

858, 863 Versus Reiziani

859, 861 Anap. Dim. Cat., 860 Trim. Acat.

862 Anap. Tetram. Acat.

867 Bacch. Dim. Cat.

868, 874 Cola Reiziana $\smile \overset{\prime}{} \mid \underset{\sim}{} \overset{\prime}{} -$

869, 870-5 Bacch. Tetram. (sed 874 duo Cola Reiziana)

859 $- \overset{\prime}{} \overset{\prime}{} \mid \cup \overset{\prime}{} \parallel \cup \overset{\prime}{} \overset{\prime}{} \mid \cup \overset{\prime}{} \overset{\prime}{}$

872 (?) $- \overset{\prime}{} \overset{\prime}{} \mid \cup \overset{\prime}{} \parallel - \overset{\smile}{} \cup \overset{\smile}{} \cup \mid \cup \overset{\prime}{}$

876 Anap. Dim. Acat.

877 Iamb. Dim. Cat.

878 Anap. Tetram. Acat.

879, 881 Cret. Tetram. Acat.

880, 882 Glyconici cum Dochmiis

$$(-\smile-\cup\cup-\cup-\|-\cup---\text{ et }-\cup---\cup\cup-\|-\cup\cup-\cup\cup-)$$

883–4 Troch. Septenarii

885–7 Glyconici

887[a] Dochmii $(\cup--\cup-|-\cup\cup\cup-\smile)$

888 Troch. Octonarius

889 Anap. Dim. Acat.

890 Cola Bacch. et Reiz.

$$(\cup\overset{\prime}{-}\overset{\prime}{-}|\cup\overset{\prime}{-}\|\cup\cup\overset{\smile}{\cup}\cup|\cup\overset{\prime}{-}-)$$

891 Cola Reiziana $(\cup\cup\overset{\prime}{-}|\cup\overset{\prime}{-}-\|\cup\cup\overset{\prime}{-}|\cup\cup\overset{\prime}{-}-)$

892–5 Versus Reiziani

896 Anap. Tetram. Acat.

897–8 Troch. Septenarii

899 (?) Glyconicus cum Dochmio

$$(--\cup\cup--\cup-\|\smile--\cup-)$$

900 Iamb. Senarius (Dochmius cum Glyconico?

$$\cup\cup\smile---\|-\cup-\cup\cup-\cup-)$$

901, 903 Anap. Dim. Cat.

902 Anap. Tetram. Cat.

904–92 Troch. Septenarii

993–1040 Iamb. Senarii

1041–1181 Troch. Septenarii

Pers. Arg. I Iamb. Senarii

1 Iamb. Octonarius contract.

$$(\cup\cup\overset{\prime}{-}\cup-|-\overset{\prime}{-}\cup-\|\overset{\prime}{-}-\cup\cup|-\overset{\prime}{-}\cup-)$$

2 Iamb. Septenarius

3–12 Iamb. Octonarii (sed 7–8 Septenarii)

13–6 Troch. Octonarii

17–7[b] Cretici

18 Troch. Septenarius

19–22 Iamb. Septenarii, 23–5 Octonarii

26–32 Trochaici : sed 29 Glyconicus

$$(\cup\cup\cup\cup\cup\cup-\cup\cup\smile)$$

33-4[b] Iambici (sed 34 Troch. Septenarius)

35, 37 Troch. Septenarii, 36 Octonarius

38 Iamb. Dim. Acat.

39-42 Iambicum systema

43-52 Iamb. Septenarii (sed 48[a] Dim. Acat.)

53-167 Iamb. Senarii

168-74 Anap. Tetram.

175-80 Anap. Dim. Acat.

181-2 Anap. Dim. Acat. cum Troch. Dim. Acat. (?)

183-250 Troch. Septenarii (sed 196, 200-2 Octonarii; 197 Dim. Cat.)

251 Anap. Dim. Acat.

252 Bacch. Trim., 253 Tetram.

255-6 Iamb. Octonarii

257-67 Troch. Octonarii et Septenarii

268 Glyconicus $\left(--- \cup\cup - \cup -\right)$

268[a] Dochmii $\left(- \cup\cup - \cup\cup \cup \| - \cup\cup - \cup -\right)$

269-70 Iamb. Octonarii

271 Bacch. Trim. Acat. cum duobus Colis Reizianis (?)
$$\left(- \cup\cup \mid -- \mid \cup - \| - \cup - \cup\cup \mid - \cup - \right)$$

272 Anap. Tetram. Acat.

273-6 Troch. Octonarius et Septenarii

277, 278 Iamb. Dim. Acat.

277[a]-7[b] Cola Reiziana $\left(\cup \cup - \cup - - \text{ et } - \cup\cup \cup \cup -\right)$

279 Troch. Dim. Cat.

280-328 Iamb. Septenarii

329-469 Iamb. Senarii

470-489 Troch. Tetram. (sed 485, 486 Iamb. Octonarius cum Colo $\cup - -$)

490 Anap. Dim. Cat.

491-6, 499 Anap. Tetram., 500 Anap. Pentam.

497-8 Bacchiaci

501-12 Iamb. Senarii

513-9 Troch. Septenarii

520-7 Iamb. Senarii

528-672 Troch. Septenarii

673-752 Iamb. Senarii

753-802 Anapaestici: sed 758, 759 Cret. Tetram.; 771[a], 775[a] Anap. Dim. Acat. cum Colo Reiziano

$(\smile \: \acute{} \: \smile \: \acute{} \: -)$; 776 Iamb. Dim. Acat.; 776[a] duo
Cola Reiziana $(- \smile \cup - - \parallel \cup \cup - \smile - -)$;
792 Anap. Dim. Acat. cum duobus Dochmiis
$(- \cup - \cup \cup - \vert - - - \cup \cup \smile)$; 794 Anap. Dim.
Acat. cum Dochmio $(- \cup \cup - \cup -)$

803–6 Cretici

805–6 (alt. hemist.) $\parallel \acute{} \smile \acute{} \vert \acute{} \cup - -$

807–17 Bacchiaci

809, 811, 812 $\smile \acute{} \acute{} \vert \cup \acute{} \parallel \smile \dfrac{\acute{}}{\infty} \acute{} \vert \cup \acute{}$

815 Bacch. Dim. Cat. cum Troch. Dim. Cat.
$(- \acute{} \acute{} \vert \cup \acute{} \parallel \acute{\cup} \cup - - - \vert \acute{} \cup -)$

818 Anap. Dim. Cat.

819–42 Troch. Octonarius et Septenarii

843–8 Anap. Tetram. Acat.

849 duo Cola Reiziana $(\cup \acute{} \cup \acute{\cup} \cup - \vert \cup \acute{} - \acute{} -)$

850 Anap. Dim. Acat.

851–3 Troch. Octonarius et Septenarii

854–5[a] Iamb. Dim. Cat.

856–7 Bacchiaci

858 Iamb. Octonarius

Poen. Arg., Prol., vv. 129–209 Iamb. Senarii

210–60 Bacchiaci: sed 224, 254 Cret. Trim. cum Colo
Reiziano (?); 231[a] Troch. Dim. Cat.; 232
Troch. Octonarius; 238 Versus Reizianus;
239 Iamb. Septenarius

261–409 Troch. Septenarii

410–503 Iamb. Senarii

504–614 Troch. Septenarii

615–816 Iamb. Senarii

817–20 Iamb. Octonarii, 821–2 Septenarii

823–929 Troch. Septenarii

930–1173 Iamb. Senarii; sed 1165 Troch. Septenarius

1174–86 Anap. Tetram. et Dim.; sed 1176 Bacch. Trim.
cum Anap. Dim. (?); 1177 (et 1182 (?)) Cret.
Trim. cum Anap. Dim. (?); 1181 Anap. Dim.
cum Cret. Trim. (?); 1183 Anap. Pentam. Cat.

1187–91 Anapaesticum systema

1192 Colon Reizianum
1192ᵃ-5 Iamb. Octonarii
1196 Iamb. Senarius
1197 Troch. Septenarius
1197ᵃ-8 Iamb. Dim. Acat.
1200 (et 1199?) Anap. Dim. Acat. cum Colo Reiziano
1201-25 Troch. Septenarii
1226-73 Iamb. Octonarius et Septenarii
1274-1303 Troch. Septenarii
1304-97 Iamb. Senarii
1398-1422 Troch. Septenarii
Pseud. Arg. I, II, Prol., vv. 3-132 Iamb. Senarii
133-45 Troch. Octonarii et Septenarii (sed 139 Dim. ;
    140, 141 Septenarius cum Colo Reiziano (?)
146-60 Iamb. Octonarii et Septenarii
161-4 Troch. Octonarii
165-8 Anap. Tetram. Acat.
169-72 Iamb. Octonarii et Septenarii
173 Troch. Octonarius
174-84 Anap. Tetram.
185-93 Iamb. Octonarii (sed 187 Dim. Cat.)
194-229 Troch. Octonarii et Septenarii (sed 195,
    202-2ᵃ, 211-13, 216-17, 222, 224, Dim. Cat. ;
    205ᵃ-205ᶜ Iamb. Dim. Acat.; 208, 227 Iamb.
    Octonarii ; 219 Iamb. Septenarius)
230-42 Anapaestici
243 Troch. Octonarius
244-57 Bacch. Tetram. (sed 249, 255 Troch. Octonarii)
258-64 Cretici (sed 264 cum Ithyphallico)
   258 $\stackrel{\smile}{-}\, - \mid \smile \cup \cup \stackrel{\smile}{-} \parallel \stackrel{\smile}{-} \cup \mid \stackrel{\smile}{-} \cup \stackrel{\smile}{-}$
  261-3 $\stackrel{\smile}{-} \cup \stackrel{\smile}{-} \mid \stackrel{\smile}{-} \cup \stackrel{\smile}{-} \parallel \stackrel{\smile}{-} \cup \mid \stackrel{\smile}{-} \cup \stackrel{\smile}{-}$
   264 $\stackrel{\smile}{-} \cup \stackrel{\smile}{-} \parallel - \cup - - \cup \cup -$
265-393 Troch. Septenarii
394-573ᵃ Iamb. Senarii
574-5 Anapaestici, item 576-7 (cum Iamb. Monom.),
    578, 580, 583, 586 (cum Colo Reiziano), 587 (?),
    588, 591-3
579 Trochaicus, item 584-585ᵃ, 590.

581-2 Bacch. Octam.

589 Versus Reizianus

594-7 Anap. Tetram. Acat.

598-603 Glyconici ut vid.: sed 601ª Troch. Dim. Acat.;
603 Priapeus cum Dochmio

600ª ∪∪∪∪∪∪∪–∪∪– ‖ ––∪∪––∪–

602 –––––∪∪– ‖ –––∪∪–∪∪– ‖ ⏓∪∪–––

603 –∪∪–∪∪–∪– ‖ –∪–∪∪–– ‖ ∪––∪∪–

604-766 Troch. Septenarii

767-904 Iamb. Senarii

905-13ª Anap. Tetram. et Dim.

914 Troch. Septenarius

915 Iamb. Septenarius

916-8 Anap. Dim.

919 Iamb. Octonarius

920 Cret. Tetram.

921 Cret. Pentam. cum Ithyphallico (–∪–∪–∪)

922-4ª Iamb. Dim. Acat.

925 Troch. Septenarius

926-35 Cret. Tetram.: sed 931 Anap. Dim. cum Colo
Reiziano (⏒∪∪–∪∪–)

935ª Colon Reizianum (–∪∪–́–)

936-48 Anap. Tetram. (sed 939-9ª Dim.)

949-50 Anap. Dim. cum Colo Reiziano (–∪∪–∪∪–)

951-96 Troch. Septenarii

997 Iamb. Octonarius

998-1102 Iamb. Senarii

1103-4 Anap. Tetram. Acat.

1105-6 Bacch. Tetram.

1107 Troch. Septenarius

1108-9, 1112 Cretici

1109, 1112 –́∪| –́∪–́ ‖ –́∪| –́∪–́

1110-1 Anap. Dim. Cat.

1113 Iamb. Octonarius contract.

∪∪–́∪–| ––́∪– ‖ –́∪–| ∪–́∪–

1114 Dochmius cum Iamb. Monom. (?)

1115 Iamb. Monom. cum Glyconico (?)

1116–8 Cret. Tetram., 1119 Trim.

1120–2 Anap. Tetram. Acat. et Cat. et Monometer

1123–5 Troch. Septenarii

1126–30 Bacch. Tetram. : sed 1127 Cret. Trim. cum
Troch. Monom. (?)

1131 Dochmius cum Glyconico

$$(---\cup-\;\|\;-\cup\cup-\cup\cup-\cup-)$$

1131ᵃ Troch. Dim. Cat.

1132–3 Anap. Dim. Acat. et Tetram. Cat.

1134–1245 Troch. Septenarii

1246–7, 1251–2 Bacch. Tetram.

1248–9 Cret. Dim. cum Ithyphall.

1248 $\overset{\_}{-}\cup\overset{\_}{-}\mid\overset{\smile}{\cup}\cup\cup\overset{\_}{-}\;\|\;-\cup--\cup\cup\overset{\smile}{\cup}$

1249 $\overset{\_}{-}\cup\overset{\_}{-}\mid\overset{\_}{-}\cup\overset{\_}{-}\;\|\;-\cup--\cup\cup-$

1250 Ithyphallicus $(--\cup\cup---)$

1253 Anap. Tetram. Cat.

1254, 1257 Versus Reiziani

1255 Anap. Dim. cum Colo Reiziano $(-\overset{\_}{-}-\overset{\smile}{\cup}\cup-)$

1256 Bacch. Dim. Cat.

1258 Cret. Trim. vel (*cum* dis) Bacch. Trim. Cat.

1259–60 Troch. Octonarii

1261–2 Anap. Tetram. Acat.

1263–7, 1271–2 Tetram. Bacch.

1264 $-\overset{\_}{-}\overset{\_}{-}\mid\cup\overset{\_}{-}\;\|\;-\overset{\smile}{\cup}\cup\mid-\overset{\_}{-}\overset{\_}{-}$

1267 $-\overset{\_}{-}\overset{\_}{-}\mid\cup\overset{\_}{-}\;\|\;-\overset{\_}{-}\overset{\_}{-}\mid\cup\overset{\_}{-}$

1268–70 Dochmius cum Glyconico et Ithyphallico

1268 $-\cup-\cup-\;\|\;-\cup-\cup\cup-\cup-\;\|\;-\cup-\cup--$

1269–70 $-\cup-\cup\overset{\smile}{\cup}\;\|\;-\cup\cup-\cup-\cup-\;\|\;-\cup-\cup--$

1272ᵃ–6 Ionici ut vid. : sed 1275ᵃ Bacch. Trim.

1277–8, 1280–0ᵃ Cretici

1280 $\overset{\smile}{\cup}\cup-\mid\overset{\_}{-}\cup\overset{\_}{-}\;\|\;\overset{\_}{-}\cup\cup\mid\overset{\_}{-}\cup\overset{\_}{-}$

1280ᵃ $\overset{\_}{-}-\mid\overset{\_}{-}\cup\overset{\_}{-}\;\|\;\overset{\_}{-}\cup\mid\overset{\_}{-}\cup\overset{\_}{-}$

1278ᵃ Anap. Dim. Cat.

1279 Troch. Septenarius

1281–2 Bacch. Tetram.

1283–4 Troch. Octonarii

1285–1314 Cretici (sed 1291 Iamb. Dim. Acat. cum Cret.

Tetram.; 1295 Anap. Tetram. Cat.; 1296–7
Cret. Tetram. cum Anap. Dim. Cat. (vel Glyconico); 1302 Dochmiorum par; 1305 (?)
Iamb. Dim. Acat.; 1313 (?) Iamb. Octonarius;
1314 Cret. Dim. cum Troch. Dim. Acat.

1285, 1287–8, 1294, 1300, 1309, 1311
(alt. hemist.) ‖ $\stackrel{\_}{\smile} \cup | \stackrel{\_}{\smile} \cup \stackrel{\_}{\smile}$

1286, 1301, 1312 (alt. hemist.) ‖ $- \cup \cup \cup \stackrel{\_}{}$

1291 $-\stackrel{\_}{\smile}\cup-|-\cup\cup\cup-\|\stackrel{\_}{\smile}\cup\stackrel{\_}{\smile}|\stackrel{\_}{\smile}\cup\stackrel{\_}{\smile}|\stackrel{\_}{\smile}\cup|\stackrel{\_}{\smile}\cup\stackrel{\_}{\smile}$

1292–3, 1308–8ª, 1310–0ª $\stackrel{\_}{\underset{\smile}{\smile}}\cup|\stackrel{\_}{\smile}\cup\stackrel{\_}{\smile}$

1315–28 Anap. Tetram. (sed 1317–9 Dim. Cat.; 1320
Iamb. Septenarius ut vid.)
1329 Bacch. Trim. Cat.
1330–2 Cret. Tetram.
1333 Iamb. Dim. Cat.
1334 Cret. Heptam. cum Troch. Monom. ($\stackrel{\_}{\smile} \cup - -$)

Rud. Arg., Prol., vv. 83–184 Iamb. Senarii
185 Versus Reizianus
187 Anap. Dim. Acat. cum Colo Reiziano ($-\stackrel{\_}{\smile}-\stackrel{\_}{\smile}-$)
186, 188–94 Bacch. Tetram.
186, 188 (alt. hemist.) ‖ $- \stackrel{\_}{\smile} \cup | \stackrel{\smile}{\_} \stackrel{\_}{\smile} \stackrel{\_}{\smile}$
195–6 Versus Reiziani
197–7ª Bacchiaci
198 Anap. Tetram. Cat.
199–216ª Cretici (sed 204–5 Bacch. Tetram.; 206–6ª
Iamb. Dim. Acat.; 212 (?), 216ª Anap. Dim.
200–1 $\stackrel{\_}{\smile}\cup\stackrel{\_}{\smile}|\stackrel{\_}{\smile}\cup\stackrel{\_}{\smile}|\stackrel{\smile}{\smile}\cup\stackrel{\_}{\smile}\|\cup\cup-|\stackrel{\_}{\smile}\cup\stackrel{\_}{\smile}$
203, 209, 215–6 (alt. hemist.) ‖ $- \cup \cup \cup \stackrel{\_}{}$
217 Troch. Octonarius
218 (?) Versus Reizianus
219 Iamb. Septenarius
220–8 Anap. Tetram.
229 (coniunct. cum 229ª), 230, 232 Dochmius cum
Iamb. Monom. (vel Cret. Trim.)
231–1ª Cret. Dim. ($\stackrel{\_}{\smile}\stackrel{\smile}{\smile}|\stackrel{\_}{\smile}\cup\stackrel{\_}{}$) vel Dochmius
233–52 Cret. Tetram.: sed 237 Dim. cum Troch.
Monom. ($\cup\cup\cup-\cup$)

SCHEMA METRORVM

253 Cret. Dim. cum Ithyphallico

254–6 Iamb. Dim. Acat., Senarius, Octonarius

257–8 Troch. Septenarii

259–64 Bacch. Tetram. et Dimeter

265 Cret. Tetram. ($\stackrel{\_}{}\cup | \stackrel{\_}{}\cup\stackrel{\_}{} \| \stackrel{\_}{}\cup\stackrel{\_}{} | \stackrel{\_}{}\cup\stackrel{\_}{}$)

265^{a} Iamb. Dim. Cat.

266–77 Cret. Tetram.

278–89 Bacchiaci: sed 283 Troch. Septenarius; 284 Iamb. Dim. Cat.

(?) 285 $\cup\cup\stackrel{\_}{}\stackrel{\prime}{\cup}\cup | \stackrel{\_}{}\stackrel{\_}{}\stackrel{\_}{} \| \cup\stackrel{\_}{} | \stackrel{\_}{}\stackrel{\prime}{\cup}\cup\stackrel{\_}{}$

287, 289 $\stackrel{\_}{}\stackrel{\_}{}\stackrel{\_}{} | \cup\stackrel{\_}{} \| \cup\stackrel{\_}{}\stackrel{\_}{}$

290–413 Iamb. Septenarii

414–41 Troch. Septenarii

442–558 Iamb. Senarii

559–92 Troch. Septenarii

593–614 Iamb. Senarii

615–63 Troch. Septenarii

664–81^{a} Cret. Tetram. (sed 667 (et 668 ?) Cret. Dim. cum Troch. Monom.; 674 Cret. Trim. cum Troch. Monom.; 677 Cret. Dim. cum Troch. Dim. Cat.; 681^{a} Troch. Monom.)

678 $\stackrel{\_}{}\cup\stackrel{\_}{} | \stackrel{\_}{}\cup \| \stackrel{\_}{}\cup\stackrel{\_}{} | \stackrel{\_}{}\cup\stackrel{\_}{}$

682–705 Iamb. Septenarii

706–79 Troch. Septenarii

780–905 Iamb. Senarii

906–11, 914–8 Bacch. Tetram.

912, 921–2 Anap. Tetram. Acat., 919 Dim. Acat.

920 Iamb. Octonarius

923 Troch. Octonarius

924–5^{a} Dochmii ut vid. (vel Cret. Dim.)

926 Dochmius cum Anap. Monom. (?)

926^{a} Anap. Monom. cum Glyconico (*cum* consciust) (?)

928–37^{a} Anapaestici

938–44 Iamb. Octonarii (sed 940 Dim. Acat.)

945–6 Iamb. Septenarii contracti

$\stackrel{\smile\smile}{\_}\stackrel{\_}{}\cup - | -\stackrel{\_}{}\cup - \| \stackrel{\_}{}-\cup\cup - | \cup\stackrel{\_}{}-$

947–8 Glyconici

949–51 Cret. Tetram.

952–5 Glyconici cum Dochmiis

$$(- \cup - \cup \cup - \cup \cup - \| - \cup \cdot - -)$$

956–62ᵃ Anap. Dim. Acat., 962ᵇ Cat.

963–1190 Troch. Septenarii

1191–1204 Iamb. Senarii

1205–26 Troch. Septenarii

1227–64 Iamb. Senarii

1265–80 Troch. Septenarii

1281–1337 Iamb. Septenarii

1338–56 Iamb. Senarii

1357–1423 Troch. Septenarii

Stich. Arg. I, II Iamb. Senarii

vv. 1–3ᵃ Dochmii

4–6, 9 Versus Reiziani

7–7ᵃ — ͜ ͜ — (vel Anap. Monom. vel Colon Reiz. contractum)

8–8ᵃ Cola Reiziana, 15 bis

10–14 Iamb. 'tripodiae' (?) cum Colo Reiziano

16–17 Glyconici

18–47 Anapaestici (sed 21, 45 Glyconicus (?) cum Anap. Monom.)

48–57 Iamb. Senarii

58–154 Troch. Septenarii (sed 67 Iamb. Octonarius)

155–273 Iamb. Senarii

274–308 Iamb. Octonarii (sed 275 sqq., 291 sqq. Iamb. systema, 288ᵃ, 300 Senarii ; 280, 302 Troch. Octonarii, 288 Dim. Cat.)

309–29 Anapaestici

331–401 Troch. Septenarii

402–504 Iamb. Senarii

505–640 Troch. Septenarii

641–72 Iamb. Senarii

673–82 Iamb. Septenarii

683–761 Troch. Septenarii (sed 702–5 Iamb. Octonarii)

762–8 Iamb. Senarii

769–71 Iamb. Octonarius et Septenarii

772–3 Versus Reiziani

774–5 Iamb. Septenarii

Trin. Arg., Prol., vv. 23–222 Iamb. Senarii

SCHEMA METRORVM

223–31 Bacch. Tetram., 232 Dim.

  233–4 Iamb. Septenarii

    235 Anap. Dim. Acat.

    236 Versus Reizianus

    237 Anap. Tetram. Acat.

    238 Iamb. Monom. Acat.

    238ᵃ Iamb. Octonarius

  242–4 Anap. Tetram. Acat.

  247–9 Iambici (in tertio metro Choriambus)

250, 251 Anap. Tetram. Acat. (?)

  252–4 Trochaici

    255 Versus Reizianus $\left(-\acute{\smile}\smile-\mid-\acute{\smile}\smile-\parallel\smile-\acute{\smile}\acute{-}-\right)$

256–300 Anapaestici: sed 260, 280, 284 Versus Reiziani; 270, 273–6, 287 Dochmii (275 in Glyconicum (?) desinentes); 281, 283 Cretici; 282, 285–6 Iamb. Octonarii

  301–91 Troch. Septenarii

  392–601 Iamb. Senarii

  602–728 Troch. Septenarii

  729–819 Iamb. Senarii

  820–42ᵃ Anap. Tetram. (sed 831, 840–2 Dim. Acat., 842ᵃ Dim. Cat.)

  843–997 Troch. Septenarii

  998–1007 Iamb. Senarii

  1008–92 Troch. Septenarii

1093–1114 Iamb. Senarii

  1115–9 Anap. Dim. Acat.

1120–89 Troch. Septenarii

Truc. Arg., Prol., vv. 22–94 Iamb. Senarii

  95–100 vix Bacchiaci

    101 Versus Reizianus

  102–11 Anap. Tetram. Acat., 114 Cat., 112–3 Dim. Cat.

115, 119 Iamb. Dim. Acat.

116–8, 120–2 Cretici (122 cum Troch. Dim.)

    116 $\acute{-}\smile\smile\mid\acute{-}\smile\acute{-}\parallel\acute{-}\smile\mid\acute{-}\smile\acute{-}$

    117 $\acute{-}-\acute{-}\mid\acute{-}\smile\acute{\smile}\smile\parallel\acute{-}\smile\mid\acute{-}\smile\acute{-}$

    118 $\acute{-}\smile\acute{-}\mid\acute{-}\smile\acute{-}\parallel\acute{-}\smile\mid\acute{-}\smile\acute{-}$

  120–1 $-\smile\smile\smile-$

    122 $\acute{-}\smile--\mid\acute{-}\smile-\parallel\acute{-}\smile\acute{-}$

SCHEMA METRORVM

124-7 Anap. Dim. Acat.
128 (?) Anap. Dim. cum Colo Reiziano ($\cup \cup \overset{\scriptscriptstyle \perp}{} \cup \overset{\scriptscriptstyle \perp}{} -$)
129 Versus Reizianus
130-208 Iamb. Septenarii
209 Colon Reizianum ($\cup \cup \overset{\scriptscriptstyle \perp}{} \cup \cup \overset{\scriptscriptstyle \perp}{} -$)
210 Iamb. Dim. Acat.
211-2 Bacch. Tetram.
213-6 Iamb. Octonarii, 217-23 Septenarii, 224-7 Senarii
228-30 Troch. Septenarii
231-6 Iamb. Octonarii, 237-40, 251-5 Septenarii, 241-7, 250 Senarii
248-9 Bacch. Tetram.
256-321 Troch. Septenarii
322-447 Iamb. Senarii
448-51 Ionici ut vid. (Anapaestici ?)
452 Versus Reizianus ut vid.
453-64 Bacch. Tetram.
461 $- \overset{\scriptscriptstyle \perp}{} \mid \cup \overset{\scriptscriptstyle \perp}{} \overset{\scriptscriptstyle \perp}{} \parallel \cup \overset{\scriptscriptstyle \perp}{} \overset{\scriptscriptstyle \perp}{} \mid \cup \overset{\scriptscriptstyle \perp}{} \overset{\scriptscriptstyle \perp}{}$
462 $\cup \overset{\scriptscriptstyle \perp}{} \overset{\scriptscriptstyle \perp}{} \mid - \overset{\scriptscriptstyle \perp}{} \overset{\scriptscriptstyle \perp}{} \parallel - \overset{\scriptscriptstyle \perp}{} \mid \cup \overset{\scriptscriptstyle \perp}{} \overset{\scriptscriptstyle \perp}{}$
465-550 Troch. Septenarii
551-2, 554-5 Bacch. Tetram.
553 (?), 558 Anap. Tetram. Acat.
556-7 Glyconici
559-65 Troch. Octonarii et Septenarii
566 Anap. Monom.
566ᵃ-68 Anap. Dim. (567 Cat.)
569-70, 574 Bacch. Tetram.
571 Troch. Octonarius
572-3 Anap. Trim. cum Colo Reiziano ($\cup \cup \overset{\scriptscriptstyle \perp}{} - \cup \cup -$)
575-80 Troch. Septenarii
581 Iamb. Dim. Acat. ut vid.
582, 584-5, 588-9, 591-2 Cret. Tetram.
589 $\overset{\scriptscriptstyle \perp}{} \cup \overset{\scriptscriptstyle \perp}{} \mid \overset{\scriptscriptstyle \perp}{} \cup \overset{\scriptscriptstyle \perp}{} \parallel \overset{\scriptscriptstyle \perp}{} - \mid \overset{\scriptscriptstyle \perp}{} \cup \overset{\scriptscriptstyle \perp}{}$
592 $\overset{\scriptscriptstyle \perp}{} \cup \overset{\scriptscriptstyle \perp}{} \mid \cup \cup - \parallel \overset{\scriptscriptstyle \perp}{} \cup \overset{\scriptscriptstyle \perp}{} \mid \overset{\scriptscriptstyle \perp}{} \cup \overset{\scriptscriptstyle \perp}{}$
583 Anap. Tetram. Cat.
586-7, 593, 595-6 Troch. Septenarii, 590 (?) Octonarius, 594 Dim. Cat.
597 Anap. Dim. Acat., 598 Tetram. Acat.

SCHEMA METRORVM

599–602 Cret. Tetram.

603–21 Anap. Tetram.

622–5 Cret. Tetram.

626–30 Troch. Septenarii et Octonarii

631–98 Iamb. Senarii

699–710 Troch. Septenarii

711 Anap. Tetram. Acat.

712, 715–8, 720–1 Bacch. Tetram., 713 (?) Trim. cum Colo Reiziano $(--\overset{\cdot}{\cup}-\overset{\cdot}{-})$

714 Anap. Dim. Acat. cum Colo Reiziano

719 Iamb. Octonarius, 722, 724 Senarii

723, 725 Cret. Tetram.

726–7 Troch. Octonarius et Septenarius

728–9 Versus Reiziani

730–968 Troch. Septenarii

Vid. Prol., Iamb. Senarii

frag. I–II Troch. Septenarii

18–55 Iamb. Senarii

frag. v. 56–68 Troch. Septenarii

69–91, frag. VII–X Iamb. Senarii

frag. XI–XIV Troch. Septenarii

frag. XV–XVI Iamb. Senarii

frag. XIX Iamb. Septenarius

Frag. 1, 5 Troch. Septenarii

3–4 Iamb. Senarii

6 Iamb. Septenarius

9–13 Troch. Septenarii

15 Iamb. Senarius

16–7 Iamb. Dim. Cat., 18 Septenarius, 19 Octonarius

20 Versus Reizianus

21–30 Iamb. Senarii

31, 36 Iamb. Octonarius

32 Versus Reizianus

37 Iamb. Senarius

40 Troch. Septenarius

41 Iamb. Septenarius, 44–6 Senarii

47–8 Troch. Septenarii

49–50 Iamb. Senarii

SCHEMA METRORVM